中央与地方国有资产产权关系研究

李松森 著

人民出版社

责任编辑:陈寒节
责任校对:湖 催

图书在版编目(CIP)数据

中央与地方国有资产产权关系研究/李松森 著
—北京:人民出版社,2006.12
ISBN 7-01-005966-7

Ⅰ.中... Ⅱ.李...
Ⅲ.国有资产－产权－中央和地方的关系－研究－中国　Ⅳ.F123.7

中国版本图书馆 CIP 数据核字(2006)第 141313 号

中央与地方国有资产产权关系研究
ZHONGYANG YU DIFANG GUOYOUZICHAN CHANQUANGUANXI YANJIU

李松森 著

人民出版社 出版发行
(100706 北京朝阳门内大街 166 号)
北京双桥印刷厂印刷 新华书店经销
2006 年 12 月第 1 版 2006 年 12 月北京第 1 次印刷
开本:710 毫米×1000 毫米 1/16 印张:27.75
字数:423 千字 印数:1—3000 册

ISBN 7-01-005966-7 定价:50.00 元

邮购地址:100706 北京朝阳门内大街 166 号
人民东方图书销售中心 电话:(010)65250042 65289539

目 录

导 言 ………………………………………………………………… 1

第一章 马克思主义财产权学说及其指导意义 ………………… 1
  第一节 财产权要素理论 ……………………………………… 1
  第二节 财产收益分配一般规律理论 ………………………… 12
  第三节 财产所有权、占有使用权和监督管理经营权分离理论 … 30
  第四节 财产权利受法律保护理论 …………………………… 35
  第五节 国家财产权理论 ……………………………………… 44
  本章小结 ………………………………………………………… 58

第二章 财产权理论辨析 …………………………………………… 61
  第一节 如何正确认识马克思主义财产权学说 ……………… 61
  第二节 西方学者产权理论评析 ……………………………… 78
  第三节 我国学者产权理论评析 ……………………………… 85
  本章小结 ………………………………………………………… 105

第三章 中央与地方国有资产产权关系改革的目标模式 ……… 108
  第一节 国有资产产权要素探索 ……………………………… 108
  第二节 中央与地方国有资产产权关系现状的基本分析 …… 113
  第三节 中央与地方国有资产产权关系改革的目标模式 …… 124
  本章小结 ………………………………………………………… 135

第四章 中央与地方国有资产产权主体关系 …………………… 137
  第一节 国有资产产权主体理论探索 ………………………… 137
  第二节 改革中央与地方国有资产产权主体关系的理论依据 … 143

第三节　中央与地方国有资产产权主体关系现状分析…………… 148
第四节　改革中央与地方国有资产产权主体关系的政策思路……… 153
本章小结………………………………………………………………… 168

第五章　中央与地方国有资产所有权关系　170
第一节　中央与地方国有资产所有权权能探索………………… 170
第二节　改革中央与地方国有资产所有权关系的理论依据……… 174
第三节　中央与地方国有资产所有权关系的国际借鉴…………… 185
第四节　中央与地方国有资产所有权关系现状分析……………… 188
第五节　改革中央与地方国有资产所有权关系的政策思路……… 194
本章小结………………………………………………………………… 208

第六章　中央与地方国有资产委托代理权关系　210
第一节　中央与地方国有资产委托代理权权能探索……………… 210
第二节　改革中央与地方国有资产委托代理权关系的理论依据… 219
第三节　中央与地方国有资产委托代理权关系现状分析………… 232
第四节　改革中央与地方国有资产委托代理权关系的政策思路… 243
本章小结………………………………………………………………… 249

第七章　中央与地方国有资产收益分配权关系　251
第一节　中央与地方国有资产收益分配权权能探索……………… 251
第二节　改革中央与地方国有资产收益分配权关系的理论依据… 265
第三节　中央与地方国有资产收益分配权关系的国外借鉴……… 279
第四节　中央与地方国有资产收益分配权关系现状分析………… 287
第五节　改革中央与地方国有资产收益分配权关系的政策思路… 297
本章小结………………………………………………………………… 308

第八章　中央与地方国有资产举债权关系　311
第一节　中央与地方国有资产举债权权能探索…………………… 311
第二节　改革中央与地方国有资产举债权关系的理论依据……… 322
第三节　中央与地方国有资产举债权关系现状分析……………… 335

第四节　公债管理体制的国际借鉴……………………………… 341
　　第五节　改革中央与地方国有资产举债权关系的政策思路…… 346
　　本章小结……………………………………………………………… 363
第九章　中央与地方国有资产立法权关系………………………………… 366
　　第一节　中央与地方国有资产立法权权能探索…………………… 366
　　第二节　改革中央与地方国有资产立法权关系的理论依据……… 382
　　第三节　中央与地方国有资产立法权关系的国外借鉴…………… 393
　　第四节　中央与地方国有资产立法权关系现状分析……………… 397
　　第五节　改革中央与地方国有资产立法权关系的政策思路……… 401
　　第六节　相关配套政策组合………………………………………… 412
　　本章小结……………………………………………………………… 416
参考文献……………………………………………………………………… 419
后　记………………………………………………………………………… 426

导　言

一

　　国有经济是我国国民经济的主导力量,我国社会主义社会的性质决定了国家保障国有经济的巩固和发展。国有经济控制国民经济命脉,对于发展社会主义制度的优越性,增强我国的经济实力、国防实力和民族凝聚力,具有关键性作用。

　　在社会主义市场经济条件下,国有资产是政府宏观经济调控的重要手段,要保障国有经济的持续发展,更好地发挥国有经济在国民经济中的主导作用和国有资产对市场经济的调控作用,必须遵循财产权规律,建立科学的国有资产管理体制,理顺国有资产财产权关系,清除国有资产管理面临的体制性障碍。我国国有企业主要是由各级政府投资形成的。在计划经济体制下,地方政府不是独立的财产权主体,没有在各级政府间理顺产权关系的必要。然而,随着我国社会主义市场经济体制的建立和完善,中央政府和地方政府之间的财权、事权关系越来越清晰化,它们之间的财产权关系也应相应理顺。正是基于此,党的十六大报告高屋建瓴地提出:继续调整国有经济的布局和结构,改革国有资产管理体制,是深化经济体制改革的重大任务。在坚持国家所有的前提下,充分发挥中央和地方两个积极性。国家要制定法律法规,建立中央政府和地方政府分别代表国家履行出资人职责,享有所有者权益,权利、义务和责任相统一,管资产和管人、管事相结合的国有资产管理体制。关系国民经济命脉和国家安全的大型国有企业、基础设施和重要自然资源等,由中央政府代表国家履行出资人职责。其他国有资产由地方政府代表国家履行出资人职责。中央政府和省、市(地)两级地方政府设立国有资产管理机构。继续探索有效的国有资产经营体制和方式。十六大报告为国有资产管理体制的进一步改革指明了方向。

随着新的国有资产管理体制的建立和国家在国有资产管理模式上从管理企业向着管理产权的转变,国有企业由单一产权主体向着多元产权主体的转变,政府逐步退出企业日常经营管理和行政管理模式,促使中央企业与地方企业的区分进一步变成中央产权与地方产权的区分,使事实上形成的地方国有资产管理权限,在统一的国有资产终极财产权代表授权下,获得了关于权责利的初步界定。在新的国有资产管理体制建立过程中,若不进一步理顺产权关系和界定相关权限,中央政府和地方政府分别代表国家履行国有资产出资人职能的事项就无法具体展开,以往国有资产管理体制中的国有资产出资人缺位的现象、国有资产所有权职能和行政管理职能相混淆的问题、国有企业经济效益不高以及国有资产流失等问题仍将难以解决。基于此,党的十六届四中全会特别强调:正确处理中央和地方的关系,合理划分经济社会事务管理的权限和职责,做到权责一致,既维护中央的统一领导,又更好地发挥地方的积极性。中央与地方之间的国有资产产权关系问题也由此成为一个理论热点,引发了理论界的广泛关注。随着国有企业和国有资产管理体制改革的渐次深入,中央与地方之间国有资产产权关系已经成为亟待解决的现实问题。因此,本课题研究无疑具有重要的理论与现实意义。

二

马克思主义的财产权学说揭示了市场经济条件下财产权关系的一般规律和内在规定性,反映了社会化生产的客观要求,是改革中央与地方之间国有资产产权关系的理论依据。它指明了现代财产权理论的发展方向,为我们结合社会主义市场经济体制改革实际,发展马克思主义的财产权学说,建立现代产权制度,在此基础上进一步研究和改革中央与地方之间国有资产产权关系,奠定了科学坚实的理论基础。马克思主义财产权学说主要包括财产权要素理论,财产所有权、占有使用权和监督管理经营权分离理论,财产收益分配一般规律理论,财产权利受法律保护理论和国家财产权理论等五个部分。

财产权要素理论的核心内容是:产权是指财产所有者的权利,财产权利具有独占性(垄断性)、收益性等特征;财产权利包括多种权能,并有不同的组合方式和分离方式;财产权利依据财产的物质实体不同,有多种表现形式;财产权利是社会生产关系的具体表现形式,财产权利的本质是财产权关系;财产权关系是财产所有者相互之间在占有、分配和处分财产(物质财富)过程中发生的经济关系。正确认识和遵循财产权利的这些基本规定性,是正确处理中央与地方之间国有资产产权关系的前提。从对财产权特征、财产所有权表现形式和财产权本质的认识中,我们可以找出正确处理中央与地方之间国有资产产权关系的最基本规则,例如,财产权的垄断性、收益性,财产权能的组合趋势、财产权利的多种形式。从而更清楚地认识财产权的本质,按照财产权利的基本规定性建立现代企业产权制度和改革中央与地方之间的国有资产产权关系,促进社会主义市场经济的健康发展。

三权分离理论的核心内容是:随着社会分工的扩大和财产权组织形式的变化,财产的所有权、占有使用权与监督管理经营权可以分离;资本的所有权、占有使用权和监督管理经营权有着明确内涵,有着相对应的收益形式和数量界限。

财产收益分配一般规律理论的核心内容是:劳动、生产资料和土地作为社会生产的物质要素,是任何社会生产方式都必须具有的要素;在社会主义市场经济条件下,同样存在劳动、生产资料和土地这三个物质要素,而所有其他的要素无非是这三个物质要素的具体表现形式或转化形态;社会主义社会生产过程的所有物质要素作为财产客体,都与财产主体有着内在的占有和被占有关系,即财产主体排他地、垄断地拥有财产的所有权;在劳动、生产资料和土地这些物质要素的背后是劳动力所有权、生产资料所有权和土地所有权;它们之间的关系,本质上是不同物质要素所有权之间的关系,进一步说是劳动力所有者、生产资料所有者和土地所有者之间的关系;这些物质要素的所有者依据不同的财产权利要求得到物质要素收益,是财产收益分配一般规律的客观要求。

三权分离理论和财产收益分配一般规律理论,为我们科学界定国有资产产权主体的财产权利提供了理论依据,从而引导我们走出了国有资产占有使用权与具体监督管理经营权混淆不清的理论误区。这一理论揭示了现代企业制度下产权关系的基本规定性,是指导国有企业建立现代企业制度和现代产权制度的核心理论。只有承认和保护各个财产所有者的财产权利,遵循财产权关系的基本规定性和财产收益分配规律,国有企业的改革才有可能成功,企业的经济效益才有可能提高,中央与地方之间的国有资产产权关系才能够理顺,才能够达到调整产权关系促进生产力发展的改革目标。三权分离理论对于建立现代企业制度、正确处理中央与地方之间国有资产产权关系,具有特别重要的意义。

财产权利受法律保护理论的核心内容是:财产权利受法律保护是现代社会生产方式的基本规定性,遵循财产权关系的基本规定性和财产收益分配规律,财产所有者的财产权利得到法律的确认并受到法律的保护,财产权关系才是和谐的,社会再生产过程才可能是正常的。党的十六大之后我国实行经营性国有资产分级代表管理体制,中央政府和地方政府的国有资产监督管理委员会分别代表国家拥有经营性国有资产的财产权,对所出资企业行使国有资本所有者的权利。同时,国有资产监督管理委员会又拥有国有资本的占有使用权,它占有使用的是自有资本,行使管人、管事、管资产的职能。各级政府的出资企业监督管理经营者履行国有资本具体监督管理经营的职责,拥有国有资本的经营权。国家应当以法律的形式明确国有资本各财产主体的身份、权利、责任和义务,理顺它们之间的财产收益分配关系,确保其财产权利不受侵犯。应当通过建立健全法律法规,将中央与地方之间国有资产财产权关系确定和保护起来,以维护中央和地方政府作为国有资产产权主体的财产权利。

国家财产权理论的核心内容是:生产资料公共占有是社会化大生产发展的必然趋势,国家占有生产资料的根本目的是促进生产力的发展,国家领导经济能力的发挥与生产资料公共占有有着必然的联系,生产资料的国家所有是渐进实现的,国有产权组织形式发展的方向是建立大型的股份制企业。中央和地方政府作为国有产权主体,应当遵循国家财产权的基本规定性,正确把握国家财产权的发展趋势,寻求适应市场经济发展要求的政府产权管理体制和管理方式,提高管理才能,改革国有产权的组织形式,以促进社会生产力的进一步发展。

总之,马克思主义财产权学说,对于我们全面把握财产权的内涵,深入研究财产所有权与财产收益之间的关系,探讨财产收益的数量界限,正确认识物质要素和财产收益分配一般规律在社会主义市场经济条件下的客观反映,正确认识现代企业制度下产权关系的内在规定性,正确认识健全国有资产法制的重要性,正确把握国家财产权的发展趋势,改革中央与地方之间国有资产产权关系,进一步推进国有资产管理体制和国有企业的改革,具有重要的指导意义。

三

马克思主义经济学说是辩证的和唯物的,对马克思主义财产权学说也只有运用辩证的和唯物的方法进行研究才能够认识和掌握,并用以指导我国产权制度的改革实践。我国学术界曾有人提出马克思经济理论对公有产权改革不适应等观点,这些观点大都建立在片面理解马克思主义经济学说的基础上,因而难以得出正确的结论,对现代产权理论的研究也难以有突破性的进展。

对马克思经济学说的正确认识和全面掌握,是正确认识马克思主义财产权学说的前提。只有运用了辩证和唯物的方法,我们才能发现马克思在分析研究资本主义经济运行规律的同时,也阐述了市场经济运行的基本原理,揭示了基于资本主义社会生产资料私有制的资本主义财产权关系,建立了科学的财产权理论体系,创立了马克思主义的财产权学说;才能发现马克思阐述的所有制理论实际上包含了财产权基本理论和财产权规律的内容,是对现代社会财产权规律的客观总结;才能发现马克思主义财产权学说是主要揭示经济发展所决定的财产权关系内在规定性的学说,而财产权关系的内在规定性正是马克思从经济发展出发研究的财产权问题;才能发现财产权关系反作用于经济发展,对经济发展起着促进或阻碍作用,财产权关系变革要适应生产力发展的规律;才能发现马克思主义的财产权学说从来没有否认过财产权的收利性质,马克思认为一般剩余劳动和剩余产品必须始终存在,并且构成一切社会生产方式所共有的基础,即使是对未来公有制社会而言也是如此;才能发现马克思主义财产权学说并不是主张实行单一的公有制,而是认为未来公有制产权的发展是在生产资料共同占有的基础上,实行个人拥有财产权利的制度,国有化的前提是生产资料或交通手段真正发展到不适于由股份公司来管理,实行完全的国家所有也要经过一个很长的历史过程,而在这个过程中长期存在的产权组织形式是股份制的形式。

四

国有资产财产权利高度集中与财产收益分配关系不和谐并存,是我国原国有资产管理体制效率不高的症结所在。其主要弊端表现为:中央与地方之间国有资产产权关系存在的出资人不到位,政出多门;所有权高度集中,地方没有积极性;占有使用权委托代理,损害所有者权益;收益分配权责不清,出资人财产权利难以实现;举债权高度集中,债务风险加大;立法权划分不清晰,国有资产法律建设滞后,等等。中国共产党第十六次全国代表大会为改革中央与地方之间国有资产产权关系,建立科学的、符合市场经济要求的国有资产管理体制指明了方向。以十六大提出的国有资产管理体制改革方针为指导,为从根本上解决国有资产财产权利高度集中与财产收益分配关系不和谐并存问题,我们认为,应当将中央与地方之间的国有资产产权主体关系、所有权关系、委托代理权关系、收益分配权关系、举债权关系和立法权关系作为改革的突破口,全面深化国有资产管理体制改革。否则,将难以清除发挥国有经济主导作用、建立现代产权制度、建立现代企业制度和发展社会主义市场经济的体制障碍,也难以达到变革财产权关系适应和促进社会生产力发展的目的。

为此,我们提出,改革中央与地方之间国有资产产权关系的目标模式是:建立一级政府、一级产权主体、一级所有权、一级委托代理权、一级收益分配权、一级举债权、一级立法权的国有资产管理新体制。

实行这一体制,将有利于健全政府职能,有利于国民经济结构的整体优化,有利于国民经济重点产业和地区优势产业的发展,有利于明晰政府间的国有资产产权关系,有利于实现国有资产的保值增值,有利于促进国有经济战略性调整,有利于建立现代企业制度,有利于发挥中央和地方政府国有资本运营主体的作用,有利于进一步推进法律的完善和财政税收体制的改革。

五

按照国有资产管理体制改革的实际需要,我们将研究的重点放在中央与地方之间国有资产产权主体关系、所有权关系、委托代理权关系、收益分配权关系、举债权关系和立法权关系等六个方面。侧重于探讨改革中央与地方国有资产产权关系的理论依据、分析中央与地方国有资产产权关系的现状和论证改革中央与地方国有资产产权关系的政策思路。

在国有资产管理主体关系改革方面,提出:建立以国有企业出资人制度为核心的,由中央和地方国有资产监督管理委员会——国有资本运营机构——实行现代企业制度的企业三层次管理主体构成的国有资产产权主体结构。健全产权主体,统一权利,分层管理,明确职责,打破隶属关系,联合协作,划分目标层次,明确工作任务,明晰产权关系,健全法律制度,运用经济手段,加强调节控制,理顺中央与地方之间的国有资产产权主体关系。

在国有资产所有权关系改革方面,提出:建立在中央统一政策指导下,各级政府分别代表国家履行出资人职责,财产权利与收益形式相对应,产权行使边界划分清晰,监督和激励约束机制健全的国有资产所有权管理体制。实行统一政策,分级代表,财产权与收益相对应,合理界定中央与地方产权行使边界,加强对国有资产所有者代表的监督,建立激励约束机制,国有企业目标单一化,理顺中央与地方之间国有资产所有权关系。

在国有资产委托代理权关系改革方面,提出:建立中央和地方政府分别代表国家行使国有资产委托代理权,享有委派聘任所有权代理人、占有使用权代理人、经营执行权代理人、企业重大决策和监督权的委托代理制度。实行所有权委托代理,委托代理权利与收益对称,明确委托人职能,重构代理模式,明确地方政府的财产权利,建立双向监督制约机制,规范国有资产委托代理权关系,完善中央与地方之间国有资产委托代理权关系。

在国有资产收益分配权关系改革方面,提出:建立中央和地方政府分别依据国有资产所有权和占有使用权收缴国有资产收益的分配制度。统一政策,适度分权,规范国有资产收益分配秩序,建立国有资产经营预算,加强宏观调控,平衡地区利益,建立健全法律保障体系,理顺中央与地方之间国有资产收益分配权关系。

在国有资产举债权关系改革方面,提出:建立中央和地方政府分别依据拥有国有资产数量和经营效益,根据履行经济建设职能和调节控制职能需要,在中央统一政策指导下,通过国有资产举债从事国有资本运营活动的政府信用制度。区分公共债务和国有资产债务,在明晰产权关系的前提下提高偿债能力,明确不同性质债务资金的支出方向,严密论证地方国有资产举债制度的可行性,科学设计地方国有资产举债制度,实施配套改革的措施,理顺中央与地方之间国有资产举债权关系。

在国有资产立法权关系改革方面,提出:建立中央和地方政府分别代表国家行使国有资产立法权,立法权限划分清晰,中央统一国有资产基本法,地方适度分权的国有资产立法体制。健全法制,及时立法,创制立法,统分结合,以法律规范国有资产财产权利和产权关系,完善中央与地方之间的国有资产立法权关系。

六

本课题研究采用理论与实践相结合、具体案例分析与数字分析相结合、中西方理论实践对比、优点与弊端相对比的方法,比较系统地论证了中央与地方国有资产产权关系的基本内涵和历史沿革,较为客观地分析了中央与地方之间国有资产产权关系的现状及诸多弊端,在此基础上,提出了改革中央与地方国有资产产权关系的理想模式和政策建议。本课题最终研究成果包括九章。

第一章马克思主义财产权学说及其指导意义。在深入研究马克思主义经济理论的基础上,系统描述和概括了马克思主义财产权学说,提出马克思主义财产权学说主要包括五个组成部分,并就其现实指导意义进行了讨论。

第二章财产权理论辨析。围绕马克思主义经济理论是否对我国产权制度改革具有指导意义等争论问题进行了讨论,澄清了理论界的一些模糊认识。对我国产权理论的发展和西方产权理论的主要观点进行了评析。

第三章改革中央与地方国有资产产权关系的目标模式。在对我国国有资产产权关系存在的基本问题进行深入分析的基础上,指出国有资产财产权利高度集中与财产收益分配关系不和谐并存,是我国原国有资产管理体制效率不高的根本原因。进而设计了改革中央与地方之间国有资产产权关系的目标模式,论证了建立国有资产管理新体制的现实意义。

第四章中央与地方国有资产产权主体关系。探讨了中央与地方国有资产产权主体关系的定位和意义,分析了存在的主要问题,论证并提出了中央与地方之间国有资产产权主体关系改革的目标——建立一级政府,一级产权主体的国有资产产权主体管理体制和政策思路。

第五章中央与地方国有资产所有权关系。探讨了中央与地方国有资产所有权权能的内涵和改革的理论依据,分析了存在的主要问题,论证并提出了中央与地方之间国有资产所有权关系改革的目标——建立一级政府,一级所有权的国有资产所有权管理体制和政策思路。

第六章中央与地方国有资产委托代理权关系。探讨了中央与地方国有资产委托代理权权能的内涵,介绍了马克思主义委托代理理论和我国学者提出的委托代理理论,分析了存在的主要问题,论证并提出了中央与地方之间国有资产委托代理权关系改革的目标——建立一级政府,一级委托代理权的国有资产委托代理权管理体制和政策思路。

第七章中央与地方国有资产收益分配权关系。探讨了国有资产收益分配权能的内涵、论证了改革中央与地方之间国有资产收益分配权关系的理论依据,在对存在的主要问题进行分析的基础上,论证并提出了中央与地方之间国有资产收益分配权关系改革的目标——建立一级政府,一级收益分配权的国有资产收益分配权管理体制和政策思路。

第八章中央与地方国有资产举债权关系。探讨了公共举债权与国有资产举债权的区别和联系,改革的理论依据和意义,对中央与地方国有资产举债权关系的现状进行了分析,论证并提出了中央与地方之间国有资产举债权关系改革的目标——建立一级政府,一级举债权的国有资产举债权管理体制和政策思路。

第九章中央与地方国有资产立法权关系。探讨了国有资产立法权权能的内涵和改革的理论依据,在对存在的主要问题进行分析的基础上,提出了中央与地方之间国有资产立法权关系改革的目标——建立一级政府,一级立法权的国有资产立法权管理体制和政策思路。

七

就广义国家财产权而言,除经营性国有资产财产权外,还包括国有土地财产权和非经营性国有资产财产权。按照马克思主义财产权理论,土地财产权有其特殊的规律,而且土地财产权对生产资料财产权形成压力或者约束和限制。在土地财产权归国家所有的情况下,土地财产权的收益形式就由地租转变为国家的各种税收,存在着土地财产价值的转移形式、收益形式,以及中央与地方之间依据土地所有权和占有使用权而获得税收收入的权利划分问题。由于公共财政收入的分配和再分配属于以国家为主体的公共属性分配,公共财政收入本质上说是国家依据土地财产权获得的收益,公共财政收入的再分配本质上是用于改善社会成员的一般生产条件和一般生活条件,因此,就引申出国家征税的理论依据和政府职能的划分等问题。由于这方面的内容属于税收学和财政学的范畴,需要另设专题进行研究,本书只是从物质要素角度就财产权意义上的土地财产权的基本特征进行了讨论。

非经营性国有资产财产权主要服务于国家的政治和社会职能,是国有土地财产的表现形式之一,构成一般生产条件和一般生活条件的组成部分,有其不同于经营性国有资产的特性,也需要专门进行研究。因此,本书未作进一步讨论。

从严格的意义上看,国有土地财产(含各种依附于土地的资源)如果用于经营用途,就具有经营性资产的性质。因而,也就存在国有土地以及各种自然资源所有权和占有使用权的形式、收益的形式和数量界限;国有土地以及各种自然资源使用权、开采权、砍伐权、捕捞权等财产权转让等方面的问题,也应当纳入经营性国有资产的管理研究范围,也涉及到国有产权管理体制以及中央与地方之间的产权关系问题。土地作为资本使用,有其特定的规律。限于本课题研究的重点,对改革国有土地财产权管理体制问题,本书没有展开进一步的讨论。

此外,广义财产权范畴还包括劳动力财产权。劳动力所有者依据劳动力财产所有权,获得工资形式的劳动力财产收益。劳动力财产权的特征、权能分解、收益的数量界限,以及与资本财产权、土地财产权的关系,也有其特定的规律,需要另设专题进行研究。

第一章 马克思主义财产权学说及其指导意义

马克思主义财产权学说是以财产主体拥有的财产权利、财产权的形式,财产权各项权能之间的关系,财产主体在生产中的地位及其相互关系,财产主体获得财产收益的形式及其数量界限,财产权组织形式,变革财产权关系促进生产力发展等为主要内容的学说。其研究对象是社会经济活动中财产主体之间的财产权关系。马克思主义的财产权学说揭示了市场经济条件下财产权关系的一般规律和内在规定性,反映了社会化大生产的客观要求。对于我们正确认识市场经济条件下的财产权规律,按照财产权规律的客观要求,改革我国产权管理体制,建立现代产权制度,促进生产力的发展,具有重要的指导意义。同时,也为我们进一步改革中央与地方政府之间国有资产产权关系提供了理论依据。

第一节 财产权要素理论

财产权要素理论是马克思主义财产权学说中关于财产权基本内涵和基本规定性的理论。主要包括财产权利概念的界定、财产权特征的描述、财产所有权的表现形式和财产权的本质等内容。

一、财产权利

财产权利的基本内涵是:财产权是财产所有者的权力,即财产所有者任意支配其财产的权利。马克思指出:"无论如何,财产也是一种权力。例如,经济学家就把资本称为'支配他人劳动的权力'。可见,在我们面前有两种权力:一种是财产权力,也就是所有者的权力,另一种是政治权力,即国家的权力。"①马克思还认为,财产权是一种财产所有者"使用和滥用的权利",即任意支配归其所有的财产的权利。"实际上滥用这个概念对于所有者具有极为明确的经济界限,如果他不希望他的财产即他的滥用的权力转入他人之手的话;因为仅仅从对他的意志的关系来考察的物根本不是物,物只有在交往的过程中并且不以权利为转移时,才成为物,即成为真正的财产。"②这就是说,对于财产所有者而言,任意支配其财产的权利是所有者的权利,物成为财产是因为存在着所有和占有关系,一旦这种权利转让给了他人,物就不能成为这个所有者的财产了。

拥有财产是人类生存的前提。马克思说:"一切劳动首先而且最初是以占有和生产食物为目的的。"③"人类生存的第一个前提也就是一切历史的第一个前提,这个前提就是:人们为了能够'创造历史',必须能够生活。但是为了生活,首先就需要衣、食、住以及其他东西。因此第一个历史活动就是生产满足这些需要的资料,即生产物质生活本身。同时这也是人们仅仅为了能够生活就必须每时每刻都要进行的(现在也和几千年前一样)一种历史活动,即一切历史的基本条件。……已经得到满足的第一个需要本身、满足需要的活动和已经获得的为满足需要用的工具又引起新的需要。这种新的需要的产生是第一个历史活动。"④这里,马克思说的"已经获得的为满足需要用的工具"就是指人们拥有的生产资料,即我们所说的生产资料财产。可见,生产资料成为财产是因为它是人类社会生存和发展的条件。占有和拥有财产(包括生产资料和生活资料)是人类生存的前提,而不断地生产生产资料和生活资料并占有和消费它们,是人类为了存在和发展所必须进行的历史活动。

---

① 《马克思恩格斯选集》第一卷,人民出版社1973年版,第170页。
② 《马克思恩格斯选集》第一卷,人民出版社1973年版,第70~71页。
③ 马克思:《资本论》第三卷(下),人民出版社1975年版,第713页。
④ 《马克思恩格斯选集》第一卷,人民出版社1973年版,第32~33页。

二、财产权的特征

财产权的特征是对财产权利所具有的内在规定性的概括。主要包括以下方面。

（一）财产所有权是一种独占权或垄断权

马克思指出："要出售一件东西，唯一需要的是，它可以被独占，并且可以让渡。"①"……一切古老国家都把土地所有权看作所有权的特别高尚的形式，"②"土地所有权的前提是，一些人垄断一定量的土地，把它作为排斥其他一切人的只服从自己个人意志的领域。"③可见，财产所有权是一种独占或垄断的权利，它排斥别人对所有者的财产进行违背所有者意志的干预。

（二）财产所有权是一种获得收益的权利

拥有财产权的目的是获得收益。马克思对财产所有权的收益权利特征进行了深入的分析。在阐述地租理论时，马克思说："地租表现为土地所有者出租一块土地而每年得到的一定的货币额。"④在分析继承权问题时，马克思还指出："继承权之所以具有社会意义，只是由于它给继承人以死者生前所有的权利，即借助自己的财产以攫取他人劳动成果的权利。例如，土地使所有者在生前有权以地租形式毫无抵偿地攫取他人劳动的果实。资本使所有者有权以利润和利息的形式获得同样的果实。国家有价证券所有权使所有者能够不劳而获地专靠他人的劳动果实过活等等。"⑤可见，财产所有权虽然在作为财产的物质实体上可以有所不同，但依据财产所有权获得财产收益的权利却是共同的。

只有能够给所有者提供利益的物，才是真正的财产。在分析私有制的财产权问题时，马克思指出："某人在法律上可以享有对某物的占有权，但实际

---

① 马克思：《资本论》第三卷（下），人民出版社1975年版，第714页。
② 马克思：《资本论》第三卷（下），人民出版社1975年版，第703页。
③ 马克思：《资本论》第三卷（下），人民出版社1975年版，第695页。
④ 马克思：《资本论》第三卷（下），人民出版社1975年版，第702页。
⑤ 《马克思恩格斯选集》第二卷，人民出版社1973年版，第284页。

上并没有占有某物。例如,假定由于竞争的缘故,某一块土地不再提供地租,可是这块土地的所有者在法律上仍然享有占有权利以及使用和滥用的权利。但是,这种权利对他毫无用处;他作为这块土地的所有者,如果除此之外没有足够的资本来经营他的土地,就一无所有。"①这里的占有权显然是指土地所有者对土地的所有权。马克思还指出:"单纯法律上的土地所有权,不会为土地所有者创造任何地租。但这种所有权使他有权不让别人去经营他的土地,直到经济关系能使土地的利用给他提供一个余额,而不论土地是用于真正的农业还是用于其他生产目的(例如建筑等等)。"②可见,拥有法律上的财产所有权的目的是获得财产收益。

三、财产所有权的表现形式

马克思对资本主义生产方式下财产所有权的主要表现形式和不同财产权利的内在规定性,进行了深入的研究和科学的概括。

(一)劳动力财产所有权

劳动力是劳动者的财产,劳动力的所有者拥有劳动力的所有权。马克思指出:"劳动力只是劳动者的财产(它将不断进行更新,自行再生产),而不是他的资本。劳动力是他为了生存而能够不断出卖和必须不断出卖的唯一商品,它只有到了买者即资本家手中,才作为资本(可变资本)起作用。"③马克思还指出:"劳动力只有而且只是因为被它自己的所有者即有劳动力的人当作商品出售或出卖,才能作为商品出现在市场上。劳动力所有者要把劳动力当作商品出卖,他就必须能够支配它,从而必须是自己的劳动能力、自己人身的自由的所有者。"④可见,劳动力是劳动者的财产,劳动者作为劳动力财产的所有者拥有劳动力财产的支配权。劳动力成为劳动者的财产是因为劳动力能够通过出卖,并作为可变资本创造价值和剩余价值。

---

① 《马克思恩格斯选集》第一卷,人民出版社1973年版,第71页。
② 马克思:《资本论》第三卷(下),人民出版社1975年版,第853页。
③ 马克思:《资本论》第二卷,人民出版社1975年版,第491页。
④ 马克思:《资本论》第一卷(上),人民出版社1975年版,第190页。

(二) 生产资料财产所有权

生产资料是生产资料所有者的财产,生产资料所有者拥有生产资料的所有权。资本是已经转化为资本的生产资料。"资本不是物质的和生产出来的生产资料的总和。资本是已经转化为资本的生产资料,这种生产资料本身不是资本,就像金和银本身不是货币一样。社会某一部分人所垄断的生产资料,同活劳动相对立而独立化的这种劳动力的产品和活动条件,通过这种对立在资本上被人格化了。"①可见,生产资料是生产资料所有者的财产,生产资料所有者拥有生产资料的所有权,资本是生产资料的转化形态。生产资料成为资本则是因为它同劳动相对立,从而获得劳动创造的剩余价值。

资本包括原料、劳动工具和各种生活资料。马克思指出:"资本包括原料、劳动工具和各种生活资料,这些东西是用以生产新的原料、新的劳动工具和新的生活资料的。资本的所有这些组成部分都是劳动的创造物,劳动的产品,积累起来的劳动。作为新生产的手段积累起来的劳动就是资本。"②

生产资料转化为资本是资本主义社会生产所必需的生产要素。马克思认为,"利息和利润作为分配形式,是以资本作为生产要素为前提的。它们是以资本作为生产要素为前提的分配方式。它们又是资本的再生产方式。"③可见,生产资料转化为资本是资本主义社会生产所必需的生产要素,同时也是资本主义生产方式的前提。

生产资料财产的所有者依据生产资料所有权拥有剩余索取权。"凡是社会上一部分人享有生产资料垄断权的地方,劳动者,无论是自由的或不自由的,都必须在维持自身生活所必需的劳动时间以外,追加超额的劳动时间来为生产资料的所有者生产生活资料。"④可见,生产资料是作为直接的生产要素,参加到剩余价值生产过程中的。剩余价值来源于劳动者的超额劳动。生产资料作为财产,其所有者依据生产资料所有权拥有剩余索取权。

---

① 马克思:《资本论》第三卷(下),人民出版社1975年版,第920页。
② 《马克思恩格斯选集》第一卷,人民出版社1973年版,第362页。
③ 《马克思恩格斯选集》第二卷,人民出版社1973年版,第97页。
④ 马克思:《资本论》第一卷(上),人民出版社1975年版,第263页。

(三)货币资本财产所有权

货币是货币所有者的财产,货币所有者拥有货币的所有权。马克思认为,货币之所以转化为资本,是因为它作为购买手段和支付手段购买到了生产资料和能够创造剩余价值的劳动力。因此,货币资本的所有者依据货币资本所有权要求得到其货币资本投入的收益。

货币资本是以货币形式存在的资本。"存款对存款人来说是货币资本。但在银行家手中,它可以只是可能的货币资本,现在它是闲放在银行家的保险柜里,而不是闲放在它的所有者的保险柜里。"[①]货币转化为资本是因为它能够生产利润,带来剩余价值。货币"在资本主义生产的基础上能转化为资本,并通过这种转化,由一个一定的价值变为一个自行增殖、自行增加的价值。它会生产利润,也就是说,使资本家能够从工人那里榨出一定量的无酬劳动,剩余产品和剩余价值,并把它据为己有。这样,货币除了作为货币具有的使用价值以外,又取得了一种追加的剩余价值,即作为资本来执行职能的使用价值。"[②]

货币转化为资本是因为它购买到了生产资料和能够创造剩余价值的劳动力。马克思指出:"作为资本的货币或商品,其价值不是由它们作为货币或商品所具有的价值来决定,而是由它们为自己的所有者生产的剩余价值的量来决定。资本的产品是利润。在资本主义生产的基础上,货币是作为货币支出,还是作为资本预付,只是货币的不同用途。货币或商品,就其自身来说,在可能性上是资本,正像劳动力在可能性上是资本一样。因为:1.货币可以转化为各种生产要素,只是而且实际上也只是各种生产要素的抽象表现,是它们作为价值的存在;2.财富的各种物质要素具有在可能性上已经是资本的属性,因为在资本主义生产的基础上,存在着补充这些物质要素的对立面,使这些要素变为资本的东西——雇佣劳动。"[③]可见,货币之所以转化为资本,是因为它作为购买手段和支付手段购买到了生产资料和能够创造剩余价值的劳动力。因

[①] 马克思:《资本论》第三卷(下),人民出版社 1975 年版,第 577~578 页。
[②] 马克思:《资本论》第三卷(上),人民出版社 1975 年版,第 378 页。
[③] 马克思:《资本论》第三卷(上),人民出版社 1975 年版,第 398 页。

此,货币资本的所有者依据货币资本所有权要求得到其货币资本投入的收益。

货币资本财产的收益来自于剩余价值。"把货币放出即贷出一定时期,然后把它连同利息(剩余价值)一起收回,是生息资本本身所具有的运动的全部形式。"①"预付的价值额要作为资本流回,就必须在运动中不仅保存自己,而且增殖自己,增大自己的价值量,也就是必须带着一个剩余价值,作为 G + △G 流回。在这里,这个△G 是利息,即平均利润中不是留在执行职能的资本家手中,而是落到货币资本家手中的部分。"②可见,货币资本的收益来自于剩余价值,并且采取利息的形式。

(四)借贷资本财产所有权

借贷资本是借贷资本所有者的财产,借贷资本所有者拥有借贷资本的所有权。借贷资本财产本质上是货币资本财产的转化形态。马克思指出:"我们不妨把货币资本的积累,理解为银行家(职业贷款人)手中的,即私人货币和国家、团体以及从事再生产的借款人之间的中介人手中的财富的积累;因为整个信用制度的惊人的扩大,总之,全部信用,都被他们当作自己的私有资本来利用。这类人总是以货币的形式或对货币的直接索取权的形式占有资本和收入。"③可见,在资本主义社会,货币资本所有者可以通过借贷资本家把货币贷放出去,并依据货币资本的所有权获得利息收入。于是就形成了货币资本在借贷资本家手中的积累。所以,借贷资本财产本质上说是货币资本财产的转化形态。

借贷资本财产所有权是在货币资本财产所有权基础上派生出来的所有权。借贷资本所有权是借贷资本所有者获得收益的前提。借贷资本所有者依据借贷资本所有权获得收益。马克思指出:"借贷资本起初总是以货币资本形式存在,后来却作为货币索取权而存在,因为它原来借以存在的货币,现在已经以现实货币的形式处于借款人手中。对贷款人来说,它已经转化为货币

---

① 马克思:《资本论》第三卷(上),人民出版社 1975 年版,第 390 页。
② 马克思:《资本论》第三卷(上),人民出版社 1975 年版,第 392 页。
③ 马克思:《资本论》第三卷(下),人民出版社 1975 年版,第 541 页。

索取权,转化为所有权证书了。"①可见,在资本主义社会,货币资本所有者通过让渡货币资本的占有使用权,形成了借贷资本所有权,借贷资本家因此拥有了建立在信用基础上的借贷资本所有权,并依据借贷资本的所有权获得收益。

(五)证券财产所有权

证券是证券所有者的财产,证券所有者拥有证券的所有权。证券财产也是货币资本财产的转化形态,其所有权也是在货币资本财产所有权基础上派生出来的。证券财产包括各种有价证券。马克思在分析银行资本的组成部分时指出:"银行资本由两部分组成:1.现金(金或银行券);2.有价证券。我们可以再把有价证券分成两部分:一部分是商业证券即汇票,它们是流动的,按时到期的,它们的贴现已经成为银行家的基本业务;另一部分是公共有价证券,如国债券,国库券,各种股票,总之,各种有息的而和汇票有本质差别的证券。这里还可以包括不动产的抵押单。由这些物质组成部分构成的资本,又分为银行家自己的投资和别人的存款,后者形成银行营业资本或借入资本。对那些发行银行券的银行来说,这里还包括银行券。"②证券是代表资本的所有权证书。"这种证券就是代表这种资本的所有权证书。铁路、采矿、轮船等公司的股票是代表现实资本,也就是代表在这些企业中投入的并执行职能的资本,或者说,代表股东预付的,以便在这些企业中作为资本来用的货币额。"③可见,证券是资本的所有权证书,代表着在物质生产领域作为资本使用的货币额。

证券财产是一种货币资本的积累方式,代表着对未来收益的索取权利。"所有这些证券实际上都只是代表已积累的对于未来生产的索取权或权利证书,它们的货币价值或资本价值,或者像国债那样不代表任何资本,或者完全不决定于它们所代表的现实资本的价值。在一切进行资本主义生产的国家,巨额的所谓生息资本或货币资本都采取这种形式。货币资本的积累,大部分不外是对生产的索取权的积累,是这种索取权的市场价格即幻想资本价值的

---

① 马克思:《资本论》第三卷(下),人民出版社1975年版,第577页。
② 马克思:《资本论》第三卷(下),人民出版社1975年版,第526页。
③ 马克思:《资本论》第三卷(下),人民出版社1975年版,第529页。

积累。"①可见,证券是一种权利证书,代表已积累的对于未来生产的索取权。

(六)土地财产所有权

土地是土地所有者的财产,土地所有者拥有土地的所有权。马克思认为,土地所有者之所以能够获得地租收入,是因为土地是生产要素。"地租——我们直接来看地产参与产品分配的最发达形式——的前提,是作为生产要素的大地产(其实是大农业),而不是通常的土地"。②"土地所有权一旦构成了地租的来源,它本身就成为竞争的结果,因为从这时起土地所有权就依附于农产品的市场价值。作为地租,土地所有权丧失了不动产的性质,变成一种交易品。只有在城市工业的发展和由此产生的社会组织迫使土地所有者只去追求商业利润,只去追求农产品给他带来的货币收入,教他把自己的土地所有权看成仅仅是一架为他铸造货币的机器以后,才可能有地租。"③可见,土地是所有工业和其他经济组织从事生产经营的场所和基本生产经营条件,土地只有得到开发利用才能够为土地所有者带来地租收入。

在土地私有制条件下,土地的所有权是获得地租的依据。土地所有权可以划分为作为劳动资料(间接生产要素)的土地所有权和作为生产工具(直接生产要素)的土地资本所有权。

土地是一般的劳动资料,是间接的生产要素。马克思指出:"劳动过程的进行所需要的一切物质条件都算作劳动过程的资料。它们不直接加入劳动过程,但是没有它们,劳动过程就不能进行,或者只能不完全地进行。土地本身又是这类一般的劳动资料,因为它给劳动者提供立足之地,给他的过程提供活动场所。这类劳动资料中有的已经经过劳动的改造,例如厂房、运河、道路等等。"④可见,土地作为自然形成的劳动资料,具有间接生产要素的性质。

土地所有者依据间接生产要素所有权获得土地收益。马克思还指出:"土地作为劳动的原始活动场所,作为自然力的王国,作为一切劳动对象的现

---

① 马克思:《资本论》第三卷(下),人民出版社1975年版,第531~532页。
② 《马克思恩格斯选集》第二卷,人民出版社1973年版,第98页。
③ 《马克思恩格斯选集》第一卷,人民出版社1973年版,第148~149页。
④ 马克思:《资本论》第一卷(上),人民出版社1975年版,第205页。

成的武库在一般生产过程中所起的作用,和生产出来的生产资料(工具、原材料等等)在一般生产过程中所起的作用,似乎必然表现在它们作为资本和土地所有权各自应得的份额上,也就是表现在它们的社会代表在利润(利息)和地租的形式上应得的份额上,就像工人的劳动在生产过程中所起的作用,会以工资的形式表现在工人应得的份额上一样。"①可见,正是由于土地本身所具有的间接生产要素的性质,它才能够参与一般生产过程,并表现为获得间接要素投入的收益。

土地所有权对土地的占有使用者和经营者来说是一种生产经营的压力。"土地所有权却和现实的生产过程无关。它的作用只限于把已经生产出来的剩余价值的一部分,从资本的口袋里转移到它自己的口袋里。"②"至于土地经营者、资本主义企业家和农业工人,他们不束缚在他们取得收入的土地上,正如厂主和工厂工人不束缚在他们加工的棉花或羊毛上一样。他们感到切身有关的只是他们的产品价格和货币收入。"③可见,资本主义企业家、土地经营者和农业工人只是土地的占有使用者和经营者。土地所有权为他们的生产经营带来了压力(因交付地租而带来的压力),因此,一旦得到了土地的占有使用权,他们就必须考虑所生产的产品的价格和货币收入。因为,只有获得更多的货币收入,他们才能在交付地租后有更多的剩余。

土地所有者在资本主义生产过程中的作用,还表现为土地所有者是土地财产的权利主体。马克思指出:"土地所有者在资本主义生产过程中的作用,不仅因为他会对资本施加压力,也不仅因为大土地所有制是资本主义生产的前提和条件(因为大土地所有制是对劳动者的劳动条件进行剥夺的前提和条件),而且特别因为土地所有者表现为最重要的生产条件之一的人格化。"④可见,土地所有者在资本主义生产过程中的作用,除了提供生产条件和对资本施加压力外,还表现为土地所有者是这种最重要生产条件的权利主体。

---

① 马克思:《资本论》第三卷(下),人民出版社1975年版,第933页。
② 马克思:《资本论》第三卷(下),人民出版社1975年版,第928页。
③ 《马克思恩格斯选集》第一卷,人民出版社1973年版,第149页。
④ 马克思:《资本论》第三卷(下),人民出版社1975年版,第928页。

土地又是生产资料(生产工具),是直接的生产要素。马克思指出:"一方面,土地为了再生产或采掘的目的而被利用;另一方面,空间是一切生产和一切人类活动所需要的要素。从这两个方面,土地所有权都要求得到它的贡赋。"①土地作为直接的生产要素,就具有资本的性质。"对土地所有者本人来说,地租是他买进土地时所付出的或卖出土地时所能收回的资本的利息。但是在买卖土地时他买进或卖出的只是地租。"②"租金不仅包含真正的地租,而且还可能包含投入土地的资本的利息。在这种情况下,土地所有者不是以土地所有者的身份而是以资本家的身份获得这一部分租金。……只要土地不被用作生产资料,它就不是资本。"③可见,土地作为直接的生产要素、作为生产资料参加物质产品生产过程,就具有资本的性质。

四、财产权的本质

财产权是社会生产关系的具体表现形式,财产权的本质是财产权关系。马克思在阐述所有制理论时指出:"在每个历史时代中所有权以各种不同的方式,在完全不同的社会关系下面发展着。因此,给资产阶级的所有权下定义不外是把资产阶级的全部社会关系描述一遍。"④可见,财产权是社会关系的具体表现形式,它反映着社会关系。

国民收入分配反映了不同生产要素所有者之间的分配关系。马克思在阐述分配关系和生产关系理论时指出:"由每年新追加的劳动新加进的价值,——从而,年产品中体现这个价值并且能够从总产品价值中取出和分离出来的部分,——分成三部分,它们采取三种不同的收入形式,这些形式表明,这个价值的一部分属于或归于劳动力的所有者,另一部分属于或归于资本的所有者,第三部分属于或归于土地所有权的占有者。因此,这就是分配的关系或形式,因为它们表示出新生产的总价值在不同生产要素的所有者中间进行分

---

① 马克思:《资本论》第三卷(下),人民出版社1975年版,第872页。
② 《马克思恩格斯选集》第一卷,人民出版社1973年版,第152页。
③ 《马克思恩格斯选集》第一卷,人民出版社1973年版,第152页。
④ 《马克思恩格斯选集》第一卷,人民出版社1973年版,第144页。

配的关系。"①可见,依据财产权进行的收益分配,反映了新生产的总价值在不同生产要素的所有者中间进行分配的关系。

根据马克思的以上论述,我们可以对财产权的基本概念作如下表述:财产权利,又称产权或财产权,是指财产所有者的权利,即财产所有者任意支配其财产的权利。财产权利具有独占性(垄断性)、收益性等特征。财产权利包括多种权能。财产权利的多种权能有不同的组合方式和分离方式。财产权利依据财产的物质实体不同,有多种表现形式。财产权利是社会生产关系的具体表现形式,财产权利的本质是财产权关系。财产权关系是财产所有者相互之间在占有、分配和处分财产(物质财富)过程中发生的经济关系。

马克思主义财产权学说的财产权要素理论,为我们正确认识市场经济条件下财产权利的基本规定性提供了理论依据。正确认识和遵循财产权利的这些基本规定性,是正确处理中央与地方之间的国有资产产权关系的前提。从对财产权特征、财产所有权表现形式和财产权本质的认识中,我们可以找出正确处理中央与地方之间国有资产产权关系的最基本规则,例如,财产权的垄断性、收益性、财产权能的组合趋势、财产权利的多种形式,更清楚地认识财产权的本质,从而按照财产权利的基本规定性改革中央与地方之间的国有资产产权关系,促进市场经济的正常发展。

第二节 财产收益分配一般规律理论

财产权的核心问题是财产权与财产收益之间的关系问题。研究这一问题就是要找出它们之间发生的必然联系,发现其内在的规律,并按照客观规律来指导我国社会主义市场经济体制改革实践、特别是国有资产管理体制改革实践和国有企业改革实践。马克思通过对资本主义社会生产方式下必需的物质要素及其收入源泉的分析,揭示了财产收益分配的一般规律。任何社会生产

---

① 马克思:《资本论》第三卷(下),人民出版社1975年版,第992页。

方式都存在着必须具有的劳动、生产资料和土地这三个物质要素。否则,社会生产就不能够进行。任何社会生产方式也都存在着以这三个物质要素为实体的财产权,当然也就存在着依据财产权而获得收益的规律。我们把它称作财产收益分配规律或财产权收益分配规律。

一、物质要素理论

马克思主义财产权学说的生产要素理论告诉我们:劳动、生产资料和土地这三个物质要素尽管在不同的社会生产方式下有不同的表现形式,但如果去掉这些社会性质,它们就具有作为生产要素必然会有的、内在地、固有的性质了。劳动、生产资料和土地这三个物质要素之间的关系,本质上是劳动力所有权、生产资料所有权和土地所有权之间的关系。进一步说是劳动力所有者、生产资料所有者和土地所有者之间的关系。

任何社会生产方式都必须具有劳动、生产资料和土地这三个物质要素。否则,社会生产就不能够进行。马克思指出:"在资本旁边,在一个生产要素的这个属于一定生产方式、属于社会生产过程一定历史形态的形式旁边,在一个与一定社会形式融合在一起、并且表现在这个社会形式上的生产要素旁边,直接地一方面排上土地,另一方面排上劳动,即排上现实劳动过程的两个要素。而这二者在这种物质形式上,是一切生产方式共同具有的,是每一个生产过程的物质要素,而与生产过程的社会形式无关。"[①]这里,资本是生产资料的转化形态,即在资本主义社会生产方式下生产资料表现为资本形态。如果去掉生产资料的资本主义性质,那么,资本就还原为作为生产资料这个生产要素的本来面目,成为一切社会生产方式所必须具有的物质要素。

生产资料、土地和劳动这三个物质要素的根本属性是:劳动与作为物质实体、作为劳动材料和劳动资料的生产资料发生关系。这些生产资料也只是在物质方面,作为各种使用价值来互相区别,并不存在所谓的社会性质。马克思指出:"劳动本身,就它作为有目的的生产活动这个简单的规定性而言,不是

---

① 马克思:《资本论》第三卷(下),人民出版社 1975 年版,第 922 页。

同具有社会形式规定性的生产资料发生关系,而是同作为物质实体、作为劳动材料和劳动资料的生产资料发生关系。这些生产资料也只是在物质方面,作为各种使用价值来互相区别:土地不是生产出来的劳动资料,其余的东西是生产出来的劳动资料。因此,如果劳动和雇佣劳动合而为一,那种使劳动条件和劳动对立的一定的社会形式也就会和劳动条件的物质存在合而为一。这样,劳动资料本身就是资本,土地本身也就是土地所有权了。这些劳动条件在劳动面前所显示出来的形式上的独立,它们在雇佣劳动面前所具有的这种独立化的特殊形式,也就成了它们作为物,作为物质生产条件所具有的不可分离的属性,成了它们作为生产要素必然会有的、内在地固有的性质了。它们在资本主义生产过程中获得的、为一定的历史时代所决定的社会性质,也就成了它们自然的、可以说是永恒的、作为生产过程的要素天生就有的物质性质了。"①可见,如果去掉生产资料、土地和劳动这三个物质要素在特定社会生产方式下的这些社会性质,它们就具有作为生产要素必然会有的、内在的、固有的性质。

二、财产收益的依据

(一)财产所有权是财产收益的基础和前提

财产所有权是由法律确认和保护的、财产所有者对其财产所享有的权利。财产所有权是收益权的基础和前提,财产所有者依据对财产的所有权(或垄断权)获得收益,获得收益是财产所有权得以实现的经济形式。

1. 工资

工资的占有是劳动力所有权借以实现的经济形式。工资以劳动力所有者对劳动力的所有权为前提。工资对于劳动力所有者来说代表着一定的收益,即一定量的必要产品价值,这是凭借劳动力所有者拥有的劳动力的所有权,从与生产资料结合的生产过程中取得的。马克思指出:"工人作为他个人的劳动力的所有者和出售者,在工资的名义下得到一部分产品。这部分产品体现着他的劳动中被我们叫作必要劳动的那个部分,也就是维持和再生产这个劳

---

① 马克思:《资本论》第三卷(下),人民出版社1975年版,第932~933页。

动力所必需的劳动部分"。① 可见,劳动力所有权是工资收益的基础和前提,获得工资是劳动力所有权在经济上借以实现的形式,即获得必要产品价值的形式。

2. 利润

利润的占有是资本所有权借以实现的经济形式。利润以资本所有者对生产资料的所有权为前提。资本对于资本所有者来说代表着一定的收益,即一定量的剩余价值。这是凭借资本所有者拥有的资本所有权,从占有使用资本的职能资本家那里取得的。马克思指出,资本的占有使用者"支付给所有者的那一部分利润,叫作利息。因此,利息不外是一部分利润的特别名称,特别项目;执行职能的资本不能把这部分利润装进自己的腰包,而必须把它支付给资本的所有者。"②可见,资本所有权是获得利润收益的基础和前提,获得利润是资本所有权在经济上借以实现的形式,即价值增值的形式。

3. 地租

地租的占有是土地所有权借以实现的经济形式。土地所有权是这种占有的基础。马克思指出:"土地所有者的收入(不论把它叫什么),即他所占有的可供支配的剩余产品,在这里是全部无酬剩余劳动被直接占有的正常的和主要的形式,而土地所有权就是这种占有的基础。"③马克思还说:"土地对土地所有者来说只代表一定的货币税,这是他凭他的垄断权,从产业资本家即租地农场主那里征收来的;……这样,土地所有权就取得了纯粹经济的形式。"④"这个作为租地农场主的资本家,为了得到在这个特殊生产场所使用自己资本的许可,要在一定期限内(例如每年)按契约规定支付给土地所有者即他所使用的土地的所有者一个货币额(和货币资本的借入者要支付一定利息完全一样)。这个货币额,不管是为耕地、建筑地段、矿山、渔场、森林等等支付,统

---

① 马克思:《资本论》第三卷(下),人民出版社1975年版,第928页。
② 马克思:《资本论》第三卷(上),人民出版社1975年版,第379页。
③ 马克思:《资本论》第三卷(下),人民出版社1975年版,第906页。
④ 马克思:《资本论》第三卷(下),人民出版社1975年版,第697页。

称为地租。……地租是土地所有权在经济上借以实现即增殖价值的形式。"①马克思还指出："地租的占有是土地所有权借以实现的经济形式,而地租又是以土地所有权,以某些个人对某些地块的所有权为前提。"②"地租是土地所有权在经济上的实现,即不同的人借以独占一定部分土地的法律虚构在经济上的实现"。③可见,土地所有权是地租收益的基础和前提,土地所有者依据对土地的垄断权获得地租收益。无论是直接占有耕地,还是占有建筑地段、矿山、渔场、森林等等,都要向土地所有者支付地租。因此,地租是土地财产所有权借以实现的经济形式。

(二)财产收益与财产所有权有着内在的必然联系

马克思在阐述资本主义社会收入分配理论时,对各种收入及其源泉进行了深入的分析,进而揭示了财产收益与财产所有权之间的内在联系。马克思指出："资本——利润(企业主收入加上利息),土地——地租,劳动——工资,这就是把社会生产过程的一切秘密都包括在内的三位一体的公式。"④"资本——利息;土地所有权(即对土地的私有权,而且是现代的、与资本主义生产方式相适应的土地私有权)——地租;雇佣劳动——工资。这样,这个公式应该包括各种收入源泉之间的联系。像资本一样,雇佣劳动和土地所有权也是历史规定的社会形式:一个是劳动的社会形式,另一个是被垄断的土地的社会形式。而且二者都是与资本相适应的、属于同一个社会经济形态的形式。"⑤可见,在资本主义生产方式下,与资本主义经济相适应的各种收入——利润、地租和工资,都与其各自的财产所有权——资本所有权、土地所有权和劳动力所有权发生着直接的联系。

马克思还指出："在资本——利息,土地——地租,劳动——工资这个公式中,资本、土地和劳动,分别表现为利息(代替利润)、地租和工资的源泉,而

---

① 马克思:《资本论》第三卷(下),人民出版社 1975 年版,第 698 页。
② 马克思:《资本论》第三卷(下),人民出版社 1975 年版,第 714 页。
③ 马克思:《资本论》第三卷(下),人民出版社 1975 年版,第 715 页。
④ 马克思:《资本论》第三卷(下),人民出版社 1975 年版,第 919 页。
⑤ 马克思:《资本论》第三卷(下),人民出版社 1975 年版,第 921 页。

利息、地租和工资则是它们各自的产物,它们的果实。前者是根据,后者是归结;前者是原因,后者是结果;而且每一个源泉都把它的产物当作是从它分离出来的、生产出来的东西。"①可见,依据不同的财产所有权获得不同的收益,有着内在的必然性。或者说,有着客观的、充分的依据。

（三）不同的财产所有权对应于不同的收益形式

不同的财产所有权对应于不同的收益形式是一种客观存在。马克思指出:"对资本家来说,资本是一台永久的吸取剩余劳动的抽水机;对土地所有者来说,土地是一块永久的磁石,它会把资本所吸取的剩余价值的一部分吸引过来;最后,劳动则是一个不断更新的条件和不断更新的手段,使工人在工资的名义下取得他所创造的一部分价值,从而取得由这部分价值来计量的一部分社会产品,即必要生活资料。……资本会把价值的一部分,从而把年劳动产品的一部分固定在利润的形式上,土地所有权会把另一部分固定在地租的形式上,雇佣劳动会把第三部分固定在工资的形式上,并且正是由于这种转化,使它们变成了资本家的收入、土地所有者的收入和工人的收入"。②马克思还说:"只要资本主义生产本身继续存在,新加入的劳动的一部分就会不断化为工资,另一部分就会不断化为利润（利息和企业主收入）,第三部分就会不断化为地租。在不同生产要素所有者订立契约时,这是前提,并且,不管相对的数量关系在各个场合发生多大变动,这个前提总是正确的。互相对立的各个价值部分采取的确定形式是前提,因为这个确定形式不断地被再生产出来。它不断地被再生产出来,又因为它不断地成为前提。"③可见,不同财产的所有权是与其相对应的收益形式的前提,不管新生产出来的价值在各个财产所有者之间按什么比例进行分配,依据财产所有权获得收益的形式是不会变化的。

三、财产收益的来源

马克思认为,所有的财产收益都来源于劳动创造的价值和剩余价值。地

---

① 马克思:《资本论》第三卷（下）,人民出版社 1975 年版,第 922 页。
② 马克思:《资本论》第三卷（下）,人民出版社 1975 年版,第 929 页。
③ 马克思:《资本论》第三卷（下）,人民出版社 1975 年版,第 985 页。

租和利润作为土地所有权和资本所有权的收益,来自于劳动力所有者创造的剩余价值。从而为科学确定产权收益的来源提供了理论依据。这也是马克思所揭示的财产收益分配一般规律的重要内容。

(一)财产收益是价值的转化形态

依据不同的财产权利所表现的不同收入形式是价值的转化形态。马克思指出:"资本家的资本,土地所有者的土地,工人的劳动力或者不如说他的劳动本身(因为他实际出售的只是外部表现出来的劳动力,而且像以前所说的那样,在资本主义生产方式的基础上,劳动力的价格必然会对他表现为劳动的价格),对资本家、土地所有者和工人来说,表现为他们各自特有的收入(利润、地租和工资)的三个不同的源泉。"①"资本会把价值的一部分,从而把年劳动产品的一部分固定在利润的形式上,土地所有权会把另一部分固定在地租的形式上,雇佣劳动会把第三部分固定在工资的形式上,并且正是由于这种转化,使它们变成了资本家的收入、土地所有者的收入和工人的收入"。② 可见,利润、地租和工资这三种收益是价值的转化形态,它们"表现为"③资本家的资本,土地所有者的土地,工人的劳动力特有收入的源泉。

(二)财产收益是对劳动者新创造价值的分配

马克思指出:"资本逐年为资本家提供利润,土地逐年为土地所有者提供地租,劳动力——在正常条件下,并且在它仍然是可以使用的劳动力时期内——逐年为工人提供工资。每年生产的总价值中的这三个价值部分,以及每年生产的总产品中和它们相适应的部分,——在这里我们先撇开积累不说,——可以每年由它们各自的所有者消费掉,而不致造成它们的再生产源泉的枯竭。它们好像是一棵长生树上或者不如说三棵长生树的每年供人消费的果实,它们形成三个阶级即资本家、土地所有者和工人的常年收入。这些收入,是由职能资本家作为剩余劳动的直接吸收者和一般劳动的使用者来进行

---

① 马克思:《资本论》第三卷(下),人民出版社 1975 年版,第 928~929 页。
② 马克思:《资本论》第三卷(下),人民出版社 1975 年版,第 929 页。
③ 这里,"表现为"的意思是说:利润、地租和工资这三种收益形式表现为资本家的资本、土地所有者的土地和工人的劳动力的特有收入的源泉,其实是一种表面现象。——本书作者注。

分配的。"①马克思还说:"这种分配是以这种实体已经存在为前提的,也就是说,是以年产品的总价值为前提的,而这个总价值不外就是物化的社会劳动。"②这里,年产品的总价值是指劳动者新创造的价值总和,即国民收入。可见,所有的财产权收益都来源于劳动创造的价值即物化劳动,而这个价值在一个社会的一定时期,总是表现为新创造的社会总产品的价值。

(三)地租、利息和产业利润是对剩余价值的分割

地租、利息和产业利润是剩余价值的表现形式。马克思指出:"剩余价值,或商品全部价值中体现着工人剩余劳动或无偿劳动的那一部分,我们称之为利润。这种利润并不是全部都归企业资本家所有。土地所有者垄断土地——不管这土地是用于农业,用于建筑,用于铁路还是用于其他某种生产目的,——就有可能以地租名义取得剩余价值中的一部分,另一方面,企业资本家拥有劳动资料,就有可能生产剩余价值,亦即占有一定量的无偿劳动;所以,凡是全部或部分地把劳动资料贷给企业资本家的劳动资料所有者,简言之,就是放债的资本家,也有可能以收取利息的名义要求取得这剩余价值中的另一部分。这样,留归企业资本家本身的,就只有称为产业利润或商业利润的那一部分了。"③"地租、利息和产业利润不过是商品的剩余价值或商品中所含无偿劳动各个部分的不同名称罢了,它们都是同样从这个源泉并且只是从这一个源泉产生的。它们不是由土地本身和资本本身产生出来的,但是土地和资本使其所有者可能从企业资本家压榨工人所得来的剩余价值中各分得一份。"④可见,地租、利息和利润是土地所有者、资本所有者和企业所有者(企业资本家即资本的占有使用者)对剩余价值的分割,剩余价值是地租、利息和利润的唯一源泉。

---

① 马克思:《资本论》第三卷(下),人民出版社1975年版,第928页。
② 马克思:《资本论》第三卷(下),人民出版社1975年版,第929页。
③ 《马克思恩格斯选集》第二卷,人民出版社1973年版,第186~187页。
④ 《马克思恩格斯选集》第二卷,人民出版社1973年版,第187页。

四、财产收益的数量界限

财产收益的数量界限是指各个财产所有者依据其财产所有权获得收入的数量边界。马克思在阐述国民收入分配规律时,对各种收入及其源泉的数量界限进行了界定,实际上也就是确定了财产所有者依据财产所有权获得收入的数量边界。

(一)财产所有者获得收益的绝对数量界限

从一个国家的角度看,国民收入总量是财产所有者获得财产收益的绝对数量界限。马克思在阐述社会生产两大部类的社会总产品价值构成理论时指出:"……全部年产品的价值,都分成:代表生产上消费掉的、按其价值来说只是转移到产品中去的不变资本 C 的价值部分和由全部年劳动加入的价值部分。后者又分成:补偿预付可变资本 V 的部分和超过可变资本而形成剩余价值 M 的部分。因此,每一部类的全部年产品的价值,和每个个别商品的价值一样,也分成 C + V + M。"①即,社会总产品价值是由补偿价值(C)、必要产品价值(V)和剩余产品价值(M)构成的。其中,必要产品价值(V)和剩余产品价值(M)构成我们通常所称的国民收入,即 V + M。马克思在阐述国民收入分配理论时还指出:"每年由新加的劳动新加到生产资料或不变资本部分上的价值,分化并分解为工资、利润和地租这些不同的收入形式,这不会改变价值本身的界限,不会改变分为这些不同范畴的价值总合,就同这各个部分之间互相比例的变化不会改变它们的总和,不会改变这个既定的价值量一样。……产品中分割为这几种收入的价值部分,完全和资本的不变价值部分一样,是由商品的价值决定的,也就是说,是由在各该场合商品中物化的劳动量决定的。因此,第一,分为工资、利润和地租的商品价值量是已定的,也就是说,商品各价值部分的总和的绝对界限是已定的。第二,就各个范畴本身来说,它们的平均的和起调节作用的界限也是已定的。"②可见,财产所有者获得的财产

---

① 马克思:《资本论》第二卷,人民出版社 1975 年版,第 439 页。
② 马克思:《资本论》第三卷(下),人民出版社 1975 年版,第 970~971 页。

收益是对国民收入(V+M)的分配,实际上是各种财产的所有者依据其拥有的财产所有权对社会新创造的价值的分割。因此,国民收入总量是全部财产收益的绝对数量界限。在这个绝对数量界限基础上,各种收入形式(工资、利润和地租)都有一个起调节作用的数量界限,即每一种形式的收入在数量上的变化,都会对其他分配形式的数量产生影响。

(二)劳动力所有者获得收入的数量界限

劳动力财产所有者获得劳动力财产收入的数量界限是平均工资。马克思指出:"工资是各个范畴的这种界限的基础。一方面,工资由自然规律调节;工资的最低限度是由工人维持和再生产自己的劳动力时身体上所必需的生活资料的最低限度规定的,也就是由一定量的商品规定的。这些商品的价值是由它们的再生产所需要的劳动时间决定的,从而是由新加到生产资料上的那部分劳动决定的,或者是由工作日中工人为生产和再生产这种必要生活资料的价值的等价物所需要的部分决定的。……他的劳动力的实际价值和这个身体最低限度是不一致的;气候和社会发展水平不同,劳动力的实际价值也就不同;它不仅取决于身体需要,而且也取决于成为第二天性的历史上发展起来的社会需要。但在每个国家,在一定的时期,这个起调节作用的平均工资都是一个已定的量。"①

可见,劳动力所有者获得劳动力财产收益的量是由是由工人维持和再生产自己的劳动力时身体上所必需的生活资料的最低限度规定的。在一定时期、各个国家的劳动力所有者所获得的劳动力收益都存在一个平均的量,即平均工资。而这个平均工资就是劳动力所有者依据劳动力所有权而获得的劳动力财产收益的数量界限。国民收入中劳动力所有者获得的劳动力财产收益量确定以后,利润和地租形式收入的价值就有了一个绝对界限。"因此,其他一切收入的价值就有了一个界限。这个价值总是等于体现总工作日(在这里,它和平均工作日相一致,因为它包括社会总资本所推动的劳动总量)的价值减去总工作日中体现工资的部分。因此,这个价值的界限是由无酬劳动所借

---

① 马克思:《资本论》第三卷(下),人民出版社1975年版,第971页。

以表现的价值的界限决定的,也就是由这个无酬劳动的量决定的。……因此,形成剩余价值并分解为利润和地租的价值部分的绝对界限是已定的,是由工作日的有酬部分以外的无酬部分决定的,因而是由总产品中体现这个剩余劳动的价值部分决定的。"①可见,劳动力财产收益量确定以后,资本所有者和土地所有者的财产收益,即以利润和地租形式出现的收入的价值就有了一个绝对的界限。这个绝对界限就是剩余价值的量。

(三)资本财产所有者和占有使用者获得收益的数量界限

资本财产所有者和占有使用者获得的财产收益数量受到土地所有权的限制。马克思认为,剩余价值或剩余产品的"分配的正常界限——是作为一份份的股息,按照社会资本中每个资本应得的份额的比例,在资本家之间进行分配的。在这个形态上,剩余价值表现为资本应得的平均利润。这个平均利润又分为企业主收入和利息,并且在这两个范畴下分归各种不同的资本家所有。但资本对于剩余价值或剩余产品的这种占有和分配,受到了土地所有权方面的限制。正像职能资本家从工人身上吸取剩余劳动,从而在利润的形式上吸取剩余价值和剩余产品一样,土地所有者也要在地租的形式上,按照以前已经说明的规律,再从资本家那里吸取这个剩余价值或剩余产品的一部分。"②这就是说,资本财产所有者和占有使用者获得的财产收益不是剩余价值的全部,而是一部分。因为,土地所有者要依据土地所有权获得一部分剩余价值。因此,土地所有者依据土地所有权获得的一部分剩余价值,对资本财产所有者和占有使用者的收益起到了限制作用。这里的规律是指土地所有权规律。

资本所有者和占有使用者获得财产收益的数量界限是平均利润。"每个资本的利润,从而以资本互相平均化为基础的平均利润,都分成或被割裂成两个不同质的、互相独立的、互不依赖的部分,即利息和企业主收入,二者都由特殊的规律来决定。"③这里的规律是指资本所有权规律和占有使用权规律。"就利润分为利息和企业主收入来说,平均利润本身就是二者合在一起的界

---

① 马克思:《资本论》第三卷(下),人民出版社1975年版,第971~972页。
② 马克思:《资本论》第三卷(下),人民出版社1975年版,第927页。
③ 马克思:《资本论》第三卷(上),人民出版社1975年版,第421页。

限。平均利润提供一定量的价值由它们去分割,并且也只有这个量能够由它们去分割。"①可见,资本财产所有者和资本财产占有使用者获得财产收益的共同的数量界限是平均利润。

平均利息和平均净利润分别是资本财产所有者和资本财产占有使用者获得财产收益的各自的数量界限。马克思指出:"如果产业资本家同货币资本家进行比较,那末,使前者区别于后者的只是企业主收入,即总利润超过平均利息而形成的余额,而平均利息则由于利息率而表现为经验上既定的量。"②"只要利润的一部分一般采取利息的形式,平均利润和利息之间的差额或利润超过利息的部分,就会转化为一种同利息相对立的形式,即企业主收入的形式。……它们二者不是与剩余价值发生关系,它们只是剩余价值固定在不同范畴,不同项目或名称下的部分"。③ 可见,资本所有者获得生产资料财产收益的数量界限是平均利息;而资本的占有使用者获得收益的数量界限是平均利润和利息之间的差额。或者,可以称之为平均净利润。

马克思还进一步阐述了确定一般利润率(平均利润率)的方法。马克思说:"事实上,决定一般利润率的是,1.总资本所生产的剩余价值;2.剩余价值和总资本价值的比率;3.竞争,不过这里所说的竞争,是指这样的一种运动,投在各特殊生产部门的资本,力图按照各自相对量的比例,从这个剩余价值中取得相等的一份。因此,一般利润率的决定和市场利息率的决定不同,市场利息率是由供求关系直接地、不通过任何媒介决定的,一般利润率事实上是由完全不同的更复杂得多的原因决定的,因而也不像利息率那样是明确的和既定的事实。不同生产部门的特殊利润率本身或多或少是不确定的;但是,就它们的表现来说,所表现的并不是它们的一致性,而是它们的差别性。而一般利润率本身又不过表现为利润的最低界限,而不是表现为实际利润率的经验的直接可见的形态。"④可见,不同生产部门的利润率是有差别的,一般利润率是指利

---

① 马克思:《资本论》第三卷(下),人民出版社1975年版,第974页。
② 马克思:《资本论》第三卷(上),人民出版社1975年版,第423页。
③ 马克思:《资本论》第三卷(上),人民出版社1975年版,第425页。
④ 马克思:《资本论》第三卷(上),人民出版社1975年版,第411~412页。

润的最低界限。

马克思还对利息率和利润率做了比较分析。马克思说:"利息率的大小固然也会变动,但因为它对所有借款人来说都一样地发生变动,所以它在他们面前总是表现为固定的、既定的量。"①"利息率总是表现为一般利息率,表现为这样多的货币取得这样多的利息,表现为一个确定的量。相反的,利润率甚至在同一个部门内,在商品价格相等的情况下,也能够由于各单个资本生产相同的商品时的条件不同而不同;因为单个资本的利润率不是由商品的市场价格决定的,而是由市场价格和成本价格之间的差额决定的。这些不同的利润率,只有通过不断的变动才能够先是在同一部门内,然后在不同部门之间达到平均化。"②可见,利息率可以总是表现为一个固定的量;而单个资本的利润率不同是客观存在的。因为,它是由市场价格和成本价格之间的差额决定的。但是,二者都是可以确定的。因此,确定资本所有者和占有使用者获得收益的数量界限的方法是具有可操作性的。

(四)土地财产所有者获得收益的数量界限

1. 土地财产所有者获得收益的数量界限是超额利润

马克思认为,"古典经济学把利息归结为利润的一部分,把地租归结为超过平均利润的余额,使这二者在剩余价值中合在一起",是"古典经济学的伟大功绩"。③ 在分析土地私有制下的地租时,马克思指出:"至于地租,它能够表现为只是分配的形式,因为土地所有权本身在生产过程本身中不执行职能,至少不执行正常的职能。但是,1.地租只限于超过平均利润的余额,2.土地所有者从生产过程和整个社会生活的指挥者和统治者降为单纯土地出租人,单纯用土地放高利贷的人,单纯收租人,这些事实却是资本主义生产方式的独特的历史产物。"④马克思还指出:"对一块土地的垄断权,使所谓土地所有者能

---

① 马克思:《资本论》第三卷(上),人民出版社1975年版,第413页。
② 马克思:《资本论》第三卷(上),人民出版社1975年版,第414页。
③ 马克思:《资本论》第三卷(下),人民出版社1975年版,第938页。
④ 马克思:《资本论》第三卷(下),人民出版社1975年版,第998页。

够去征收贡赋,课取租税。"①可见,地租是资本主义生产方式的独特产物,地租的数量界限是超过平均利润的余额,即超额利润。②

2. 土地所有者获得的级差地租以平均超额利润为数量界限

级差地租的基本含义是：耕种较优土地所获得的、归于土地所有者占有的超额利润。这种地租与土地的等级相联系,所以称为级差地租。由于资本家经营的土地都是从土地所有者那里租来的,土地所有者凭借他们对土地的所有权,向租用这些优等和中等地的资本家索取这部分超额利润,这种超额利润转到土地所有者手里就成为级差地租。马克思说："级差地租有这样一个特点：土地所有权在这里仅仅取去超额利润,否则这种超额利润就会被租地农场主据为己有,而在一定情况下,在租约未满期间,实际上也是被租地农场主据为己有。在这里,土地所有权只是商品价格中一个没有它的作用就已经产生（确切些说,是由于调节市场价格的生产价格决定于竞争这一点产生的）并转化为超额利润的部分所以会转移的原因,即价格的这一部分由一个人手里转移到另一个人手里,由资本家手里转移到土地所有者手里的原因。"③可见,这种超额利润转到土地所有者手里就成为了级差地租。

马克思指出："如果商品价值平均化为生产价格的过程没有遇到障碍,地租就都是级差地租,也就是说,地租就以这种超额利润的平均化为限,这种超额利润本来是由起调节作用的生产价格给予一部分资本家的,而现在为土地所有者所占有。因此,在这里,地租的确定的价值界限,就是一般利润率对生

---

① 马克思：《资本论》第三卷(下),人民出版社 1975 年版,第 705 页。

② 根据马克思的这一论述,我们认为,在国家拥有土地所有权的经济制度下,国家作为土地财产所有者获得收益的数量界限可以理解为是国家征税的数量界限。按照马克思的地租原理,在国家作为土地所有者、拥有土地所有权的前提下,国家应当是整个社会生活的指挥者和统治者,因此国家应当以税收的形式将依据土地所有权而获得的收入收归国家所有。当然,为了经济发展的需要,政府作为土地所有者也可以将土地出租,但土地一旦出租就是作为政府拥有的生产资料的投入,这时的土地就具有了国家资本的性质。由此,国家不仅要征税,而且要获得土地资本投入的资本收益。马克思把土地财产所有者获得的收益区分为级差地租和绝对地租,并以此来进一步分析确定土地所有者获得土地财产收益的数量界限。鉴于本书的主题,这里我们对这一问题暂且不做深入的讨论。——本书作者注。

③ 马克思：《资本论》第三卷(下),人民出版社 1975 年版,第 851 页。

产价格的调节所引起的个别利润率的偏离。"①这里,马克思说的"商品价值平均化为生产价格的过程没有遇到障碍"是指由于土地产品供求关系的影响,土地产品的社会生产价格要由劣等土地的个别产品价格来决定。这样,经营优等和中等土地的资本家就会得到超额利润,土地所有者就是依据他们拥有的土地所有权索取这个超额利润。可见,级差地租的确定的价值界限,就是个别利润率高于一般利润率所形成的平均超额利润。

3. 土地所有者获得的绝对地租以超额利润为数量界限

绝对地租的基本含义是:不论土地好坏,土地所有者都要求得到的地租。绝对地租的来源也是高于平均利润的超额利润,但它不同于级差地租所据以形成的那种超额利润。它不是较优土地上产品的个别生产价格低于劣等土地产品个别生产价格的余额,而是产品按高于生产价格的价值出售而形成的超额利润。可见,不论由于什么原因导致产品的销售价格高于生产价格而形成的超额利润(例如,垄断行业产品的价格、短缺产品的价格等等),土地所有者都有权将这部分超额利润取走。而这个超额利润仍然是剩余价值的确定部分。正如马克思所指出的:"如果剩余价值平均化为平均利润的过程在不同生产部门内遇到人为的垄断或自然的垄断的障碍,特别是土地所有权的垄断的障碍,以致有可能形成一个高于受垄断影响的商品的生产价格和价值的垄断价格,那末,由商品价值规定的界限也不会因此消失。某些商品的垄断价格,不过是把其他商品生产者的一部分利润,转移到具有垄断价格的商品上。剩余价值在不同生产部门之间的分配,会间接受到局部的干扰,但这种干扰不会改变这个剩余价值本身的界限。"②

马克思在分析绝对地租问题时指出:"如果土地所有权阻碍商品价值平均化为生产价格,并占有绝对地租,那末,绝对地租就会受到土地产品的价值超过它的生产价格而形成的余额的限制,因而受到土地产品中包含的剩余价值超过按一般利润率应归各个资本的利润而形成的余额的限制。这个差额于

---

① 马克思:《资本论》第三卷(下),人民出版社 1975 年版,第 973 页。
② 马克思:《资本论》第三卷(下),人民出版社 1975 年版,第 973 页。

是形成地租的界限;地租仍然只是已定的、商品中包含的剩余价值的确定部分。"①这里,马克思所说的生产价格是指商品价值的转化形式,等于商品的成本价格加平均利润;土地产品的价值超过它的生产价格而形成的余额显然是指土地产品的价值超过平均利润后的余额,即超额利润。

五、财产收益分配一般规律的指导意义

(一)劳动、生产资料和土地在不同社会生产方式下的区别

劳动、生产资料和土地作为社会生产的物质要素,不是资本主义生产方式独有的,而是任何社会生产方式都必须具有的要素。所不同的是,生产资料所有制不同、反映的生产关系不同、国家代表的利益主体不同。在社会主义市场经济条件下,同样存在劳动、生产资料和土地这三个物质要素,而所有其他的要素无非是这三个物质要素的具体表现形式或转化形态。社会主义社会生产过程的所有物质要素作为财产客体,都与财产主体有着内在的占有和被占有关系,即财产主体排他地、垄断地拥有财产的所有权。在劳动、生产资料和土地这些物质要素的背后是劳动力所有权、生产资料所有权和土地所有权。劳动、生产资料和土地这三个物质要素之间的关系,本质上是劳动力所有权、生产资料所有权和土地所有权之间的关系。进一步说是劳动力所有者、生产资料所有者和土地所有者之间的关系。

资本主义社会经济制度的基础是生产资料的资本主义私有制。资本主义生产方式下的生产资料主要由私人占有、土地所有权由私人占有,财产权关系反映了资本所有者和土地所有者对劳动者的剥削关系,资本主义国家所代表的利益主体是占统治地位的资产阶级。

我国社会主义经济制度的基础是生产资料的社会主义公有制,即全民所有制和劳动群众集体所有制。社会主义公有制消灭了人剥削人的制度,实行各尽所能、按劳分配的原则。国家在社会主义初级阶段,坚持公有制为主体、多种所有制经济共同发展的基本经济制度,坚持按劳分配为主体、多种分配方

---

① 马克思:《资本论》第三卷(下),人民出版社1975年版,第973页。

式并存的分配制度。尽管我国目前的财产权关系还存在不适应生产力发展的方面,但是,从根本上说,我国的财产权关系是建立在国家与全体社会成员根本利益一致基础之上的,反映了的物质财富增加与社会进步的协调关系,经济可持续发展与生态环境不断改善的关系,经济发展水平提高与经济结构优化的关系,国家与各种经济成分和劳动者的长远利益和眼前利益、整体利益与局部利益的关系,社会公共利益与各类经济组织和个人利益的关系。社会主义国家是人民的国家,它所代表的利益主体是全体社会成员。因此,劳动、生产资料和土地作为基本物质要素,在所有社会生产方式都必须具备这一点上是没有区别的。能够区别的只是在不同社会经济制度下这些物质要素所表现的特殊的社会性质。在我国市场经济条件下,劳动、生产资料和土地这三个物质要素分别表现为:在社会各行业的劳动者作为财产权主体所有的劳动力财产;国家作为财产权主体所有的国家资本财产、其他经济成分作为财产权主体所有的资本财产;国家作为财产权主体所有的国有土地财产和劳动群众集体作为财产权主体所有的集体土地财产。正是因为有了这些物质要素,才能够进行社会主义社会物质资料的生产,发展社会主义市场经济,创造社会财富。

确定了劳动、生产资料和土地是市场经济体制和社会生产过程的物质要素性质,就等于承认了劳动力所有权、生产资料所有权(资本所有权不过是生产资料所有权的转化形态)和土地所有权存在的合理性和必然性。这就为我们进一步按照客观存在的财产权规律,维护财产所有者的合法权益,正确处理财产权关系,促进生产力的发展提供了前提。

(二)物质要素收益的表现形式

在我国社会主义市场经济体制下,土地、资本和劳动力是社会生产过程中的必要物质要素。这些物质要素的所有者依据不同的财产权利,要求得到物质要素收益是财产收益分配一般规律的客观要求。

第一,生产资料所有权是生产资料所有者获得收益的依据。生产资料所有者的职能是为社会生产提供资本,依据资本所有权要求获得资本收益。因此,企业生产资料的所有者(包括企业的所有出资人——银行、其他贷款人、国有和非国有股东等)对企业实现的利润以利息、股息的形式参与分配。

第二,生产资料占有使用权是生产资料的占有使用者获得收益的依据。生产资料的占有使用者履行资本筹集、资本运用、资本补偿和资本收益等重大决策的职能,依据生产资料占有使用权要求获得资本占有使用收益。因此,企业的生产资料占有使用者以利润形式(红利、产业利润或商业利润)参与分配。

第三,国家所有的土地所有权是国家获得土地收益的依据。国家作为土地所有者,履行国家为社会经济发展和社会成员提供政治、社会、法律、宏观经济等一般生产条件和一般生活条件的职能①,依据土地的国家所有权要求获得土地财产的收益。因此,国家以土地所有者的身份并以税收的形式参与对企业利润和个人收入的分配。

第四,劳动者所有的劳动力财产所有权是劳动者获得收益的依据。劳动者作为劳动力财产所有者,履行为自己劳动创造必要产品价值和为社会劳动创造剩余产品价值的职能,依据劳动力财产的所有权要求获得劳动力财产的收益。因此,劳动者以工资的形式参与企业收入的分配。

财产收益分配一般规律是我们正确确定土地、资本和劳动力财产所有者的财产权利和分配形式的理论依据。在我国社会主义市场经济条件下,资本、土地和劳动力财产的所有者依据资本、土地和劳动力财产的所有权,要求得到其投入物质资料生产过程的各种生产要素所应当得到的收益。因此,以利润(利息、股息、红利)、国家税收和工资形式获得生产要素投入的收益具有客观必然性。

(三)物质要素收益的来源

物质要素收益的来源以年产品的总价值为前提。也就是说,资本、土地和劳动力财产所有者分别以利润、税收和工资形式获得要素投入的收益,只能限于年产品的总价值范围之内。年产品的总价值是指社会总产品价值。年产品的总价值扣除生产资料补偿价值后的部分,即国民收入。

---

① 在西方经济理论中,这些一般生产条件和一般生活条件被称为公共产品和劳务。——本书作者注。

(四)财产收益分配是产权关系的核心

财产收益是财产权利的实现形式,拥有财产权利的目的是获得财产收益。因此,财产收益分配是产权关系的核心问题,正确处理产权关系必须遵循财产收益分配一般规律。社会主义市场经济条件下的财产收益分配是财产收益分配一般规律的客观反映。马克思关于财产收益分配一般规律的阐述,为我们科学地确定财产收益的具体形式和界定依据财产所有权而取得收益的数量界限提供了理论依据。改革中央与地方之间的国有资产产权关系,必须遵循财产收益分配一般规律,科学确定中央和地方国有资产产权主体的财产权利,明确收益形式、来源和数量界限。这样才能为进一步理顺中央与地方之间的国有资产各项权能关系奠定基础。

第三节 财产所有权、占有使用权和监督管理经营权分离理论

一、财产所有权、占有使用权和监督管理经营权的分离

马克思主义财产权学说认为,随着社会分工的扩大和财产权组织形式的变化,财产的所有权、占有使用权与监督管理经营权分离是一个趋势。

马克思指出:"劳动力所有者要把劳动力当作商品出卖,他必须能够支配它,从而必须是自己的劳动能力、自己人身的自由的所有者。……他作为人,必须总是把自己的劳动力当作自己的财产,从而当作自己的商品。而要做到这一点,他必须始终让买者只是在一定期限内暂时支配他的劳动力,使用他的劳动力,就是说,他在让渡自己的劳动力时不放弃自己对它的所有权。"[①]可见,劳动力所有权和使用支配权是可以分离的。

恩格斯在分析氏族部落的财产关系时指出:"耕地仍然是部落的财产,最初是交给氏族使用,后来由氏族交给家庭公社使用,最后便交给个人使用;他

[①] 马克思:《资本论》第一卷(上),人民出版社1975年版,第190~191页。

们对耕地或许有一定的占有权,但是更多的权利是没有的。"①可见,在原始社会就已经产生了土地财产权,并且出现了土地财产所有权与土地占有权的分离形式。马克思在分析资本主义社会的土地所有权问题时也指出:"正如土地的资本主义耕种要以执行职能的资本和土地所有权的分离作为前提一样,这种耕种通常也排除土地所有者自己经营。"②可见,土地财产所有权、占有使用权和实际管理经营权是可以分开的。

马克思在分析生息资本问题时指出:"要把自己的货币作为生息资本来增殖的货币所有者,把货币让渡给第三者,把它投入流通,使它成为一种作为资本的商品;不仅对他自己来说是作为资本,而且对别人来说也是作为资本;它不仅对把它让渡出去的人来说是资本,而且它一开始就是作为资本交给第三者,这就是说,是作为这样一种价值,这种价值具有创造剩余价值、创造利润的使用价值;它在运动中保存自己,并在执行职能以后,流回到原来的支出者手中,在这里,也就是流回到货币所有者手中;因此,它不过暂时离开他,不过暂时由它的所有者占有变为执行职能的资本家占有,这就是说,它既不是被付出,也不是被卖出,而只是被贷出,它不过是在这样的条件下被转让:第一,它过一定时期流回到它的起点;第二,它作为已经实现的资本流回,流回时,已经实现它的能够生产剩余价值的那种使用价值。"③"但借入者必须把它作为已经实现的资本,即作为价值加上剩余价值(利息)来偿还;而利息只能是他所实现的利润的一部分。"④可见,为了获得货币资本财产的收益,货币资本财产的所有权和占有使用权是可以分离的。

在分析股份制企业的商业经理和产业经理工资收入问题时,马克思进一步指出:"与信用事业一起发展的股份企业,一般地说也有一种趋势,就是使这种管理劳动作为一种职能越来越同自有资本或借入资本的所有权相分离,……但是一方面,因为执行职能的资本家同资本的单纯所有者即货币资本家

---

① 《马克思恩格斯选集》第四卷,人民出版社 1973 年版,第 157 页。
② 马克思:《资本论》第三卷(下),人民出版社 1975 年版,第 847 页。
③ 马克思:《资本论》第三卷(上),人民出版社 1975 年版,第 384 页。
④ 马克思:《资本论》第三卷(上),人民出版社 1975 年版,第 395 页。

相对立,并且随着信用的发展,这种货币资本本身取得了一种社会的性质,集中于银行,并且由银行贷出而不再是由它的直接的所有者贷出;另一方面,又因为那些不能在任何名义下,即不能用借贷也不能用别的方式占有资本的单纯的经理,执行着一切应由执行职能的资本家自己担任的现实职能,所以,留下来的只有管理人员,资本家则作为多余的人从生产过程中消失了。"[①]可见,借贷资本财产所有者对于货币资本财产所有者来说,实际上是拥有了货币资本财产的占有使用权,而银行经理则应当是拥有货币资本财产管理经营权的主体;在企业,拥有货币资本财产占有使用权的是企业主,而拥有企业监督管理经营权的则是企业的监督管理人员和经理。监督管理人员和经理实际上是代表资本财产的占有使用者在行使监督管理和经营的职能。所以,随着社会分工的扩大和财产权组织形式的变化,资本财产的所有权、占有使用权同监督管理经营权是可以分离的。

二、马克思主义三权分离理论的现实意义

马克思主义财产学说关于财产所有权、占有使用权和监督管理经营权三权分离理论和财产收益分配一般规律理论,对于我们正确认识政府作为国有资产所有者和占有使用者代表与所出资企业监督管理经营者之间的产权关系,以及正确处理中央与地方之间国有资产产权关系具有重要的指导意义。在中央与地方共同出资建立的股份制企业中,界定不同产权主体的财产权利、与财产权利相对应的收益形式、分配的顺序,对于明晰中央与地方以及与代理人之间的产权关系,调动各个方面的积极性都是必要的。

(一) 为界定国有产权主体的财产权利提供了理论依据

三权分离理论和财产收益分配一般规律理论,为我们科学界定国有资产产权主体的财产权利提供了理论依据,从而引导我们走出了国有资产占有使用权与具体监督管理经营权混淆不清的理论误区。例如,有学者认为,企业资产的国家所有权,主要表现为国家掌握终极所有权和经济上的收益权,而占有

---

① 马克思:《资本论》第三卷(上),人民出版社 1975 年版,第 436 页。

即支配使用权、部分收益权和部分处置权则归企业,简言之,国家有所有权,企业有经营权。显然,这一观点是把国有资产的占有使用权等同于企业的经营权。而按照马克思主义财产学说的三权分离理论和财产收益分配一般规律理论,资本的所有权、占有使用权和监督管理经营权是有明确内涵,有相对应的收益形式和数量界限的。

按照马克思主义财产学说的三权分离理论来分析,在我国现行国有资产监督管理体制下,国有资产属于全体人民所有,由国家代表人民拥有国有资产财产权,国务院和地方人民政府分别代表国家履行出资人职责。这就在实际上明确了中央和地方政府作为国有资产所有者和占有使用者代表的身份和权利。按照政府的授权,国务院和各级地方政府的国有资产监督管理委员会实际上是所出资企业国有资本的所有者代表,拥有国有资本的所有权;从各级政府国有资产监督管理委员会履行的管人、管事、管资产职能看,它们同时又是国有资本的占有使用者,因此还拥有国有资本的占有使用权。因此,政府国有资产监督管理委员会实际上具有国有资本所有者和占有使用者代表两种身份,它既是国有资本的所有者代表——执行提供国有资本进行投资的职能,同时又是国有资本的占有使用者代表——执行国有资本运营职能的国有企业主。中央和地方政府委派聘任的政府投资企业国有股东代表、董事长、监事会主席(监事)和经理的身份是企业国有资本的监督管理经营者,拥有国有资本的监督管理经营权。他们依据国有资产监督管理委员会的重大经营决策,组织具体的监督管理和生产经营活动。因为,他们不同于马克思所说的产业资本家和商业资本家,即马克思说的企业主或职能资本家,他们不是有属于自己所有的财产的自然人,没有自己的资产对债权人承担义务,也不能对国有资产监督管理委员会承担财产责任,他们是由国有资产所有者和占有使用者委派或聘任的负责国有资本具体经营业务的监督管理经营者或代理人。因此,他们不拥有国有资本的占有使用权,只拥有国有资本的监督管理经营执行权。

(二)为确定国有产权主体的收益形式提供了理论依据

三权分离理论对于政府出资的各类企业普遍适用。对于国有独资企业和不设董事会的国有独资公司来说,按照马克思主义的财产权学说关于财产收益分配一般规律的基本原理,中央和地方政府国有资产监督管理委员会应当依据各级政府授权,依据国有资本的所有权,以股息形式(或者相当于股息的利润部分)向所出资的企业收取国有资本所有权收益;同时,依据国有资本的占有使用权以红利形式(或者相当于红利的利润部分)获得平均利润的一部分,即马克思说的企业主收入。

企业的监督管理和经营者拥有的管理要素所有权是其获得收益的依据。企业的监督管理和经营者履行具体监督管理和经营的职能,依据拥有的管理要素(监督、管理和经营能力等无形资产)所有权获得管理要素收益。因此,监督管理和经营者以年薪的形式(经营者收入)参与企业的利润分配。国有独资企业和不设董事会的国有独资公司的总经理、副总经理、总会计师,设董事会的国有独资公司的董事长、副董事长、总经理、副总经理和监事会主席(监事)等,作为企业国有资本的具体监督管理经营者,实际上是代表各级政府行使具体监督管理和经营的权利,拥有依据监督管理经营能力等管理要素(无形资本)的所有权获得年薪收入的权利。

国有独资公司和国有控股公司如果承担国有资本的运营职能,那么,相对于所出资企业来说,国有独资公司和国有控股公司是所有者和占有使用者,那么,就要按照资本财产权规律获得股息和红利收益。相对于国有资产监督管理委员会来说,其身份是负责国有资本运营业务的机构,拥有国有资本运营业务的监督管理和运营权利。因此,其收取的所出资企业股息、红利要按照国有股本平均股息率和平均红利率上缴政府国有资产监督管理委员会。而国有资本运营机构因努力工作获得的超过平均股息率和平均红利率的利润部分,应当按照具体监督管理经营者收入规律在管理者和员工之间进行分配。

(三)为年薪制改革提供了理论依据

按照三权分离的理论,现代企业中的监督管理人员和经理具有两种身份、以两种财产为物质实体、拥有两种权利,因此,可以获得两种形式的收入。两种身份是指:监督管理人员和经理既是特殊劳动者,又是监督管理和经营者;以两种财产为物质实体是指:监督管理人员和经理既以劳动力财产为物质实体,又以作为无形资本财产的监督管理和经营能力为物质实体;拥有两种权利是指:监督管理人员和经理既拥有劳动力的所有权,又拥有自身监督能力、管理能力、决策能力和经营能力等无形资本的所有权。因此,监督管理人员和经理应当依据这两种权利既获得劳动力工资收入,又获得管理要素等无形资本财产收益。因此,监督管理人员和经理的收入应当有两个来源:一是来自预付的可变资本,正如马克思所说的:"……经理的工资——这种工资形成所投可变资本的一部分,同其他工人的工资完全一样",[①]二是来自企业实现的利润,即利润支付利息后的部分。既依据劳动力的所有权获得一般的工资收入,又依据自身监督能力、管理能力、决策能力和经营能力等无形资本的所有权获得年薪收入,获得平均利润的一部分。所以,我国实行的政府投资企业监督管理人员和经理年薪制应当包括基本工资和管理要素收益两个部分的设计,才是有理论依据的。同理,企业技术人员也可以实行年薪制的改革,即对技术人员的收入也可以区分为基本工资和技术要素收益,以调动企业技术人员的发明创造积极性,促进技术创新。

第四节 财产权利受法律保护理论

一、财产权利与法律的关系

法律是对人们行为共同规则的概括。马克思指出:"在社会发展某个很早的阶段,产生了这样一种需要:把每天重复的生产、分配和交换产品的行为用一个共同规则概括起来,设法使个人服从生产和交换的一般条件。这个规则首先表现为习惯,后来便成了法律。随着法律的产生,就必然产生出以维护法律为职责的机关——公共权力,即国家。在社会进一步发展的进程中,法律便发展成或多或少广泛的立法。"[②]可见,法律是对人们行为共同规则的概括,

---

[①] 马克思:《资本论》第三卷(上),人民出版社 1975 年版,第 437 页。
[②] 《马克思恩格斯选集》第二卷,人民出版社 1973 年版,第 538~539 页。

国家是以维护法律为职责的机关。

法律是对财产所有者拥有的财产权利及行使相关权能的规范。在马克思看来,产权是以法律形式存在的所有权。马克思指出:"公用事业、铁路、矿山等等的所有权证书,……固然是现实资本的证书,但有了这种证书,并不能去支配这个资本。这个资本是不能提取的。有了这种证书,只是在法律上有权索取这个资本应该获得的一部分剩余价值。"①可见,财产所有权及其相关的权能是通过法律来规范的。

法律是保护财产权利的手段。马克思还说:"每当工业和商业的发展创造出新的交往形式,例如保险公司等等的时候,法便不得不承认它们是获得财产的新方式。"②可见,财产关系是由生产力发展所决定的,而法律则是将这种财产权利保护起来的手段。

国家是保卫统治阶级财产关系和共同利益的组织形式。"实际上国家不外是资产者为了在国内外相互保障自己的财产和利益所必然要采取的一种组织形式。……因为国家是属于统治阶级的各个个人借以实现其共同利益的形式,是该时代的整个市民社会获得集中表现的形式,因此可以得出一个结论:一切共同的规章都是以国家为中介的,都带有政治形式。"③"现代的资产阶级财产关系靠国家权力来'维持',资产阶级建立国家权力就是为了保卫自己的财产关系。"④可见,国家的职能是保护统治阶级的财产所有权及其相关的权能和财产关系,法律是国家履行职能的表现形式。

二、财产权利受法律保护理论的现实意义

在社会主义市场经济条件下,资本、土地和劳动力是社会生产必需的生产要素,因此要承认和保护资本、土地和劳动力所有权,维护这些财产所有者依据生产要素所有权获得财产收益的权利。只有通过法律明确和维护了财产所

---

① 马克思:《资本论》第三卷(下),人民出版社1975年版,第540页。
② 《马克思恩格斯选集》第一卷,人民出版社1973年版,第71页。
③ 《马克思恩格斯选集》第一卷,人民出版社1973年版,第69页。
④ 《马克思恩格斯选集》第一卷,人民出版社1973年版,第171页。

有者的合法权益,才能规范市场经济各经济主体的行为,维持正常的经济秩序,促进我国市场经济的健康发展。所以,社会主义法制是维护社会主义生产方式下财产所有者财产权利的根本保证。

(一)承认和保护劳动力财产所有者的财产权利

在社会主义市场经济条件下,作为生产要素的劳动力,按行业划分包括农林牧渔业劳动力、工业劳动力、手工业劳动力、建筑业劳动力、地质勘查及水利业劳动力、交通运输仓储业劳动力、邮政通信业劳动力、批发零售、贸易及餐饮业劳动力、金融保险业劳动力、房地产业劳动力、社会服务业劳动力等行业的劳动力。这些劳动力要素的所有者都拥有独立的劳动力财产所有权。按照马克思的财产收益分配规律,这些劳动力要素的所有者都有权利依据劳动力所有权获得劳动力要素投入的收益,这是劳动要素所有者的财产权利。

《中华人民共和国宪法》[①](以下简称《宪法》)第六条规定:社会主义公有制消灭人剥削人的制度,实行各尽所能、按劳分配的原则。国家在社会主义初级阶段,坚持按劳分配为主体、多种分配方式并存的分配制度。中国共产党第十四届中央委员会第三次全体会议通过的《中共中央关于建立社会主义市场经济体制若干问题的决定》指出:我国对个人收入分配坚持以按劳分配为主体、多种分配方式并存的制度,体现效率优先、兼顾公平的原则。劳动者的个人劳动报酬,实行多劳多得,合理拉开差距。实行鼓励一部分地区一部分人通过诚实劳动和合法经营先富起来的政策,提倡先富带动和帮助后富,逐步实现共同富裕。实行企业、事业单位和行政机关各自特点的工资制度与正常的工资增长机制。国有企业在职工工资总额增长率低于企业经济效益增长率,职工平均工资增长率低于本企业劳动生产率增长的前提下,根据劳动就业供求变化和国家有关政策规定,自主决定工资水平和内部分配方式。行政机关实

---

① 《中华人民共和国宪法》1982年12月4日第五届全国人民代表大会第五次会议通过,1982年12月4日全国人民代表大会公告公布施行。根据1988年4月12日第七届全国人民代表大会第一次会议通过的《中华人民共和国宪法修正案》、1993年3月29日第八届全国人民代表大会第一次会议通过的《中华人民共和国宪法修正案》、1999年3月15日第九届全国人民代表大会第二次会议通过的《中华人民共和国宪法修正案》和2004年3月14日第十届全国人民代表大会第二次会议通过的《中华人民共和国宪法修正案》修正。——本书作者注。

行国家公务员制度,公务员的工资由国家根据经济发展状况并参照企业平均工资水平确定和调整,形成正常的晋级和工资增长机制。事业单位实行不同的工资制度和分配方式,有条件的实行企业工资制度。国家制订对各类企事业单位的最低工资标准,实行个人收入的货币化和规范化。① 这些都是尊重和保护劳动力要素所有者财产权利的具体措施。可见,我国对劳动力财产所有者的财产权利,国家不仅通过立法的形式予以保护,而且还通过制定相应的政策措施来不断完善体现劳动力所有者财产权利的分配制度,以保障劳动力所有者的财产权利。

现实社会经济生活中出现的拖欠劳动者工资、采用欺诈手段骗取劳动者的劳动(例如,试用期收取保证金不支付工资)、人为降低工资标准、同工不同酬、无偿延长劳动时间等现象,都是对劳动者劳动力财产权利的侵犯。应当通过完善相关法律和加强执法,对劳动者的财产权利进行更有效的保护。

(二)承认和保护资本所有者的财产权利

在社会主义市场经济条件下,作为生产要素的资本(生产资料的转化形态),表现为多种形式。按照资本的所有权主体分类,包括:国家资本、企业法人资本(国有企业法人资本、集体企业法人资本、外商投资企业法人资本、私营企业法人资本)、个人资本等等。按照资本的形态分类包括:货币资本(借贷资本、证券资本、股权资本)、实物资本(土地使用权、采矿权、土地、矿产等土地资本、机器厂房、建筑物、运输工具等生产资料资本)、无形资本(专有技术、专利权等技术资本、商誉、版权、特许权、管理经验管理才能等)。这些资本要素的所有者都拥有独立的资本财产所有权。

按照马克思的财产收益分配规律,这些资本要素的所有者都有权利依据资本所有权获得资本要素投入的收益,这是资本要素所有者的财产权利。我国通过立法明确了资本要素所有者的财产权利,并依法保护法人和居民的一切合法收入和财产,鼓励城乡居民储蓄和投资,允许属于个人的资本等生产要

---

① 《中共中央关于建立社会主义市场经济体制若干问题的决定》,中国共产党第十四届中央委员会第三次全体会议1993年11月14日通过。——本书作者注。

素参与收益分配。《宪法》第六条规定:中华人民共和国的社会主义经济制度的基础是生产资料的社会主义公有制,即全民所有制和劳动群众集体所有制。国家在社会主义初级阶段,坚持公有制为主体、多种所有制经济共同发展的基本经济制度。第七条规定:国有经济,即社会主义全民所有制经济,是国民经济中的主导力量。国家保障国有经济的巩固和发展。第八条规定:农村集体经济组织实行家庭承包经营为基础、统分结合的双层经营体制。农村中的生产、供销、信用、消费等各种形式的合作经济,是社会主义劳动群众集体所有制经济。参加农村集体经济组织的劳动者,有权在法律规定的范围内经营自留地、自留山、家庭副业和饲养自留畜。城镇中的各种形式的合作经济,都是社会主义劳动群众集体所有制经济。国家保护城乡集体经济组织的合法的权利和利益,鼓励、指导和帮助集体经济的发展。第十一条规定:在法律规定范围内的个体经济、私营经济等非公有制经济,是社会主义市场经济的重要组成部分。国家保护个体经济、私营经济等非公有制经济的合法的权利和利益。国家鼓励、支持和引导非公有制经济的发展,并对非公有制经济依法实行监督和管理。第十二条规定:社会主义的公共财产神圣不可侵犯。国家保护社会主义的公共财产。禁止任何组织或者个人用任何手段侵占或者破坏国家的和集体的财产。第十三条规定:公民的合法的私有财产不受侵犯。国家依照法律规定保护公民的私有财产权和继承权。国家为了公共利益的需要,可以依照法律规定对公民的私有财产实行征收或者征用并给予补偿。可见,对资本要素所有者的财产权利,国家是通过立法的形式予以保护的。

现实社会经济生活中出现的各种形式的国有资产流失、非法占有使用国有资产和集体资产、同股不同权、同股不同利、无偿占有使用国有资产、逃废债务、骗取投资、窃取商标专利等知识产权,以及通过各种手段蚕食国家、集体、个人资本等现象,都是对资本财产所有者合法权益的侵犯,应当通过健全法制、强化执法以切实维护资本所有者的合法权益。

(三)承认和保护商品生产者和经营者的财产权利

我国实行社会主义市场经济体制。市场经济以商品生产和商品交换为基础,而商品生产和商品交换又以独立的商品生产者和商品经营者为前提,这样才能使商品生产者和商品经营者为了其各自的经济利益加强生产管理和经营管理,从而降低成本,提高经济效益,进而展开竞争。而竞争又会进一步促进生产经营管理水平的提高和技术进步与新产品的开发研制,从而增加社会财富,促进经济的发展。因此,要承认和维护商品生产者和经营者的合法权益,即商品生产者和商品经营者的法人财产权和收益权,即商品生产和经营的自主权。《宪法》第十六条规定:国有企业在法律规定的范围内有权自主经营。第十七条规定:集体经济组织在遵守有关法律的前提下,有独立进行经济活动的自主权。第十八条规定:中华人民共和国允许外国的企业和其他经济组织或者个人依照中华人民共和国法律的规定在中国投资,同中国的企业或者其他经济组织进行各种形式的经济合作。在中国境内的外国企业和其他外国经济组织以及中外合资经营的企业,都必须遵守中华人民共和国的法律。它们的合法的权利和利益受中华人民共和国法律的保护。可见,商品生产者和经营者的合法权益受到法律保护,是建立市场经济体制的重要保证和基本生产经营条件。

现实社会经济生活中出现的对企业乱摊派、乱集资、乱收费,个别政府部门工作人员利用职权干预企业正常的生产经营活动,以及吃、拿、卡、要等各种形式的寻租行为等等,都是对商品生产者和经营者合法权益的侵犯,应当通过建立有效的监督机制和采取强有力的执法措施进行约束和规范,以切实保护商品生产者和经营者的合法权益。

(四)保护国家土地所有者的财产权利

在社会主义市场经济条件下,国家拥有土地财产的所有权。国家拥有的土地财产包括:国家主权所有的领土、领空、领海及其地上和地下的资源,以及国家法律规定的属于集体所有的土地。我们认为,国家拥有的土地财产可以进一步划分为作为直接生产要素、间接生产要素的土地和作为间接生活要素的土地。国家依据对国有土地资本的所有权、一般生产条件的所有权和一般生活条件的所有权,分别以国家土地资本股权收益、国家对企业征税和对社会成员个人征税的形式,获得国有土地财产收益。

1. 直接生产要素收益表现为税收和利润两种形式

作为直接生产要素的国家土地财产,主要是指国家拥有所有权的可以作为生产出来的生产资料投入物质资料生产经营过程的土地财产。包括:国家所有的各种自然资源(矿藏、水流、森林、山岭、草原、荒地、滩涂等自然资源);土地及其地上设施(建筑物、水利、电力设施等)占有使用权、矿产资源开采权、水、森林、山岭、草原、滩涂等资源利用权、野生动物捕猎权和渔业资源捕捞权、自然景观和历史人文景观资源开发利用权等等。这些作为生产资料存在的国有土地财产直接构成了所有占有使用这些生产资料的企业生产经营的物质要素,是国家土地资本的具体表现形式,形成了这些企业生产经营成果的组成部分,存在着这些生产资料的国家所有者应当获得的生产资料的转移价值和剩余价值。国家依据对这些土地资本财产的所有权,拥有补偿价值和剩余价值的索取权。作为直接生产要素的国家土地资本财产所有权的在经济上的实现形式,主要是国家作为这些直接生产要素的所有者应当获得的国有土地各种资源税(补偿价值形式)和企业所得税收入(投入收益形式);国有土地财产作为资本使用,国家还应当获得国有土地资本占有使用权转让收入、采矿权转让收入、股息、红利等收入。

2. 间接生产要素收益表现为企业税收形式

作为间接生产要素的国家土地财产,主要是指国家拥有所有权的可以作为一般生产条件的土地财产。一般生产条件涵盖的内容主要包括:政治安定、国家安全、法制健全公平等政治条件;社会秩序良好、文化教育广播、卫生体育福利等社会条件;经济结构优化、经济总量平衡、经济稳定等宏观经济条件;道路、供水供电排水、环境保护、社会基础设施不断改善等等基本外部条件。而这些一般生产条件是由作为土地的所有者——国家——提供的。这些一般生产条件之所以被列入国家土地财产范畴,是因为它们是国家主权的物质实体——国家所有的土地——派生出来的财产,它们表现为国家履行的各种政治的、社会的、法律的和宏观经济的职能,也可以说它们表现为国家提供的各种公共的产品和劳务。这些作为一般生产条件存在的国家土地财产,虽然不直接参与所有企业的生产经营过程,但构成了所有企业生产经营活动的间接物质要素,同样也构成了企业生产经营成果的组成部分,存在着这些一般生产条件的国家所有者应当获得的一般生产条件的转移价值和剩余价值。国家应当依据对这些一般生产条件的所有权,拥有转移价值和剩余价值索取权。作为间接生产要素的国家土地财产所有权的在经济上的实现形式,主要是国家作为这些间接生产要素的所有者应当获得的企业流转税(补偿价值形式)和企业所得税收入(投入收益形式)。

3. 间接生活要素收益主要表现为个人税收形式

作为间接生活要素的国家土地财产,主要是指国家为全体社会成员提供的一般生活条件。这些一般生活条件表现为国家安全、国家机器正常运转和法律保障等政治生活条件,社会治安状况良好、文化教育体育广播电影电视业不断发展、卫生防疫保健福利体系的健全等社会生活条件,国民经济运行稳定较快发展、供求平衡、物价稳定、就业率提高等宏观经济生活条件,交通运输业发达、邮电通信事业发展、供水供电供气和排水系统不断完善、环境污染治理、基础设施完备等关系社会成员切身利益的微观经济生活条件。这些一般生活条件作为间接的生活要素参与了人们的生活,也参与了个人所得的形成过程。因此,存在着这些一般生活条件的转移价值和一般生活条件的投入收益。国家依据对这些一般生活条件的所有权,拥有转移价值和剩余价值索取权。作为间接生活要素的国家土地财产所有权的在经济上的实现形式,主要是国家作为这些间接生活要素的所有者应当获得的个人所得税(投入收益形式)和其他个人税(补偿价值形式)。

4. 依法保护国家土地财产所有者的财产权利

我国社会主义经济制度的基础是生产资料的社会主义公有制,即全民所有制和劳动群众集体所有制。《宪法》第九条规定:矿藏、水流、森林、山岭、草原、荒地、滩涂等自然资源,都属于国家所有,即全民所有;由法律规定属于集体所有的森林和山岭、草原、荒地、滩涂除外。国家保障自然资源的合理利用,保护珍贵的动物和植物。禁止任何组织或者个人用任何手段侵占或者破坏自然资源。第十条规定:城市的土地属于国家所有。农村和城市郊区的土地,除由法律规定属于国家所有的以外,属于集体所有;宅基地和自留地、自留山,也属于集体所有。国家为了公共利益的需要,可以依照法律规定对土地实行征收或者征用并给予补偿。任何组织或者个人不得侵占、买卖或者以其他形式非法转让土地。土地的使用权可以依照法律的规定转让。一切使用土地的组织和个人必须合理地利用土地。可见,我国的土地所有权是受到法律保护的。

需要指出的是,这里,国家主权所有的土地所有权属于土地的最高所有权或终极所有权,而属于集体所有的土地所有权则是在国家主权所有的土地所有权基础上派生的或次一级的土地所有权。集体所有的土地所有权受国家所有的土地终极所有权的制约。也就是说,集体所有的土地所有权利的行使不能超越国家土地最高所有权的规范,更不能侵犯国家作为土地终极所有者的土地财产权。现阶段,对国有土地实行国家所有和集体所有两种形式,属于对国有土地财产实行的管理体制问题,其根本目的是适应全民所有制经济和集体所有制经济发展的需要。而不是国家放弃一部分土地的所有权,更不是否认国家对这一部分土地的终极所有权。因此,国家对这部分土地仍然拥有基于终极所有权的相关权利。例如,土地立法权、土地监督管理权、收益索取权等等。

完善土地立法,强化土地执法。明确国有土地资本财产管理主体的权利、责任和义务,确定国有土地的资本性质,加强管理监督,有效保护国有和集体所有土地财产的所有权和收益权,建立现代土地产权制度,是土地管理体制改革的方向。通过完善国家土地管理方面的法律,明确作为直接生产要素的国家土地财产的资本性质;进一步明确政府国土资源管理部门代表国家履行国有土地资本财产所有者的职能和监督管理主体的地位,进一步界定其权利、责任和义务,行使国有土地资本财产所有权;建立国有土地资本经营公司,负责具体的国有土地资本财产的经营管理,行使国有土地资本占有使用权;完善国有土地监督管理方面的法律法规和制度,以保障国有土地资本财产的科学合理有效利用;改革和完善国有土地资本收益管理体制,理顺政府国土资源管理部门同财政部门的关系,将土地资产收益纳入政府预算进行统一管理。

(五)承认并切实保护国有资产权主体的财产权利

马克思主义财产权利受法律保护理论为完善国有资产法律、明确和切实保护国有资本所有者、占有使用者和监督管理经营者的财产权利提供了理论依据。在处理国有资产产权关系方面，也应当通过建立健全法律法规，将中央与地方之间国有资产财产权关系确定和保护起来，以维护中央与地方政府作为财产权利主体的财产权利。

党的十六大之后我国实行经营性国有资产分级代表管理体制，中央政府和地方政府的国有资产监督管理委员会分别代表国家拥有经营性国有资产的财产权，对所出资的企业行使国有资本所有者权利。同时，国有资产监督管理委员会又拥有国有资本的占有使用权，因为它占有使用的是自有资本，行使管人、管事、管资产的职能。各级政府的出资企业监督管理经营者履行国有资本具体监督管理经营的职责，拥有国有资本的经营权。虽然经国有资产监督管理委员会授权可以向所出资企业派出股东代表、聘任经理，但他们是国有资产所有者和占有使用者代理人的身份，并不是真正意义上的国有资本所有者和占有使用者，没有改变国有资产监督管理委员会作为国家出资人拥有的国有资本所有权和占有使用权。国家应当以法律的形式明确国有资产产权主体的身份、权利、责任和义务，理顺它们之间的财产收益分配关系，确保其财产权利不受侵犯。应当明确国有资产监督管理委员会的国有资本所有权、占有使用权及收益的形式和数量界限，明确国有企业监督管理经营者（董事、监事和经理以及技术人员）的身份和监督管理经营权利以及收益分配的形式和数量界限。

对所有侵犯国有资本所有权、占有使用权和监督管理经营权的行为，都应当依法予以制裁。例如，未经所有权人批准擅自低价转让国有产权、不收取或少收取股息、红利、转移利润、虚报业绩、逃废政府投资企业债务、贪污蚕食政府投资企业资产、非法干预政府投资企业正常生产经营活动等行为。

第五节　国家财产权理论

马克思和恩格斯在其著作中多次阐述了国家财产权的基本原理。这些论述对于我们正确认识国家财产权的基本规定性、发展方向和管理方式，把握中央与地方国有资产产权关系的发展趋势,以处理好二者之间的产权关系,具有重要意义。

一、国家财产权的涵义

(一)国家资本

国家资本是指政府作为生产资料所有者,投入在物质生产领域的资本。马克思提出了国家资本的概念。马克思在分析商品资本的循环问题时指出:"社会资本=单个资本(包括股份资本;如果政府在采矿业、铁路等等上面使用生产的雇佣劳动,起产业资本家的作用,那也包括国家资本)之和,社会资本的总运动=各单个资本的运动的代数和"。[①] 可见,国家资本是指政府作为生产资料所有者,投入在物质生产领域的资本。国家资本是社会资本的重要组成部分,社会总资本的运动包括国家资本的运动。

(二)国家财产权的形式

恩格斯在阐述共产主义原理时,指出了无产阶级革命应当采用的最主要措施包括12项,其中有11项涉及国家财产权。按照恩格斯的设想,国家财产权的形式主要包括:土地所有权、生产资料所有权、劳动力占有使用权、借贷资本所有权和公共财产所有权。而且,无产阶级国家将控制银行业和全部交通运输业,并且逐步把全部资本、全部农业、全部工业、全部运输业和整个交换业愈来愈多地集中到国家手里。

恩格斯指出:"(1)用累进税、高额遗产税、取消旁系亲属(兄弟、侄甥等)继承权、强制公债等来限制私有制。(2)一部分用国营工业竞争的办法,一部分直接用纸币赎买的办法,逐步剥夺土地私有者、厂主以及铁路和海船所有者的财产。(3)没收一切流亡分子和举行暴动反对大多数人民的叛乱分子的财产。(4)组织劳动或者无产者在国家的田庄、工厂、作坊中工作,这样就会消除工人之间的相互竞争,并迫使残存的厂主付出的工资跟国家所付出的一样高。(5)直到私有制完全废除为止,对社会的一切成员实行劳动义务制。成

---

① 马克思:《资本论》第二卷,人民出版社1975年版,第113页。

立产业军,特别是农业方面的产业军。(6)通过拥有国家资本的国家银行,把信贷系统和银钱业集中在国家手里。封闭一切私人银行和钱庄。(7)随着国家所拥有的资本和工人数目的增加而增加国营工厂、作坊、铁路、海船的数目,开垦一切荒地,改良已垦地的土质。(8)所有的儿童,从能够离开母亲照顾的时候起,由国家机关公费教育。把教育和工厂劳动结合起来。(9)在国有土地上建筑大厦,作为公民公社的公共住宅。……(10)拆除一切不卫生条件的、建筑很坏的住宅和市街。(11)婚生子女和非婚生子女享有同等的遗产继承权。(12)把全部运输业集中在人民手里。自然,所有这一切措施不能一下子都实行起来,但是它们将一个跟着一个实行。只要向私有制一发起猛烈的进攻,无产阶级就要被迫继续向前迈进,把全部资本、全部农业、全部工业、全部运输业和整个交换都愈来愈多地集中到国家手里。"①

我们认为,从财产权角度看,恩格斯在这里所说的第(1)项措施包括依据国家拥有的土地所有权,以税收形式获得收入并对私有制进行限制;第(2)项措施涉及国家土地财产和生产资料财产所有权;第(3)项措施涉及依法取得的国家财产所有权;第(4)项措施涉及国家投资企业的财产所有权;第(5)项措施应当是指国家拥有劳动力财产的占有使用权;第(6)项措施是指国家对银行资本财产的所有权;第(7)项措施是指扩大政府国有资本投资的规模,涉及国家资本所有权;第(8)项措施涉及国家提供的一般生活条件中的教育条件,即非经营性资产的国家所有权;第(9)和第(10)项措施涉及国家提供的一般生活条件的住宅条件和城市公用设施条件,涉及国有土地财产所有权;第(12)项措施涉及国家在垄断性行业的国有资本财产权。可见,国家财产权问题是马克思主义国家学说的主要内容,国家财产权是逐步实现的。

二、国家财产权的发展趋势

(一)土地和其他生产资料将转化为国家财产

马克思在分析资本主义积累的历史趋势时指出了国家拥有财产权的必然

---

① 《马克思恩格斯选集》第一卷,人民出版社1973年版,第220~221页。

性。马克思说:"一旦劳动者转化为无产者,他们的劳动条件转化为资本,一旦资本主义生产方式站稳脚跟,劳动的进一步社会化,土地和其他生产资料的进一步转化为社会使用的即公共的生产资料,从而对私有者的进一步剥夺,就会采取新的形式。"①

土地和生产资料新的财产权形式是国家所有。马克思在《论土地国有化》一文中指出:"土地只能是国家的财产。把土地交给联合起来的农业劳动者,就等于使社会仅仅听从一个生产者阶级的支配。土地国有化将使劳动和资本之间的关系彻底改变,归根到底将完全消灭工业和农业中资本主义生产方式。那时,阶级差别和特权将与它们赖以存在的经济基础一同消失。"②可见,国家拥有土地所有权就意味着资本主义生产方式的消灭和劳动与资本关系的改变,意味着阶级差别、资产阶级特权和其存在的经济基础的消失。

生产资料的国家所有是无产阶级国家的物质基础。"生产资料的全国性集中将成为自由平等的生产者的联合体所构成的社会的全国性基础,这些生产者将按照共同的合理的计划自觉地从事社会劳动。"③这就是说,生产资料的国家所有是无产阶级领导的国家的物质基础,将为合理配置资源和生产者从事社会劳动创造条件。

生产资料国家所有是资本主义生产方式的结果。恩格斯在《反杜林论》一文中指出:"资本主义生产方式日益把大多数居民变为无产者,同时就造成一种在死亡的威胁下不得不去完成这个变革的力量。这种生产方式迫使人们日益把巨大的社会化的生产资料变为国家财产,同时它本身就指明完成这个变革的道路。无产阶级将取得国家政权,并且首先把生产资料变为国家财产。……那时,对人的统治将由对物的管理和对生产过程的领导所代替。"④可见,生产资料国家所有是资本主义生产方式的结果,无产阶级取得国家政权后的首要任务是实行生产资料的国家所有。

---

① 马克思:《资本论》第一卷(下),人民出版社 1975 年版,第 831 页。
② 《马克思恩格斯选集》第二卷,人民出版社 1973 年版,第 453~454 页。
③ 《马克思恩格斯选集》第二卷,人民出版社 1973 年版,第 454 页。
④ 《马克思恩格斯选集》第三卷,人民出版社 1973 年版,第 320 页。

土地和其他生产资料转化为公共财产,是生产力发展的必然要求。恩格斯在《法德农民问题》一文中指出:"生产资料的占有只能有两种形式:或者是个人占有,这一形式无论何时何地都从未作为一切生产者共同的形式存在过,而且一天天地愈来愈被工业的进步所排除着;或者是公共占有,这一形式的物质的和精神的前提都已由资本主义社会的发展所造成了;所以,必须以无产阶级所有的一切手段来为生产资料转归公共占有而斗争。"[①]可见,土地和其他生产资料转化为公共的生产资料、转化为国家财产,是生产力发展的必然要求。

(二)大规模生产的行业将转化为国家财产

恩格斯在《反杜林论》中进一步说明了国家拥有财产权的必然性。"某些生产资料和交通手段,例如铁路,一开始规模就很大,它们排斥任何其他的资本主义经营形式。在一定的发展阶段上,这种形式也嫌不够了:资本主义社会的正式代表——国家不得不承担起对生产的领导。这种转化为国家财产的必然性首先表现在大规模的交通机构,即邮政、电报和铁路方面。"[②]

(三)建立生产资料公共所有、承认和维护个人财产权的产权制度

马克思指出:"从资本主义生产方式产生的资本主义占有方式,从而资本主义的私有制,是对个人的、以自己劳动为基础的私有制的第一个否定。但资本主义生产由于自然过程的必然性,造成了对自身的否定。这是否定的否定。这种否定不是重新建立私有制,而是在资本主义时代的成就的基础上,也就是说,在协作和对土地及依靠劳动本身生产的生产资料的共同占有的基础上,重新建立个人所有制。"[③]这里,马克思讲的在协作和对土地及生产资料的共同占有基础上的个人所有制,我们认为应当是指在广泛协作和共同占有生产资料的基础上,承认和维护个人财产权的产权制度。因为,大型股份制企业的建立是长期适应生产力发展的企业组织形式,这种企业组织形式同时也是广泛联合协作和共同占有生产资料的形式。但这种企业组织形式并没有否定个人

---

① 《马克思恩格斯选集》第四卷,人民出版社1973年版,第302页。
② 《马克思恩格斯选集》第三卷,人民出版社1973年版,第317页。
③ 马克思:《资本论》第一卷(下),人民出版社1975年版,第832页。

拥有财产的权利(例如,个人股权),恰恰相反,个人拥有的股份构成了股份制企业股权资本的重要组成部分。同时,个人的生活资料和享乐资料也应当是个人所有的财产。

三、国家拥有财产权的目的

国家拥有财产权的目的是进行社会管理,使生产、占有和交换的方式同生产资料的社会性质相适应,最大限度地发展生产力。

恩格斯指出:"生产力的国家所有不是冲突的解决,但是它包含着解决冲突的形式上的手段,解决冲突的线索。这种解决只能是在事实上承认现代生产力的社会本性,因而也就是使生产、占有和交换的方式同生产资料的社会性质相适应。而要实现这一点,只有由社会公开地和直接地占有已经发展到除了社会管理不适于任何其他管理的生产力。现在,生产资料和产品的社会性反过来反对生产者本身,周期性地突破生产方式和交换方式,并且只是作为盲目起作用的自然规律强制性地和破坏性地为自己开辟道路,而随着社会对生产力的占有,这种社会性就将为生产者完全自觉地运用,并且从造成混乱和周期性崩溃的原因变为生产本身的最有力的杠杆。"[①]这就是说,生产力的国家所有只是为周期性经济危机和社会混乱问题的解决提供了手段和途径,但不是这些问题的解决。生产力的发展始终都要求有与之相适应的管理方式。只有在生产力不适于任何其他管理方式的时候,才能由社会公开地和直接地占有生产力。

国家占有生产资料,从而政府管理的目的,是对生产进行的社会的有计划的调节。"当人们按照今天的生产力终于被认识了的本性来对待这种生产力的时候,社会的生产无政府状态就让位于按照全社会和每个社会成员的需要对生产进行的社会的有计划的调节。那时,资本主义的占有方式,即产品起初奴役生产者而后又奴役占有者的占有方式,就让位于那种以现代生产资料的本性为基础的产品占有方式:一方面由社会直接占有,作为维持和扩大生产的

---

① 《马克思恩格斯选集》第三卷,人民出版社 1973 年版,第 318~319 页。

资料,另一方面由个人直接占有,作为生活和享乐的资料。"[1]可见,国家拥有生产资料财产权就是要按照生产力发展的客观要求,通过国家对经济运行的调节控制,消除社会生产的无政府状态。国家占有生产资料的根本目的是为了促进生产力的发展。

逐步实现生产资料的国家所有,快速增加生产力总量。马克思和恩格斯在《共产党宣言》中指出:"无产阶级将利用自己的政治统治,一步一步地夺取资产阶级的全部资本,把一切生产工具集中在国家即组织为统治阶级的无产阶级手里,并且尽可能快地增加生产力的总量。"[2]可见,马克思和恩格斯设想的生产资料国家所有是逐步实现的,并且把快速增加生产力总量作为重要的任务。

四、财产权关系一定要适应生产力发展的要求

变革财产权关系的目的是适应和促进生产力的发展。恩格斯在阐述共产主义原理时指出:"社会制度中的任何变化,所有制关系中的每一次变革,都是同旧的所有制关系不再相适应的新生产力发展的必然结果。"[3]研究和变革财产权关系,本质上说是根据生产力发展的需要,是生产力发展的客观要求。因此,根据我国现实的生产力发展水平,建立适应生产力发展要求的财产权关系是十分必要的。

(一)产权形式是由分工的发展决定的

马克思主义财产权学说认为,私有产权的形式是由劳动条件、劳动工具和材料的分配,资本在各个私有者之间的劈分,资本和劳动之间的分裂所决定的;而且,由于分工的发达程度不同,产权形式会呈现多样化的特征。马克思和恩格斯在分析私有制的发展形式时指出:"私有制,就它在劳动的范围内是同劳动对立的这一点来说,是从积累的必然性中发展起来的。起初它大部分仍旧保存着共同体的形式,但是在以后的发展中愈来愈接近所有制的现代形

---

[1] 《马克思恩格斯选集》第三卷,人民出版社1973年版,第319~320页。
[2] 《马克思恩格斯选集》第一卷,人民出版社1973年版,第272页。
[3] 《马克思恩格斯选集》第一卷,人民出版社1973年版,第218页。

式。分工从最初起就包含着劳动条件、劳动工具和材料的分配,因而也包含着积累起来的资本在各个私有者之间的劈分,从而也包含着资本和劳动之间的分裂以及所有制本身的各种不同的形式。分工愈发达,积累愈增加,这种分裂也就愈剧烈。劳动本身只有在这种分裂的条件下才能存在。"[1]这就是说,分工包括劳动条件(土地)、劳动工具(生产资料)的分配,包含着资本在各个所有者之间的分布,包含着生产资料财产与劳动力财产的对立,还包含着产权的不同形式。

这里,马克思和恩格斯说明了分工与产权形式的关系,即分工决定产权形式,分工的发达程度不同,产权形式也就会不同。同时,也说明了劳动、生产资料和土地作为社会生产方式的物质要素的对立统一关系,即劳动只有在劳动力财产与生产资料财产(包括土地财产)各自独立的条件下才能存在。按照马克思的这一思想,产权形式是由社会分工所决定的一种客观存在,是社会分工的客观反映,产权形式要符合社会分工的要求。社会分工越发达,资本与劳动力的分离就越明显,因此就产生了资本、土地和劳动力各自独立的产权形式,从而构成了一切社会生产方式必须具备的三个物质要素。而这三个物质要素作为财产又分别归不同的所有者拥有,由此形成了不同财产所有者之间的财产关系。所以,变革财产关系一定要符合社会分工的客观要求。因此,研究我国社会主义初级阶段社会分工的发展状况和对产权形式的客观要求,设计适当的产权形式,变革财产权关系以适应社会分工的要求,是一个重要的课题。

(二)财产权利公共占有受生产力发展水平和劳动者普遍联系的程度制约

马克思和恩格斯在谈到无产阶级占有制的时候指出:"个人必须占有现有的生产力总合,这不仅是为了达到自主活动,而且一般来说是为了保证自己的生存。这种占有首先受到必须占有的对象所制约,受自己发展为一定总和并且只有在普遍交往的范围里才存在的生产力所制约。仅仅由于这一点,占

---

[1] 《马克思恩格斯选集》第一卷,人民出版社1973年版,第73页。

有就必须带有适应生产力和交往的普遍性质。"①我们理解,这里的个人是指无产阶级,生产力总合是指联合起来的劳动者形成的生产力,普遍交往是指劳动者之间的合作联合②。因此,马克思和恩格斯要说明的是:无产阶级要实行纯粹的财产权利公共占有,必须占有现有的劳动力财产总和,即联合起来的劳动者所形成的生产力,但首先要受到生产力的制约。即实行全部劳动力财产的公共占有一定要适应生产力的发展和劳动者的普遍合作联合(交往)的要求。也就是说劳动力财产权的公共占有形式必须适应生产力发展和劳动者普遍联系的需要。

(三)财产权利公共占有受占有主体的制约

马克思和恩格斯在谈到无产阶级占有制的时候还指出:"对这些力量的占有本身不外是同物质生产工具相适应的个人才能的发挥。仅仅因为这个缘故,对生产工具的一定总和的占有,也就是个人本身的才能的一定总和的发挥。……这种占有受到占有的个人的制约。只有完全失去了自主活动的现代无产者,才能够获得自己的充分的、不再受限制的自主活动,这种自主活动就是对生产力总合的占有以及由此而来的才能总合的发挥。过去的一切革命的占有都是有局限性的;个人的自主活动受到有限的生产工具和有限的交往的束缚,他们所占有的是这种有限的生产工具,因此他们只达到了新的局限性。他们的生产工具成了他们的财产,但是他们本身始终屈从于分工和自己所有的生产工具。在过去的一切占有制下,许多个人屈从于某种唯一的生产工具;在无产阶级的占有制下,许多生产工具应当受每一个个人支配,而财产则受所有的个人支配。现代的普遍交往除了受全部个人支配不可能通过其他的途径受一个个人支配。"③这里,对这些力量的占有,应当是指无产阶级对劳动力财

---

① 《马克思恩格斯选集》第一卷,人民出版社1973年版,第74页。
② 马克思在分析私有制条件下的生产力时指出:"生产力表现为一种完全不依赖于各个个人并与他们分离的东西,它是与各个个人同时存在的客观世界,其原因是,个人(他们的力量就是生产力)是分散的和彼此对立的,而这些力量从自己方面说只有在这些个人的交往和相互联系中才能成为真正的力量。"《马克思恩格斯选集》第一卷,人民出版社1973年版,第73页。
③ 《马克思恩格斯选集》第一卷,人民出版社1973年版,第74~75页。

产总和即生产力总和的占有;对生产资料一定总和的占有,应当是指对主要生产资料财产的占有。只有无产阶级才能够占有劳动力财产总和、发挥整个无产阶级领导经济的才能。而过去的一切革命都是有局限性的,劳动者占有劳动力财产受到有限的生产资料和有限的合作联合的束缚,占有有限的生产资料使劳动者达到了新的局限性。在无产阶级占有制下,许多生产工具应当受无产阶级支配(而不是全部生产工具),而劳动力财产则受个人支配。现代劳动者的联合只能由无产阶级来领导,不可能由哪一个个人来领导。

(四)财产权利公共占有受到占有方式的制约

马克思和恩格斯指出:"占有还受实现占有所必须采取的方式的制约。占有只有通过联合才能得到实现,由于无产阶级所固有的本性,这种联合只能是普遍性的,而且占有也只能通过革命才能得到实现"。[1] 这就是说,无产阶级只有通过普遍性的联合,才能实现对主要生产资料的公共占有。而这种普遍联合的方式是股份制或国有化的方式。马克思在分析信用在资本主义生产中的作用时,指出了股份公司的特征:"1. 生产规模惊人地扩大了,个别资本不可能建立的企业出现了。同时,这种以前由政府经营的企业,成了公司的企业。2. 那种本身建立在社会生产方式的基础上并以生产资料和劳动力的社会集中为前提的资本,在这里直接取得了社会资本(即那些直接联合起来的个人的资本)的形式,而与私人资本相对立,并且它的企业也表现为社会企业,而与私人企业相对立。这是作为私人财产的资本在资本主义生产方式本身范围内的扬弃。3. 实际执行职能的资本家转化为单纯的经理,即别人的资本的管理人,而资本所有者则转化为单纯的所有者,即单纯的货币资本家。"[2]"在股份公司内,职能已经同资本所有权相分离,因而劳动也已经完全同生产资料的所有权和剩余劳动的所有权相分离。资本主义生产极度发展的这个结果,是资本再转化为生产者的财产所必需的过渡点,不过这种财产不再是各个相互分离的生产者的私有财产,而是联合起来的生产者的财产,即直接的社会财

---

[1] 《马克思恩格斯选集》第一卷,人民出版社 1973 年版,第 75 页。
[2] 马克思:《资本论》第三卷(上),人民出版社 1973 年版,第 493 页。

产。"①可见,股份公司是社会化大生产的主要表现形式,它不仅实现了生产规模的扩大,而且实现了资本的高度集中并取得了社会资本的形式,它表现为社会企业,并且实现了资本所有权、占有使用权与监督管理经营权的分离,实现了私有财产到社会财产的转变。

恩格斯认为,经济危机表明资产阶级没有能力驾御现代生产力,因此,大的生产机构和交换机构转变为股份公司和国家财产成为必然的选择,从而进一步阐述了股份制经营与国有化的关系。"如果说,危机暴露出资产阶级无能继续驾驭现代生产力,那末,大的生产机构和交换机构向股份公司和国家财产的转变就表明资产阶级在这方面不是不可缺少的。资本家的全部社会职能现在由雇佣的职员来执行了。资本家拿红利、剪息票、在各种资本家相互争夺彼此的资本的交易所中进行投机,除此以外,再没有任何其他的社会活动了。"②可见,承认和保护资本(生产资料)所有者对其资本的所有权,是建立股份制企业的前提,同时也是建立大型国家生产机构和交换机构的前提。这里,我们认为恩格斯所说的大的生产机构和交换机构转变为国家财产,应当是指由国家来组织的大型股份制公司,它可以由国家资本所有者和其他资本所有者共同出资建立,并不是指所有资本都由国家所有。国有化的前提是生产资料或交通手段真正发展到不适于由股份公司来管理。恩格斯说:"只有在生产资料或交通手段真正发展到不适于由股份公司来管理,因而国有化在经济上已成为不可避免的情况下,国有化——即使是由目前的国家实行的——才意味着经济上的进步,才意味着在由社会本身占有一切生产力方面达到了一个新的准备阶段。"③可见,国有化的前提是生产资料或交通手段真正发展到不适于由股份公司来管理,这时才应当由国家来管理。而这时的完全国家所有才意味着经济上的进步。所以,股份制是一种长期适应生产力发展的产权组织形式。

股份公司和国家财产都具有资本的属性。恩格斯在其著作《反杜林论》

---

① 马克思:《资本论》第三卷(上),人民出版社1973年版,第494页。
② 《马克思恩格斯选集》第三卷,人民出版社1973年版,第318页。
③ 《马克思恩格斯选集》第三卷,人民出版社1973年版,第317页脚注。

中阐述社会主义理论时指出:"但是,无论转化为股份公司,还是转化为国家财产,都没有消除生产力的资本属性。在股份公司那里,这一点是十分明显的。而现代国家却只是资产阶级社会为了维护资本主义生产方式的共同外部条件使之不受工人和个别资本家的侵犯而建立的组织。"①可见,建立股份公司和国家出资的大型企业,都要求提高经济效益。因为,生产剩余价值,创造社会财富,是生产力的内在要求。而政府的责任是维护社会生产的外部条件,规范社会成员和经济组织的经济行为。

(五)变革财产权关系以适应生产力的发展

马克思在《道德化的批判和批判化的道德》一文中驳斥卡尔.海因岑的所谓公平言论时指出:"财产问题的表现形式极不相同,这是同一般工业发展的不同阶段和各国工业发展的特殊阶段相适应的。例如,对加里西亚的农民来说,财产问题被归结为把封建的土地所有制变成小资产阶级的土地所有制。……相反,英国的农业工人同土地所有者没有任何关系。他只同农场主即用办工厂的同一原理办农场的经营资本家发生关系。这种经营资本家从自己这方面说,由于付给土地所有者以地租而同所有者直接发生关系。因此,对英国工业资产阶级来说,消灭土地所有制是最重要的财产问题,……对英国农业工人来说则相反,他们和英国工厂工人一样,对他们来说消灭资本乃是最重要的财产问题。无论在英国革命或者法国革命中,财产问题的提法都归结为给竞争以广阔的自由和消灭一切封建财产关系,……最后,在'我们这个时代',财产问题的意义在于消灭因大工业、世界市场和自由竞争的发展而造成的冲突。财产问题从来就随着工业发展的不同阶段而成为这个或那个经济的切身问题。十七、十八世纪时要废除封建财产关系,财产问题就是资产阶级的切身问题。十九世纪时要废除资产阶级财产关系,财产问题就是工人阶级的切身问题。"②可见,变革财产权关系的目的是适应和促进生产力的发展。由于财产权是所有制的核心和主要内容,财产权关系是生产关系的重要组成部分,生产

---

① 《马克思恩格斯选集》第三卷,人民出版社1973年版,第318页。
② 《马克思恩格斯选集》第一卷,人民出版社1973年版,第174~175页。

力的发展决定财产权关系,所有制的变革实际上也包括财产关系的变革。所以,财产权关系的变革是生产力发展的客观要求。

五、马克思主义国家财产权理论的现实意义

马克思主义财产学说的国家财产权理论,对于我们正确认识国家财产权的发展趋势、国有产权的组织形式和变革财产权关系以促进生产力的进一步发展的规律,具有重要指导意义。中央与地方政府作为国有产权主体,应当遵循国家财产权的基本规定性,正确把握国家财产权的发展趋势,寻求适应市场经济发展要求的政府产权管理体制和管理方式,提高管理才能,以促进社会生产力的进一步发展。

(一)阐述了生产资料公共占有的趋势

马克思主义财产权学说的国家财产权理论指出了生产资料公共占有的历史发展必然性。国家财产权的发展趋势不是实行产权的私有。但生产资料的公共占有程度要根据劳动社会化的发展程度来决定。因为,社会分工的发展导致劳动的社会化,而劳动的社会化必然要求生产资料的公共占有。我国处于社会主义初级阶段,市场经济还处于发展过程中,远没有达到高度发达的程度,还没有实现完全的社会化大生产,劳动者联合起来形成的生产力还部分地处于分散状态,劳动者之间的相互合作联合还没有达到很高的程度。在这种情况下,实行完全的劳动力财产私人占有不符合生产社会化的要求,是一种历史的倒退;而纯粹的劳动力财产国家所有也不符合我国生产力发展水平的现状。因此,生产资料的集中程度还不能够太高。所以,以公有制为主体,多种所有制形式并存,共同发展,或者,实行混合所有制,有其必然性和理论依据。

(二)阐述了国家占有生产资料的根本目的

马克思主义财产学说的国家财产权理论指出了国家占有生产资料的根本目的是为了促进生产力的发展,说明了国家拥有国有资产的原因。对于我们正确认识政府作为国有资产所有者代表的职能,具有重要意义。国家拥有生产资料财产权就是要按照生产力发展的客观要求,通过国家对经济运行的调节控制,消除社会生产的无政府状态。同时,我国坚持进行经济体制的改革,

对计划经济体制全部生产资料归国家所有的产权管理体制进行改革,更加符合我国生产力的发展水平。在社会主义初级阶段,坚持公有制为主体、多种所有制经济共同发展的基本经济制度,坚持按劳分配为主体、多种分配方式并存的分配制度,顺应了生产力发展的要求。

(三)阐述了国家领导经济能力的发挥与生产资料公共占有的关系

马克思主义财产学说的国家财产权理论说明了无产阶级领导经济的能力与生产资料的公共占有相适应的关系。代表无产阶级领导经济发展的国家,对劳动力财产总和即生产力总和的占有,就是无产阶级领导经济能力的发挥。对主要生产资料财产的占有,也是无产阶级领导经济的一定才能的发挥。我国是工人阶级领导的、以工农联盟为基础的人民民主专政的社会主义国家,已经实现了无产阶级对主要生产资料的占有,代表全体人民利益的国家正在成功地发挥领导经济的职能,并且,不断以创新的精神提高领导经济的能力。

(四)阐述了生产资料国家所有的渐进性

马克思主义财产学说的国家财产权理论认为,生产资料国家所有是逐步实现的,并且把快速增加生产力总量作为重要的任务。我国目前一方面面临着发展市场经济所要解决的给竞争以广阔的空间,另一方面又面临着因世界经济一体化、参与国际市场和竞争的发展而产生的矛盾。因此,进行产权制度的改革、改变计划经济体制单一的公有制财产关系,明晰国有企业的产权关系、优化财产所有制结构和建立以国有经济为主导的产权结构,适应社会主义初级阶段生产力发展的需要,逐步实现生产资料的国家所有,快速增加生产力总量,是我们建立社会主义市场经济所必须解决的带有根本性的问题。

(五)指出了国有产权组织形式发展的方向

马克思主义财产学说的国家财产权理论告诉我们,股份制是一种长期适应生产力发展的产权组织形式。我国经济联合的程度还不高,生产力的多层次性还没有达到需要完全由社会管理的程度。因此,正确认识和承认我国生产力的多层次性质,将不需要由国家管理的那部分生产力交给其他财产所有者进行管理,发挥多种经济成分的作用;同时,政府国有资产集中于国民经济命脉,控制重要产业、重要资源、大规模的交通机构,包括能源、邮政、电报和铁路等必须由政府管理的生产资料,通过组建多元产权主体构成的大型股份制企业和大型企业集团,不断提高经济联合的程度,以进一步发展生产力,是符合我国社会主义初级阶段生产力发展水平的国有资产管理体制改革和产权组织形式改革的正确选择。这种通过组建国家(包括中央政府和地方政府国有资产所有者代表)和其他投资主体共同出资的大型股份制企业和大型企业集团来实现的共同占有生产资料的方式,更加符合我国社会主义初级阶段生产力发展的要求和社会主义市场经济发展的实际需要。所以,适应生产力多层次性质的产权组织形式应当是股份公司形式。因此,在国有资产产权关系明晰前提下组建跨隶属关系、跨所有制、跨地区、跨部门、跨国的大型股份制企业是国有产权组织形式改革的方向。

本章小结

1. 财产权是财产所有者的权利,即财产所有者任意支配其财产的权利。财产权的特征是对财产权利所具有的基本内在规定性的概括。财产所有权是一种独占权或垄断权,是一种获得收益的权利。

2. 资本主义生产方式下财产所有权的主要表现形式包括:劳动力财产所有权;生产资料财产所有权;货币资本财产所有权;借贷资本财产所有权;证券财产所有权;土地财产所有权。

3. 财产权是社会生产关系的具体表现形式,财产权的本质是财产权关系。财产权关系是财产所有者相互之间在占有、分配和处分财产(物质财富)过程中发生的经济关系。劳动、生产资料和土地这三个物质要素之间的关系,本质上是劳动力所有权、生产资料所有权和土地所有权之间的关系。进一步说是劳动力所有者、生产资料所有者和土地所有者之间的关系。

4. 财产所有权是由法律确认和保护的财产所有者对其财产所享有的权利。财产所有权是收益权的基础和前提,财产所有者依据对财产的所有权(或垄断权)获得收益,获得收益是财产所有权得以实现的经济形式。

5. 所有的财产收益都来源于劳动创造的价值和剩余价值。地租和利润作为土地所有权和资本所有权的收益,来自于劳动创造的剩余价值。财产收益是价值的转化形态。财产收益是对劳动者新创造的价值的分配;地租、利息和产业利润是对剩余价值的分割。

6. 财产收益的数量界限是指各个财产所有者依据其财产所有权获得收入的数量边界。国民收入总量是财产所有者获得财产收益的绝对数量界限。劳动力财产所有者获得劳动力财产收入的数量界限是平均工资。资本所有者和占有使用者获得财产收益的数量界限是平均利润。资本财产所有者和占有使用者获得的财产收益数量受到土地所有权的限制。平均利息和平均净利润分别是资本财产所有者和资本财产占有使用者获得财产收益的数量界限。土地财产所有者获得收益的数量界限是超额利润。

7. 劳动、生产资料和土地作为社会生产的物质要素,不是资本主义生产方式独有的,而是任何社会生产方式都必须具有的要素。所不同的是,生产资料所有制不同、反映的生产关系不同、国家代表的利益主体不同。

8. 在我国社会主义市场经济体制下,土地、资本和劳动力是社会生产过程中的必要物质要素。这些物质要素的所有者依据不同的财产权利,要求得到收益是财产收益分配一般规律的客观要求。生产资料所有权是生产资料所有者获得收益的依据;生产资料占有使用权是生产资料的占有使用者获得收益的依据;企业的监督管理和经营者拥有的管理要素所有权是其获得收益的依据;国家所有的土地所有权是国家获得收益的依据;劳动者所有的劳动力财产所有权是劳动者获得收益的依据。

9. 随着社会分工的扩大和财产权组织形式的变化,财产的所有权、占有使用权与监督管理经营权可以分离。借贷资本财产所有者对于货币资本财产所有者来说,实际上是拥有了货币资本财产的占有使用权,而银行经理则应当是拥有货币资本财产管理经营权的主体;在企业,拥有货币资本财产占有使用权的是企业主,而拥有企业监督管理经营权的则是企业的监督管理人员和经理。监督管理人员和经理实际上是代表资本财产的占有使用者在行使监督管理和经营的职能。

10. 法律是对人们行为共同规则的概括。法律是对财产所有者拥有的财产权利及行使相关权能的规范,是保护财产权利的手段。在社会主义市场经济条件下,资本、土地和劳动力是社会生产必需的生产要素,因此要承认和保护资本、土地和劳动力所有权,维护这些财产所有者依据生产要素所有权获得财产收益的权利。只有通过法律明确和维护了财产所有者的合法权益,才能规范市场经济各经济主体的行为,维持正常的经济秩序,促进我国市场经济的健康发展。

11. 国家资本是指政府作为生产资料所有者投入在物质生产领域的资本。国家财产权的发展方向是:土地和其他生产资料转化为公共财产是生产力发展的必然要求;大规模生产的行业将转化为国家财产;建立生产资料公共所有、承认和维护个人财产权的产权制度;国家拥有财产权的目的是进行社会管理,使生产、占有和交换的方式同生产资料的社会性质相适应,最大限度地发展生产力;股份制是一种长期适应生产力发展的产权组织形式。

第二章 财产权理论辨析

第一节 如何正确认识马克思主义财产权学说

马克思主义财产权学说揭示了市场经济条件下产权关系的一般规律和内在规定性,反映了社会化大生产的客观要求,对于我们按照财产权规律的客观要求,改革我国产权管理体制,建立现代产权制度,促进生产力的发展,具有重要的指导意义。本节针对学术界的一些不同观点,对如何认识和掌握马克思主义财产权学说,马克思主义财产权学说的基本理论体系及其对我国产权制度改革的指导意义进行了探讨。

一、引言

我国经济体制改革的重要任务之一是建立健全现代产权制度。① 著名经济学家刘国光教授指出:"中国要建立的是社会主义的市场经济,而不是资本主义的市场经济;要坚持公有制为主体、多种所有制经济共同发展的基本经济制度,而不是私有化或者不断向私有化演变;……要做到这些,都需要马克思主义的政治经济学来指导,而不能用西方经济理论特别是新自由主义经济理论来指导。"② 从而提出了要以马克思主义经济理论来指导我国经济体制改革、特别是现代产权制度改革的重要思想。因此,深入研究、正确认识和全面

---

① 中共中央《关于完善社会主义市场经济体制若干问题的决定》2003 年 10 月 14 日中国共产党第十六届中央委员会第三次全体会议通过。——本书作者注。
② 刘国光:《经济学教学和研究中的一些问题》,见《经济研究》2005 年第 10 期,第 10 页。

掌握马克思主义财产权学说尤为重要。

但是,也有的学者认为:马克思的产权理论具有明显的时代特点,即具有与当时历史条件相联系的侧重点:一是侧重社会本质性的研究和宏观的分析,从这点上说,它仅是一种所有制理论,而并没有成为真正意义上的产权理论;二是重点放在对私有制社会弊端的揭露和批判,尤其是服务于无产阶级革命的要求,很少具有从经济发展出发研究问题的内容;三是在对未来公有制产权发展的认定上,采取了对收利性的绝对否定态度和单一化形式设想。他对资本主义下产权的多种分离状态及各种权利形式作了大量细致的研究,但其重点不是证明产权与效率的关系,而只在于说明多种形式下剩余价值的客观存在及其剥削实质。用现代的观点来看,这也是一种历史的局限性,对后来社会主义国家的建立和经济的发展形成很大的影响作用,特别是从研究公有产权改革的现实需要来说,无疑会产生很大的不适应。

这说明我国经济理论界对马克思主义的财产权学说还存在着一些不同的认识。为此,我们就这些理论观点谈一点看法。

二、正确认识马克思主义财产权学说的前提

正确认识马克思主义财产权学说的前提是对马克思经济学说的正确认识和全面掌握。马克思的经济学说——包括财产权学说——是揭示市场经济一般规律的学说。对马克思的经济学说只有运用唯物辩证的方法去认识,才能够正确理解;只有在正确理解的基础上,才能够全面地掌握,并用来指导我国的社会主义市场经济体制改革实践,特别是国有资产产权管理体制改革实践和国有企业改革的实践。我们得出这一结论,主要是基于以下分析。

(一)马克思主义经济学说是阐述市场经济运行基本原理和揭示市场经济一般规律的学说

从普遍联系的角度看,马克思主义经济学说不是孤立地研究资本主义社会的固有矛盾和发展趋势,而是通过研究资本主义社会资本的生产过程、资本的流通过程和资本主义生产的总过程,联系社会分工导致的商品生产和商品交换,联系生产力的发展所产生的生产资料所有制的变化,来揭示资本主义社

会的生产社会化与生产资料私人占有之间的矛盾、无产阶级与资产阶级之间的阶级矛盾和资本主义社会的发展趋势,进而创立了劳动价值论学说、剩余价值论学说、社会再生产学说、社会总产品价值构成学说和财产权学说,揭示了商品生产和交换的一般规律、价值规律、剩余价值规律、资本积累的一般规律、资本循环和周转的规律、社会再生产规律、生产关系一定要适合生产力性质的规律和财产权规律等。虽然马克思主义经济学说主要是以资本主义经济为研究对象创立的,但是,从客观上说,马克思在分析研究资本主义经济运行规律的同时,也阐述了市场经济运行的基本原理。

马克思主义经济学说是以资本主义生产方式的生产资料私有制为基础,对资本主义社会发展规律进行的研究。同时,也是以商品生产和商品交换为基础,对商品经济发展规律进行的研究。生产资料私有制是社会生产力发展到一定阶段的产物,而商品生产和商品交换是社会分工的结果。商品生产和商品交换与生产资料私有制不发生必然的联系。市场经济是在商品生产和商品交换不断发展的基础上形成的,是社会进一步分工的结果。或者,也可以说是商品生产和商品交换发展的较高级阶段。因此,马克思主义经济学说既是揭露资本主义社会剥削本质和揭示资本主义社会发展规律的学说,同时也是阐述市场经济运行基本原理和揭示市场经济一般规律的学说。

(二)社会主义市场经济与资本主义市场经济存在本质的区别

第一,社会主义市场经济与资本主义市场经济构成生产关系基础的生产资料所有制形式不同。资本主义市场经济是建立在生产资料私有制基础上的,土地所有权私人拥有,生产资料所有权主要是私人拥有。因此,构成一切社会生产方式基本物质要素的土地所有权表现为土地的私人所有权、生产资料所有权表现为生产资料的私人所有权、劳动力所有权表现为劳动力所有者拥有。我国社会主义市场经济是建立在生产资料公有制基础上的。土地所有权归国家所有,生产资料所有权的主流形式是全民所有和集体所有。《宪法》第六条规定:中华人民共和国的社会主义经济制度的基础是生产资料的社会主义公有制,即全民所有制和劳动群众集体所有制。国家在社会主义初级阶段,坚持公有制为主体、多种所有制经济共同发展的基本经济制度。因此,在社会主义市场经济条件下,构成一切社会生产方式基本物质要素的土地所有权表现为土地的国家所有权和劳动群众集体所有权,生产资料所有权的主流形式表现为生产资料的全民所有权和劳动群众的集体所有权,劳动力所有权形式表现为劳动力所有者独立拥有劳动力所有权。

第二,社会主义市场经济与资本主义市场经济生产资料所有制形式所决定的分配关系不同。资本主义市场经济以生产资料私有制为基础,资本主义的基本经济制度决定了依据土地私有权、生产资料私有权对劳动者创造的剩余价值的无偿占有,反映了土地私人所有者和资本所有者对劳动力所有者的剥削关系。我国社会主义市场经济以生产资料全民所有制和劳动群众集体所有制为基础。社会主义公有制消灭人剥削人的制度,实行各尽所能、按劳分配的原则。坚持按劳分配为主体、多种分配方式并存的分配制度。社会主义的基本经济制度决定了分配关系的主流是依据土地国家所有权和劳动群众集体所有权、生产资料全民所有权和劳动群众集体所有权,对劳动者创造的剩余价值的分配和再分配。反映了国家土地所有者、集体土地所有者、生产资料所有者和劳动力所有者为社会经济的发展和进步、为全体人民的根本利益而有效结合,创造社会财富、促进生产力发展的分配关系。

第三,社会主义市场经济国家与资本主义市场经济国家所代表的利益主体不同。法律是国家履行职能的表现形式。资本主义市场经济国家所代表的利益主体是资产阶级。资本主义市场经济国家通过法律的形式维持和保卫资产阶级的财产关系。我国实行社会主义市场经济体制,国家所代表的利益主体是全体社会成员。《宪法》第二条规定:中华人民共和国的一切权力属于人民。人民行使国家权力的机关是全国人民代表大会和地方各级人民代表大会。人民依照法律规定,通过各种途径和形式,管理国家事务,管理经济和文化事业,管理社会事务。第七条规定:国有经济,即社会主义全民所有制经济,是国民经济中的主导力量。国家保障国有经济的巩固和发展。第八条规定:国家保护城乡集体经济组织的合法的权利和利益,鼓励、指导和帮助集体经济的发展。第九条规定:矿藏、水流、森林、山岭、草原、荒地、滩涂等自然资源,都属于国家所有,即全民所有;由法律规定属于集体所有的森林和山岭、草原、荒地、滩涂除外。国家保障自然资源的合理利用,保护珍贵的动物和植物。禁止任何组织或者个人用任何手段侵占或者破坏自然资源。第十条规定:城市的土地属于国家所有。农村和城市郊区的土地,除由法律规定属于国家所有的以外,属于集体所有;宅基地和自留地、自留山,也属于集体所有。国家为了公共利益的需要,可以依照法律规定对土地实行征收或者征用并给予补偿。任何组织或者个人不得侵占、买卖或者以其他形式非法转让土地。土地的使用权可以依照法律的规定转让。一切使用土地的组织和个人必须合理地利用土地。第十一条规定:在法律规定范围内的个体经济、私营经济等非公有制经济,是社会主义市场经济的重要组成部分。国家保护个体经济、私营经济等非公有制经济的合法的权利和利益。国家鼓励、支持和引导非公有制经济的发展,并对非公有制经济依法实行监督和管理。第十二条规定:社会主义的公共财产神圣不可侵犯。国家保护社会主义的公共财产。禁止任何组织或者个人用任何手段侵占或者破坏国家的和集体的财产。第十三条规定:公民的合法的私有财产不受侵犯。国家依照法律规定保护公民的私有财产权和继承权。国家为了公共利益的需要,可以依照法律规定对公民的私有财产实行征收或者征用并给予补偿。这些都表明:社会主义国家所代表的利益主体是包括国有经济、集体经济、个体经济、私营经济等非公有制经济在内的全体社会成员,国家用法律来保卫全体社会成员的合法利益。

可见,构成生产关系基础的生产资料所有制形式不同、生产资料所有制形式所决定的分配关系不同、国家所代表的利益主体不同,是我们区别社会主义市场经济和资本主义市场经济的根本点。或者说,社会主义市场经济和资本主义市场经济的独特社会性质是它们得以相互区别的标准和界限。

(三)社会主义市场经济与资本主义市场经济存在共同的特征

如果我们去掉社会主义市场经济和资本主义市场经济所具有的这些独特的社会性质,那么,剩下的就不再是这些区别,而是一切市场经济国家所共同具有的特征。马克思指出:"劳动本身,就它作为有目的的生产活动这个简单的规定性而言,不是同具有社会形式规定性的生产资料发生关系,而是同作为物质实体、作为劳动材料和劳动资料的生产资料发生关系。这些生产资料也只是在物质方面,作为各种使用价值来互相区别:土地不是生产出来的劳动资料,其余的东西是生产出来的劳动资料。因此,如果劳动和雇佣劳动合而为一,那种使劳动条件和劳动对立的一定的社会形式也就会和劳动条件的物质存在合而为一。这样,劳动资料本身就是资本,土地本身也就是土地所有权了。这些劳动条件在劳动面前所显示出来的形式上的独立,它们在雇佣劳动面前所具有的这种独立化的特殊形式,也就成了它们作为物,作为物质生产条件所具有的不可分离的属性,成了它们作为生产要素必然会有的、内在地固有的性质了。它们在资本主义生产过程中获得的、为一定的历史时代所决定的社会性质,也就成了它们自然的、可以说是永恒的、作为生产过程的要素天生就有的物质性质了。"①可见,生产资料、土地和劳动这三个物质要素的根本属性是:劳动与作为物质实体、作为劳动材料和劳动资料的生产资料发生关系。这些生产资料也只是在物质方面,作为各种使用价值来互相区别,并不存在所谓的社会性质。如果去掉生产资料、土地和劳动这三个物质要素在特定社会生产方式下的这些社会性质,它们就具有作为生产要素必然会有的、内在的、固有的性质。在分析分配关系和生产关系问题时马克思还指出:不同分配方式的同一性可以归结到一点,"如果我们把它们的区别性和特殊形式去掉,只注意它们的同区别性相对立的一致性,它们就是同一的。"②按照这一方法去认识和理解市场经济,我们可以发现,马克思主义经济学说是在分析和阐述资本主义经济运行过程、揭示资本主义生产资料私有制所产生的资本主义社会固有矛盾和剥削实质的同时,揭示市场经济一般规律的学说。例如,劳动价值论学说、剩余价值论学说、社会再生产学说、社会总产品价值构成学说和财产权学说,商品生产和交换的一般规律、价值规律、剩余价值规律、资本积累规律、资本循环和周转的规律、社会再生产规律、生产关系一定要适合生产力性质的规律和财产权规律,等等。只要我们自觉地运用唯物辩证的方法去认识和理解马克思主义经济学说,那么,就不会得出所谓马克思主义经济学说已经

---

① 马克思:《资本论》第三卷(下),人民出版社 1975 年版,第 932~933 页。
② 马克思:《资本论》第三卷(下),人民出版社 1975 年版,第 993 页。

过时或不适应的观点了。同时,也将有助于我们加深对社会主义市场经济的理解。

三、马克思是否建立了真正意义上的产权理论

辩证地看,马克思通过研究资本主义社会资本的生产过程、资本的流通过程和资本主义生产的总过程,不仅深入系统地分析了资本主义经济的运行规律,阐述了资本主义社会的生产资料所有制理论,而且还揭示了基于资本主义社会生产资料私有制的资本主义财产权关系,建立了科学的财产权理论体系,创立了马克思主义的财产权学说。因为,"产权是所有制的核心和主要内容",[①]所以,马克思阐述的所有制理论实际上包含了财产权基本理论和财产权规律的内容,是对现代社会财产权规律的客观总结。

马克思主义财产权学说是以财产主体拥有的财产权利、财产权的形式,财产权各项权能之间的关系,财产主体在生产中的地位及其相互关系,财产主体获得财产收益的形式及其数量界限,财产权组织形式,变革财产权关系促进生产力发展等为主要内容的学说。其研究对象是社会经济活动中财产主体拥有的财产权利及财产主体之间的财产权关系。马克思主义财产权学说阐述了财产权内涵,财产权利受法律保护规律,财产所有权、占有使用权同监督管理经营权分离规律(三权分离规律),财产权表现形式规律,财产收益分配规律,财产权关系一定要适应生产力发展的规律,国家财产权发展规律等重要思想,揭示了经济发展所决定的财产权关系的内在规定性。马克思创立的财产权理论无论在揭示资本主义财产关系的本质,还是在揭示财产权一般规律方面,都是深刻的和全面的。

社会生产方式中的财产权关系在不同的社会有不同的表现形式,如果去掉其独特的社会性质,那么,呈现在人们面前的就是带有规律性的财产权理论。只要我们能够全面深入地,而不是片面表象地认识和研究马克思主义经

---

① 中共中央《关于完善社会主义市场经济体制若干问题的决定》2003 年 10 月 14 日中国共产党第十六届中央委员会第三次全体会议通过。——本书作者注。

济学说,就可以从马克思关于资本主义所有制的理论中发现马克思阐述的关于资本主义财产权的理论;同样,我们也可以发现马克思揭示的适应市场经济发展的财产权基本规律。

四、马克思的产权理论是否很少具有从经济发展出发研究问题的内容

严格地说,无论是马克思的劳动价值论学说、剩余价值论学说、社会再生产学说、社会总产品价值构成学说和财产权学说,还是马克思揭示的商品生产和交换的一般规律、价值规律、剩余价值规律、资本积累规律、资本循环和周转的规律、社会再生产规律、生产关系一定要适合生产力性质的规律和财产权规律等等,都是以财产所有者拥有的财产权利以及这些财产权利存在的物质实体——即劳动力、生产资料和土地——为前提的。因为,劳动力、生产资料和土地是一切社会生产方式必须具备的物质要素。因而,一切社会的经济活动都是在这个基础之上进行的,而一切涉及经济发展的内容也都是围绕财产权关系展开的。

马克思主义财产权学说告诉我们:财产权的产生是生产力发展的结果,属于所有制范畴;财产要素是社会生产方式必须具备的物质要素;财产要素在生产中所起的作用决定了财产主体在生产中的地位及其相互关系,包括财产权利交换关系和产品分配关系;财产主体获得财产收益的形式及其数量界限是由财产分配规律决定的;财产权各项权能的分解组合及其相互关系是由生产力发展和社会分工决定的;财产权的组织形式是生产关系一定要适合生产力性质规律的客观反映;变革财产权关系的目的是适应和促进生产力的发展。财产权关系的各个方面相互联系、相互制约,构成一个统一的整体。财产所有权是财产关系的基础。一定的财产所有权形式,财产要素在生产中所起的作用,决定了财产主体在社会生产中的地位和相互关系、一定的交换关系和一定的产品分配关系。财产权关系和经济发展(效率)是社会生产方式的两个方面。两者紧密联系,互相依存,在对立的统一中发展变化。财产权关系属于生产关系范畴,经济发展属于生产力范畴。如同生产力决定生产关系,客观上存

在生产关系一定要适合生产力性质的规律一样,经济发展也决定财产权关系,客观上也存在财产权关系一定要适合经济发展需要的规律。或者说,后者是生产关系一定要适合生产力性质的规律的具体体现。经济发展决定财产权关系是一种客观存在,有着内在的规定性。包括马克思阐述的生产要素理论,财产权利受法律保护理论,财产所有权、占有使用权同监督管理经营权分离理论(三权分离理论),财产权表现形式理论、财产收益分配规律、生产条件和生活条件再生产理论、产权组织形式理论和财产关系一定要适应生产力发展的规律,等等。财产权关系的这些内在规定性是经济发展的客观要求,是经济发展的必要条件和必要环境,没有这些条件和环境,或者这些条件和环境不健全、不完善,经济秩序就会发生混乱,社会生产就无法正常进行,经济发展也就会受到阻碍。从这个角度看,马克思主义财产权学说也可以说是主要揭示经济发展所决定的财产权关系内在规定性的学说。而财产权关系的这些内在规定性正是马克思从经济发展出发研究的财产权问题。

当然,财产权关系也不是消极被动的,它反作用于经济发展,对经济发展起着促进或阻碍作用。在社会主义市场经济条件下,财产权关系与经济发展之间的矛盾可以经由社会主义制度本身不断地完善得到解决。社会主义国家可以自觉地运用生产关系一定要适合生产力性质的规律,调整财产权关系的某些不适应经济发展的部分和环节,促进整个国民经济健康、稳定和快速发展。因此,调整财产权关系的某些部分和环节以适应和促进经济发展也是马克思主义财产权学说的重要内容。例如,根据马克思主义财产权学说关于财产权关系要适应生产力发展规律的理论,建立健全产权制度,明晰产权关系,明确产权主体的权利、责任、义务,确定产权收益形式和数量界限,理顺产权主体之间的收益分配关系,完善法制保护财产所有者的财产权利,建立符合社会化大生产要求的产权组织形式,完善社会生产和人民生活的一般生产条件和生活条件,等等。所以,全面认识和掌握马克思主义的财产权学说,应当既包括对财产权关系内在规定性的认识和掌握,也包括对财产权关系适应和促进经济发展理论的认识和掌握。

其实,即便是从财产权角度看,马克思也不是脱离经济发展来研究问题。

例如,马克思在阐述简单再生产理论时指出:"生产的条件同时也就是再生产的条件。任何一个社会,如果不是不断地把它的一部分产品再转化为生产资料或新生产的要素,就不能不断地生产,即再生产。在其他条件不变的情况下,社会在例如一年里所消费的生产资料,即劳动资料、原料和辅助材料,只有在实物形式上为数量相等的新物品所替换,社会才能在原有的规模上再生产或保持自己的财富,这些新物品要从年产品总量中分离出来,重新并入生产过程。因此,一定量的年产品是属于生产的。这部分本来供生产消费之用的产品,就采取的实物形式来说,大多数不适于个人消费。"①显然,这里马克思阐述的是社会再生产的基本原理,是说只有不断地补偿在生产过程中消耗掉的生产资料的价值,社会简单再生产才能够顺利进行。但是,如果从财产权角度看,这一理论应当理解为生产资料的所有者依据生产资料所有权,要求获得生产资料的补偿价值,才能保证社会再生产的顺利进行。

马克思在分析英国合作工厂的财务账目时还指出:"在扣除经理的工资——这种工资形成所投可变资本的一部分,同其他工人的工资一样——以后,利润大于平均利润,虽然这些工厂有时比私营工厂主支付更高更多的利息。在所有这些场合,利润高的原因是由于不变资本的使用更为节约。但这里使我们感兴趣的是:在这里,平均利润(= 利息 + 企业主收入)实际地并且明显地表现为一个同管理工资完全无关的量。因为,在这里利润大于平均利润,所以企业主收入也大于通常的企业主收入。"②可见,马克思的这一论述说明了调动监督管理人员和经理的积极性,充分发挥其管理要素的作用,对经济效益的提高是十分重要的。因此,承认和维护监督管理人员和经理的财产权利,对于企业的发展壮大,提高企业的经济效益,进而为资本的所有者和占有使用者提供更多的财产收益,具有重要的作用。

马克思在阐述各种收入及其源泉理论时指出:"如果一个国家的工资和土地价格低廉,资本的利息却很高,因为那里资本主义生产方式总的说来不发

---

① 马克思:《资本论》第一卷(下),人民出版社 1975 年版,第 621 页。
② 马克思:《资本论》第三卷(上),人民出版社 1975 年版,第 436 ~ 437 页。

展,而另一个国家的工资和土地价格名义上很高,资本的利息却很低,那末,资本家在一个国家就会使用较多的劳动和土地,在另一个国家就会相对地使用较多的资本。在计算两个国家之间这里可能在多大程度上进行竞争时,这些因素是起决定作用的要素。"①可见,劳动力、土地和资本这三种不同的财产,其收益的多少决定着对资本所有者的吸引力度和资本所有者的投资方式(组织劳动密集型的生产还是资本密集型的生产)。

恩格斯在阐述共产主义原理时指出:"社会制度中的任何变化,所有制关系中的每一次变革,都是同旧的所有制关系不再相适应的新生产力发展的必然结果。"②可见,研究和变革财产权关系,本质上说是根据生产力发展的需要,是生产力发展的客观要求。恩格斯的这一论述显然是对产权关系变革要适应生产力发展规律的诠释。不难发现,马克思和恩格斯的这些论述,都是从经济发展出发研究问题的内容。

五、马克思是否对未来公有制产权发展采取了对收利性的绝对否定态度

我们认为,马克思主义财产权学说从来没有否认过财产权的收利性质,即使是对未来公有制社会而言也是如此。恰恰相反,马克思认为一般剩余劳动和剩余产品必须始终存在,并且构成一切社会生产方式所共有的基础。

马克思在阐述各种收入及其源泉理论时指出:"一般剩余劳动,作为超过一定的需要量的劳动,必须始终存在。只不过它在资本主义制度下,象在奴隶制度等等下一样,具有对抗的性质,并且是以社会上的一部分人完全游手好闲作为补充。为了对偶然事故提供保险,为了保证必要的、同需要的发展以及人口的增长相适应的累进的扩大再生产(从资本主义观点来说叫作积累),就需要一定量的剩余劳动。"③马克思还说:"如果我们把工资归结为它的一般基础,也就是说,归结为工人本人劳动产品中加入工人个人消费的部分;如果我

---

① 马克思:《资本论》第三卷(下),人民出版社 1975 年版,第 988~989 页。
② 《马克思恩格斯选集》第一卷,人民出版社 1973 年版,第 218 页。
③ 马克思:《资本论》第三卷(下),人民出版社 1975 年版,第 925 页。

们把这个部分从资本主义的限制下解放出来,把它扩大到一方面为社会现有的生产力(也就是工人的劳动作为现实的社会劳动所具有的社会生产力)所许可,另一方面为个性的充分发展所必要的消费的范围;如果我们再把剩余劳动和剩余产品,缩小到社会现有的生产条件下一方面为了形成保险基金和准备金,另一方面为了按社会需要所决定的程度来不断扩大再生产所必要的限度;最后,如果我们把那些有劳动能力的人必须为社会上还不能劳动或已经不能劳动的成员而不断进行的劳动,包括到1.必要劳动和2.剩余劳动中去,也就是说,如果我们把工资和剩余价值,必要劳动和剩余劳动的独特的资本主义性质去掉,那末,剩下的就不再是这几种形式,而只是它们的为一切社会生产方式所共有的基础。"①

在阐述分配关系和生产关系问题时,马克思进一步指出:"在任何社会生产(例如,自然形成的印度公社,或秘鲁人的较多是人为发展的共产主义)中,总是能够区别出劳动的两个部分,一个部分的产品直接由生产者及其家属用于个人消费,另一个部分即始终是剩余劳动的那个部分的产品,总是用来满足一般的社会需要,而不问这种剩余产品怎样分配,也不问谁执行这种社会需要的代表的职能,在这里我们撇开用于生产消费的部分不说。"②可见,马克思不仅没有否认财产权的收利性质,恰恰相反,还把剩余劳动和剩余产品作为一切社会发展的共同基础、满足一般的社会需要、是一切社会生产方式的共同规律来认识。剩余劳动和剩余产品是劳动与资本和土地结合的产物,是社会财富的标志。社会财富作为生产力发展的标志和表现形式,在一个国家体现为国民收入总量的增加,在具体的经济组织(例如,国有企业、股份制企业、集体企业,或者外资企业等)则表现为利润的增加,即经济效益的提高。显然,剩余劳动从而剩余价值应当是指产权的收利性。

---

① 马克思:《资本论》第三卷(下),人民出版社1975年版,第990页。
② 马克思:《资本论》第三卷(下),人民出版社1975年版,第992~993页。

六、马克思是否对未来公有制产权发展作了单一化形式设想

马克思主义财产权学说认为,财产权包括土地财产权、生产资料财产权和劳动力财产权。"劳动力只是劳动者的财产(它将不断进行更新,自行再生产),而不是他的资本。劳动力是他为了生存而能够不断出卖和必须不断出卖的唯一商品,它只有到了买者即资本家手中,才作为资本(可变资本)起作用。"①可见,劳动力是劳动者的财产,劳动力的所有者拥有劳动力的所有权。"凡是社会上一部分人享有生产资料垄断权的地方,劳动者,无论是自由的或不自由的,都必须在维持自身生活所必需的劳动时间以外,追加超额的劳动时间来为生产资料的所有者生产生活资料。"②可见,生产资料是作为直接的生产要素,参加到剩余价值生产过程中的。而这个剩余价值来源于劳动者的超额劳动。生产资料作为财产,其所有者依据生产资料所有权拥有剩余索取权。"土地所有者在资本主义生产过程中的作用,不仅因为他会对资本施加压力,也不仅因为大土地所有制是资本主义生产的前提和条件(因为大土地所有制是对劳动者的劳动条件进行剥夺的前提和条件),而且特别因为土地所有者表现为最重要的生产条件之一的人格化。"③可见,土地所有者在资本主义生产过程中的作用,除了提供生产条件和对资本施加压力外,还表现为土地所有者是这种最重要生产条件的权利主体。所以,未来公有制产权当然应当包括作为一切社会生产方式都必须具有的物质要素——劳动力财产、生产资料财产和土地财产,而这些财产的背后都存在着相对应的财产权和财产所有者。这是因为,对所有的社会生产方式而言,土地、生产资料和劳动力财产都是缺一不可的。没有土地,生产资料的生产和再生产就没有场所和空间,劳动力也没有生存和发展的一般条件;没有生产资料,劳动力就没有结合的对象,经济就不会进步;没有劳动力,土地和生产资料就不会成为财产。因为,拥有土地

---

① 马克思:《资本论》第二卷,人民出版社 1975 年版,第 491 页。
② 马克思:《资本论》第一卷(上),人民出版社 1975 年版,第 263 页。
③ 马克思:《资本论》第三卷(下),人民出版社 1975 年版,第 928 页。

和生产资料财产的目的是获得财产收益,而没有劳动力所有者的剩余劳动,其他财产就失去了收益的来源。因此,讨论财产权问题不应当只局限于生产资料财产权,还应当包括土地财产权和劳动力财产权。只有在对产权的范围作了这样一个界定的基础上,才能对不同所有制下的产权问题有更深入和全面的理解。

马克思主义财产权学说认为,未来公有制产权发展是在生产资料共同占有的基础上,实行个人拥有财产权利的制度。在阐述资本积累理论时,马克思指出:"从资本主义生产方式产生的资本主义占有方式,从而资本主义的私有制,是对个人的、以自己劳动为基础的私有制的第一个否定。但资本主义生产由于自然过程的必然性,造成了对自身的否定。这是否定的否定。这种否定不是重新建立私有制,而是在资本主义时代的成就的基础上,也就是说,在协作和对土地及依靠劳动本身生产的生产资料的共同占有的基础上,重新建立个人所有制。"[1]这里的协作,应当是指大规模的生产交换联合协作,其组织形式是大型的股份制公司;对土地及依靠劳动本身生产的生产资料的共同占有,应当是指土地和生产出来的生产资料的共同所有制。因此,马克思讲的在协作和对土地及生产资料的共同占有基础上的个人所有制,我们认为应当是指在广泛联合协作基础上,在共同占有土地和生产出来的生产资料的基础上,承认和维护个人财产权(包括劳动力财产所有权和在股份制公司中个人拥有的股权财产)的产权制度。可见,马克思对未来公有制产权发展所作的设想并不是单一化的形式。

马克思主义财产权学说还认为,国有化的前提是生产资料或交通手段真正发展到不适于由股份公司来管理。恩格斯说:"只有在生产资料或交通手段真正发展到不适于由股份公司来管理,因而国有化在经济上已成为不可避免的情况下,国有化——即使是由目前的国家实行的——才意味着经济上的进步,才意味着在由社会本身占有一切生产力方面达到了一个新的准备阶

---

[1] 马克思:《资本论》第一卷(下),人民出版社 1975 年版,第 832 页。

段。"①可见,国有化的前提是生产资料或交通手段真正发展到不适于由股份公司来管理,这时才应当由国家来管理。而这时的完全国家所有才意味着经济上的进步。我国的经济发展处于社会主义初级阶段,生产力的多层次性还没有达到需要完全由社会管理的程度。因此,正确认识和承认我国生产力的多层次性质,将不需要由国家管理的那部分生产力交给其他财产所有者进行管理,发挥多种经济成分的作用,同时,建立国家和其他投资主体共同出资的大型股份制企业,是符合我国生产力目前发展水平的正确选择。因此,可以说股份制是一种长期适应我国生产力发展的产权组织形式。可见,即便是对生产资料财产而言,实行完全的国家所有也要经过一个很长的历史过程。而在这个过程中长期存在的产权组织形式是股份制的形式,而不是单一的公有制。

恩格斯还认为,"当人们按照今天的生产力终于被认识了的本性来对待这种生产力的时候,社会的生产无政府状态就让位于按照全社会和每个社会成员的需要对生产进行的社会的有计划的调节。那时,资本主义的占有方式,即产品起初奴役生产者而后又奴役占有者的占有方式,就让位于那种以现代生产资料的本性为基础的产品占有方式:一方面由社会直接占有,作为维持和扩大生产的资料,另一方面由个人直接占有,作为生活和享乐的资料。"②可见,恩格斯对未来公有制产权发展的设想是生产资料由社会直接占有,作为国家所有的财产、作为维持和扩大生产的资料,而不是由资本家占有作为剥削劳动者的资料;劳动者则依据劳动力的所有权获得更多的劳动力财产收益,用于劳动力的简单再生产和表现为生活质量大幅度提高的劳动力扩大再生产。所以,恩格斯对未来公有制产权发展所作的设想也不是单一化的。

七、马克思主义财产权学说对社会主义国家公有产权改革是否具有指导意义

马克思主义的财产权学说指明了现代财产权理论的发展方向,揭示了市

---

① 《马克思恩格斯选集》第三卷,人民出版社 1973 年版,第 317 页脚注①。
② 《马克思恩格斯选集》第三卷,人民出版社 1973 年版,第 319~320 页。

场经济条件下财产权关系的一般规律和内在规定性,反映了社会化大生产的客观要求。对于我们正确认识市场经济条件下的财产权规律,按财产权规律的客观要求,改革我国产权管理体制,建立现代产权制度,促进生产力的发展,具有重要的指导意义。

从发展的角度看,马克思不仅对资本主义生产方式下的财产权利、财产权特征、财产权的表现形式、财产权的本质等财产权基本理论进行了全面的阐述,还对财产收益的依据、社会生产方式必须具备的物质要素、财产所有权的收益形式、财产收益的来源、财产收益的数量界限等财产收益一般规律的内容进行了全面的阐述。在对财产权基本理论、基本规律研究论述的基础上,马克思和恩格斯进一步对国家财产权的涵义进行了界定,科学预测了国家财产权的发展趋势,分析了国家拥有财产权的目的;提出了土地和生产资料归国家所有、国家拥有土地所有权地租和赋税就合为一体——"国家既作为土地所有者,同时又作为主权者而同直接生产者相对立,那末,地租和赋税就会合为一体,或者不如说,不会有什么同这个地租形式不同的赋税"[①];"在协作和对土地及依靠劳动本身生产的生产资料的共同占有的基础上,重新建立个人所有制"[②];"只有在生产资料或交通手段真正发展到不适于由股份公司来管理,因而国有化在经济上已成为不可避免的情况下,国有化——即使是由目前的国家实行的——才意味着经济上的进步,才意味着在由社会本身占有一切生产力方面达到了一个新的准备阶段"[③];监督管理劳动出现的根本原因是由资本的所有权、占有使用权与管理经营权相分离,是大规模协作生产的一个必然规律等一系列关于国家财产权的重要思想。

根据马克思主义的财产权理论,在社会主义市场经济条件下,客观地存在土地财产所有权、资本财产所有权和劳动力财产所有权,也客观地存在相应的各个产权主体之间的财产权关系。土地财产的所有权形式是国家和劳动群众集体所有;资本财产的所有权形式是国家、集体、个人、法人、外商分别所有;劳

---

① 马克思:《资本论》第三卷(下),人民出版社1975年版,第891页。
② 马克思:《资本论》第一卷(下),人民出版社1975年版,第832页。
③ 《马克思恩格斯选集》第三卷,人民出版社1973年版,第317页脚注①。

动力财产的所有权形式是劳动力所有者独立拥有。国家和劳动群众集体所有的土地财产要素在生产中所起的作用是提供直接生产要素、间接生产要素（一般生产条件）和间接生活要素（一般生活条件）。因此，决定了土地财产权主体——国家和劳动群众集体组织——在社会生产中的至高无上的地位和绝对的权威，决定了国家代表全民以国有土地的占有使用权交换劳动力所有者生产的剩余产品，以税收形式获得土地补偿价值和产权收益，用于一般生产条件和一般生活条件的简单再生产（一般生产条件和生活条件的补偿）和扩大再生产（一般生产条件和生活条件的改善），反映了在全民利益一致基础上的社会产品分配关系。各种经济成分所有的资本财产要素在生产中所起的作用是提供生产出来的生产资料，因此，决定了资本财产权主体在社会生产中不可或缺的重要地位，决定了资本财产权主体依据资本所有权以缴纳税收和支付工资的形式交换土地和劳动力的占有使用权，以补偿基金和利润形式获得生产资料转移价值和剩余价值，用于生产资料的简单再生产和扩大再生产，反映了资本财产所有者依据资本所有权参与社会产品分配的关系。劳动力所有者所有的劳动力财产要素在生产中所起的作用是生产必要产品价值和剩余产品价值，因此，决定了劳动力财产权主体在社会生产中的能动和决定性的地位，决定了劳动力财产权主体依据劳动力所有权以生产剩余价值和缴纳个人税收的形式交换生产资料和一般生活条件的占有使用权，以工资形式获得必要产品价值用于劳动力的简单再生产（劳动力所有者脑力和体力的恢复）和扩大再生产（劳动力的发展需要和享受需要，包括劳动力所有者数量的增加和劳动能力的提高、劳动力所有者生活质量的提高），反映了劳动力所有者依据劳动力所有权参与社会产品分配的关系。

这些产权主体各自的财产权利、责任和义务，他们之间客观存在的财产权关系，是社会主义市场经济发展对和谐财产权关系提出的内在规定性，是财产权规律的客观反映。我们可以按照马克思主义财产权学说所揭示的财产权关系的内在规定性和财产权规律，对在社会主义市场经济条件下的产权要素、产权收益形式、产权关系等作科学的界定，进而作出符合生产力发展要求的调整，制定相关的政策，完善相关的法律法规，调整财产权关系，促进生产力的发展。

所以，马克思主义财产权学说关于财产权基本理论、财产收益一般规律和国家财产权理论等重要思想的论述，为我们结合社会主义市场经济体制改革实际，进一步发展马克思主义的财产权学说，建立现代产权制度，奠定了科学坚实的理论基础。从这个意义上讲，马克思主义财产权学说是发展的学说、是揭示财产权发展规律的学说，是对我国产权制度改革——特别是中央与地方国有资产产权关系改革——具有重要现实指导意义的学说。

客观规律是不以人们的意志为转移的，不管人们是否认识，它总要发挥作用，只不过表现的形式不同而已。因此，运用唯物辩证的方法来研究客观规律的要求和客观规律的表现形式，按客观规律办事，是我们应当坚持的方法。只有这样，才能正确认识和全面掌握马克思主义经济学说，特别是马克思主义财产权学说，并用以指导我国社会主义市场经济体制改革实践、产权制度改革实践和中央与地方之间国有资产产权关系改革实践。

最后，我们引用恩格斯的一段经典论述来结束本节的讨论。"在表面上是偶然性在起作用的地方，这种偶然性始终是受内部的隐蔽着的规律支配的，而问题只是在于发现这些规律。"[①]

第二节 西方学者产权理论评析

产权既是一个古老的范畴，更是一个现代的范畴，古往今来西方学者在众多法典、辞典中给它下过种种定义，但至今没有得出一个公认的、统一的结论。西方学者对产权的研究主要形成了以下观点。

一、所有制产权论

菲吕博腾和配杰威齐在他们的著作中将私有产权作为国有制的对立物来

[①]《马克思恩格斯选集》第四卷，人民出版社1973年版，第243页。

表述,"主要研究私有产权和国有制对资源的配置与使用的效应"。① 从这种表述中,我们可以认为作者是将私有产权与私有制等同看待的,因为作者接下来又把国有制表述为国有产权。在他们的著述中,产权与所有制概念运用的可置换性,表明这两个概念在他们观念中是等同的。

所有制产权论的观点表明了产权是所有制的主要内容,与所有制有着密切的联系,有其合理性。但是,这一理论观点存在以下缺陷:第一,并没有概括出产权的基本特征;第二,将产权与所有制等同起来,忽视了它们之间的区别。我们认为,产权是财产权利的简称,它本身有着具体的内在规定性。财产权利依据财产的不同物质实体而相互区别,包括劳动力财产权利、生产资料财产权利、土地财产权利、货币财产权利、生活资料财产权利等等。财产权利是所有制的主要内容。而所有制是指人们对生产资料的占有形式,指生产资料归个人、某个阶级、社会集团或整个社会所有,是生产关系的基础。生产资料所有制的形式决定人们在生产中的相互关系和产品分配的形式,是一个社会占主流地位的产权形式,构成一个社会经济制度的基础,决定了一个社会的基本经济关系。

二、所有权产权论

阿尔钦对私有产权的表述是:"私有产权是对必然发生的不相容的使用权进行选择的权利的分配。他们不是对可能的使用所施加的人为的或强制性限制,而是对这些使用进行选择时的排他性权力分配。"② 在他的这一表述中,产权概念具有明确的财产所有权的含义。德姆塞茨则是通过对北美印第安人土地财产权的变迁来说明这一问题的:在皮毛贸易发生前,北美印第安人的狩猎地并没有被划分为私人所有。但随着皮毛贸易的发生,过度的狩猎会产生很高的外部性。于是,狩猎地被明确地划分为私人财产,产权体制开始变化,

---

① 菲吕博腾、配杰威齐:《产权与经济理论:近期文献的一个综述》,见《财产权利与制度变迁》,上海三联书店1991年版,第205页。
② 阿尔钦:《产权:一个经典注释》,见《财产权利与制度变迁》,上海三联书店1991年版,第167页。

即土地私有产权被建立起来。这一产权体制的变迁过程说明,"土地私有产权的发展与商业性皮革贸易之间无论在历史上还是在地理上都存在着一种密切的关系"。① 他对产权的表述不但具有明确的财产所有权的含义,而且最终将产权归结为所谓私有产权的效率最优性。如阿尔钦认为,"除私有产权以外的其他产权都降低了资源的使用与市场所反应的价值的一致性"②,即其他产权都是低效率的资源配置制度安排。而科斯的观点则与之不同,科斯认为,明确的财产私有权之间并不是一种无摩擦的制度安排,这种制度安排也可能导致资源配置的低效率或无效率。总之,产权概念在上述运用中等同于财产所有权的含义是毫无疑问的。

我们认为,所有权产权论的观点在产权的排他性、与经济发展的联系性以及产权与资源配置效率存在联系方面的分析,具有一定的合理性。但是,这一观点存在以下缺陷:第一,把产权的强制性与排他性对立起来,出现了逻辑上的自相矛盾。因为,产权的排他性若无法律的确认和保护就不能实现,所以,产权的强制性和排他性应当是一致的。第二,绝对地认为私有产权一定会实现资源配置的高效率,是一种片面的认识。因为,虽然私有产权在追求最大经济利益的前提下,会比较合理地配置微观资源,但是,这种资源的配置只是局部的和部分的,而不是社会整体的和全部的,因此,私有产权在资源配置方面可能会出现外部性问题。在局部看私有产权的资源配置是高效率的,但从社会角度看这种资源配置却可能是低效率的。因此,就一个社会而言,无论对公共产权还是对私有产权都应当有法律的规范,才能保证资源在局部和整体、部分和全部、个人和公共各个方面配置的协调一致,即在宏观资源最佳配置前提下的微观资源最佳配置。

---

① 德姆塞茨:《关于产权的理论》,见《财产权利与制度变迁》,上海三联书店1991年版,第102页。
② 阿尔钦:《产权:一个经典注释》,见《财产权利与制度变迁》,上海三联书店1991年版,第174页。

三、权利结构产权论

菲吕博腾和配杰威齐还从产权结构的角度对产权进行了阐述。他们是通过对几种企业形式(现代公司、管制性企业、社会主义企业)中的权利结构来说明这一问题的。(1)现代公司中出资者权利与管理者权利的关系;(2)管制型企业中管理者行为与股东财富的关系;(3)前苏联式企业中管理者决策权的追求自身效用函数最大化与国家获利的关系;(4)南斯拉夫企业中工人的剩余索取权与企业资本存量维持的关系。他们将这些关系视为一种"产权结构"。①

我们认为,权利结构产权论对资本财产所有权与管理者权利、股东财产权与管理者权利、国家财产权与管理者权利、劳动力财产权与生产资料财产权等不同财产所有者享有的财产权利,以及这些财产权利之间关系的研究,对我国国有企业产权制度的改革有一定的借鉴意义。因为,在不同的企业组织形式中,财产权利可以有不同的组合方式。只要能够实现财产所有者、占有使用者和具体监督管理经营者的财产权利,促进经济效益的提高和企业的发展壮大,不同财产所有者的财产权利当然可以有不同的结合方式。

四、行为权产权论

产权具有行为权含义,这是所谓产权学派对产权定义所做得比较明显的表述。其中,具有代表性的观点是:(1)"产权不是指人与物之间的关系,而是指由物的存在及关于它们的使用所引起的人们之间相互认可的行为关系。产权安排确定了每个人相对于物时的行为规范。"②(2)"产权是界定人们如何受益及如何受损,因而谁必须向谁提供补偿以使他修正人们所采取的行

---

① 菲吕博腾、配杰威齐:《产权与经济理论:近期文献的一个综述》,见《财产权利与制度变迁》,上海三联书店1991年版,第219~230页。
② 菲吕博腾、配杰威齐:《产权与经济理论:近期文献的一个综述》,见《财产权利与制度变迁》,上海三联书店1991年版,第204页。

动。"①(3)"人们通常认为,商人得到和利用的是实物(一亩土地或一吨化肥),而不是行使一定行为的权力。但这是一个错误的概念。我们会说某人拥有土地,但土地所有者实际上拥有的是实施一定行为的权力。"②

我们认为,行为权产权论实际上是对产权具有获得收益权能的特点、产权具有使用权能的特点和产权的人们认可特点进行了描述,反映了产权的一些特征。但是,这一观点存在以下缺陷:第一,忽视了产权的主体与产权客体之间的所有关系,因为,物之所以能够成为财产是因为物与它的占有者之间存在着占有关系,如果物没有与人或其他主体发生占有使用等关系,那么物就不是财产,也就不涉及产权问题了;第二,忽视了财产所有权与占有使用权之间的联系,对物的占有使用是所有者的权利,人们对物的行为如果不涉及物的所有者权利,那么,也就不存在规范问题;第三,这一观点把对财产占有使用的行为看作是人们之间相互认可的行为关系和产权安排,存在认识上的偏颇。因为,在现代社会,财产所有者的财产权利和人们占有使用财产的行为归根到底是由法律来规范和保护的,相互认可和产权安排仅仅是约定俗成或者自然形成的表现,如果没有法律的规范,约定俗成或者自然形成的规范可能随时都会失去约束力。

五、使用权产权论

科斯在使用产权一词时,在很多处指的是使用权。比如他在讲到土地产权时,在后面特意注明是独用权,频率产权则指的是频率使用权;在更一般的意义上,他的产权用法指的是"资源使用权"③。当然,科斯在产权的运用上,有时也等同于所有权的含义。阿尔钦也有过类似的表述:"产权是一个社会

---

① 德姆塞茨:《关于产权的理论》,见《财产权利与制度变迁》,上海三联书店1991年版,第97页。
② 科斯:《企业、市场与法律》,上海三联书店1990年版,第123页。
③ 科斯:《联邦通讯委员会》,见《财产权利与制度变迁》,上海三联书店1991年版,第44~87页。

所强制实施的选择一种经济品的使用的权利"。①

我们认为,使用权产权论对产权的理解还不够全面。因为,使用权仅仅是产权的一方面权能,应当说拥有财产不是目的,拥有财产的目的是占有使用财产,而占有使用财产是为了获得利益,因此,占有使用权只是说明了产权的一方面权能。

六、权利束产权论

菲吕博腾和配杰威齐还认为,产权权利束可能超越所有权范围,这样,产权定义的外延要大于所有制。当一个人对一幢房屋的产权束中包含着在它附近禁止建造煤气站、化工厂的权利等,那么这幢房屋就具有更大的价值。② 这种权利束也可能是由所有权所派生的,比如《牛津法律大辞典》指出:产权"也称财产所有权,是指存在于任何客体之中或之上的完全权利,它包括占有权、使用权、出借权、转让权、用尽权、消费权和其他与财产有关的权利"。③ 把产权等同于由财产所有权所派生的各种权利而形成的权利束。

我们认为,权利束产权论对产权权能的进一步划分是有益的。因为,财产权利是由不同权能构成的,其中,财产的所有权是首要的权能,其他权能都是在财产所有权基础上派生出来的权能,或者,也可以认为其他权能是财产所有权的不同表现形式。但是,这一观点的缺陷是没有把产权的概念与所有制的概念作明确的界定,甚至认为产权的外延超过了所有制。

七、社会关系产权论

美国经济学家费希尔(I. Fisher)认为:"产权是享有财富的收益并且同时承担这一收益相关的成本的自由或者所获得的许可——产权不是有形的东西

---

① 阿尔钦:《产权:一个经典注释》,见《财产权利与制度变迁》,上海三联书店1991年版,第166页。
② 菲吕博腾、配杰威齐:《产权与经济理论:近期文献的一个综述》,见《财产权利与制度变迁》,上海三联书店1991年版,第204页。
③ David M. Walker:《牛津法律大辞典》(中译本),光明日报出版社1988年版。

或事情,而是抽象的社会关系。产权不是物品。"[1]在费希尔的定义中,包含了产权的四个主要内涵:产权表明对财富收益的享有;产权是承担相应成本的义务;产权有许可的约束和保障;产权是抽象的社会关系。

我们认为,社会关系产权论的可取之处是对产权的收益性、保障性的肯定。但是,其缺陷是将现象与本质相混淆。因为,财产权利是对财产主体享有的所有权、占有权、收益权等权能的法律规范,财产主体行使财产权利的过程同时也是与其他财产主体发生财产权关系的过程。财产权关系是本质方面的东西,而财产权利是现象方面的东西,法律规定的财产权利是财产权关系的表现形式。

八、选择性产权论

《新帕尔格雷夫经济学大辞典》指出,"产权是一种通过社会强制而实现的对某种经济物品的多种用途进行选择的权利。"[2]说明财产具有多种用途或可作多种使用,所有者有从中进行选择的权利。

我们认为,选择性产权论对产权是对财产用途进行选择的权利的概括还没有全面说明产权的特征,也没有说明使用经济物品的目的,更没有说明产权的本质,而且对经济物品的内涵没有作进一步的解释。那么,劳动力是不是经济物品、土地是不是经济物品、技术是不是经济物品,这些问题在选择性产权论中都没有得到说明。

九、制度产权论

诺思认为,某种市场交易内容的变化,也是一种产权安排的改变(如在一个封闭的市场中,政府给某些交易主体发放许可证)。诺思还认为,某一正式制度的制定或非正式制度的变化,也会导致产权结构的改变(如19世纪末制定《谢尔曼反托拉斯法》以限制厂商对经济活动的垄断,便是一种对产权结构

---

[1] I. Fisher: Elementary of Economics. New York: Macmillan, 1923. p.27.
[2] 约翰·伊特韦尔:《新帕尔格雷夫经济学大辞典》,第三卷,经济科学出版社1992年版,第1101页。

的修正)。①

我们认为,制度产权论从制度变化的角度对产权结构的影响进行的表述,实际上是在强调对财产关系的法律约束,即通过法律将财产关系界定在一定的范围内,以保证经济活动的正常进行。从法律对财产关系的反作用角度说,这一思想有一定的借鉴意义。但是,制度产权论对产权的界定还局限于制度一个方面特点的描述,对产权的其他特征表述的还不够清楚和全面。

总之,西方学者关于产权的定义往往都是侧重于某个角度或某个方面的含义,即从不同的侧面来认识产权。这些理论观点有的在某一方面的认识是有借鉴意义的,但是也难免出现以偏概全、注重现象,忽视本质的认识局限。因此,我们应当借鉴其合理的内核,丰富我国的产权理论。同时,还应当避免片面的和表象的认识。

第三节 我国学者产权理论评析

我国理论界对产权理论的研究起始于新中国建立初期,随着我国商品经济的发展和市场经济体制的建立,结合我国国有企业改革和国有产权管理体制改革的产权理论逐渐形成。

一、两种属性国家产权论

新中国建立初期,著名财政学家许廷星教授就提出了两种属性的国家产权思想,对国家财政的本质进行了探讨。在对马克思主义经济学说深入研究的基础上,结合社会主义新中国的经济发展和财政工作实践,许廷星教授提出了两种属性的产权思想。在1957年出版的《关于财政学的对象问题》一书中,许廷星教授指出:"我们把分配关系区分为社会经济的分配关系和国家职能所发生的分配关系(也就是指财政的分配关系)。一般的经济分配关系是

---

① 诺思:《制度、制度变迁与经济绩效》,上海三联书店1994年版,第11页。

以生产资料所有者为主体,财政的分配关系是以国家为主体。在生产资料私有制的社会制度中,一般经济的分配关系是属于社会产品的分配或国民收入的分配关系。财政的分配关系是属于社会产品的再分配或国民收入的再分配关系。在社会主义社会,社会主义经济的分配关系是属于国民收入的分配关系,财政的分配关系是属于国民收入的分配和再分配关系。"①这就是说,第一,社会再生产过程中的分配包括两种属性的分配,一种是以生产资料所有者为主体进行的分配,另一种是以国家为主体进行的分配;第二,前者形成一般的经济分配关系,后者形成财政分配关系;第三,一般经济的分配是对社会产品的分配或国民收入的分配,财政的分配是对国民收入的分配和再分配。这里,两种属性产权理论隐含的思想是:不同属性的分配依据不同的财产所有权。一般经济属性的分配依据生产资料所有权,财政的分配依据国家的权利。基于对马克思主义财产学说的理解,许廷星教授进一步指出:"经济分配和财政分配,既有共同的地方,也有不同的特点。共同的地方,是二者都处于再生产的分配地位,都受生产的制约,也反作用于生产。二者不同的特点,经济分配是以生产资料所有者为主体,凭借生产资料的所有权,对生产的社会产品和国民收入进行分配。财政的分配是以国家为主体,凭借国家主权,对社会经济生产的社会产品和国民收入,参与分配其一部分。"②可见,生产资料所有者获得收益是凭借生产资料所有权,国家作为主权所有者获得收益是凭借国家对土地的所有权。这就进一步把马克思主义的财产权学说与我国的社会主义经济实践结合起来,与社会再生产联系起来,从而创立了以两种属性产权理论为基础的国家分配论学说。

许廷星教授还将马克思主义财产权学说的国家主权理论结合到国家产权理论中来,提出了现代国家产权思想。提出土地是国家存在的基本条件,国家依据主权所有的土地是国家获得财政收入的依据,国家所有的自然资源是国家征收资源税的依据等重要的现代国家产权思想。"按照马克思主义国家主

---

① 许廷星:《关于财政学的对象问题》,重庆人民出版社1957年版,第25页。
② 许廷星,潭本源,刘邦弛:《财政学原论》,重庆大学出版社1986年版,第13页。

权所有的含义,包括一国范围内的一切自然资源和社会财富。土地是国家存在的基本条件,没有土地,国家也就不存在。国家主权所有的土地,是国家通过赋税或土地税参与社会产品和国民收入分配的理论依据。国家主权所有的一切自然资源(地下资源和地上资源),是国家通过资源税参与社会产品和国民收入中级差收入分配的理论依据。"①这就把马克思关于土地所有权的实现形式—地租理论,应用到土地所有权国家所有的社会制度中,为国家征税提供了理论依据。

许廷星教授还将马克思财产学说中土地所有权规律创造性地应用在财政理论方面,提出了国家依据主权所有的生产条件组织税收的思想。"国家代表整个社会进行的一切交通运输、能源等基础建设,以及一切公共工程和社会事业等,既是国家代表整个社会投资的国家所有,也是国家主权范围的所有。对于国家主权范围内的一切生产资料所有制经济活动生产的社会产品和国民收入,一切服务行业的经济收益和劳务收益,都包含有国家资源、国家建设所形成的级差收入,也包含着享受国家资源、国家建设条件形成的各种物质利益和文化利益。国家根据主权所有,通过各种税收参与其纯收入的分配。"②可见,这一思想是马克思财产权学说中土地所有权规律在财政理论的应用,是对马克思主义财产权学说的发展。

许廷星教授还明确提出国家征税是国家行使主权的职能,本质上是依据国家主权所有而不是依据政治权力的强制征收。"国家行使主权参与整个社会产品和国民收入的分配与再分配,是通过代表国家主权的各种税法来行使国家主权的职能的。如果认为这是国家行使上层建筑政治权力强制的征收,这是现象上的认识。从本质上来说这是依据国家主权所有在法制上的表现,是以国家主权所有为基础形成的财政属性分配关系。"③这就把国家税收建立在国家主权所有的生产条件基础之上,使国家税收理论更有说服力。同时,也澄清了财政理论上的一些模糊认识。

---

① 许廷星,潭本源,刘邦弛:《财政学原论》,重庆大学出版社 1986 年版,第 39 页。
② 许廷星,潭本源,刘邦弛:,《财政学原论》,重庆大学出版社 1986 年版,第 39 页。
③ 许廷星,潭本源,刘邦弛:《财政学原论》,重庆大学出版社 1986 年版,第 39 页。

王国清教授在其著作《财政基础理论研究》中对两种属性产权理论作了进一步的阐述。"政治权力在经济上实现自己的形式就是税收。财产权力就是所有者的权力,所有者不仅包括生产资料(含土地)的所有者,而且包括劳动力所有者,所以,财产权力即所有者的权力借以在经济上实现自己的形式,进一步分割为产业利润、商业利润、借贷利息、地租及工资等。"[①]这就将财产权力扩展到土地和劳动力这样一个更为全面的范围,而不是仅仅局限于生产资料财产的一般理解,实现了产权理论上财产权利范围界定的一个突破。"社会主义国家是建立在生产资料公有制基础之上的新型国家,它具有国家的一般性——作为主权者或社会管理者,凭借政治权力,以税收的形式参与包括国有经济在内的各种经济成分和资本组织形式的收入分配,并做相应的再分配;它又具有国家的特殊性——作为生产资料的所有者或出资者,凭借财产权力,以上缴国有资产收益的形式参与国有经济及相关的资本组织形式的利润分配,并做相应的再分配。在这两种分配的场合,国家都是分配的主体,所不同的是国家具有双重身份,使之具有两种权力,因而财政分配主要包括政治权力属性的分配和财产权力属性的分配。"[②]王国清教授还认为:"所有者的权力的主体具有多样性,不仅包括国家,而且包括企业、单位和个人。就财政而言,这里的所有者权力的主体就是国家,国家作为生产资料所有者权力或出资者的权力的主体,以上缴利润形式参与国有资本及相关资本组织形式的利润分配,在我国目前阶段,依国有经济的实现形式即经营形式的不同,进一步界定为直接上缴利润、国有股红息、承包费和租赁费等。"[③]从而将国有财产权利与财产收益联系起来,进一步发展了两种属性的国家产权理论。

二、"社会主义产权经济学"论

著名经济学家刘诗白教授在其著作《产权新论》中对社会主义市场经济条件下的产权理论作了系统阐述,提出了产权的四个定义。

---

① 王国清:《财政基础理论研究》,中国财政经济出版社2005年版,第2页。
② 王国清:《财政基础理论研究》,中国财政经济出版社2005年版,第2页。
③ 王国清:《财政基础理论研究》,中国财政经济出版社2005年版,第65页。

刘诗白教授认为:"财产权简称产权,即 property rights,它的第一个定义是,主体拥有的对物和对象的最高的、排它的占有权。"①可见,产权的第一个定义抓住了财产权概念的本质特征,即物和对象的最高占有主体的定位和明确的归属关系。

产权的第二个定义是:"财产权就是主体拥有所有权——由法律规定的最高主体权——支配使用权,利得权,处置权,是上述权力的总和、结构。"②从而把财产权的内容进一步具体化了。"(1)所有主体拥有法律规定的最高占有权;(2)所有者在经济上实行占有,即通过组织生产活动对生产财进行支配;(3)所有者对生产成果实行占有,即享有利得权或收益权;(4)所有者在生产中和生活中能对物质形态或价值形态的生产资料和生产成果实行转让、赠与和其他形式的自由处置,即拥有处置权。"③财产权内容的具体化对于我们正确认识产权的各项权能具有重要作用。

产权的第三个定义是:"最高主体——法定主体——的所有权结构,和财产的代理人委托人拥有的占有权(经营权)的总和,这一定义适用于那种出现了所有权与占有权(经营权)相分离的财产形态。"④这里,提出财产所有权与占有权(经营权)分离具有积极意义,因为现代企业的所有者由单数变为多数以后,借助代理人或受托人的管理和经营可以实现财产所有权。

需要讨论的是,在现代股份制企业中,许多普通股股东既是企业的所有者,同时又是企业股本的占有使用者,既拥有所有权,还拥有占有使用权。那么,这里的委托代理关系还存不存在呢?我们认为,显然,这里委托代理关系仍然是存在的,即由董事会聘任的经理来从事具体的管理经营活动,聘任的经理拥有管理经营执行权。可见,占有使用权与具体的管理经营执行权是可以分开的。马克思主义财产权学说的三权分离理论告诉我们:借贷资本财产所有者对于货币资本财产所有者来说,实际上是拥有了货币资本财产的占有使

---

① 刘诗白:《产权新论》,西南财经大学出版社 1993 年版,第 133 页。
② 刘诗白:《产权新论》,西南财经大学出版社 1993 年版,第 134 页。
③ 刘诗白:《产权新论》,西南财经大学出版社 1993 年版,第 134~135 页。
④ 刘诗白:《产权新论》,西南财经大学出版社 1993 年版,第 135 页。

用权,而银行经理则应当是拥有货币资本财产管理经营权的主体;在企业,拥有货币资本财产占有使用权的是企业主,而拥有企业管理经营执行权的则是企业的监督管理人员和经理。对于自有资本财产的所有者来说,也存在着自有资本财产的所有权、占有使用权与管理经营权的分离。表现在自有资本财产的所有者拥有自有资本财产的所有权,而他同时又是职能资本家,拥有自有资本财产的占有使用权。因此,他既依据资本财产所有权获得股息收益,同时又依据资本财产的占有使用权获得企业主收入(红利的一部分)。而管理人员和经理则是执行具体管理指挥职能的经营者,因此他依据资本财产的管理经营权(或者也可以说是依据他对自身的管理经验、管理才能、决策能力等无形资本的所有权和使用权),以年薪的形式参与企业利润的分配。对于借入资本财产的占有使用者来说,同样也存在着借入资本财产占有使用权与管理经营权的分离。出借资本财产的所有者拥有出借资本财产的所有权,企业的法人代表和决策层虽然拥有借入资本财产的占有使用权,承担着按期偿还借入资本本金和支付利息的责任和义务,但是,他不一定要亲自行使这个资本财产的管理经营权。他可以将这个资本财产的管理经营权委托给管理人员和经理去行使,而他则依据借入资本财产的占有使用权获得企业主收入,监督管理人员和经理则依据管理经营权获得年薪。因此,财产的占有使用权和管理经营权是可以进一步分开的。

产权的第四个定义是:"主体之间或是主体与代理人、委托人之间为润滑经济活动,减少营运成本而实行的产权安排 Arrangements,是所有权,支配使用权、利得权,处置权构架的自觉设置。"①这里的产权安排是指财产权是一种主体共同协议而设置起的权益构架,它是为了润滑经济运行,减少摩擦成本而实现的产权制度安排与创新。"产权安排概念表明,产权形态不是固定不变的,不同企业组织,不同经营方式,不同的交易方式,会产生不同的产权形式,从而产权形式是不断完善和创新的。"②需要指出的是,依据不同的财产物质

---

① 刘诗白:《产权新论》,西南财经大学出版社1993年版,第136~137页。
② 刘诗白:《产权新论》,西南财经大学出版社1993年版,第137页。

实体,拥有不同的财产权利,依据不同的财产权利,采取不同的收益形式并确定其收益的数量界限,以维护不同产权主体的权益,始终是产权安排的核心问题。

刘诗白教授进一步提出了国有企业必须实行两权相分离的思想。"为了适应生产社会化和经营专门化的要求,为了适应社会主义市场经济的要求,……产权制度上则应该把经营权从统一的所有权中分化与独立出来交给企业,国家则保持其资产的所有权。企业资产的国家所有权,主要表现为国家掌握终极所有权和经济上的收益权,而占有即支配使用权,部分收益权和部分处置权则归企业,简言之,国家有所有权,企业有经营权。"[①]

我们认为,刘诗白教授提出的财产所有权与占有使用权分离的产权思想,对于推进政企分离改革和国有产权制度改革具有积极的意义,为进一步明晰国有企业产权关系、探讨三权分离的产权关系,奠定了基础。因为,在现代股份制企业中,财产所有权与占有使用权的分离还不能够完全解决产权不清晰的问题。现代大型股份制企业,特别是政府投资的股份制企业,随着多元投资主体的形成,实际上董事会是企业财产的占有使用者,拥有占有使用权,而具体的经营管理者则是企业的经理。但政府派驻股份制企业的股东代表、董事长(董事)、监事会主席(监事)并不是真正意义上的国有资产占有使用者,他们是代表政府在履行监督管理国有资产、重大经营决策、选择经营者的职能。所以,他们是国有资本所有者的代理人和占有使用者的代理人,而不是真正意义上的所有者和占有使用者。真正的国有资产所有者和占有使用者是政府的国有资产监督管理委员会。因此,政府的国有资产监督管理委员会具有两种身份——国有资产所有者代表身份和国有资产占有使用者身份;拥有两种财产权利——国有资产所有权和占有使用权。而政府派驻股份制企业的股东代表、董事长(董事)、监事会主席(监事)则实际上拥有监督管理权,企业董事会聘任的经理则拥有具体经营执行的权利。因此,进一步明确国有资产所有者、占有使用者、监督管理人员和经理各自的财产权利、责任和义务,就显得更为

---

① 刘诗白:《产权新论》,西南财经大学出版社1993年版,第109～110页。

重要。只有进一步实行财产所有权、占有使用权和监督管理经营权的分离,即三权分离,才能使产权更加清晰,更有利于发挥各个产权主体的积极性,促进企业正确决策,加强管理和提高经济效益,也更符合建立现代企业制度的要求。

三、国有产权制度改革理论

陈国恒教授对产权明晰前提下的产权功能进行了探讨。在其著作《国有产权制度改革研究》中提出:"……明晰的产权功能,即明确加以界定并能有效行使和实现的产权所发挥的稳定的功能。……产权明晰化的目的就是为了充分发挥产权的功能。"[1]并把产权的功能概括为以下五个方面。[2]

(一)产权的减少不确定性功能

产权的功能首先是减少经济活动和经济过程中的不确定性,增加确定性以保持稳定性和增强计划性。主要表现在两个方面:"一是明晰的产权增加了对产权主体可支配的资源的确定性,有利于有计划地、稳定地支配使用这些资源,提高资源的利用效率;二是明晰的产权确定了各种产权主体各自的权利边界和应负责任,有了明确的行为规则,明白自己可以做什么,应该做什么,不应做什么,做到各行其权,各牟其利,各负其责,避免权利的纷争,责任的推诿,行为的重复、摩擦和矛盾,从而提高经济活动的效率。"[3]提出了产权功能对经济活动稳定性的作用问题。

(二)产权的激励和约束功能

激励和约束是两种既有区别又有联系的功能,是产权的核心功能。经济上的激励是指效率高的行为能获得较多的经济利益;相应地,低效率行为只能获得较少的利益,甚至是负效益,这就是一种约束。只要是按行为效率获得经济利益,就必然是激励和约束并存。享受权利是一种激励,而承担责任则是一种约束。只要是权利与责任相对称,也必然是激励与约束并存。"明晰的产

---

[1] 陈国恒:《国有产权制度改革研究》,中国社会科学出版社2004年版,第79页。
[2] 陈国恒:《国有产权制度改革研究》,中国社会科学出版社2004年版,第79~83页。
[3] 陈国恒:《国有产权制度改革研究》,中国社会科学出版社2004年版,第79页。

权必然是权利与利益相对称,权利与责任相对称的,这就决定了对产权主体存在利益的激励,必然在追求预期利益的激励下合理有效地行使权能,而责任则是对产权主体行为的约束,使产权主体的权利行使的行为合理化、高效化。因此,产权的激励和约束功能是统一的。充分发挥产权的激励与约束相统一的功能,是提高资源配置效率的一条根本途径。如果某种产权制度不能发挥或不能充分发挥这两种功能,或此有彼无,此强彼弱,这就是产权功能残缺或不健全,也是一种不合理的产权制度,是'非对称组合'的,不明晰的产权制度,就必须加以改进、改革。不同的产权制度因其性质和结构不同,其激励与约束功能的强度是有差别的,因而效率也是不同的。为了提高效率,应寻求具有高强度的激励和约束功能的产权制度。"[1]提出了激励和约束对提高经济效益的作用问题。

(三)产权的分配功能

产权一经界定,基本分配关系也就确定了。"产权中的利益,来自作为财产的生产资料或生产要素与劳动力结合的生产成果。在产权居于支配地位的条件下,生产成果的分配只能服从于产权主体首先是所有权主体的利益。"[2]在个体劳动者的私有产权条件下,劳动者是作为个人财产的所有权主体与生产资料直接结合的,这就决定了劳动者占有全部生产成果。而在劳动者与生产资料所有权分离条件下的各种私有产权,则都是产权主体首先是所有权主体以剩余产品或剩余价值的形式占有大部分生产成果,劳动者只能获得维持生存或维持劳动力生产和再生产所必需的产品或价值。这类私有产权由于其内部结构的不同,又有各种不同的剩余价值分配形式。如统一的私人资本产权,是资本所有权主体以平均利润和超额利润等形式占有全部剩余价值。而在资本产权分解的条件下,则剩余价值必须根据产权分解的不同情况在不同产权主体之间进行分配。一般情况是以各产权主体行使权利和承担责任的大小决定所占剩余价值的份额。产权分解的形式不同,剩余价值分配的形式也

---

[1] 陈国恒:《国有产权制度改革研究》,中国社会科学出版社2004年版,第80页。
[2] 陈国恒:《国有产权制度改革研究》,中国社会科学出版社2004年版,第80页。

不同。如借贷资本产权分解为法律上的所有权和经济上的所有权,则利润分割为资本所有者所得的固定利息和职能资本家所得的依利润多少而定的企业主收入。在法人产权制度下,产权分解为所有权(即股权)和法人财产权,则公司利润分割为股东的股息红利和经营者收入(除去其较高的劳动力价值部分)。在国有产权分解的条件下,国家作为资产所有者代表行使法律上的所有权,而企业职工集体和职工个人作为所有者的一部分或一分子,都是拥有一定的财产权利的,因而是作为产权主体而存在的,不管这种权力如何界定,企业的生产经营成果都必须在国家、企业和职工之间按三者的权能行使情况进行分配。提出了在不同产权制度下产权的分解与收益的关系问题。

(四)产权的外部性内部化功能

这是产权的一种派生功能。"在行使原有产权过程中会产生外部性,由此产生了新的权利需要加以界定。这种新的权利一经界定,外部性就内部化了,社会成本变为私人成本,并以比较低的私人成本解决问题。这里需要进一步说明的是,外部性内部化是以原有产权的存在及其明晰化为前提的。如果原来没有产权或是不明晰的产权,就不会产生新的权利,或者缺乏内部化的承担主体而难于内部化。……只有在原有产权及其明晰产权的基础上,对外部性引起的新的权利加以界定,才能使外部性内部化,从而优化资源配置。"[①]

我们认为,这里,作者提出在原有产权及其明晰产权的基础上,对外部性引起的新的权利加以界定,才能使外部性内部化,从而优化资源配置的观点有一定的合理性。因为,只有明确了外部性产生主体、外部性受损主体的权利,即明晰产权,才能够为解决外部性问题提供可能。但是,明确了外部性产生主体、外部性受损主体的权利,只是为解决外部性问题提供了可能,并不意味着外部性问题的解决。在这一问题的分析中作者忽略了一个重要的产权主体的存在——即土地产权主体。国家作为土地产权主体,负有提供改善一般生产条件和一般生活条件的职能。外部性问题的出现也同样损害了国家土地所有者的权益,因此,国家作为土地产权的所有者理应依法维护自身的权益。所

---

① 陈国恒:《国有产权制度改革研究》,中国社会科学出版社2004年版,第81页。

以,国家应当制定、完善并执行环境保护方面的法律,通过行政管理手段或者通过税收手段对外部性产生主体的行为进行约束或者制裁,以迫使外部性问题内部化解决,这样才能实现资源的优化配置。

（五）产权的资源配置功能

产权的上述功能,都不同程度地有助于资源的优化配置。这里讲的资源优化配置功能,是指产权对资源配置状态的作用,不同的产权决定着不同的资源配置状态。封建地主土地产权和个体劳动者的私有产权都使资源用于分散的小生产,资源配置的效率都是很低的。"现代企业制度下的私人资本产权,则突破了这种局限性,使大量资源集中配置于现代大企业中,配置效率提高,通过股票市场、信贷机制、兼并联合、资产重组,不断改变资源配置状态而趋向优化配置。从这个角度看,它是优于历史上的任何产权的。我国原有的国有产权实行国有国营制度,决定了只能由国家按统一计划配置国有资源。这种对资源的集中分配,在经济发展水平低、经济结构比较简单的条件下,对于建立工业化基础,迅速增强国家综合实力,发挥了良好的作用。但随着经济发展水平的提高和经济结构的复杂化,由于国家很难全面系统和及时准确地掌握日益多变的供求信息,往往导致资源配置失误,影响资源配置的优化。这正是原有国有产权制度必须改革的基本原因之一。纵观历史上的各种产权,不同的产权决定着不同的资源配置状态,从而也决定着资源配置的优劣,这就决定了选择有利于优化资源配置的产权制度的重要性。"[1]

我们认为,作者关于计划经济体制下国有产权的高度集权形成的对资源的集中分配,在经济发展水平提高和经济活动复杂化的情况下,往往导致资源配置失误,影响资源配置的优化的结论,是有一定道理的。因为,生产力的发展要求变革产权关系以适合生产力的性质,计划经济体制下的国有产权制度出现了不适应生产力发展的方面,影响了资源配置的效率,因此需要改革。但是,我们对作者提出的现代企业制度下的私人资本产权,它是优于历史上的任何产权的观点却不能苟同。按照作者的这一看法,现代企业制度是不是就不

---

[1] 陈国恒:《国有产权制度改革研究》,中国社会科学出版社2004年版,第82~83页。

应当有国有资本产权存在了呢？是不是有国有资本存在就不是现代企业制度了呢？进一步的问题显然就是国有产权制度改革的目标是不是完全实行私有资本产权呢？

我们认为，第一，私有产权在资源配置方面不能解决外部性问题，因此不能认为是最优产权。私有产权在追求最大经济利益的前提下，通常会对微观资源进行较合理的配置。但是，这种资源的配置往往是局部的和部分的，而不是社会整体的和全部的。因此，私有产权在资源配置方面很多情况下都会出现外部性问题。在局部看私有产权的资源配置是高效率的，但从社会角度看这种资源配置却可能是低效率的。就一个社会而言，无论对公共产权还是对私有产权如果没有法律的规范，就不能保证资源在局部和整体、部分和全部、个人和公共各个方面配置的协调一致，即在宏观资源最佳配置前提下的微观资源最佳配置。因此，私人资本产权是最优产权的观点值得进一步研究。

第二，国有产权制度改革并不是要实行完全的私有产权。国有产权制度改革的根本目的是调整财产权关系以适应生产力发展的需要，通过明晰产权主体的权利、责任和义务来实现资源的优化配置，以促进生产力的发展，提高效率。但并不是要实行完全的私有产权。这是由我国生产资料公有制为基础的社会主义经济制度决定的。生产资料的社会主义公有制是社会化大生产的客观要求。国家掌握国有资本、控制国民经济命脉和垄断性行业、组建政府出资控股或者参股的大型股份制公司、企业集团，是政府调节控制市场经济的重要手段和形式之一，反映了市场经济条件下社会化大生产的必然要求。

第三，现代产权制度改革并不否定公有制经济的主体地位。中共中央《关于完善社会主义市场经济体制若干问题的决定》指出："建立健全现代产权制度是建立归属清晰、权责明确、保护严格、流转顺畅的现代产权制度，有利于维护公有财产权，巩固公有制经济的主体地位；有利于保护私有财产权，促进非公有制经济发展；有利于各类资本的流动和重组，推动混合所有制经济发展；有利于增强企业和公众创业创新的动力，形成良好的信用基础和市场秩序。这是完善基本经济制度的内在要求，是构建现代企业制度的重要基础。要依法保护各类产权，健全产权交易规则和监管制度，推动产权有序流转，保障所有市场主体的平等法律地位和发展权利。"①可见,现代产权制度改革并不是实行完全的私有产权。

第四,建立现代企业制度的目的不是实行私有产权。建立现代企业制度的目的是完善公司法人治理结构。"按照现代企业制度要求,规范公司股东会、董事会、监事会和经营管理者的权责,完善企业领导人员的聘任制度。股东会决定董事会和监事会成员,董事会选择经营管理者,经营管理者行使用人权,并形成权力机构、决策机构、监督机构和经营管理者之间的制衡机制。"②可见,建立现代企业制度也并不是仅指完全实行私有产权的企业。

第五,股份制改革的目的是实现投资主体多元化,而不是实行完全的私有产权。建立现代企业制度的主要形式是股份制。"推行公有制的多种有效实现形式。坚持公有制的主体地位,发挥国有经济的主导作用。积极推行公有制的多种有效实现形式,加快调整国有经济布局和结构。要适应经济市场化不断发展的趋势,进一步增强公有制经济的活力,大力发展国有资本、集体资本和非公有资本等参股的混合所有制经济,实现投资主体多元化,使股份制成为公有制的主要实现形式。需要由国有资本控股的企业,应区别不同情况实行绝对控股或相对控股。完善国有资本有进有退、合理流动的机制,进一步推动国有资本更多地投向关系国家安全和国民经济命脉的重要行业和关键领域,增强国有经济的控制力。其他行业和领域的国有企业,通过资产重组和结构调整,在市场公平竞争中优胜劣汰。发展具有国际竞争力的大公司大企业集团。继续放开搞活国有中小企业。"③可见实行股份制也不是实行完全的私有产权。

尽管如此,我们认为陈国恒教授关于产权功能的研究仍然具有积极意义,除了个别观点需要进一步商讨外,主要的结论还是具有合理性的,开阔了产权理论研究的思路,是一种有益的探索。

---

① 中共中央关于完善社会主义市场经济体制若干问题的决定(2003 年 10 月 14 日中国共产党第十六届中央委员会第三次全体会议通过)。——本书作者注。
② 同上。
③ 同上。

四、产权范畴的不同观点

(一)产权的基本概念

我国大多数学者认为产权就是有关财产的权利,这是最普遍也是最一般的定义。即根据《民法通则》对产权的定义:财产所有权是指所有权人依法对自己的财产享有占有、使用、收益和处分的权利。我们认为,《民法通则》对产权的定义是高度概括和简化的定义。适用于一般的理解和应用。但在学术上对产权的定义不应当过于简化。

有的学者认为产权就是财产所有权,是财产所有权的简称,或者是财产所有权的同义语。"广义的产权和广义的所有权在内涵上可以相等"[①],"所谓财产权,就是广义的所有权,简称产权"。[②] 我们认为,财产所有权只是产权的一个最基本的也是最重要的权能,虽然其他权能是在所有权基础上派生出来的,但是,财产所有权有其特定的含义。

还有的学者认为产权是权与权之间的关系,是"两种平等的所有权之间的责、权、利关系"。[③] 其实,产权是指财产所有者拥有的财产权利,是财产权关系的表现形式,它反映了财产权关系,而财产权关系则是本质。显然,这一观点把现象、形式与本质相混淆了。

有的学者认为产权是界区,"是所有权在市场关系中的体现,本质上,它是在市场交易过程中财产作为一定的权利所必须确立的界区。"[④]其实,财产的所有权并不是在市场交易过程中才有的,作为社会生产方式必须具有的物质要素——财产——早在氏族社会就存在财产的所有权,当然,在市场交易过程中它表现为财产所有者对财产的权利。所以,界区的说法不是对财产所有权共性的一种概括。

---

① 程恩富:《西方产权理论评析》,当代中国出版社 1997 年版,第 74 页。
② 吴宣恭:《论法人财产权》,见《中国社会科学》,1995 年第 2 期。
③ 段毅才:《西方产权理论结构分析》,见《经济研究》,1992 年第 8 期。
④ 刘伟,平新乔:《经济体制改革三论:产权伦·均衡论·市场论——关于社会主义经济思想史的思考》,北京大学出版社 1990 年版,第 2 页。

有的学者认为产权是债权,"从广义上讲,产权包含两层含义,一是所有权,二是债权。……从狭义上讲,产权实际上就是债权,……是所有权在市场运动中的一种动态的体现。"①其实,产权作为一个经济范畴包括有多种权能,或者是由多种权能构成的财产权利体系,是对多种财产权利的简称或总称。所有权和债权都是财产权利的组成部分。因为,首先是因为有了货币资本或生产资料资本的所有权,然后通过借贷途径建立债权债务关系才形成了债权。所以,债权是所有权的另外一种表现形式,是在所有权基础上派生出来的财产权利。

我们认为,根据马克思的财产权要素理论和中外学者的研究结论,可以对产权的基本概念作如下表述:产权,又称财产权利或财产权,是指财产所有者的权利,即财产所有者任意支配其财产的权利。财产权利具有独占性(垄断性)、收益性、法律保护性等特征。财产权利包括多种权能。财产权利的多种权能有不同的组合方式和分离方式。财产权利依据财产的物质实体不同,有多种表现形式。财产权利是社会生产关系的具体表现形式,财产权利的本质是财产权关系。财产权关系是财产所有者相互之间在占有财产、分配财产收益和处分财产过程中发生的经济关系。

(二)产权的基本特征

从马克思主义财产权学说、西方学者和我国学者对产权的认识中,我们可以将产权的基本特征作如下概括:

1. 排他性

产权应当表现为两个以上权利主体的让渡,表现为一种价值关系或社会关系。这种让渡之所以发生,在于权利拥有者按照法律规定有权声称该价值是属于本人的,这就意味着当有一个主体拥有该权利时,其余的主体就无权声称也拥有此权利。其他主体若要想获此权利,必须拿他与此权利相等的权利来交换,这就是排他性。排他性是产权的第一和基本的属性,因为若无此属

---

① 刘伟,平新乔:《经济体制改革三论:产权伦·均衡论·市场论——关于社会主义经济思想史的思考》,北京大学出版社1990年版,第135~136页。

性,就没有办法来对权利索偿人的合法性予以断定。当一个人的权利无排他性作为基本的保障,而时常受到其他行为人剥夺或侵占时,就无法认定该权利究竟该归谁所有,产权关系就缺乏一个必要的支点。与此相对照,所谓产权的非排他性或产权的缺损就在于缺乏这样一个支点。

2. 交换性

产权能够体现出价值,但是对于一个处在分工协作体系下的经济行为主体而言,他可能并不需要这种价值,也就是说,虽然产权归他所有,但他并不真正需要该项产权。法律上的产权归属仅是为他在经济意义上的需要的满足(物的有用性)提供了一个必要的前提。正是有了这一前提,当他不需要自己现有手上的产权时,他就去寻找一个合适的买主,并从其他买主那里买回他所需要的产权。因而交换性成为产权的第二个属性。产权之间的交易是由产权的排他性或独立性所派生而来的。

3. 收益性

产权主体之间的交易是为了获得一定的收益。在以物易物的交易环境下,收益体现在物的有用性上,在钱物交易下,获得了物的价值属性。[①] 在现代社会,后者体现出了复杂的社会大分工的特征。例如,投资者购买某公司发行的股票,购买的意图在于获取一定的投资回报。如果没能获取其预期的收益,就表明他早先旨在获取价值属性时所花费的辛劳没能在一定贴现率条件下收回。

4. 契约性

在现代社会,就产权发生意义的角度来考察,产权所代表的是行为人之间彼此的契约安排,或产权具有合同的性质。排他性交换之所以可能,收益之所以平等,源于产权的契约性。如果产权界定的一方违约,另一方必然受损;如果一方不将权利拿出来跟别的行为人拥有的权利进行交易,双方之间就没有什么契约或合同。产权总是一个权利主体对另一个权利主体相对而言的。超经济的人身依附关系不具有契约的性质,但存在产权。只不过契约关系的公

---

① 这里的物既包括有形的实物,也包括无形的财产。——本书作者注。

正性,更有助于产权收益性、交换性和排他性的实现。

5. 有限性

就产权的表现程度来说,个人的能力是有限的,他只能在无数个产权中拥有一定的产权。产权界定或明晰的一个基本用意就在于给各个不同的权利主体,根据他们在物的效用中可添加的有偿效用而划定其对权利的请求边界。例如,产权主体根据财产权利获得的财产收益是有一定数量界限的。

6. 确定性

产权的设立,有其独特的功能,在给不同的权利主体进行界定后,其基本的功能就在于让各行为主体对自己的行为结果有一个明确的、合理的预期。现代公司的治理结构也清楚地反映出作为股东和作为经营者,他们各自的权责边界决定着他们各自的利益边界。这一规定实质是财产收益分配规律的客观反映。在市场经济条件下,产权主体的利益边界通过市场公平竞争最终可以得到一个合理的界定。

7. 激励和约束性

激励和约束这一机制在产权明晰化过程中总能得以确立并发挥它应有的功能。从而,在不同利益主体之间不易界定的部分会逐渐缩小。产权界定这一预期功能也保证了在一个产权明晰的体制安排下,解决企业这一团队在生产中所出现的偷懒等现象。[①] 在给定风险的条件下,产权收益的多少与行为主体努力程度正相关,经济的效率也就有了保障,产权主体收益的增加就有了一个合理的预期,使得人们有了一种安全感而不至于成天担心自己的权利会不会受到侵犯,绩效——补偿机制便可在企业这一团队中得以确立。

8. 资源配置性

所谓产权的资源配置性,是指产权安排或产权结构直接形成资源配置状况,或驱动资源配置状态改变,或影响对资源配置的调节。主要表现在以下几个方面:第一,相对于无产权或产权不明晰状况而言,设置产权就是对资源的

---

① 德姆塞茨:《关于产权的理论》,见《财产权利与制度变迁》,上海三联书店 1991 年版,第 102 页。

一种配置;第二,任何一种稳定的产权格局或结构,都基本上形成一种资源配置的客观状态(是否有效率是另外一个问题);第三,产权的变动也同时改变资源配置状况(但是资源配置的效率变化不一定完全由产权变动而导致),包括改变资源在不同主体间的配置,改变资源的流向和流量,改变资源使用的分布状况,也就是说,产权的变化必然改变资源配置格局,至于这种改变是提高还是降低了资源配置效率,则是另一个问题;第四,产权状况影响甚至决定资源配置的调节机制,例如:总体上说,高度集中的产权状况决定资源配置的计划调节,分散多元的产权主体状况决定资源配置的市场调节,二者的不同组合决定两种调节方式的不同组合,企业内部的等级权利结构决定内部的资源是指令性的计划配置。

9. 受法律保护性

法律是对财产所有者拥有的财产权利及行使相关权能的规范。在马克思看来,产权是以法律形式存在的所有权。马克思指出,"只是由于社会赋予实际占有的法律的规定,实际占有才具有合法占有的性质,才具有私有财产的性质。"[1]财产关系"……只是生产关系的法律用语"。[2] "法律关系正像国家的形式一样,既不能从他们本身来理解,也不能从所谓人类精神的一般发展来理解,相反,他们根源于物质生活关系。"[3]马克思还指出:"公用事业、铁路、矿山等等的所有权证书,……固然是现实资本的证书,但有了这种证书,并不能去支配这个资本。这个资本是不能提取的。有了这种证书,只是在法律上有权索取这个资本应该获得的一部分剩余价值。"[4]可见,财产所有权及其相关的权能是通过法律来规范的。

(三)产权的基本权能

产权的基本权能是指财产权包括的财产所有权以及与财产所有权相关的财产权利。具体说,产权权能包括所有权、占有权、使用权、收益权和处置权等

---

[1] 《马克思恩格斯全集》第1卷,人民出版社1985年版,第382页。
[2] 《马克思恩格斯全集》第13卷,人民出版社1985年版,第8~9页。
[3] 《马克思恩格斯全集》第2卷,人民出版社1985年版,第82页。
[4] 马克思:《资本论》第三卷(下),人民出版社1975年版,第540页。

基本权能。产权的这些权能之间是相互联系,相辅相成的。

1. **财产所有权权能**(ownership)

财产所有权权能是指财产主体对财产客体的排他的最高支配权,是产权的最基本权能。所有权权能的特征有三点:一是绝对权,借助于法律或约定俗成的力量,成为人们遵守的权利;二是排他权,财产所有人有权排除他人对其财产进行违背所有者意志的干涉;三是充分权,财产所有人对所有物的全面支配权。

2. **财产占有权权能**(possessive power)

财产占有权权能是指人对物在事实或法律上的控制,是所有人对财产的实际控制权能。在法律上是指所有人或其他有一定权利的人,为了使用与收益而保管和支配某物。当某物由某人直接占用,就成为实际的占有;当某人因对某物有所有权而主张占有,但实际上他并未占有该物时,则为推定占有。当某人有放弃自己所有权的意思而把财产交给他人,或者采取某项行为以表示放弃占有的意思时,就丧失了占有。占有包含两层含义:一是占有是人类社会自古以来就存在的一种事实状态,这种事实状态本身并不能产生权利,只是由法律的规定才使其获得了权利的性质;二是占有是作为所有权权能的占有,即所有权权能中的占有权能。占有权能是指占有某物或某财产的权利,即在事实上或法律上控制某物或某财产的权利。占有权能是财产权基本的重要权能之一,是实现财产使用权、收益权和处置权的前提。在通常情况下,财产一般为所有人占有,即占有权与所有权合一;但在特定条件下,占有权也可与所有权分离,形成为非所有人享有的独立权利。占有的种类有三种:(1)所有人占有和非所有人占有。(2)非所有人的占有又可分为合法占有与不法占有。(3)不法占有又可分善意占有与恶意占有。

3. **财产使用权权能**(usufruct)

财产使用权权能是指为了满足某种需要而对财产进行利用的权利。即按照物的性能和用途加以利用,以满足生产和生活的需要。这里讲的使用,是指经济学中所讲的使用价值的发挥,而不是利用交换价值。财产使用权也是财产权的一项基本权能。使用与占有有着密切的关系,占有是使用的基础和前提,没有占有就无从使用;占有的目的是为了实现物的使用价值,即使用该物。在财产是非所有人使用的情况下,财产使用权又称用益权,是指在不损害财产的条件下,使用他人财产并享受其收益的权利。使用又分为两类:合法使用与非法使用。合法使用是指依据法律或约定使用他人财产;非法使用则是指未经所有人同意而使用所有人的财产。这就是说,财产所有人可以使用其财产,也可以依据合同或法律,将使用权转移给非所有人行使,或委托非所有人使用。非所有人的使用权是由所有权派生出来的。使用他人的财产一般都是有偿的,在特殊情况下,也可以是无偿的。他人依法使用所有人财产时,所得的收益按财产权收益分配规律,由财产所有人和使用人共同享有。

4. 财产收益权权能(lucrative power)

财产收益权权能是指所有人拥有、占有、使用自己的财产获得收益的权利。即财产所有人依据财产的所有权、占有使用权和经营权而取得的收益。收益一般包括以赢利为目的而取得的经营性收益和不以赢利为目的而取得的非经营性收益。经营性收益必须是依法享有权利进行该项生产经营在法定范围内的收益。收益与使用有密切的关系,使用不是目的,使用只是手段,使用财产的最终目的是获得收益。收益权权能是财产权的一项基本权能。所有人之所以拥有财产,是因为该财产通过合理使用能为其带来更大的增值或为其带来物质利益。因此,只有当这种经济利益得到实现以后,财产权才能实现,从这个意义上说,收益权就成了财产权的一项重要权能。在财产权各项权能分解状态下,所有权、占有使用权和监督管理经营权都应当获得相对应的收益。

5. 财产处置权权能(disposition power)

财产处置权权能是指财产所有人对其财产在法律规定的范围内最终处理的权利,即决定财产在事实上或法律上命运的权利。包括财产的转让、消费、出售、交换、封存处理等方面的权利。处置权权能在财产权的五项基本权能中占有重要地位,是财产所有人最基本的权利之一。处置权权能在多数情况下由所有人享有,但在某些情况下,也可以使所有权与处置权分离,形成非所有权人依法享有的处置权。从法律角度看,处置权可分为事实上的处置权和法律上的处置权。事实上的处置权是指所有人把财产直接消耗在生产或生活活动中,如把原料投入生产,把粮食吃掉等;法律上的处置权是指按照所有人的意愿,或者依照法律规定,通过某种法律行为对财产进行处置的权利,如转让、赠与、清算拍卖、抵押拍卖、破产抵债等。从企业资产的角度来看,处置权可分为整体资产处置权与部分资产处置权。整体资产处置权包括:(1)决定国有资产整体在中央与地方、地方与地方不同管理主体之间转让的权利,决定整体资产在不同经济成分之间的转让的权利;(2)企业资产的经营形式和企业组织制度变更方面的权利,如企业实行兼并、分立、联营、股份经营等;(3)决定企业产权重大变动的权利,如企业的破产、清算、歇业、合并、转让等。部分资产处置权主要指企业内部的生产经营活动中占有使用资产的处置和变动的权利。包括:(1)企业的厂房、设备、生产工具、原材料、燃料及成品、半成品等有形资产的处置权;(2)企业的技术、工艺、专利权、商标权等无形资产的处置权;(3)企业的债券、股票等有价证券的处置权;(4)其他归企业拥有的部分资产的处置权等。

本章小结

1. 正确认识马克思主义财产权学说的前提是对马克思主义经济学说的正确认识和全面掌握。马克思主义经济学说——包括财产权学说——是揭示市场经济一般规律的学说。对马克思主义经济学说只有运用唯物辩证的方法去认识,才能够正确理解;只有在正确理解的基础上,才能够全面地掌握,并用来指导我国的社会主义市场经济体制改革实践,特别是国有资产产权管理体制改革实践和国有企业改革的实践。

2. 马克思主义经济学说既是揭露资本主义社会剥削本质和揭示资本主义社会发展规律的学说,同时也是阐述市场经济运行基本原理和揭示市场经济一般规律的学说。

3. 构成生产关系基础的生产资料所有制形式不同、生产资料所有制形式所决定的分配关系不同、国家所代表的利益主体不同,是我们区别社会主义市场经济和资本主义市场经济的根本点。

4. 社会主义市场经济与资本主义市场经济存在共同的特征。马克思主义经济学说是在分析和阐述资本主义经济运行过程、揭示资本主义生产资料私有制所产生的资本主义社会固有矛盾和剥削实质的同时,揭示市场经济一般规律的学说。例如,劳动价值论学说、剩余价值论学说、社会再生产学说、社会总产品价值构成学说和财产权学说,商品生产和交换的一般规律、价值规律、剩余价值规律、资本积累规律、资本循环和周转的规律、社会再生产规律、生产关系一定要适合生产力性质的规律和财产权规律,等等。

5. 马克思通过研究资本主义社会资本的生产过程、资本的流通过程和资本主义生产的总过程,不仅深入系统地分析了资本主义经济的运行规律,阐述了资本主义社会的生产资料所有制理论,而且还揭示了基于资本主义社会生产资料私有制的资本主义财产权关系,建立了科学的财产权理论体系,创立了马克思主义财产权学说。

6. 马克思主义财产权学说也可以说是主要揭示经济发展所决定的财产权关系内在规定性的学说。而财产权关系的这些内在规定性正是马克思从经济发展出发研究的财产权问题。

7. 马克思主义财产权学说从来没有否认过财产权的收利性质,即使是对未来公有制社会而言也是如此。马克思认为一般剩余劳动和剩余产品必须始终存在,并且构成一切社会生产方式所共有的基础。

8. 马克思对未来公有制产权发展所作的设想不是单一化的形式。马克思主义财产权学说认为,未来公有制产权发展是在生产资料共同占有的基础上,实行个人拥有财产权利的制度。即,在广泛联合协作基础上,在共同占有土地和生产出来的生产资料的基础上,承认和维护个人财产权(包括劳动力财产所有权和在股份制公司中个人拥有的股权财产)的产权制度。即便是对生产资料财产而言,实行完全的国家所有也要经过一个很长的历史过程。而在这个过程中长期存在的产权组织形式是股份制的形式,而不是单一的公有制。

9. 马克思主义财产权学说指明了现代产权理论的发展方向,揭示了市场经济条件下财产权关系的一般规律和内在规定性,反映了社会化生产的客观要求。对于我们正确认识市场经济条件下的财产权规律,按财产权规律的客观要求,改革我国产权管理体制,建立现代产权制度,促进生产力的发展,具有重要的指导意义。

10. 西方学者对产权的研究主要形成了所有制产权论、所有权产权论、权利结构产权论、行为权产权论、使用权产权论、权利束产权论、社会关系产权论、选择性产权论、制度产权论等观点。这些理论观点有的在某一方面的认识是有借鉴意义的,但是也难免出现以偏概全、注重现象、忽视本质的认识局限。我们应当借鉴其合理的内核,丰富我国的产权理论,避免片面的和表象的认识。

11. 我国学者对产权理论的研究主要形成了以下观点:以著名财政学家许廷星教授为代表提出的两种属性国家产权理论;以著名经济学家刘诗白教授为代表提出的社会主义产权经济学理论;以陈国恒教授为代表提出的国有产权制度改革理论等。

12. 产权的基本特征主要包括:排他性;交换性;收益性;契约性;有限性;确定性;激励和约束性;资源配置性;受法律保护性。

13. 产权的基本权能是指财产权包括的财产所有权以及与财产所有权相关的财产权利。包括:所有权、占有权、使用权、收益权和处置权等基本权能。产权的这些权能之间是相互联系,相辅相成的。

第三章　中央与地方国有资产产权关系改革的目标模式

中央与地方国有资产产权关系,是指按照现行国有资产管理体制,在中央与地方政府国有资产产权主体之间的经营性国有资产财产权关系。它是现代产权关系的重要内容,围绕着中央与地方国有资产产权关系而建立的制度构成了现代产权制度的重要方面。本章在对国有资产产权、国有资产的分类、国家财产权、国有资产产权主体的财产权利等基本产权要素进行研究界定的基础上,对中央与地方之间国有资产产权关系的基本问题进行了分析,根据党的十六大提出的国有资产管理体制改革的方针和马克思主义财产权学说揭示的市场经济条件下财产权关系的基本规定性,设计了中央与地方国有资产产权关系改革的目标模式。

第一节　国有资产产权要素探索

一、国有资产

国有资产(state-owned assets),是属于国家所有的一切财产和财产权利的总称。国有资产有广义和狭义之分。

广义的国有资产即国家财产,是指政府以各种形式投资及其收益、拨款、接受馈赠、凭借国家权力取得、或者依据法律认定的各种类型的财产或财产权利。包括:经营性资产、非经营性资产和土地资产。广义的国有资产指的就是经济学意义上的资产。

狭义的国有资产是指政府作为出资者在企业依法拥有的资本及其权益,又称经营性国有资产。包括:企业国有资产、行政事业单位占有使用为获取利润而转作经营用途的资产、已投入生产经营过程的国有资源性资产。国有独资企业的国有资产是该企业的所有者权益(净资产),总资产是企业作为独立法人所拥有的资产,企业国有资产是企业总资产来源的主要部分;股份制企业的国有资产是该企业所有者权益中的国家资本以及按照出资比例享有的资本公积金、公益金和未分配利润等,而企业总资产则是各类出资人(包括债权人)出资形成的全部企业法人财产。

二、国有资产的分类

国有资产的分类,是指按照一定的标准对国有资产进行科学系统的划分。对国有资产进行分类,是加强国有资产管理的重要内容,也是优化国有资产配置、正确发挥国有资产作用的必要前提,同时也是研究国有产权问题的前提。国有资产的分类主要有多种方法。例如,按国有资产的性质分类,可以划分为经营性国有资产和非经营性国有资产;按国有资产的存在形态分类,可以划分为有形资产和无形资产;按国有资产所处地域分类,可以划分为境内国有资产和境外国有资产;按国有资产形成方式分类,可以划分为自然界固有的国有资产和人工创造的国有资产,等等。这里,与我们研究的问题密切相关的分类主要有以下两种。

(一)按国有资产的用途分类

按国有资产的用途分类,可以划分为企业国有资产、行政事业单位国有资产和土地国有资产三类。

1. 企业国有资产。企业国有资产是指政府作为出资者在企业中依法拥有的资本及其权益。具体说,企业国有资产是指在产品生产、流通和经营服务等领域的企业以盈利为主要目的,依法经营或使用,其产权属于国家所有的一切财产。企业国有资产的主要特点是:(1)运动性。企业国有资产始终处于不断的运动过程中,通过运动实现自身的价值和增值。经过筹集——投入——运营——收益分配——再投入的不断循环,实现自身价值和增值。(2)增值性。劳动力与企业国有资产相结合,在运动过程中创造价值和剩余价值,实现自身价值总量的扩大。(3)经营方式多样性。由于行业分布、行业特点、技术基础、管理水平、生产规模、区域环境、经营状况、地位作用不同,企业国有资产有多种经营方式。

2.行政事业单位国有资产。行政事业单位国有资产是指由行政事业单位占有使用的、在法律上确认为国家所有,能够以货币计量的各种经济资源的总和。包括:国家划拨的资产、按规定组织收入形成的资产、接受馈赠和其他法律确认的国有资产。行政事业单位国有资产的特点是:(1)配置领域的非生产性。行政事业单位国有资产配置于各级党政机关、科学、文化、教育事业和人民团体等,是政府履行行政管理职能和社会职能的物质基础。(2)使用目的的服务性。由于行政事业单位国有资产配置于社会的非生产领域,因此其使用结果不可能直接创造物质财富。行政事业单位国有资产的作用在于保证政府履行行政管理职能的需要、保证整个社会正常运转、支持社会经营性资产的运营。因此,行政事业单位国有资产以服务为根本目的。(3)资金补偿和扩充的非直接性。行政事业单位不从事物质资料的生产,其资产使用消耗的补充和资产规模扩大所需要的资金,不可能从行政事业单位国有资产的使用结果中直接获得,只能来源于财政公共行政预算的行政事业费预算支出。(4)占有使用的无偿性。行政事业单位占有使用国有资产不需要支付费用,其管理的重点,是保证资产实物形态的完整和节约有效的使用,满足国家行政管理事业和社会事业发展的需要。

3.土地国有资产。土地国有资产,是指在人们现有的知识和科技水平条件下,通过开发并能够带来一定经济价值的以土地为主体的国有资源。土地国有资产是国有资源的基础。其特点是:(1)垄断性。土地国有资产(包括自然资源,下同)属于国家专有,其他任何主体不拥有其所有权。我国矿产资源法明确规定:矿产资源属国家所有;地表或者地下的矿产资源的所有权,不因其所依附的土地的所有权或者使用权不同而改变。国有土地所有权的垄断性是由两个因素决定的,其一,国有资源的自然垄断性;其二,我国经济制度中国家的地位。历史的发展证明,土地的私有化不适应社会化大生产的要求,土地的全社会所有是社会化大生产的必然结果。(2)相对性。国有资源的范围是可以变动的。由于科学技术的发展,新的自然资源的作用为人们所认识并得到开发和利用,国有资源的种类会得到增加;由于国有资源经营管理方式的变化,国有资源的产权发生变动,使得国有资源的范围发生变化。(3)资产性。经济学认为,能够带来收益的东西称为资产。国有土地一经得到开发利用就可以产生收益,因此国有土地具有资产性。而且,随着科学技术的发展,自然资源将不断得到开发利用,某些暂时不具有资产性的自然资源将逐步转化为具有资产性。(4)有价性。由供求关系所决定,稀缺自然资源价格较高;自然资源的质量影响产品的质量,从而使产品的价格发生变化;自然资源所处的地理位置影响自然资源的开发利用等生产成本,从而使产品的价格发生变化。因此,国有土地资产可以以价值来衡量。

(二)按国有资产管理体制分类

按照党的十六大提出的国有资产管理体制改革方针,我国实行中央和地方政府分别代表国家履行出资人职责的分级代表国有资产管理体制。因此,可以把经营性国有资产按管理层次不同划分为中央政府管理的国有资产和地方政府管理的国有资产。企业国有资产属于国家所有。国家实行由国务院和地方人民政府分别代表国家履行出资人职责,享有所有者权益,权利、义务和责任相统一,管资产和管人、管事相结合的国有资产管理体制。国有资产监督管理机构根据授权,依法履行出资人职责,依法对企业国有资产进行监督管理。

1. 中央政府管理的国有资产,是指国务院国有资产监督管理委员会履行出资人权能,代表全体社会成员监督管理的国有资产。国务院代表国家对关系国民经济命脉和国家安全的大型国有及国有控股、国有参股企业,重要基础设施和重要自然资源等领域的国有及国有控股、国有参股企业,履行出资人职责。国务院履行出资人职责的企业,由国务院确定、公布。

2. 地方政府管理的国有资产,是指由国务院授权省、自治区、直辖市人民政府和设区的市、自治州级人民政府分别代表国家监督管理的国有资产。主要是对由国务院履行出资人职责以外的国有及国有控股、国有参股企业,履行出资人职责。省、自治区、直辖市人民政府履行出资人职责的国有及国有控股、国有参股企业,由省、自治区、直辖市人民政府确定、公布,并报国务院国有资产监督管理机构备案;其他由设区的市、自治州级人民政府履行出资人职责的国有及国有控股、国有参股企业,由设区的市、自治州级人民政府确定、公布,并报省、自治区、直辖市人民政府国有资产监督管理机构备案。

有一种观点认为,国有资产是社会公共资产的一部分,而非全部。其理由是:由于社会公共需要的层次性,社会公共资产也有层次性,只有那些满足全民公共需要的公共资产才应纳入到国有资产管理的范围中来,而只用于满足某一地区居民公共需要所需的公共资产则应纳入地方性公共资产的范围来管理。我们认为,按照广义国有资产的范围,社会公共资产就是国有资产,二者没有区别。地方政府管理的地方性公共资产是经中央政府授权,代表国家监督管理的资产。实行分级代表的国有资产管理体制,并不意味着改变地方性公共资产的国有性质。

三、国有资产产权

广义的国有资产产权,是国家财产权的代表依法对全部国家财产享有所有、占有、使用、收益和处置的权利。在我国,国家财产权的主体是代表国家行使财产所有权的中央政府和地方政府;国家财产权的客体是作为国家主权物质实体的国有土地资产,包括作为一般生产条件、生活条件(间接生产要素和间接生活要素)的天然生产资料(例如,土地、河流、海岸、滩涂等)和作为一般生产条件、生活条件(间接生产要素和间接生活要素)的人工生产资料,还包括作为直接生产要素和生活要素由国家投资形成的人工生产资料(例如,机器设备、建筑物、铁路、公路、机场等交通基础设施,公园绿地环境设施)等。

狭义的国有资产产权即国有资本财产权,是指中央政府和地方政府国有资产监督管理委员会履行出资人权能,代表全体社会成员拥有的经营性国有资产财产权。包括国务院代表国家对关系国民经济命脉和国家安全的大型国有及国有控股、国有参股企业,重要基础设施和重要自然资源等领域的国有及国有控股、国有参股企业,履行出资人职责,所拥有的经营性国有资产的财产权利。国务院授权省、自治区、直辖市人民政府和设区的市、自治州级人民政府分别代表国家,主要是对由国务院履行出资人职责以外的国有及国有控股、国有参股企业,履行出资人职责,拥有经营性国有资产的财产权利。

第二节 中央与地方国有资产产权关系现状的基本分析

一、中央与地方国有资产产权关系改革回顾

建国之后,我国实行计划经济体制。1978年以前,中央政府拥有绝对的、全部的国有资产所有权,地方政府不享有国有资产所有权。自1978年党的十一届三中全会以来,我国开展了全面深入的经济体制改革,这一时期国有资产管理体制改革也取得了重大进展。从十一届三中全会开始到党的十六大召开,国有资产管理体制改革的进程可以划分为三个阶段。

(一)国有资产管理体制改革的准备阶段(1978年~1988年)

过去的二十多年,中国的经济改革取得了史无前例的成功。国有企业的改革通常以1993年十四届三中全会为界,存在着放权让利和建立现代企业制度两种改革思路。在实践中很多改革政策都是这两种思路的混合体。但从概念上区分这两种思路,有助于我们理解下一阶段改革面临的任务。

我国国有企业改革是从放权让利开始的。针对计划经济体制下国家对企业管得过死和职工报酬与企业经济效益脱节的弊端,最初采取了扩大企业经营自主权、强化对职工物质利益激励的改革措施。1983年和1984年又进行了两步利改税,试图以这种形式确定国家和企业的分配关系;之后,国有企业开始实行承包经营责任制改革,同时在少部分企业进行了租赁制和股份制改革试点。放权让利式的改革虽然具有见效快的优点,但这种改革毕竟是浅层次的,并不是在产权关系清晰前提下的改革,不能实现企业经营机制的实质性转变。

第一种思路在1993年以前占据主导地位,之后也仍然具有很大的影响。

这种思路以搞好搞活每一个国有企业、发展壮大国有经济为目的,在不改变原有基本制度框架的条件下,试图通过采取如下主要措施达到改革的目的。

放权——赋予企业管理层以经营管理的自主权,削弱行业主管部门的权力直至将之撤销。利润分享——以让利和放松对工资、奖金、福利的控制等形式,准许企业管理层和职工与国家所有者分享企业的实际利润,从而使企业内部人部分获得了剩余索取权。监管——保持党政部门对企业管理人员的任免权,强化党政机关对企业管理人员的监督管理。增加投入——表现为以多种方式增加对国有企业的投入,包括允许国有企业不上缴利润、主动或被动地豁免其部分偿债责任、提供贴息贷款、要求股票市场向国有企业倾斜、容忍国有企业的市场垄断、政策上歧视非国有企业等。裁减人员——鼓励和支持国有企业裁减富余人员,提高劳动生产率。

放权的目的是减少政府行政干预,利润分享的目的是调动管理层和职工的积极性,党政机关监管保证在放权让利之后内部人控制被限制在一个可以接受的限度内,增加投入和减人旨在通过为国有企业减轻负担,使其增加利润。这些措施反映了对国有企业低效率原因的基本诊断。在国有企业改革过程中,不可避免地触及国有资产管理体制问题,人们开始认识到国有资产产权管理的重要性。1978年,国家为提高固定资产使用效率,解决资产闲置浪费与投资效益低下问题,对国营企业固定资产开始实行有偿调拨;1980年,开始征收固定资产占用费;1982年,国家对国内合资建设项目体制作出规定,各方按投资比例分配利润和产品;1985年,国家规定企业主管部门要同厂长经理签订长期目标责任制合同;1988年,明确规定了企业在承包和租赁经营中的权责关系。这些举措,标志着企业改革已经开始重视国有资产的产权管理问题。改革的实践也推动了国有资产管理体制改革理论研究的深入。1986年起,理论和实际工作者开始对我国企业改革实践进行反思,逐渐认识到只着眼于企业放权让利改革是不够的,应当从根本上解决政企不分和企业经营机制转换的问题。通过深入分析政企不分的国有企业管理体制,人们认识到政企不分的症结在于政资不分,即由同一行政机构既执行社会经济管理者的职能,又行使国有资产所有者的职能;认识到要搞活国有企业和实现政企分开,国家社会经济管理职能与国有资产所有者职能相分离是必要的。理论和实践的探索为国有资产管理体制改革进行了准备。1988年,国务院决定成立国家国有资产管理局,归口财政部管理。国有资产管理局作为国务院国有资产行政管理的专司机构,负责对国有资产进行综合管理。

(二)国有资产管理体制改革的探索阶段(1988年~1998年)

根据党的十四届三中全会、五中全会决议有关国有资产管理体制的论述和国务院关于国家国有资产管理局设立方案及有关文件精神,这一期间在探索国有资产管理体制改革方面,形成了以下思路。

对国有资产实行国家统一所有,政府分级监管,企业自主经营的管理体制。国务院代表国家统一行使国有资产所有权,授权地方政府负责管辖范围内的国有资产管理权责。国家国有资产管理局是国务院专司国有资产管理的职能机构,主要任务是对中华人民共和国境内外的国有资产实施综合管理,重点是对各类企业占有、使用的国有资产进行管理。地方各级人民政府根据国务院的规定设立国有资产管理部门,对地方管辖的国有资产依法实施行政管理。国有资产管理部门与其他社会经济管理部门是对国有资产专司与分工监管的关系,国有资产管理部门不承担政府其他社会经济管理职能;其他经济管理部门分工负责国民经济宏观管理、综合协调和行业管理。行业管理部门要按照分工监督的要求负责所属企业的国有资产监管。国有企业享有法人财产权,依法独立支配国家授予其经营管理的财产。政府不得直接支配企业法人财产,国家对企业经营活动承担有限责任。企业以其全部法人财产独立承担民事责任,对国有资产承担保值增值责任。

按照上述国有资产管理体制改革的总体设想,国有资产管理体制的基本框架由三个层次组成:第一层次是政府国有资产管理机构,它是国务院和各级地方政府管理国有资产的专司机构,负责对经营性国有资产、行政事业性国有资产和资源性国有资产进行综合管理。第二层次是国有资本运营机构,即建立各类国有控股公司、资产经营公司、企业集团公司等国有资产产权运营机构。这些运营机构由政府授权,代表国家行使国有股东的各项权能,对国有控股、参股企业进行产权管理和资本经营。第三层次是国有独资、国家控股和参股的各类企业,它们是独立的法人实体和市场竞争主体,享有法人财产权,依法独立支配国家授予其经营管理的财产,对全部法人财产包括国有资产承担保值增值责任。以上三个层次构成完整的国有资产管理、监督和运营体系。

建立由上述三个层次组成的国有资产管理、监督和运营体系,是国有资产管理体制不断改革和完善的过程。这一体制的建立不仅依赖于政府国有资产行政管理机构职能的落实到位,而且依赖于国有资本运营机构的普遍组建和国有企业公司化改制任务的完成。因此,国有资产管理体制改革任务不可能一蹴而就。在国有资产管理、监督和运营体系形成之前,作为过渡性措施,国务院《国有企业财产监督管理条例》规定,由各级政府授权有关部门和机构对国有企业实行分工监督。对由国务院管辖的企业和企业集团以及少数由地方管辖的重点企业和企业集团,由国务院授权中央专业经济管理部门和全国性行业总公司进行分工监督;各省、自治区、直辖市政府确定有关部门和机构,对省级政府管辖的企业实行分工监督;省级以下政府管辖的企业的监督形式,由省政府决定。监督机构的主要职责是监督企业财产的保值增值和决定企业厂长(经理)的任免与奖惩或提出任免、奖惩建议。监督主要采取向企业派出监事会的形式进行。1995 年,国务院第一批授权了 31 个国务院经济管理部门和行业总公司作为国有企业监督机构,行使对所属国有企业财产分工监督的职能。

自国家国有资产管理局成立以来,国有资产管理工作经过 10 年探索,在经济体制改革中发挥了积极作用。这一时期,在中央的统一部署下,完成了全国第五次清产核资工作,建立了国有资产统计报告制度,并纳入国家统计体系;产权登记、产权界定、产权转让监管、产权纠纷调处、资产评估等各项国有资产基础管理工作开始走向规范化、法制化;国有资产法制化建设取得了重大进展,查处了国有资产流失的一批大案要案;建立了保值增值考核评价制度,推动了企业经营机制转换和国有企业改革;完成了行政事业单位财产清查和产权登记,制定实施了行政事业性资产管理办法,并进行了国有资源资产化管理试点。在国有资产管理体制改革上,中央和地方国有资产管理机构体系基本形成,进行了大型企业集团国有资产授权经营、政府行业主管部门和行政性公司改组为国有控股公司及组建国有资产投资经营(控股)公司等国有资产产权运营机构的试点工作,取得了一些实质性进展。然而,从建立与社会主义市场经济体制相适应的国有资产管理体制的目标要求来看,国有资产管理体制改革依然任重道远。

第二种思路发端于 80 年代中期,1993 年以后逐步占据主导地位。就改革的目的而言,1995 年以前,这种思路也强调搞好国有企业,但 1995 年以后,以提出抓大放小为标志,着眼点明确地转向了调整国有经济布局以适应社会主义市场经济的总体要求。主要的改革措施包括:

公司化——从 1993 年开始推行建立现代企业制度。公司化的目的之一是借助《公司法》把政府在国有企业中的角色限定为股东,从而从根本上解决国家所有制与市场经济的兼容性问题。股权多元化——1999 年十五届四中全会提出多数大中型国有企业要建立股权多元化的公司制度。在实践中,中外合资和上市是大型国有企业吸收私人股权投资的主要方式。促进股权多元化的主要目的之一是引入制衡机制,进一步规范政府角色,克服国有独资公司表现出的政企不分弊端。放开中小国有企业——1999 年之前是放开小型国有企业,这是收缩国有经济战线的直接努力。破产兼并——一部分国有企业实现了破产,一部分国有企业被非国有企业兼并或收购,这些都起到了收缩国有经济战线的作用。

尽管第二种思路在十五大和十五届四中全会的文件中都居于主导地位,但这种思路的贯彻落实应该说并不理想。在公司化方面,由于国家在绝大多数公司化的企业中继续掌握控股权,使公司化的国有企业包括上市公司面临严重的公司治理缺陷。在中小国有企业的改革方面,改革推进的速度比较慢,出现了中央和地方政府各自为政的局面。已经改制的企业很多都进行得很不规范,国家所有者、职工和债权人利益受到损害的事件屡屡发生,激化了社会矛盾,付出了很高的成本,却没有看到改制后的企业表现出明显的业绩改善。在破产方面,由于对债权人的保护薄弱,借破产而逃债几成风气,有些地方政府和企业联手通过破产逃债向中央财政索取隐性补贴。近年来,由于社会稳定压力,破产的步伐放缓,新《破产法》也难以出台。

国有资产管理体制改革对第二种思路的实施具有基础性的意义。不论是退出那些决定要放的企业,还是管理那些决定要抓的企业,国家实际上都需要一种新的制度依托来有效地行使其所有者职能。

1993年以后,从政府与企业关系的角度,最有影响的国有资产管理体制改革思路是三层次模式。按照这种模式,在第一层次上要成立专门的国有资产管理机构,实现政资分开,即政府的国有资产所有者职能与其社会管理职能分离。在第二层次上是国家控股公司、国有资产经营公司、企业集团的集团公司等国有资本运营机构,它们在第三层次的企业即实行了公司制和股权多元化的国有企业中代表国家行使股东权利。这种设计思路在中央层次上没有能够实施,在地方层次,也只有深圳、上海等几个地方进行了比较大规模的试验。种种迹象表明,这些地方的试验没有能够真正实现政资分开。

(三)全面进行国有资产管理体制改革阶段(2002年~2006年)

2002年11月,中国共产党第十六次代表大会召开。十六大报告中提出:继续调整国有经济的布局和结构,改革国有资产管理体制,是深化经济体制改革的重大任务。在坚持国家所有的前提下,充分发挥中央和地方两个积极性。国家要制定法律法规,建立中央政府和地方政府分别代表国家履行出资人职责,享有所有者权益,权利、义务和责任相统一,管资产和管人、管事相结合的国有资产管理体制。关系国民经济命脉和国家安全的大型国有企业、基础设施和重要自然资源等,由中央政府代表国家履行出资人职责。其他国有资产由地方政府代表国家履行出资人职责。中央政府和省、市(地)两级地方政府设立国有资产管理机构。继续探索有效的国有资产经营体制和方式。各级政府要严格执行国有资产管理法律法规,坚持政企分开,实行所有权和经营权分离,使企业自主经营、自负盈亏,实现国有资产保值增值。党的十六大为改革国有资产管理体制指明了方向,国有资产管理体制进入了一个全面深化改革的新的历史时期。

二、中央与地方国有资产产权关系存在的基本问题

党的十六大之前,我国实行的国有资产管理体制可以概括为统一所有,分

级管理。这一体制的突出特征是国有资产财产权利高度集中于中央政府,表现为产权的核心——所有权置于中央政府,其出现有其历史合理性,但存在的弊端也是明显的。主要表现为以下方面。

(一)出资人不到位,政出多门

在1998年国务院的机构改革中,撤消了在1988年成立并归口财政部管理的国家国有资产管理局,将其以前承担的各项职能进行了分解,分别由不同的部门来行使。国有企业的人事管理职能在国家人事部,资产和财务管理职能在财政部,国有资产保值增值的监管由稽查特派员总署负责,国有企业经营的监管职能由国家经贸委负责行使。中央企业的所有权职能分散到各政府部门,企业在进行需要所有权行使机构批准或授权的决策时,感到不知找谁,影响企业及时决策和效率。地方政府实际上控制地方国有企业,承担相应责任,但在法律上却没有所有权,地方大型国有企业改革的方案等问题,拥有实际控制权并承担责任的地方政府不能决策。治理结构不完善,股东越位干预和内部人控制问题并存。

实践证明,国有资产的部门管理和各级政府分级管理,并没有完全担负起行使所有者权利的重任,因而并非是真正意义上的国有资产所有者职能管理机构。这样,即使对各部门各地方所属国有企业进行制度改造,也不能从根本上理顺产权关系,政企不分现象仍然无法得到根本解决。由于产权管理主体多元化,政出多门又互不协调,使得国有资产所有者主体长期处于缺位状态。

正如贾康教授指出的:"从理论上说,全民所有制企业(即国有企业)中的资产是全民的资产,但实际生活中'全民所有'却往往'无人负责',产权悬空虚置、对资产的保值增值无人关心,无法保证。从上到下由于决策失误和经营管理不善造成的经济效益低下和资产的损失、流失,成了无人承担责任的'糊涂账'。"[①]贾康教授进一步指出:"国有资产是社会主义公有制的重要支柱,而国有资产管理方面的问题十分严峻,迫切地要求我们跨越'简政放权'的思路,使改革从根本上触动旧体制的症结,理清政府的社会所有者职能与所有者

---

① 贾康:《财政本质与财政调控》,经济科学出版社1998年版,第195页。

(代表)职能,并找到两者有所区别的合理的实现途径与方式,寻求克服'产权虚置'、强化产权约束的有效途径。"[1]因此,国有资产管理体制改革最重要的一点就在于如何塑造一个行使国有资产出资者权利的所有者主体。因而应该将分散在各个政府部门的所有者权能集中起来,交给一个不行使社会行政管理职能的部门来行使。这样才能避免重蹈以前国有资产管理多头负责而又无人真正承担国有资产管理责任的覆辙,取得国有资产管理体制改革的实质性进展。这样的一个部门就是国家国有资产监督管理机构。它作为一个设在国务院下的部级独立职能机构和设在各级地方政府内的独立职能机构,专司国有资产出资人代表的职能。

(二)所有权高度集中,地方没有积极性

党的十五届四中全会提出了国家所有、分级管理、分工监督、授权经营的国有资产管理体制十六字方针,但由于授权含义、授权对象及相应所需条件等问题并未十分明确,十六字方针仍难真正到位。统一所有,分级管理的国有资产管理体制,虽然明确了中央政府对国有资产的所有权和地方政府的管理权,但是,并没有实现国有资产所有权、占有使用权和收益权的对等,权利、责任和义务界定并不清晰。从基本方向到具体政策管理,国有资产管理体制的许多重大问题,特别是产权关系不清晰的问题并未真正解决。政府作为国有资产所有者和占有使用者与企业具体监督管理经营者之间的财产权收益关系没有得到清楚的划分界定,导致地方政府作为国有资产的占有使用者对国有资产的管理没有积极性,对企业具体监督管理经营者也没有形成激励和约束机制,形成了国有资产实际上无人负责,国有企业经济效益下降,资产负债率居高不下,大面积亏损,国有资产流失现象时有发生。这说明,需要对中央与地方之间国有资产产权关系进一步进行调整,通过明晰中央政府与地方政府之间的国有资产产权关系、国有资产所有者、占有使用者与具体监督管理经营者的产权关系,来促进企业生产效率的提高,促进生产力的进一步发展。

---

[1] 贾康:《财政本质与财政调控》,经济科学出版社1998年版,第196页。

(三)占有使用权委托代理,损害了所有者权益

地方政府虽然缺少法律所赋予的所有权以及由所有权带来的剩余索取权,但却拥有事实上的占有使用权,并且不需要承担责任。一方面,否认地方政府的国有资产所有权,使得地方政府在管理国有资产上缺乏积极性,例如,许多产业项目仍是地方政府与外商合资兴办,但是地方政府又没有所有权,地方投入的积极性不高。另一方面,地方政府也在利用占有使用权最大可能地谋取地方利益,造成对国有资产的滥用。主要体现在国有企业改制过程中,地方政府在干预企业投资决策时只考虑收益,不考虑或很少考虑风险。争投资、铺摊子、上项目,忽视对老企业的技术改造。投资决策时盲目趋向价高利大的加工工业,忽视由此造成的重复建设、产业结构趋同以及由此引起的生产过剩、开工不足的风险。而一旦投资项目出了问题,尤其是国有企业因监督管理经营不善、企业办社会、税费负担过重等原因而发生资金困难甚至亏损时,地方政府又可以把债务偿还、职工安置等责任推向上一级政府或中央主管部门。由此造成的国有资产流失,损害了国有资产所有者的权益。

占有使用权委托代理导致直接成本和间接成本都很高。政府部门人员的工资、福利和办公费用,加上企业为请示汇报等事项的费用和时间,由于管理部门多,对一些事项的审批不及时,贻误企业的商机,直接和间接的成本无法估量。在原有的国有资产管理体制下,国有资产归中央所有,地方政府分级管理,地方拥有实际上的占有使用权,没有所有权,也就没有完全的国有资产交易权,如上市公司国有股的转让等只有中央政府才有权批准,国有资产的产权交易要按照政府管理体制层层上报审批,其交易效率极为低下,不利于资源的合理配置。

(四)举债权高度集中,债务风险加大

与原国有资产管理体制相适应,国有资产举债权作为派生于所有权和占有使用权的权能,长期以来一直实行高度集权的管理体制。中央政府国有资本运营主体,依靠中央发行国债作为国有资本金的重要来源,在有效履行中央政府职能,实现经济结构优化的目标,调节控制市场经济运行,实现国有资本的保值增值等方面,发挥了重要作用。但同时,也存在国有资产举债与公共举

债界限不清,举债权划分与中央、地方国有资产产权主体地位不相适应的问题。主要表现为:

中央政府国有产权主体组织国有资本运营的职能不够健全。中央政府国有资产产权主体的地位还不够明确、组织国有资本运营的职能还不够全面,即国有资产监督管理主体在政府履行经济建设职能中的地位和运用国有资本金调节控制市场经济运行的职能还没有得到清楚界定。

地方政府不拥有国有资产举债权。在新的国有资产监督管理体制下,地方国有资产监督管理机构作为地方政府国有资本的运营主体,不能依靠国有资产举债筹集国有资本金,不利于地方政府有效履行经济建设职能,运用国有资本调节控制市场经济的运行,也不利于地方政府责任、权利和利益的统一。

地方政府债务问题严峻。在地方政府存在合理融资需求的前提下,尽管中央政府禁止地方政府发行地方债,但是客观上已经形成了地方政府融资体系,并且产生了变相的甚至是隐蔽的地方政府债务融资行为,地方政府为了筹集基础设施建设资金和公用事业资金,普遍采取了多元化融资、多头借款的政策。这些措施的实行普遍都缺乏规范管理,借债随意性大,形成了无序、混乱和失控的局面。

(五) 立法权划分不清晰,国有资产法律建设滞后

中央与地方立法权划分不清晰,本质上是立法权高度集中问题。在建立社会主义市场经济体制过程中,出现的新的财产权关系往往难以及时得到中央的关注,加之地方政府又没有明确的立法权,因而符合市场经济发展要求的现代产权关系在理论上没有及时进行科学的论证,在理论上存在模糊认识,在实践中没有得到及时的总结,或者没有引起政府有关部门的重视,政策的制订不够合理和有针对性。同时,在地方利己主义思想作用下,往往会出现重复立法、越权立法,追求局部利益、法律滞后,权责内法律缺失等问题。导致和谐的现代产权关系未能通过相关法律法规的健全和完善及时给予充分保护,违背市场经济财产权利基本规定性、侵犯国有资产财产权利的非法行为时有发生、屡禁不止,正常的财产收益分配秩序难以保证。

(六)财产权利与收益不对应,出资人财产权利难以实现

中央与地方国有资产收益分配权关系存在的主要问题是:收益分配权责不清,进而导致国有资产出资人财产权利难以实现。突出表现为:

多头管理,征收不力。国有资产收益的管理部门应该是国有资产监督管理机构。但政府的财政部门,企业的主管部门,还有政府的一些其他部门,都在管理国有资产的收益,各部门之间的工作也不十分协调。多头管理,必定会带来国有资产收益管理上的漏洞,使得国有资产所有者的财产权利难以实现。

国有股权收益被严重侵蚀。国有股在评估时被压低,在分红时,同股不同利,对个人股既分红又计息,对国有股则少分红,甚至不计息。在国有企业股份制改造或在中外合资合作企业中,不按规定进行资产评估,违反国家规定将国有资产低价折股、低价出售、或者无偿分给个人、设立企业股;国有无形资产(商标权、商誉、工业技术权利、特许权、土地等资源使用权)不作价或低价评估。造成国有资产所有者权益受损。

国有资产被无偿占用。我国许多企业和行政事业单位在以国有资产出借、出租、联营等形式从事生产经营活动时,本应收取资产占用费,但由于中央与地方的国有资产收益权责不清,往往留于形式。

所有权、占有使用权和企业的国有资产具体监督管理经营权与收益分配权不对应,没有法律的规范和保障,导致企业负责人往往以各种借口不上缴国有资产收益,即使是盈利企业也以各种借口少上缴或不上缴股息和红利,政府出资人的财产权利难以实现。使得能否从企业中征缴到国有资产收益,完全取决于政府与企业之间谁更强硬,获取国有资产收益成了政府与企业之间的博弈。各级政府均遇到了如此尴尬。

中央与地方之间国有资产产权关系存在的上述主要问题表明:国有资产财产权利高度集中与财产收益分配关系不和谐并存,是我国原国有资产管理体制效率不高的症结所在。国有资产所有权高度集中于中央政府,必然采用占有使用权委托代理方式由各个政府部门和各级地方政府行使管理职能,从而导致出资人不到位,直接后果是国有资产无人负责;举债权高度集中于中央政府,在地方财力不足以满足履行职能需要时,必然导致隐性债务的产生,从

而导致债务风险加大;立法权高度集中于中央政府,在立法监督机制运行不畅情况下,必然导致地方因局部利益而越权立法,符合市场经济发展的现代产权关系不能及时得到法律的规范和保护,难以保障国有资产所有者、占有使用者和管理经营者的财产权益,也难以调动各个产权主体的积极性。

与此同时,无论在国有企业内部,还是在政府与国有企业之间,亦或是在中央与地方政府之间,都没有建立起符合财产权规律的财产收益分配关系。在国有企业内部,国有资产所有者、占有使用者与经营者的财产权利没有科学界定,因而三者之间的财产收益分配关系并不和谐;作为国有资产管理主体的政府各部门(含地方政府)与所管理的国有企业,由于财产权利、责任和义务不明确,二者之间的财产收益分配关系也不和谐;而中央与地方政府之间的产权关系,也由于财产权利与责任、收益不对应而处于不和谐状态。国有资产财产权利高度集中管理体制的这些带有逻辑性的运行方式,伴随着不和谐的财产收益分配关系,必然导致出资人不到位、地方没有管理积极性、损害所有者权益、债务风险加大、国有资产法律建设滞后和国有资产出资人财产权利难以实现等弊端的产生。所以,必须对原国有资产管理体制进行改革。改革的重点应当是中央与地方之间的国有资产产权主体关系、所有权关系、委托代理权关系、收益分配权关系、举债权关系和立法权关系。否则,将难以清除发挥国有经济主导作用、建立现代产权制度、建立现代企业制度和发展社会主义市场经济的体制障碍,也难以达到变革财产权关系适应和促进社会生产力发展的目的。

第三节 中央与地方国有资产产权关系改革的目标模式

一、目标模式设计

中国共产党第十六次全国代表大会指出:在坚持国家所有的前提下,充分发挥中央和地方两个积极性。国家要制定法律法规,建立中央政府和地方政府分别代表国家履行出资人职责,享有所有者权益,权利、义务和责任相统一,管资产和管人、管事相结合的国有资产管理体制。这就为改革中央与地方之间国有资产产权关系,建立科学的、符合市场经济要求的国有资产管理体制指明了方向。

以十六大提出的这一改革方针为指导,为清除原国有资产管理体制存在的上述弊端,从根本上解决国有资产财产权利高度集中与财产收益分配关系不和谐并存的问题,需要全面梳理中央与地方之间的国有资产产权关系。应当以中央与地方之间的国有资产产权主体关系、所有权关系、委托代理权关系、收益分配权关系、举债权关系和立法权关系等六个方面的改革为突破口,全面深化国有资产管理体制改革。为此,我们提出以下改革目标模式。

中央与地方之间国有资产产权关系改革的目标模式可以概括为:建立一级政府、一级产权主体、一级所有权、一级委托代理权、一级收益分配权、一级举债权、一级立法权的国有资产管理新体制。其核心内容包括以下方面。

在国有资产管理主体关系改革方面:建立以国有企业出资人制度为核心的,由中央和地方国有资产监督管理委员会——国有资本运营机构——实行现代企业制度的企业三层次管理主体构成的国有资产产权主体结构。

在国有资产所有权关系改革方面:建立在中央统一政策指导下,各级政府分别代表国家履行出资人职责,财产权利与收益形式相对应,产权行使边界划分清晰,监督和激励约束机制健全的国有资产所有权管理体制。

在国有资产委托代理权关系改革方面:建立中央和地方政府分别代表国家行使国有资产委托代理权,享有委派聘任所有权代理人、占有使用权代理人、经营执行权代理人、企业重大决策和监督权的委托代理制度。

在国有资产收益分配权关系改革方面:建立中央和地方政府分别依据国有资产所有权和占有使用权收缴国有资产收益的分配制度。

在国有资产举债权关系改革方面:建立中央和地方政府分别依据拥有国有资产数量和经营效益,根据履行经济建设职能和调节控制职能需要,在中央统一政策指导下,通过国有资产举债从事国有资本运营活动的政府信用制度。

在国有资产立法权关系改革方面:建立中央和地方政府分别代表国家行

使国有资产立法权,立法权限划分清晰,中央统一国有资产基本法,地方适度分权的国有资产立法体制。

二、现实意义

改革中央与地方政府之间的国有资产产权关系,实质是变革财产权关系以促进社会生产力的发展。因此,建立一级政府、一级产权主体、一级所有权、一级委托代理权、一级收益分配权、一级举债权、一级立法权的国有资产管理新体制,具有重要的现实意义。

(一)有利于健全政府职能

我国社会主义市场经济体制的建立,要求在充分发挥市场在资源配置方面基础性作用的前提下,加强政府的宏观调控。政府调节控制社会经济运行可以采用多种手段。例如,行政的、法律的、计划的和政策的手段。但是,在市场经济条件下,政府运用经济的手段进行调节控制,可以起到其他手段难以发挥的作用。因此,作为政府实现宏观经济调控的必要经济手段,国有资产与政府对社会经济生活的调节控制二者之间有着必然的联系。国有资产作为各级政府履行宏观经济调控职能的重要手段,体现着各级政府行使的国有资产财产权利,反映了各级政府宏观经济调节控制的政策意图。改革中央与地方政府之间国有资产产权关系的出发点,应当是对整个国民经济运行的调节和控制。由于各级政府都要在其管辖范围内履行政治、社会、经济建设和宏观经济调控职能,而各级政府履行经济建设职能和宏观调控职能的重要手段之一是运用国有资本。因此,从弥补市场失灵,组织经济建设和引导民间资本的角度看,中央和地方政府不仅应当有一定数量国有资产的财产权利,还应当科学界定各自组织经济建设的范围,宏观经济调控的重点,实现相互之间的协同配合。因此,建立一级政府、一级产权主体、一级所有权、一级委托代理权、一级收益分配权、一级举债权、一级立法权的国有资产管理新体制,有助于在市场经济条件下更好地发挥各级政府弥补市场失灵,健全经济建设和调节控制市场经济运行的职能,具有十分重要的意义。

(二)有利于国民经济结构的整体优化

国有资本投入是优化产业结构的主要手段。国民经济的健康发展要求有合理的产业结构,而市场竞争规律的自发调节往往导致产业结构的失衡。为了调整产业结构,需要投入国有资本,加速发展落后产业,消除国民经济发展的瓶颈,形成合理的产业结构。从产业布局来看,第一产业和第三产业是国民经济发展的重点;从地区布局看,西部地区和东北老工业基地是地区结构调整的重点;从国民经济可持续发展角度看,高科技产业和支柱产业是需要支持的重点。由于地方政府掌握国有资本数量的限制,单靠地方政府自身的努力,难以很快实现产业结构的优化。因此,需要中央政府把这些方面作为履行经济建设职能的重点,增加中央政府国有资本的投入,以实现国民经济整体结构的优化。由此,必然产生中央政府国有资本投入与地方政府国有资本投入的协调配合问题,也必然产生中央政府与地方政府之间国有资产产权关系如何处理的问题。建立一级政府、一级产权主体、一级所有权、一级委托代理权、一级收益分配权、一级举债权、一级立法权的国有资产管理新体制,对于正确处理中央与地方之间的国有资产产权关系,实现国民经济整体优化的目标,具有重要意义。

(三)有利于重点产业和优势产业的发展

国有经济的发展是国民经济健康发展的基础。国民经济整体健康运行的关键是国有资本在一些重点资源、重点产业、重点企业和重点产品,关系国计民生的重要行业和关键领域占支配地位。只要控制了这些方面,就可以控制整个国民经济。因此,在客观上要求国有经济抓住一些重点资源、重点企业、重点产业、重点产品和关键环节,进而带动整个国民经济的健康发展。从控制国民经济重点行业的角度看,也存在处理中央政府与地方政府国有资产产权关系问题。社会化大生产、大规模的联合协作是生产力发展的客观要求。随着市场经济的进一步发展,中央政府与地方政府对重点资源、重点产业、重点产品生产企业的隶属关系将越来越模糊,由各级政府共同投资联合组建的大型企业集团和股份公司将成为国有经济的重要企业组织形式。发挥各个地区的产业优势,提高整个国民经济的综合经济实力,既是中央政府履行经济建设职能的体现,也是地方政府履行经济建设职能的体现。中央政府运用国有资本向地方政府所属的优势产业进行股权投资,实际上是支持和引导地方优势产业发展的重要手段。较之于财政补贴和税收优惠手段,股权投资能够形成清晰的产权关系,更有利于建立现代企业制度和促进经济效益的提高。通过中央政府的国有资本投入带动和引导地方政府国有资本的投入,将对地方优势产业的发展起到巨大的推动作用。不仅可以起到优化地区经济结构的作用,还可以起到带动和引导地方政府国有资本的流向,促进地方相关产业的发展的作用。由此必然产生中央政府国有股权与地方政府国有股权之间的产权关系问题。建立一级政府、一级产权主体、一级所有权、一级委托代理权、一级收益分配权、一级举债权、一级立法权的国有资产管理新体制,将为进一步实现中央政府和地方政府国有资本的联合协作、社会化大生产创造条件。对于正确处理中央与地方政府在重点产业之间的国有资产产权关系和促进地方优势产业发展过程中出现的国有产权关系,具有重要意义。

(四)有利于明晰政府间的国有资产产权关系

在市场经济条件下,围绕资本的投放和运营管理,商品货币关系渗透到财产权的实现过程之中;由于追求效率,细化分工,生产力进一步具体表现为分工专业化,同样渗透到资本财产的配置运营过程中。这些都促使资本的所有权、占有使用权与经营权相分离,当人们把经济生活中各类生产要素的贡献与财产权的各项权能联系起来,就深化为现代产权理论。运用现代产权理论,可以帮助我们理顺中央政府与地方政府之间的国有资产产权关系。

国家凭借生产资料所有权拥有国有资产的终极所有权,对国有财产行使所有、占有使用、收益和处分的权利。由于国有资产不同于集体和私人资产,国有资产所有者在法律上具有全民性和社会性,因而在实际上就需要明确产权主体的代表。我国国有企业数量众多,分布广泛,仅由中央政府行使国有资产所有权,必然会形成所有者难以到位,所有权和占有使用权虚设和旁落的问题。因此,改革中央与地方之间的国有资产产权关系,建立一级政府、一级产权主体、一级所有权、一级委托代理权、一级收益分配权、一级举债权、一级立法权的国有资产管理新体制,各级政府作为国有资产实际上的所有者和占有使用者，就可以确立合理的国有资本委托代理关系，采取三级管理、二次授权的方式运作国有资本。即国有资产监督管理机构委托中介国有资本运营机构进行国有资本运营；国有资本运营机构又委托企业从事具体的生产经营活动。这就构成了一个完整的产权管理体系。为了使这个体系能维持正常运转，必须保持委托链的连续性、不间断性。而要在实践中达到这一要求，就必须首先在理论上明晰中央与地方之间的国有资产产权关系。

（五）有利于实现国有资产的保值增值

改革中央和地方之间的国有资产产权关系，将有效地促进国有资产的保值增值。建立新的国有资产管理体制，将明确中央与地方国有资产的财产权关系，各级政府都将获得一部分国有资产的完整所有权和占有使用权，有利于调动它们的积极性，因地制宜地进行国有资产的运营管理。在中央和地方之间明确划分国有资产财产权利，可以提高地方的积极性和责任心；能够促进权责利的细化，避免所有权、占有使用权与经营执行权的含混不清。产权更加明晰化的结果就是所有者和占有使用者到位，所有权和占有使用权的约束显化和硬化。中央的国有资产所有权和占有使用权集中于规模较大的、具有战略意义的企业。对中小型企业国有资产所有权和占有使用权的下放，并不意味着中央控制力的削弱。实际上这些企业一直为地方所控制，地方拥有实际上的占有使用权，中央政府拥有名义上的产权。在法律程序上确认地方的所有权、占有使用权和收益分配权，能够有效提高地方保护国有资产的意识，克服短期行为和侥幸心理。一级政府、一级产权主体、一级所有权、一级委托代理权、一级收益分配权、一级举债权、一级立法权的国有资产管理新体制，改变了国有资产所有权、占有使用权与收益分配权的政府部门分割状态，有助于实现权、责、利关系的对等，从而大大提高国有资本的运营效率；有助于明晰产权，塑造多元产权主体，从根本上改变国有资产所有者、占有使用者缺位和吃大锅饭的状况，为真正实现国有资产的保值增值创造条件。

（六）有利于国有经济战略性调整

国有经济战略性调整的基本框架是国有企业从一般竞争性领域的退出。实践证明，社会再生产活动对生产要素资源的一次性配置，以及产权关系的一次性安排,都难以达到非常理想的状态。因此,各类生产要素的配置需要根据市场经济的发展需要不断进行重新组合。在市场经济条件下,以产权主体主动选择进入或退出方式,体现出产权配置的灵活性,实现资源的优化配置。在这种进入退出的产权关系调整重组中,可寻找到产权组合的较理想状态。从经济理性出发,市场选择和市场评价以及产权的市场化流动重组,是实现社会资源优化配置的重要途径。同时产权主体由于利益约束而采取的主动退出行为,则是现代企业保持旺盛活力的重要原因之一。

在不断出现的产权主体主动选择进入和退出的行为中,产权关系才得到不断调整和完善,从而奠定企业制度创新的产权基础。从产权主体的理性眼光来看,产权关系的调整,是以资产运营的绩效改善为目的的,现代企业制度可以为资产配置实现优化提供保证。在此基础上,企业组织结构和组织形式等也可借助进入退出行为实现变革,市场竞争的优胜劣汰机制则将转化为现代企业产权配置上的进入和退出行为。同样,受竞争激励,在进入和退出的循环升级中,企业的技术、产品以及管理都能实现创新,而且最终集中反映在生产力的进一步发展上。总之,进入和退出行为创造了机会,开拓了空间,增添了动力。企业作为产权关系载体和国有资本配置的组织对象,是国有资本存量调整和国有资产保值增值的工作重点。

我国以前实行的国有资产管理体制将所有权与占有使用权人为分割为多个部门掌握,往往不利于国有经济结构的调整。我国国有资产数量众多,各个地区、各个行业的状况千差万别,由中央统一行使所有者的职能其实是不合理的,也是不可能实现的。有学者把现行国有企业的治理方式形象称为五龙治水:投资权由计划系统点头,日常生产经营决策权由经贸委决定,高级经理人任命权归党委,收益权和财产登记由财政部门规定,而直接对上市公司还有一个专门授权机构。全国有十八万家国有企业产权由中央集中行使,它们改制都需经各中央部委统一,产权结构变动上每走一步都很不容易。如果中央只抓有重要战略意义的少数企业,这个数字不到二百家,把将近十八万户国有企业放到省、专区一级,那么国有经济改革和地方经济振兴都将很快进行。由此可见,改革中央与地方之间国有资产产权关系,建立一级政府、一级产权主体、一级所有权、一级委托代理权、一级收益分配权、一级举债权、一级立法权的国有资产管理新体制,将有利于促进国有经济的战略性调整。

(七)有利于建立现代企业制度

建立现代企业制度要求明晰国有企业内部的产权关系。传统体制下,忽略回避产权分界,宏观上亦缺乏对不同权能加以市场化评价的条件和标准。在社会主义市场经济大背景下,企业要提高经济效益必须明晰产权关系。正如樊纲教授所指出的:"中国目前国有企业的亏损问题,主要是由于在分配环节上资本权利被削弱的制度性原因造成的。"[①]"要想改变目前的状况,使国有企业'扭亏',就要在企业'产权关系'上做文章,重新建立起有效的与经理和工人的权利相平衡的资本权利,从而在经济生活中,有人真正在企业收入分配这个环节上关心利润的高低,并有效地监督企业行为,不使工资成本和管理成本增加过快。"[②]从而明确提出了国有企业亏损的原因是产权关系问题。并且进一步指出:"明确国有资产(包括土地)的产权代表。国家所有的财产,应由统一的政府机构作为其产权代表,行使所有者的一切职能,包括管理、出租、出售、监督使用等等"。[③]即提出明确国有资本的监督管理主体,把建立国有资产监督管理机构履行所有者职能作为解决国有企业效益不高和亏损问题的一项重要的措施。所以,需要明晰国有企业内部的国有资产产权关系,让监督管理和经营过程每一个环节的财产权利和财产收益有机地联系在一起。从这个意义说,国有企业改革中明晰产权的任务,并不是就国有企业的所有权而言的,毫无疑问国有企业的所有权是十分明确的。之所以国有企业运营效率不高,主要是指国有企业所有者、占有使用者与监督管理经营者之间的产权关系模糊,所有者、占有使用者和监督管理经营国有资产的每一当事人所应拥有的权利不甚明了,所应承担的责任和义务也没有明确的界定,依据所有权、占有

[①] 樊纲:《论国有企业的产权关系改革》,见中国国有资产管理学会《国有资产管理改革若干问题》,中国财政经济出版社1996年版,第78页。

[②] 樊纲:《论国有企业的产权关系改革》,见中国国有资产管理学会《国有资产管理改革若干问题》,中国财政经济出版社1996年版,第79页。

[③] 樊纲:《论国有企业的产权关系改革》,见中国国有资产管理学会《国有资产管理改革若干问题》,中国财政经济出版社1996年版,第80页。

使用权和监督管理经营权所应当获得的收益没有法律的依据。因此,企业的经济效益提高迟缓,经营亏损问题始终难以解决。这表明:生产力的进一步发展要求变革现有的财产权关系。所以,国有企业必须进行现代产权制度和现代企业制度的创新。建立一级政府、一级产权主体、一级所有权、一级委托代理权、一级收益分配权、一级举债权、一级立法权的国有资产管理新体制,为国有资产监督管理委员会与国有资本运营机构、国有企业之间的产权明晰化创造了条件。各国有资本运营机构必须对上负责,向国有资本管理机构负责,而不是向上级行政机关和领导负责。不再是光管事不负责,对资本增值负虚责。而是要以绩效为目标,通过竞争与选拔相结合的方式,来完成主要的人事安排,再通过考试的方式,完成非主要人员的配备。对于资本运营机构人员的考核,应当以资本增值能力和资本盈利率作为考核的主要指标,激励方式应当以货币形式为主。各级资本运营公司的设置,不应以行业为基础进行细化,可以考虑将相关的几个行业进行合并,成立一家公司,这样可以促进产权流动,公司经授权可享有资产处置的权利。

资产运营公司和下级微观运营企业代理人主要采取市场化的选择方式和效益考核的方法,通过他们约束企业的行为。到了企业这一层,如果是国有独资公司,则由控股公司直接派出董事长和常务董事,并从社会上挑选部分人士担任非常务董事,批准工会组织提名的职工董事。监事的产生机制与此相同。在重大决策中产权代表拥有最后决定权。对于非国有独资公司,则根据股权结构选派董事。由于企业可能包括多家国有投资主体,因而国有资本的代表可能不止一家,在决策中会形成有效的相互制约。对于董事的考核和激励,应当完全以赢利水平为指标,加大激励的砝码,并向社会公布其业绩情况,造成社会舆论的监督和刺激。企业高层经营者等的产生,则完全按照公司法的规定加以解决。

以上科学合理的国有资产的产权制度、产权体系、委托代理制度的建立,是进行国有资产管理体制深化改革的重要内容。在企业出资人制度的基础上,必然有建立完善企业法人治理结构的内在要求,改造传统体制下企业高层经营管理人员的遴选任命办法和职能分工关系,形成新型的股东大会——董事会——经理人员——监事会相互之间的制衡关系。围绕所有者、占有使用者和经营者财产权利的实现形式和分配顺序,把提高企业经济效益作为企业生存的基本目标,展开企业运营活动。通过出资人与代理人的分工关系和法人治理结构内部的不同角色分工合作关系,促成资本经营和企业管理岗位的职业化,让人力资本进入市场,由此促成管理劳动分工专业化水平的提高,提高管理劳动的效率,从而进一步提高资本运营的效率。

在法人治理结构科学化的基础上,加强企业经营机制市场化建设,根据市场约束要求展开经营活动。对企业内部既有资源加以重组,调整产品结构,注重技术创新,努力降低成本,实现最大利润。企业生存目标的明确,必然要求企业在市场中重新加以定位,全面开展经营,从市场环境、竞争对手、技术升级、资源条件到产品成本、劳动力素质、组织创新、分配激励等多方面考虑,强化经营管理,创造竞争优势,保持生存和发展的活力。

所有这一切关系国有企业的改革,都需要调动中央政府和地方政府两个方面的积极性。因为,即使是建立了一级政府、一级产权主体、一级所有权、一级委托代理权、一级收益分配权、一级举债权、一级立法权的国有资产管理新体制,各级政府所占有使用的国有资产也不是在各级政府管辖范围内封闭运行的。统一的大市场、世界经济一体化、广泛的竞争和社会化大生产,都要求中央政府与地方政府的国有资本(包括其他社会资本)实现大范围的联合协作,组建大型的股份制企业。因此,进一步改革中央与地方之间的国有资产产权关系,将有利于推进国有企业股份制改组,明晰国有企业内部产权关系,从而实现在现代企业制度和现代产权制度基础上的社会化的大生产。

(八)有利于发挥中央和地方政府国有资本运营主体的作用

改革中央与地方之间国有资产产权关系,归根到底是为了促进生产力的进一步发展。建立一级政府、一级产权主体、一级所有权、一级委托代理权、一级收益分配权、一级举债权、一级立法权的国有资产管理新体制,为进一步明确中央和地方国有资产所有者代表履行经济建设职能,构建国有资本运营主体,促进经济发展创造了条件。党的十六大报告提出的国有资产管理体制改革方针,表明中央和地方的财产权向分级所有体制迈出了实质性的一步。中央政府作为出资人的权利应主要体现在基础设施、资源性资产、涉及国计民生的国有企业的产权方面,其他方面的国有资产的出资人权利都应交给地方政府。随着国有资产管理体制改革的深入进行,中央和地方政府的国有资产监督管理机构已经成为独立的国有资本运营主体,促进经济发展已经成为各级政府国有资产监督管理委员会的重要职能。因此,中央政府和地方政府国有资产监督管理机构应当把国有资本金的筹集、投资运营、资本结构控制、资本收益分配、国有资本金预算管理作为主要业务。随着新体制的实行,中央和地方国有资产监督管理机构的决策权将愈发重要。国有资产监督管理机构在财权上有更大的发言权和自主权。这将增强中央和地方国有资产监督管理机构进行国有资本运营活动的独立性。无论是国有资本的运营方针、运营政策、运营资本金的筹集、运营活动控制,还是国有资本金运营收益的分配、运营的预算管理等等,都将涉及中央与地方国有资产产权关系问题。所以,改革中央与地方政府之间的国有资产产权关系,对于发挥各级政府国有资本运营主体的作用是十分必要的。

(九)有利于推进法制建设和财政税收体制的改革

党的十六大已经明确了国有资产管理体制进一步改革的方向,下一步就是要根据十六大的精神,尽快构建新的国有资产管理体制。改革国有企业统一所有、分级管理体制,主要是改革物权或财产权关系。改革中央与地方之间国有资产产权关系实际上也是为完善相关法律法规提供理论依据。生产力的进一步发展会产生新的财产权关系,国家的法律是对财产权关系的保护。因此,根据中央与地方之间国有资产产权关系的变化,及时修订有关法律,是国有资产管理体制改革和现代产权制度建立的保证。中央和地方政府在国有资产财产权关系上的界定,为调动各方面的积极性,承担相应的责任和义务,推动国有企业改革和发展创造了条件,也要求通过必要的法律程序给予规范。

过去实施的国有资产国家统一所有体制是和国家的整个经济体制,尤其是财政、金融、社会保障体制相联系的。改变统一所有,需要研究由此引起的许多重要相关因素的互动影响。例如,需要考虑与国民经济密切相关的某些下放企业到底归谁所有及各方的相应责任、与重大企业改革政策(如社保、企业债转股等)的关系、分级财政体制和相应税制完善、税收立法权的分权、国有产权主体举债权等的改革问题。理论上讲,建立一级政府、一级产权主体、一级所有权、一级委托代理权、一级收益分配权、一级举债权、一级立法权的国有资产管理新体制,实际上也是财政税收体制进一步改革的组成部分,是分税分级财政体制改革的继续。伴随着中央和地方政府利益关系的调整,税收立法权的分权、国有资产举债权等的改革必将提到议事日程。从政府与市场的职能划分上看,市场经济要在资源配置方面发挥基础性作用,政府要加强宏观调控。显然,政府对市场的宏观调控职能,只依靠中央政府是难以完成的,因此地方政府也具有所辖区域经济的宏观调控职能。为此,地方政府也应当拥有实现宏观调控职能的权利和手段。所以,国有资产管理体制的改革也必然推动财政税收管理体制的进一步改革。

本章小结

1. 中央与地方国有资产产权关系,是指经营性国有资产在中央与地方政府国有资产监督管理委员会之间的财产权关系。它是现代产权关系的重要内容,围绕着中央与地方国有资产产权关系而建立的制度构成了现代产权制度的一个重要方面。

2. 狭义的国有资产产权即国有资本财产权,是指中央政府和地方政府国有资产监督管理委员会履行出资人权能,代表全体社会成员拥有的经营性国有资产财产权。广义国有资产产权,是国家财产权的代表依法对全部国家财产享有所有、占有使用、收益和处置的权利。包括作为一般生产条件、生活条件的天然生产资料和作为一般生产条件、生活条件的人工生产资料,还包括作为直接生产要素和生活要素由国家投资形成的人工生产资料等。

3. 从十一届三中全会开始到党的十六大召开,近三十年间国有资产管理体制改革进程可以划分为前后三个阶段。国有资产管理体制改革的准备阶段(1978年~1988年);国有资产管理体制改革的探索阶段(1988年~1998

年);全面进行国有资产管理体制改革阶段(2002年至今)。

4. 中央与地方国有资产产权关系存在的基本问题主要表现为:出资人不到位,政出多门;所有权高度集中,地方没有积极性;占有使用权委托代理,损害了所有者权益;收益分配权责不清,出资人财产权利难以实现;举债权高度集中,债务风险加大;立法权划分不清晰,国有资产法律建设滞后。

5. 国有资产财产权利高度集中与财产收益分配关系不和谐并存,是我国原国有资产管理体制的症结所在。

6. 中央与地方之间国有资产产权关系改革的目标模式可以概括为:建立一级政府、一级产权主体、一级所有权、一级委托代理权、一级收益分配权、一级举债权、一级立法权的国有资产管理新体制。

7. 改革中央与地方政府之间国有资产产权关系,实质是变革财产权关系以促进社会生产力的发展。

8. 建立国有资产管理新体制,将有利于健全政府职能;有利于国民经济结构的整体优化;有利于重点产业和优势产业的发展;有利于明晰政府间的国有资产产权关系;有利于实现国有资产的保值增值;有利于国有经济战略性调整;有利于建立现代企业制度;有利于发挥中央和地方政府国有资本运营主体的作用;有利于推进法制建设和财政税收体制的改革。

第四章 中央与地方国有资产产权主体关系

加强国有资产产权管理必须发挥中央和地方两个积极性,要从明晰产权关系入手,解决国有资产产权主体模糊、所有者和占有使用者缺位的问题,固化各级政府的利益格局,强化财产的各级所有者对财产权利的约束。因此,改革中央政府与地方政府国有资产产权主体关系,是值得关注和研究的问题。本章探讨了中央与地方国有资产产权主体关系的定位和意义,分析了中央与地方国有资产产权主体之间存在的主要问题,论证并提出了改革中央与地方国有资产产权主体之间关系的政策思路。

第一节 国有资产产权主体理论探索

一、产权主体的内涵

(一)产权主体的概念

产权主体是指享有或拥有财产权全部或具体部分权能,以及享有与财产权相关的其他权利的组织、法人和自然人。产权是有限的、自由的、可分解的、排他的和可交换的。同时由其排他性、有限性和可分解性作为保证。如果产权不具有排他性,产权主体不清,将导致剩余索取权的混乱;如果产权不具有有限性,产权本身就不可量度,那么产权既不可能进行交换,也没有必要交换;如果产权不具有可分解性,那么产权的可交换性就仅限于产权整体的买卖行为。产权主体包括以下类别。

1. 完全权能主体和部分权能主体

当财产权各项权能高度集中时,产权主体就是运用财产各项权能的人。而在现代,财产权各项权能发生了分解,不同的人可以享有同一财产的不同权能。此时的产权主体就不拥有完全的财产权,它可能是财产所有权的主体、收益权的主体,可能是财产占有使用权的主体,也有可能是财产处置权的主体,或者是财产权某两项或三项权能的支配者和享有者。部分权能主体包括所有权主体、占有使用权主体、收益权主体、处置权主体,此外还包括享有与产权相关的其他如具体监督管理经营权、承包租赁经营权、自然资源开采权等主体。

2. 私有产权主体、社团产权主体和集体产权主体

私有产权主体,是指某产权的主体完全排斥其他产权主体以同样的权利处置产权客体。完备的私有产权包括关于资源利用的所有权利。但任何权利都不是无限的,都要受到约束和限制。因此,即使是私有产权,也必须从许可的一组用途中进行选择,虽然谁拥有私有产权,谁就可以排斥他人以同样权利处置资源。另外,私有产权并不意味着与资源有关的权利都掌握在一个人手里。私有产权可以由两个或多个主体拥有,比如地主和佃农。但地主掌握的权利和佃农掌握的权利都是私人的权利。地主有权阻止佃农改变或出让地产,佃农也有权排斥地主为自己的私利而使用地产。这里的事实是,同样的一种有形资产,不同的人拥有不同的权利,但并不意味着这些权利就不是私有的。只要每个人拥有互不重合的不同的权利,多个人同时对某一资源或资产行使的权利仍是私有产权。因为,私有产权的关键在于行使财产权利的决策完全是私人做出的。

社团产权主体,是指当社团内的每一成员对某种财产能够行使同样的权利时,行使权利的社团成员的集合就是社团产权主体。社团产权主体的特点是:社团产权主体对社团外的成员具有排他性,对社团内的成员则具有同等的权利;社团产权具有不可分割性,社团产权在个人之间是完全不可分的,是一个整体,每个社团成员都可利用社团财产为自己服务,但都无权声称该财产属于他个人所有;每个社团成员对财产权利的利用都应该依法进行,以不损害其他社团成员的合法权利为前提。社团产权主体与私有产权主体相比,表现为

每个人对社团产权都拥有全部的产权,但这种资源或产权不属于任何一个人,产权主体是各个成员组成的社团而不是该社团的各个成员。

集体产权主体,即产权归属于某个集体所有,对财产权利行使的决策由集体作出。这样的产权主体就是集体产权主体。集体产权主体与社团产权主体的区别在于,每个集团成员均拥有财产的收益权和占有权,但使用权和处置权必须集中起来归属集体所有。由集体成员共同行使,而不能由任何集体成员单独行使。其排他性体现在集体成员排斥集体以外的人占有使用产权客体,但集体成员之间是不排他的。

(二) 产权客体

产权客体是指产权权能所指向的标的,是产权主体可以控制和支配或享用的具有文化、科学和经济价值的物质资料以及各类无形资产。一切供人类使用或实际已成为人类享用对象的物质都可以成为产权的客体。成为产权客体需要具备两个因素。一是要能够实际为人们支配和享用,例如,月亮上拥有由各种矿产构成的物质,但目前人们还不能支配和使用它,因此它就不能成为产权的客体;二是资源的稀缺,人们为了占有、支配和使用某种物,彼此要分出所有者,而不是无条件供一切人享用。例如空气,在过去是取之不尽、用之不竭的,它不会成为人们争夺享有的对象,但随着现代工业的发展,污染日趋严重,人们为享有洁净空气的权利而争斗,这时空气也可成为产权客体。产权客体有时就是某项行为权利本身,例如,某工厂有排放烟雾的权利,而另一个工厂不享有这种权利,前者就可将此权利转让给后者,使后者能继续生产。产权的买卖实际上是权利的买卖,是某种行为权利的买卖。产权客体是随着社会的发展而不断变化的。

二、国有资产产权主体的内涵

国有资产产权主体,又称为国有产权主体或国家财产权主体。具体是指享有或者拥有国有资产财产权利或国有资产财产权的某一项权能,以及享有与国有资产财产权有关的权利的国家、组织、单位、法人和自然人。

在历史上,国家和个人较早地成为国有资产财产权的主体和运用这种权利从事管理经营活动的主体。当国家财产权的各项权能未发生分解时,运用国家财产权各项财产权能的人就是国家产权主体,对国家财产拥有完整的财产权。在现代社会,国家财产权的各项权能发生了分解,国有产权主体可以不拥有完整的国家财产权。它可以是国家财产所有权的主体,可以是国家财产占有使用权的主体,也可以是国家财产收益权的主体,还可以是享有国家财产权某几项权能的主体。在我国,国有资产的所有者、占有使用者以及国有资产的监督管理经营者等,都是国有资产的产权主体。

政府是国有资产产权的特殊主体。政府是由履行国家职能的各个政府机关组成的社会组织。政府运用国有资产产权的性质,决定于国家的性质。经济基础决定上层建筑。在计划经济体制下,国家将国有资产财产权的各项权能高度集中,排斥了其他国有产权主体行使财产权利,不能调动其他产权主体根据生产发展需要和市场供求灵活运用国有资产、加强国有资产管理经营的积极性,导致了国有资产运营效益下降。在社会主义市场经济体制下,随着社会分工的进一步发展,现代股份制企业的形成,以及社会化的大生产,都在客观上要求国有资产财产权的各项权能得到科学的分解。于是,国有资产产权主体出现多元化的趋势,政府的国有资产监督管理机构、国有资本运营机构(国有资产经营公司、国有独资公司和国有控股公司等)、企业法人和事业单位都在不同层次上履行国家财产产权主体的职能。多层次国有产权主体的形成,其各自财产权利、责任和义务的进一步明确界定,为调动各个产权主体履行产权职能的积极性,加强国有资产管理,更好地发挥国有资产调节控制市场经济运行,优化资源配置,提高经济效益,促进生产力的进一步发展创造了条件。

三、国有资产产权主体体系

国有资产产权主体体系,是国有资产所有权主体、占有使用权主体和具体监督管理经营权主体的集合。在新的国有资产管理体制下,国有资产产权主体体系可概括为四层次三元结构。

国有资产产权主体的四个层次,是指按照国有资产财产权政府分级代表原则,将国有资产产权主体划分为四个层次。第一层次是中央人民政府即国务院。中央人民政府拥有全部国有资产的终极所有权和本级管辖的国有资产的完整的财产权利,包括所有权、占有使用权、收益权、处置权和其他派生的相关权能。第二层次是各省、自治区、直辖市、计划单列市人民政府(包括其派出的地区行署)。第三层次是地级市、区、自治州人民政府。第四层次是县和县级市人民政府。中央政府以下的各级政府拥有中央政府授权管理的国有资产的次一级财产权利,包括所有权、占有使用权、收益权、处置权和其他派生的相关权能。

国有资产产权主体的三元结构,是指按照分层管理的原则,将国有资产产权主体划分为国有资产监督管理机构、国有资本运营机构和建立现代企业制度的国有企业。国有资产产权的三元主体有其各自的权利、责任和义务。各级政府都应当建立国有资本出资人制度。一方面,通过建立独立的国有资本管理体系促成各级政府的行政权与国有资本所有权和占有使用权相互分离,即政资分开。国有资本与其他资本一样进入市场,按保值增值目标要求投放配置,由此彻底改变对国有资本行政化管理的习惯。另一方面,按现代公司制度要求,实行多元主体共同出资,包括中央政府与地方政府共同出资、国有经济成分与非国有经济成分共同出资,既可以发挥中央政府对地方经济发展的促进支持作用和国有资本的调控导向作用,又可以通过非国有经济成分的参与,改变国有资本管理经营传统的行政行为和实物型管理习惯,按市场经济特点实行对国有资产产权进行价值型管理。出资人制度的建立,为企业法人财产权(即占有使用权和具体监督管理经营权)的独立提供了条件,使企业真正进入市场,在保证所有者和占有使用者财产权利的前提下,实行自主经营,自负盈亏,实现政企分离。从而改变目前国有资产管理机构只是进行资产统计评价,无权真正管理产权和政府对企业干预过多的现状。

(一)第一元主体

各级政府的国有资产监督管理机构,是代表国家履行国有资产所有者和占有使用者职能,专司经营性国有资产综合管理的机构。国有资产监督管理委员会在各级政府设置,代表国家行使本级政府管辖的国有资产的所有者权利和占有使用者权利。包括:代表国家拥有国有资产的所有权、占有使用权、收益权、资产划拨权、处置审批权、监督权和掌握国有资产监督管理和经营的立法权。

(二)第二元主体

国有资本运营机构,是国家依法独资设立或控股设立、经国有资产监督管理机构授权,代表国有资产所有者和占有使用者对授权范围内的国有资产具体行使权利,以持股运作方式从事国有资本运营的企业法人或机关法人。主要包括大型企业集团公司、行业性总公司、国有资产经营公司、国有资产投资公司国有控股公司等。国有资本运营机构在各级政府国有资产管理机构管理下,根据需要设置,对政府国有资产监督管理机构负责。

对于国有资产监督管理委员会来说,国有资本运营机构是国有资产监督管理委员会的派出机构。经授权代理行使国有资产所有权能和占有使用权能。国有资本运营机构一方面接受政府部门和国有资产监督管理机构的宏观指导,矫正和约束企业的生产经营活动;另一方面组织国有资产的投资和经营活动,并将所有权和占有使用权代表的监管职能与企业经营活动分离开来,避免行政干预和企业经营错位现象的发生。国有资本运营机构对上接受国有资产监督管理机构赋予的国有资产所有者和占有使用者职权,负责收缴国有资产的所有权收益(国有股权收益——股息收益)和国有资产占有使用权收益(国有企业主收益——红利),依据规定上交国有资产监督管理委员会;对下根据国家宏观经济政策、市场信号和企业经营的情况,将国有资产投入到各个企业,实施控股或参股操作,对所运营的国有资本进行投资调整,依照企业经营效益最大化和国有资产保值增值的原则,运营国有资产。

对于从事具体生产经营活动的国有企业来说,国有资本运营机构是企业法人投资者,拥有企业法人财产所有权和占有使用权,依据股权获得所出资国有企业的股息收入,依据法人资本占有使用权获得红利收入。

这样,通过规范国有资产监督管理机构与授权经营机构的产权关系,国有资本运营机构就可以承担国有资产的所有者和占有使用者的职能,即国有资本运营职能,而国有资产监督管理机构就可以专职行使国有资产出资人的职能,从而在制度上避免政企不分的可能性。国有资本运营机构分为中央与省市(直辖市)两级。省市一级经过本级政府国有资产监督管理部门委托和授权,即可行使国有资产所有者和占有使用者的职能。

(三)第三元主体

建立现代企业制度的国有企业,它们是国有资产的基层运营单位,主要从事具体的生产经营活动。具体是指国家资本投入的企业,包括有限责任公司、股份有限公司、中外合资合作经营企业和国有独资企业等。基层国有资产经营单位以国有资产保值增值和效益最大化为目标,向包括政府投资者在内的所有投资者负责。国有资本运营机构运用其所经营的国有资产,既可以控股的形式,也可以参股的形式投资于这些企业。一方面可以在体现国有资本对整个经济资源控制力的基础上分散风险;另一方面在与其他所有制性质的股东共同管理企业的过程中,因为有其他股东权益的制约,可以避免可能存在的对参股企业合法权益的干涉。在产业选择上,应该集中于那些涉及国家安全的行业、自然垄断行业,提供重要公共产品和服务的行业以及支柱产业和高新技术产业等关系国计民生的关键领域。

第二节 改革中央与地方国有资产产权主体关系的理论依据

国有资产产权管理体制是国家经济体制的有机组成部分,属于生产关系范畴。按照生产关系要适合生产力发展规律的要求,衡量国有资产产权管理体制的优劣只有一个标准,即看它是否能够促进生产力的发展。因此,国有资产产权管理体制既没有也不可能形成一个固定不变的模式。只能从客观实际出发,制定能够促进企业经济效益提高的国有资产产权管理体制。对中央政府与地方政府之间的国有资产产权主体关系的研究,正是要寻求一个能够适应生产力发展要求的国有资产产权管理体制,对原有的中央与地方国有资产产权主体关系进行调整,对原有的国有资产产权管理体制进行改革。因此,探讨改革中央与地方国有资产产权主体关系的理论依据是十分必要的。

一、变革财产权关系以适应生产力发展理论

马克思主义财产权学说告诉我们,财产权关系属于生产关系范畴,变革财产权关系的目的是适应和促进生产力的发展。中央与地方国有资产产权主体关系是国有资产产权关系的重要方面,是国有资产产权关系的表现形式之一。判断中央与地方国有资产产权主体关系是否科学、合理的主要标准是看生产力是否得到发展。即在宏观方面主要表现为国民收入的增加;在微观方面则表现为企业经济效益的大幅度提高。

加强国有资产产权管理,发挥中央和地方两个积极性,要从明晰产权主体关系入手,解决国有资产产权主体模糊、所有者和占有使用者缺位的问题,强化财产或财产权力的各级所有者和占有使用者对产权的约束。哪些国有资产应由中央政府履行出资人职责,哪些国有资产应由地方政府履行出资人职责,必须明确定位。党的十六大报告提出:关系国民经济命脉和国家安全的大型国有企业、基础设施和重要自然资源等,由中央政府代表国家履行出资人职责。其他国有资产由地方政府代表国家履行出资人职责。即对与本地区直接相关的公益性资产和经营性资产,由地方直接拨款或投资等方式形成的财产和财产权利,其产权主体定位于相应的地方政府。由此需要从国有资产财产权主体的角度理顺中央与地方的财产权关系。只有这样,才能真正调动中央与地方两个方面的积极性,加强国有资产产权管理,实现国有资产出资人的财产权利,促进企业经济效益的提高,达到促进生产力发展的目的。因此,变革财产权关系以适应生产力发展理论成为改革中央与地方国有资产产权主体关系的重要依据。

二、财产收益分配规律理论

凭借财产权利获得财产收益,是现代产权制度的基本规定性之一。依据马克思主义财产权分配规律,只要存在资本财产的所有权、占有使用权,同时存在监督管理经营权,那么,就必然存在着这些财产权利得以实现的经济形式,即依据资本财产的所有权、占有使用权和监督管理经营权而获得收入的形

式。

　　明确各级政府国有资产监督管理委员会的国有资产所有者和自有国有资本占有使用者的产权主体地位,对于进一步确定其财产收益权,获得所有权收益和占有使用权收益具有特别重要的意义。按照马克思主义的财产权学说关于财产收益分配一般规律的基本原理,中央和地方政府国有资产监督管理委员会应当依据各级政府授权,依据国有资本的所有权,以股息形式(或者相当于股息的利润部分)向所出资的国有企业收取国有资本所有权收益;同时,依据国有资本的占有使用权以红利形式(或者相当于红利的利润部分)获得平均利润的一部分,即马克思说的企业主收入。作为企业国有资本的具体监督管理经营者,国有股东代表(董事)、监事会主席(监事)和经理等,实际上是代表各级政府行使国有资本的具体监督管理和经营的权利,拥有依据监督管理经营能力等无形资本的所有权获得年薪收入的权利。只有明晰了产权关系,确定了收益形式,才能实现国有资产产权主体的财产权利。

三、改革中央与地方国有资产产权主体关系的意义

　　传统国有资产产权管理体制的一个主要弊端是,国有资产产权关系模糊,所有者长期缺位,所有权长期处于游离状态。我国理论上和法律上都确认国有资产归全体劳动人民共同所有,产权的最终主体是全体劳动人民,国家代表全体劳动人民行使所有权。但是,实际情况与理论设想和法律规范形成了强烈的反差:政府的多个部门是主人,但都难以承担责任;都宣称是所有者,但对所有物都难以履行所有者职能。因此,长期以来,实际上国有产权主体在很大程度上处于虚置状态。产权主体虚置必然导致所有者和占有使用者不到位,所有者与所有物相互分离、占有使用者与占有物相互分离。其结果是无人对国有资产负责。与之相联系,在中央政府和地方政府的国有资产产权关系上,长期在授权与放权之间摇摆。从原来情况看,近十八万家国有企业由中央政府统一行使所有者职能,形成了事实上的鞭长莫及,难以真正履行所有者和占有使用者的职能。而地方政府由于不是法律意义上的国有资产产权主体,缺少对国有资产经济上的剩余收益权,无法行使所有者和占有使用者职能。因

此,就失去了管理国有资产的积极性,怠于对国有资产的管理。这不能不说是造成国有资产流失的一个重要原因。

在坚持国家所有的前提下,明确中央和地方分别履行出资人职责,享有所有者权益,实际上是确认了地方政府对部分国有资产完整的财产权利,地方政府成了真正的一级国有资产产权主体。这种产权主体关系的定位对调动中央与地方政府管好国有资产的积极性和完善国有资产的管理体制具有非常重要的意义。

其一,形成政资分开的管理体制。政资分开是指政府的行政管理职能和资本所有者职能分开。前者管理国民经济以及整个社会,后者管理国有产权和国有经济。分级代表体制下,每级政府都有自己的资本和企业,需要行使所有者和占有使用者职权,落实国有资产的监督管理责任。可以缩短国有资产所有权代表(政府)与国有资产委托授权经营代表(企业)之间的监管距离,实现所有者和占有使用者到位,从而改善监管激励,节约管理成本。

其二,形成基于权责利统一的中央与地方利益格局。国有资产产权主体关系长期在收与放之间摇摆,主要原因是把资本、产权、企业等等都纳入行政性分权或集权的范围。分级代表体制将固化各级政府的利益格局,不允许互相侵占所有者权益。例如,中央企业利用甩包袱把大量隐性负债推给地方;地方企业利用坏账和逃废债把大量显性负债推给中央(国有银行);这些都是产权关系不清晰造成的恶果。建立新的国有资产管理体制,从中央政府的角度看,可以形成奖优罚劣、区别对待的宏观管理体系;从地方政府的角度看,由于国有资产产权与剩余收益权紧密相连,对自己实际控制的国有资产关切度增强,可以充分其管好用好国有资产的积极性。

其三,形成多元化产权主体,提高国有资产的运用与配置效率。事实证明,高度集中统一的国有资产管理体制相对而言不利于国有资产的有效利用与合理配置,特别不利于形成有效的产权市场,不利于通过产权交易改善国有资产运营效率,也不利于国有资产所有权和占有使用权的实现。产权多元化是形成强烈的责任心、实现管理创新、制度创新、合理决策和科学管理的前提和基础。

其四,形成对资本所有者的信用评价体系。我国经济运行中严重的信用缺失,起源于政府和政府资本不讲信用。由于盲目投资、重复建设、逃废债等等惯常的不合理的经济行为违反了财产权利的基本规定性,影响到所涉及政府的债信。因此,在分级代表的产权框架之下,把每级政府作为一级资本所有者进行总体的资信评价,有希望通过信用管理手段进行制约。这对于缓解迫在眉睫的金融风险无疑是有力的举措。

其五,形成对产权管理的信用约束机制。现在中央对地方的调控管理很大程度上还是简单地一刀切,不许财政担保、不得发行地方政府债券等等禁令,对所有地方政府不分良莠一视同仁。在新的体制下,由于利益格局已经固化,中央应该以地方政府(含资本)利益的增损作为宏观调控的主要着力点。以地方资本所有者和占有使用者的信用等级作为宏观调控的依据,实施区别化的管理。地方政府若有信用,可以增加银行授信、允许财政担保、允许发行债券、允许增办地方金融机构等等。地方政府若无信用,则有可能失掉大部分融资渠道,甚至根本丧失投资能力。只能去吸引外商、民间、其他政府资本前来投资。根据信用奖优罚劣,将使政府信用步入良性循环的轨道。

其六,形成产权关系清晰、法制健全的现代产权制度。我国国有企业改革成效不显著,经济效益不高,很大程度上是产权关系不清晰、财产权利与收益不对应、法制不健全造成的。所有者、占有使用者和监督管理经营者的财产权利没有得到明确的界定,其依据财产权利应当获得的收益没有法律的有效保护,难以调动产权主体履行职责的积极性。在新的国有资产管理体制下,各级政府都以明晰产权关系、规范分配形式、健全法律制度为工作的重点,将对维护财产所有者、占有使用者和管理经营者的财产权利,进而调动其加强产权管理、依法监督、正确决策、努力经营的积极性,促进企业经济效益的提高发挥重要的作用。为从根本上解决国有企业经济效益不高的问题找到突破口,从而推进国有企业改革有实质性的进展。

第三节　中央与地方国有资产产权主体关系现状分析

中央与地方国有资产产权主体关系存在的问题主要表现在以下方面。

一、产权主体缺位

国有资产产权主体缺位,导致监管失控。国有资产产权主体缺位不是指缺股东,缺产权所有者,而是指其缺乏统一行使所有权的国有资产所有者代表。从理论上说,我国国有资产并不存在所有者缺位问题。国有资产的所有权属于全体人民,全体人民通过人大立法机关委托中央政府(国务院)管理。也就是说,在理论上这种委托代理关系是明确的。我国的国有资产数量庞大,分布广泛,中央政府不可能直接管理遍布各地的国有资产,只能委托地方政府和各部委来管理。但在原国有资产统一所有,分级管理的体制下,由于地方政府没有明确的财产权利,不能调动地方政府的积极性。

王国清教授认为,所有者缺位问题是我国国有股权监管低效率运行的原因。"尽管国有股权的名义所有者是全体国民,但是国民无法通过有效的机制来实现对国有股权的监管。国有股权的所有者缺位问题始终是困扰国有股权有效运转的重要原因。它也是国有股权监管效率比较低的原因。……即便承认全体国民是国有股权的实际所有者,低效的委托代理结构也无法保证国民(所有者)对国有股权的有效监管。国家所有、分级管理的监管模式增加了委托代理环节,增加了委托代理成本。这种委托代理结构进一步分散了决策所需的信息,增加了信息成本,导致了其委托代理结构的失败。"[①]

国有资产统一所有,分级管理体制的首要弊端,就是缺乏充分独立的国有资产监督管理机构。国有资产虽然最终归全体人民所有,但是不可能每个人都要亲自去直接管理归自己所有的国有资产,在现实中必须有一个代表全体

[①] 王国清:《财政改革与发展研究》,中国财政经济出版社2005年版,第78~79页。

人民管理国有资产的专门机构。我国的国有企业改革已进行了 20 多年,而且一直被当作整个经济体制改革的中心环节,但是至今却未能实现根本性的变革。改革没有触及国有企业的制度缺陷——资产无人负责,无疑是重要原因之一。这里所说的无人负责是指当国有企业因经营不善等原因造成亏损或资不抵债、因投资决策失误造成国有资产损失时,除了国家承担责任外,没有任何决策者、经营者承担经济损失的责任。我国宪法虽然规定国务院是国有资产的所有者代表,代表全体人民管理国有资产,但实际上并没有形成有效管理国有资产的专门机构。

目前,中央和地方政府分级代表体制改革进展并不同步。中央政府已经建立了国有资产监督管理机构。与中央相比,地方国有资产管理体制改革发展明显不一致。有学者统计,截至 2004 年底,全国 31 个省区市和新疆生产建设兵团国有资产监督管理委员会才全部组建完毕,市(地)组建国有资产监管机构的仅有 203 个,占相关政府总数的 45.3%;单独成立国有资产监督管理委员会的有 176 个,占相关政府总数的 39.3%。[①] 市一级的国有资产监督管理机构进度比较慢。因此,现在国有资产监督管理机构改革的重点是地方国有资产管理机构的建立,以解决国有资产产权主体缺位问题。

二、产权代表多元化

产权代表多元化,导致资产无人负责。在原体制下,国有资产由各个政府部门分别行使相关权能,政府各部门都可以产权主体的身份向企业发号施令,企业要对多个政府部门负责,但却没有哪个部门真正对国有资产的保值增值负责任。这种多机构分割权能的体制弊端很多:第一,产权代表多元化,造成国有资产产权主体缺位。各机构职能划分不明确,可以抢着管企业,又可以在有问题时不管企业。第二,多头管理,增加机构协调成本和企业负担。企业在作需要所有者机构批准、认可的决议时,由于涉及多个部门,并且是按行政程序而非公司法程序履行手续,决议时间往往不可控,容易造成决策损失。第

[①] 李保民:《加快完善地方国有资产管理体制》,《经济日报》2005 年 7 月 4 日。

三,产权主体责任不明确,企业缺乏应有的监督的约束,造成了国有资产流失,不利于现代企业制度的建立,从而影响了我国经济的高效发展。解决这个问题的办法之一就是在各级政府建立统一行使出资人职能的国有资产监督管理机构,行使国有资产产权主体的权利。

三、产权主体控制权与剩余索取权不匹配

在统一所有,分级管理体制下,地方政府是国有资产的占有使用权主体。在占有使用权收益形式和数量界限不明确,且没有法律保护的情况下,这种分权结构中控制权和剩余索取权是不匹配的。一方面,中央政府作为国有资产所有权主体,拥有名义上的国有资产的控制权(即占有使用权)和剩余索取权(包括所有权收益和占有使用权收益),但客观上这两种权利并非掌握在中央政府手中;另一方面,地方政府并不是所有权主体,因而也不享有剩余索取权,但实际上占有和使用国有资产,是事实上的占有使用权主体。对于中央政府和地方政府,剩余索取权和控制权这两种权利都不能够相应落实。

总体情况是,地方政府是大量国有企业的实际占有使用权主体,拥有部分控制权,但又不拥有与之相匹配的剩余索取权。结果是实际控制企业的地方政府,缺乏来自外部和内部的监督与约束,追求地方效用的动机更加强烈。在投资决策时缺乏足够的动力和约束,使投资决策具有很大的盲目性。从而出现了地方政府乱投资、盲目投资现象,造成了重复建设和产业结构趋同化。一旦投资收益有保证,就会给地方政府带来有形或无形的效用;一旦投资收益没有保证,地方政府也不承担责任,甚至连偿还银行贷款本息的责任也不必承担。只有控制权而没有索取权的产权主体体制,使得地方政府没有监督管理国有资产的积极性,导致国有资产流失现象不能得到及时的遏制。

四、内部人控制

内部人控制,是指国有企业的管理层人员和职工在企业公司化过程中获得相当大一部分控制权,导致国有资产所有者和占有使用者财产权利受损的现象。内部人是指公司的管理层(包括董事、经理层和公司监事)和内部职

工。这些内部人或具有单一的身份或具有双重身份。例如,经理同时是公司股东,这种现象可以称为管理层持股;职工既可以独立持股成为公司股东,也可以以职工持股会或保障基金协会的形式集体成为公司股东。控制对象包括控制权和剩余索取权。由于企业的外部成员(如股东、债权人和主管部门等)监管不力,企业的内部成员掌握了企业的实际控制权。对控制权的掌握使内部人能够对公司的生产、经营、投资和分配等方面的活动产生较大甚至决定性的影响,以满足内部人的利益偏好。从其导致的后果看,内部人控制损害了非内部人和其他利益相关者的财产权利。例如,违背财产收益分配规律,不向国有资产所有者和占有使用者提供股息和红利收益、年薪在股息红利之前分配,等等。

内部人控制是在体制转换过程中产生的一种现象。在制订企业重大战略决策过程中,由于国有资产产权主体监督管理缺位、分配顺序不规范等原因,内部人的利益会得到有力的强调,而占有出资绝大比例的国有资产所有者的财产权利(所有权和占有使用权)就会受损。

我国国有企业的内部人控制是在公司化过程中逐渐形成的。20世纪80年代,在国家所有者代表还没有进入企业并在企业内行使所有者职能的情况下,在企业实行了自主经营、自负盈亏、自我发展、自我积累的政策,并推行了厂长(经理)负责制。90年代,又大规模地对国有企业进行公司制改造,随着公司董事会和监事会的建立,政府主管部门对经营者的约束不仅未能加强,反而出现减弱趋势。在许多国有公司中,大多数经理同时担任董事长,形成了经营者自己聘用自己和监督自己的局面,逐渐出现内部人控制现象。主要表现为:1.短期行为。经营者不考虑企业的长远利益和发展,而只考虑眼前的业绩、地位和利益,过度投资和耗用资产,低效率使用国有资产。如许多国有企业领导一上任便忙于铺摊子、上项目以表现自己的政绩,忽视项目的经济效益和技术可行性,其结果往往是血本无归。2.隐瞒信息。对企业的经济核算弄虚作假。3.过度在职消费。许多国有企业领导者在职工工资都无法保证的情况下,仍然坐豪车、住豪宅、公款吃喝、公费旅游。4.滥发奖金,随意提高工薪报酬,经营者不论企业盈亏如何,工资奖金照发不误。5.侵吞国有资产,在企业改制过程中,以低估国有资产价值等方式侵吞国有资产。6.以各种理由不向国有资产所有者和占有使用者上缴财产收益。

现代企业理论认为,所有者与经营者(内部人)之间实质上是一种委托代理关系,双方作为理性经济人具有不同的效用目标,都力图使自己获得最大效用。现代社会,由于股权分散,所有者在这种委托代理关系中本质上处于一种劣势地位。由于信息不对称所导致的逆向选择和道德风险使得经理层往往偏离所有者的目标,当这种偏离缺乏监督或监督不足时,便产生了内部人控制。

国有企业特殊的内部人控制现象是国有资产产权主体关系决定的。我国宪法规定:国有资产为全体人民所有。但全民是一个数量庞大的集合体,不可能每个人都亲自去行使财产权利,如所有权、占有使用、收益和处分等权利。全民所有权的行使只能采取授权或委托代理的方式。即只能采取全民—国家—企业管理者这种代理形式。中央政府因其种种局限,不可能直接监督企业,更不可能直接经营这些企业,它必须将国有资产经营权授予若干分散的主体去经营。在传统体制下,国有资产授权是依据行政体制进行的,中央政府将国有资产授予各个政府职能部门和地方政府。因此全民—国家—企业管理者这种模式,具体表现为全民—国家—地方政府或政府职能部门—企业管理者模式。在委托代理链条的两头是不同的利益主体,一方是委托人,另一方是代理人。连接两种不同的利益主体并使之形成相互激励和相互制约的关系,必须有一种机制。即委托方以拥有剩余索取权和最终控制权为条件,将资本经营权授予代理人;经营者以享有与其贡献相匹配的劳动报酬与科学的经营业绩评价为条件,取得资本的经营权。而这些权、责、利关系是通过预先达成的契约并依据现代企业制度来实现的,所有者与经营者共同以契约条款为依据分担风险并分享利益,实现所有者产权目标与经营者行为目标的均衡。但是,由于在上述委托代理链条中,地方政府或政府职能部门作为派生委托人对企业只拥有管理权,而没有剩余索取权,即没有权利获得占有使用主体应当获得的收益,因而缺乏监控企业经营代理人行为的积极性,导致国有企业内部人现象的发生。

第四节 改革中央与地方国有资产产权主体关系的政策思路

按照建立一级政府、一级产权主体、一级所有权、一级委托代理权、一级收益分配权、一级举债权、一级立法权的国有资产管理新体制改革设想,中央与地方之间国有资产产权主体关系改革的目标是:建立一级政府,一级产权主体的国有资产产权主体管理体制。即建立以国有企业出资人制度为核心的,由中央和地方国有资产监督管理委员会——国有资本运营机构——实行现代企业制度的企业三层次管理主体构成的国有资产产权主体结构。为此,我们提出以下政策建议。

一、健全产权主体

我国应该建立四级国有资产产权主体监督管理制度。四级产权主体监督管理是指在中央和省、地(市)、县级政府组建国有资产监督管理机构,分别代表中央政府、省政府和市、县政府行使国有资产所有者代表职能,实现终极所有权与出资人所有权的分离,同时建立中间层次的国有资本运营机构,经授权代理国有资产所有者和占有使用者职能,以解决产权主体缺位和虚位问题。

国有资产较少的市(地)级政府,经省级政府批准可以不单独设立国有资产监管机构的,应按照政府的社会公共管理职能与国有资产出资人职责分开的原则,明确国有资产保值增值的行为主体和责任主体,切实做到国有资产保值增值。可以实践的方式有五种:一是政府直接授权当地已组建的资产经营公司或专门机构监管和运营。二是将股权委托给社会上的信托机构运作,类似于社保基金的委托投资行为,由相关行业主管部门分别进行专业监管。三是由省级国有资产监督管理委员会通过派出机构监管市(地)国有资产。四是市(地)政府将国有产权委托其他市(地)国有资产监督管理委员会监管或委托托管公司、资产经营公司、经纪公司等专门机构监管。五是在市(地)财政局专设监管国有资产的机构。从目前情况看,第一种方案较易实现政资分离和政企分离,避免国有资产流失,也便于操作。

对于县级政府,虽然国家已经明确不设立国有资产监管机构。但可按照上述几种方式探索。对于国有资产存量较大的县,第一种方式比较适合;对于国有资产存量较小、国有企业数量较多的县,第五种方式比较适合。事实上,县一级国有资产存量情况在全国范围内差异很大,一些沿海地区的县政府国有资产总量比其他一些地级市甚至省级城市的国有资产总量还大。为防止国有资产流失,实现保值增值,应当积极探索县级国有资产监督管理的有效形式。个别县级政府客观上需要设立国有资产监督管理委员会的,应经过省级政府或国务院国有资产监督管理委员会严格审批后单独设立。

二、统一权利

统一权利是指将国有资产财产权利的各项权能集中到一个产权主体机构行使。这样的体制安排,有利于解决产权代表多元化、权能分散的弊端。在分级代表体制下,应明确中央和地方国有资产产权主体机构的国有资产所有权、占有使用权和收益权,落实各级国有资产监督管理机构分别代表国家履行出资人的权利,实现由管理企业到管理产权的转变。

按照马克思主义财产权学说关于资本所有权、占有使用权和监督管理经营权分离并享有对应的财产权收益的理论,资产所有者必须拥有公司股权收益、占有使用者必须同时拥有公司剩余分配权和控制权,必须权利和责任一致。按照市场经济体制下公认的投资者拥有产权基本原则,各级政府对本级政府投资的企业,或者虽是上级政府投资,但下放历史较长的国有企业享有事实上的财产权。我国实行分级财政体制,各级政府的财权已在向清晰化的方向迈进,那么产权也应该相应地逐步清晰化,过去统一所有的国有企业应当名实一致地将所有权和占有使用权确定到各级政府的国有资产产权主体机构。

国有资产财产权利主体机构的基本财产权利主要是所有权和占有使用权,其他方面的权利只是这两种财产权利的表现形式。因此,抓住这两种财产权利就抓住了产权关系的主要方面,其他方面的权利就可以得到逻辑性的界定。因此,我们可以将统一权利的内涵做如下概括:

(一)统一国有资产所有权权能

国有资产所有权,是国有资产所有者财产权利的最重要权能。其表现形式主要有以下方面:

1. 国有资本金管理权。包括拟定国有资本金基础管理的规章制度;调查掌握国有资本金的分布状况,分析研究国有资本金基础管理的重大问题;拟定国有资本金保值增值的考核指标体系;组织实施国有资本金权属的界定、登记、划转、转让、纠纷调处及仲裁;根据中央和地方政府有关国有企业改革的基本政策和部署,制定批准国有企业的改革方案;研究提出国有资本金预算编制和执行方案等。

2. 国有资本运营权。组织实施国有资本金的筹集、投入、投资项目论证、资产结构控制、国有资本金使用效益分析、检查和监督管理。代表国家对国有独资公司和国家控股、参股公司的国有股份行使所有者职能。

3. 国有资本所有权收益收缴权。国有股息收益是国有资产所有权在经济上实现的形式。依据国有资本所有权组织国有资本所有权收益(即股息)的收缴,是国有资产所有者的重要职责。

4. 调整财产关系权。保障国家对企业财产的所有权和占有使用权,落实企业经营权,转换企业经营机制,落实企业资产经营责任制,不干预企业经营权,不直接支配企业法人财产。理顺国有企业的产权关系,调动企业监督管理经营者的积极性,促进经济效益的提高。

5. 统计分析评价和清产核资管理权。包括国有资本金有关资料的统计汇总和分析研究;组织建立国有资本金统计信息网络;对政府投资的企业进行国有资本金效绩评价;拟定清产核资的方针政策和制度、办法,组织实施清产核资工作。

6. 财产评估管理权。包括拟定企业财产评估政策和制度、评估标准和方法、评估基本准则和应用准则;监督执行财产评估政策、制度、标准、方法和准则;拟定评估机构的资质标准,确认全国性评估机构资格;承担各级政府委托的国有企业财产评估事宜;指导和监督资产评估协会的工作。

7. 法律法规和政策制订权。运用法律手段保护国有资产产权主体的财产权利是市场经济健康发展的内在规定性,是国有资产所有者的重要权利。包括:制订完善国有资产管理经营方面的法律法规,制定具有导向性的政策;建立有利于机构提高效率、防止腐败的制度。

8.公布财务信息权。国有资本所有权行使机构实行信息公开制度,向社会公布国有企业基本的经营和财务信息,公布国家给予的支持政策和基本管理制度。这样做符合国有企业及国有资本所有权行使机构必须向企业真正的股东——全国纳税人提供信息的原则;有利于所有权行使机构和企业提高效率、防止腐败;有利于企业间的公平竞争。

(二)统一国有资产占有使用权权能

国有资产占有使用权,是国有资产占有使用者的财产权利,是所有权的派生权能。由于国有资产监督管理委员会主要是用国有资本进行投资运营,而国有资本实际上是国有资产监督管理委员会代表本级政府拥有的自有资本。因此,国有资产监督管理委员会既是所有者代表,履行国有资产所有者的权利,同时,又是国有资产占有使用者代表,履行国有资产占有使用者的权利。其表现形式主要有以下方面:

1.国有资产占有使用的监督管理权。包括国有股权占有使用管理、企业集团国有资产占有使用管理、控股公司国有资产占有使用管理、中外合资合作企业国有资产占有使用管理、境外国有资产占有使用管理、国有资产承包租赁占有使用管理、国有产权转让管理,国有资产投资管理,国有资产流失查处管理等综合管理。

2.国有资产运营过程的监督管理权。国有资本的运动是空间上并存、时间上继起的连续性运动。因此,从国有资本的投入开始,到国有资本的运营和产出,国有资本的收益和分配,都属于国有资产管理机构行使监督管理权的范围。

3.人事管理权。主要是指国有资产监督管理机构有任免公司董事、监事,及对某些企业批准总经理任职的权利。经政府授权,依照法定权限和程序,提出厂长(经理)的任免建议,或者决定厂长(经理)的任免和奖惩。

4.重大经营决策权。主要指国有资产监督管理机构对企业的收益分配方案、增资和修改章程、股权或资本交易方案及重大决议事项(如重大投资和债务)有股东批准权。对大多数公司而言,本质上就是公司法规定的股东权利事项及行使程序。

5. 国有资产占有使用权收益收缴权。国有资产监督管理机构要依据国有资产所有权获得股息收入,同时,还应依据国有资产占有使用权获得红利收入。国有股息收入是国有资产所有权在经济上得以实现的形式,红利收入是国有资产占有使用权在经济上得以实现的形式。

6. 国有资产保值增值的监督检查权。对所监督的企业派出监事会,根据需要和国家规定的条件委派和聘请监事,对企业财产保值增值状况实施监督,对违法行为依法给予处罚。

三、分层管理

分层管理,是指各级政府分别建立独立的国有资产管理机构、国有资本运营机构和有政府投资的企业,分层次负责管辖范围内的国有资产管理权责。具体体现为:中央和地方政府分别建立三个层次的国有资产管理体系。第一层次是拥有国有资产所有者和占有使用者权利的国有资产监督管理专职机构;第二层次是国有资本运营机构;第三层次是国有资产的具体经营单位,主要是各种形式的国有企业。三个层次逐级负责,同时彼此之间有明确的权责划分。分层管理将有助于明确中央政府、地方政府、国有资本运营机构和企业监督管理经营者的权利、责任和义务,实现各司其责,所有权、占有使用权和监督管理经营权到位。

各级政府管理国有资产的形式应主要采取授权方式,即国有资产管理机构授权国有资本运营机构代表国有资本出资人行使所有者和占有使用者权能,并对国有资本运营机构进行管理监督;国有资本运营机构向国有企业派出股东代表和监事,履行出资人职责,对国有企业的具体管理经营活动进行监督。监事以财务监督为核心对国有企业进行稽查、监督,维护国有资产所有者和占有使用者的权益。随着改革的深化,国有企业的监督主体应逐步由政府部门为主向以国有资本运营机构为主过渡。

四、明确职责

明确职责,是指明确国有资产产权主体与财产权利相对应的责任。按照国有资产产权主体三元结构的设想,应当进一步明确国有资产监督管理机构、国有资本运营机构和政府投资企业的职责。明确职责将有利于实现财产权利与财产责任的统一,从而加强激励和约束,提高国有资产运营效率。

(一)国有资产监督管理机构的职责

国有资产管理体制改革的深层意义就是要在产权、财权清晰化的基础上,更多地实现各级政府事权的清晰化。因此,改变过去国家统一所有的国有资产管理体制,就应进一步明确各级政府的事权责任,应当明确各级政府在组织经济建设,实施经济调控方面的职能。十六大提出的国有资产管理新体制,明确了由国有资产监督管理委员会代表政府统一履行出资人职责。国有资产监督管理委员会受政府委托、并代表政府履行出资人职责,扮演的正是企业中国有资产的所有者和占有使用者的角色。

国有资产监督管理机构的主要职责包括:依照《中华人民共和国公司法》等法律、法规,对所出资企业履行出资人职责,维护所有者和占有使用者权益;指导推进国有及国有控股企业的改革和重组;依照规定向所出资企业派出监事会;依照法定程序对所出资企业的企业负责人进行任免、考核,并根据考核结果对其进行奖惩;通过统计、稽核等方式对企业国有资产的保值增值情况进行监管;履行出资人的其他职责和承办本级政府交办的其他事项;根据宪法规定和政府授权制定企业国有资产监督管理的规章、制度。具体可以概括为三管一监督。

企业负责人管理——建立健全适应现代企业制度要求的企业负责人的选用机制和激励约束机制。任免或者建议任免所出资企业的企业负责人,提出向国有参股的公司派出的董事、监事人选,建立企业负责人经营业绩考核制度,确定所出资企业中的国有独资企业、国有独资公司的企业负责人的薪酬;依据考核结果,决定其向所出资企业派出的企业负责人的奖惩。

企业重大事项管理——负责指导国有及国有控股企业建立现代企业制

度,审核批准其所出资企业中的国有独资企业、国有独资公司的重组、股份制改造方案和所出资企业中的国有独资公司的章程。决定其所出资企业中的分立、合并、破产、解散、增减资本、发行公司债券、利润分配等重大事项。派出股东代表、董事,参加国有控股公司、国有参股公司的股东会、董事会。

企业国有资产管理——负责企业国有资产的产权界定、产权登记、资产评估监管、清产核资、资产统计、综合评价等基础管理工作。协调国有资产产权纠纷、建立企业国有资产产权交易监督管理制度,防止企业国有资产流失,依据所有权和占有使用权获得收益;对其所出资企业的重大投融资规划、发展战略和规划,依照国家发展规划和产业政策履行出资人职责。

企业国有资产监督——其所出资企业中的国有独资企业、国有独资公司派出监事会,对所出资企业财务、特别是财产收益的分配顺序进行监督,建立和完善国有资产保值增值指标体系,维护国有资产所有者、占有使用者和监督管理经营者的合法权益。

(二)国有资本运营机构的职责

国有资本运营机构的职责产生于其拥有的财产权利。而其财产权利又来自于国有资产监督管理机构的授权。作为派生产权主体,其财产权利一是代理行使国有资产所有权和占有使用权。对授权范围内的国有资产具体行使所有者权利和占有使用者权利。国有资本运营机构是经授权对一定范围内的国有资产具体行使投资运营、重大决策、产权转让和投资收益等所有者权利的特殊企业法人,不同于一般企业法人或一般机关法人。后者只行使国有资产经营权或国有资产占有使用权。二是国有资本运营权。以持股运作方式从事国有资本运营。国有资本运营机构的实质是通过持有和买卖股权(产权),运营国有资本,以资本经营方式实现国有资产的优化配置和保值增值,不同于一般企业的商品劳务经营。三是依法设立权。国有资本运营机构是代表各级政府行使国有资产出资人权利的机构,依法定程序经政府授权设立。

国有资本运营机构是国有产权的第二级主体,其基本职责是代表国有资产监督管理机构行使国有资产所有者和占有使用者职能。主要任务是运营国有资本,运作国有产权,包括国有股权。主要包括:

1. 优化国有资产配置。依据国家产业政策,通过组织国有资本筹集、投入、国有资本重组、国有产权交易转让,实现国有资本的优化配置和产业结构的调整。

2. 壮大国有资本实力。通过对国有产权的优化重组,闲置资产的处置,实现企业的兼并、联合、控股、参股,形成具有国际竞争能力的大型企业集团,实现国有资产的保值增值。

3. 收缴国有资本财产收益。维护国有资本所有者和占有使用者的财产权利,组织收缴国有资本所有权收益和占有使用权收益。

4. 实施间接调控。通过国有产权的运作,国家资本投入的增加和减少,国有资产收益的收缴和留用比例的确定,国家控股、参股比例的变化,引导社会资本的流向和流量、带动其他所有制经济形式的发展,发挥国有资本在国民经济中的主导作用。

(三) 政府投资企业的职责

政府投资企业,是指占有国有资产、直接从事产品生产或者劳务提供的各类企业。政府投资企业是国有资产管理经营体系中的基层经济组织,是市场上资本、土地、劳动力、技术等生产要素的购买者,又是各种消费品的生产者和销售者,是社会主义市场经济的经营主体。政府投资企业的组织形式,主要有国有企业和公司制企业。包括有限责任公司和股份有限公司。国有资产经营单位有多种经营方式,主要有承包、租赁、联营、股份经营、授权经营和委托经营等。

政府投资企业的职责产生于企业的财产权利,主要是国有资产的具体监督管理经营权。表现为企业法人财产权和公司法人财产权。

政府投资企业的基本职责可以概括为:努力提高经济效益,对其经营管理的企业国有资产承担保值增值责任;在企业发生经营方式及产权变动时履行必要的义务;执行国有资产管理的有关法律和法规,接受国有资产监督管理机构依法实施的监督管理,不得损害企业国有资产出资人和其他出资人的合法权益。具体应包括以下方面:

1. 为出资人提供投资回报。监督管理人员和经理作为企业的具体监督管理经营者,其最主要的职能是为企业的投资者提供股息收益,为企业资产的占有使用者提供红利收益,在利润增加的同时也为自己获得监督管理经营要素投入收益。因此,企业的监督管理经营者应当把提供投资回报职能作为首要的职能。

2. 独立承担民事责任。国有资产经营单位有包括国家投资形成的资产,有包括国家投入的资金和自有资金,符合企业法人的条件,能够开展正常的民事活动、取信于其他民事主体、实现债权和履行债务,独立承担民事责任。

3. 依法经营。国有资产经营单位是具体从事生产经营活动的企业,应通过加强管理、努力经营、监督资本的使用,降低成本,提高经济效益。

五、打破隶属关系,实行联合协作

(一)打破隶属关系

打破隶属关系,是指按照建立统一开放大市场和政府加强宏观经济调节控制的要求,打破企业隶属关系限制,组建大型股份制企业,建立更为科学的多元产权主体构成的现代产权制度和以科学决策、合理规划为特征的生产经营体系。

按照建立统一开放的大市场、实行公平竞争、资本流动、资产重新组合、实现资源优化配置的要求,本不应当出现中央与地方国有资本运营机构、中央与地方企业的区别。因此,目前形成的中央与地方国有资本运营机构、中央与地方政府投资企业的划分,只是国有资产管理体制转轨时期或过渡时期的产物,目的是明晰国有资产的产权主体,解决国有资产所有者和占有使用者缺位和虚位问题。随着我国市场经济的进一步发展,社会化大生产在更大规模的实现,资本会在更大程度上实现集中和积聚。由此,按隶属关系划分的中央和地方国有资本运营机构、中央和地方企业的界限将越来越模糊。取而代之的将是在产权主体明确到位、产权关系清晰前提下的、股权多元化的、没有政府隶属关系区别的和大规模的股份制企业。因此,改革中央与地方之间国有资产产权主体关系,应当把建立跨隶属关系、跨所有制的大型股份制企业作为国有产权制度改革和国有企业组织形式改革的方向。

(二)实行联合协作

联合协作,是指在中央与地方实行分级代表的基础上,各级政府拥有国有资产产权的企业按照社会化大生产的要求,实行广泛的大规模的联合协作。这是社会化大生产发展的必然要求,也是国有企业进一步发展壮大的前提,它将把市场经济主体根据对供求关系变化的局部的盲目的判断和生产经营决策,纳入到更科学的、全局的轨道上来,减少判断的失误和盲目的生产,使生产经营更具有科学性和计划性。当然,这种广泛的大规模的联合协作,与计划经济体制的高度集中统一和纯粹的公有制,有着明显的区别。它是通过组建大型股份制企业,吸收各种经济成分的资本,在产权关系更为清晰,财产权利更有保障的前提下实现的。因此,是国有经济发展的方向。这就需要进一步理顺国有资产产权主体之间的各种关系。

第一,中央国有资本运营机构与地方国有资本运营机构之间的关系是特殊法人关系。即二者都以运营国有资本为主要业务。为实现自由竞争、资本流动、打破地区封锁、资源优化配置、国有资产保值增值等运营目标,中央政府国有资本运营机构与地方政府国有资本运营机构之间,可以相互交叉持股并以所持股份行使股东的权利,承担相应的责任和义务。这样不仅可以避免由于实行分级代表体制而可能产生的政府级次封锁、地区封锁和国有资产流失等国有资产监督管理失控现象,还有利于建立多元投资主体的产权结构,进而保证资本运营决策的科学化,有利于建立符合社会化大生产需要的大型股份制企业,有利于建立统一开放的资本市场和产权交易市场,加速国有资本运营机构的现代产权制度和现代企业制度建设。

第二,中央投资企业与地方投资企业之间的关系,本质上说是独立企业法人之间的关系。虽然两者的产权分别隶属于不同级次的政府,但在统一开放的市场经济体制下,为实现国有经济资源的合理流动和有效配置,两者可以是各自独立的市场竞争主体,以打破政府级次垄断封锁,提高经济效率,体现出独立市场经营主体的竞争关系;同时,中央政府投资企业与地方政府投资企业还可以通过相互投资持有股份,建立产权联结纽带,形成股东之间的合作关系;可以通过产品、技术、加工、营销等合同契约形式,建立经济技术营销纽带,形成经营合作关系。这样,不仅可以通过打破垄断,提高社会经济效率;而且,还可以促进专业化协作,实现规模经济。中央政府的宏观经济调控政策,也可以通过中央政府投资企业与地方政府投资企业之间的产权关系、契约关系等得以实施,进而实现对产业结构、地区经济结构的间接调节与控制。

第三,不同级次国有资本运营机构与政府投资企业之间的关系,应当是法人财产所有权和占有使用权与所投资企业监督管理经营权之间的关系。中央国有资本运营机构与地方政府投资企业之间、不同地方政府投资企业之间也可以建立产权联结纽带,地方国有资本运营机构也可以向中央企业进行股权投资。这样,将进一步推进社会化大生产的进程,推进更为广泛的联合协作,使企业经营决策更加科学合理,组织生产和经营更有计划性,从而进一步促进生产力的大发展。

股份制是国有经济与非国有经济长期并存的企业组织形式,也是发挥国有经济引导作用的一种企业组织形式。在关键领域,只要有国有资本绝对或相对控股,就可以吸纳、控制、影响和利用庞大的社会非国有资本,成倍地放大国有经济功能,实际上是名退实进。在股份制改造的操作上,应开辟各种途径,以国有控股和参股形式,发展混合所有制经济。可以通过职工持股,经营者承债持股,管理、技术等业务骨干持股,社会法人包括国有与非国有企业之间互相交叉持股,外商持股,尝试社会保障基金持股等途径,调整国有与非国有股权比例结构,实现股权和投资主体多元化。

因此,中央和地方政府的国有资产产权主体应当进一步推进国有企业的资产重组,实行中央与地方企业的联合经营,同时吸收其他所有制经济成分投资,起到带动和引导社会资本的作用,以明晰产权关系促进经济效益的提高,以发展生产促进就业和社会稳定。

六、划分目标层次,明确工作任务

(一)划分目标层次

国有资产管理经营的目标具有层次性。在宏观层面上,国有资产的管理始终是政府履行职能的手段,特别是在市场经济条件下,国有资产的监督管理必须服从政府宏观调控的需要。对国有资产监督管理机构来说,保证政府宏观调控目标的实现,实现整个社会效率的最大化,促进社会生产力的进一步发展是其首先要考虑的问题。在微观层面上,国有资产的具体经营管理则应当遵循资本运动的规律,维护出资人的合法权益,实现投资收益的最大化,即实现国有资产的保值增值。对占有使用国有资产的企业来说,为出资人带来最大限度的投资回报,是其唯一的目标。因此,国有资产管理经营的目标有总体目标和具体目标之分,两者不能替代。宏观层面上总体目标与微观层面上具体目标的有机结合,是对国有资产进行科学监督管理的要求。因此,国有资产监督管理机构在进行国有资本筹集、国有资本投入、国有资本收益分配和国有资本再投入时,应当首先保证总体目标的实现;而政府投资企业在进行具体经营活动时,则应把资本保值增值作为唯一的目标。这样,才能实现政府职能与企业职能的分开,使国有资产在宏观上和在微观上都能够发挥最大的效益。

国有资产管理经营的总体目标,是政府管理经营国有资产所要达到的预期目的。国有资产管理经营的总体目标可以归纳为政治目标、社会目标、经济建设目标和宏观经济调控目标四类。国有资产管理经营的政治目标,是指国有资产的管理经营要实现为国家履行政治职能提供物质基础和促进社会主义生产关系不断完善的预期目的;国有资产管理经营的社会目标,是指国有资产的管理经营要达到促进社会进步和社会安定的预期目的;国有资产管理经营的经济建设目标,是指国有资产的管理经营要达到资源有效配置和经济成长的预期目的;国有资产管理经营的宏观经济调控目标,又称为经济总量平衡目标。是指国有资产的管理经营要达到社会总供给与总需求平衡的预期目的。衡量经济总量平衡的主要标志是稳定物价、充分就业和国际收支平衡。[①] 国家拥有国有资产的目的就是为了实现上述目标,绝非是为了拥有国有资产而拥有国有资产,拥有国有资产是实现宏观调控目标的手段。

为了能使国有经济健康发展,国有资产的保值增值应该是国有资产监督

---

① 李松森:《国有资产监督管理理论与政策选择》,东北财经大学出版社2005年版,第22~39页。

管理机构工作的目标之一,但不是国有资产监督管理机构工作的唯一的目标。强调国有资产的保值增值并不意味着国有资产监督管理机构应置政治目标、社会目标、经济建设目标和宏观调控目标于不顾。市场经济条件下,国家拥有国有资产的根本目的是调节控制市场经济运行,弥补市场的缺陷,体现为上述四个方面的总体目标。国有资产的保值增值只是国有资本有效使用的一个方面。变革财产权关系的目的是促进生产力的发展,经济效益的提高、国有资产的保值增值、社会财富的增加是社会生产力进一步发展的标志。按照生产关系要适合生产力发展规律的要求调整产权关系,必将对企业经济效益的提高产生巨大的推动作用,有利于实现国有资产的保值增值。因此,国有资产监督管理机构的工作目标应包括资本保值增值,政府投资企业应以国有资本回报最大化作为经营目标。

曾有人提出,国有资产管理的唯一目标就是经济和社会的稳定。这就实际上混淆了国有资产管理目标的层次性,等于否定了国有资产保值增值的目标,那么,国有资产流失、国有资产保值增值问题就永远不会得到解决。因此,这一观点在理论上是不科学的,对保护国有产权主体的财产权利和正确指导国有资产的微观管理经营是不利的。

(二)明确工作任务

各级国有资产监督管理机构由于其地位不同,其工作任务也应有所区别。中央国有资产监督管理机构的工作任务应该是上述目标的具体化。主要包括:根据宏观经济调控的要求,确定国有经济的发展方向;通过中央国有资产的布局和战略调整,促进国民经济结构的优化;通过产权关系的调整,实现中央国有资产的保值增值,促进社会生产力的进一步发展;通过组建大型股份制企业,实现广泛的大规模的联合协作,促进社会化大生产的发展。

中央国有资产监督管理机构首先要确定国有经济的发展方向和国有资本控制的范围以及调控力度。需要明确哪些领域或行业,需要国有资本实施控制(需要国家独资或控股的),以使国有资本进一步向这些领域或行业聚集,增强其控制力和影响力。其他领域或行业的国有资本则可以逐步退出。从而能够目标明确地实施国有经济布局的战略调整和国有企业的战略性改组,提升国有经济的整体素质。国有经济的功能,主要是通过不断地壮大自身,去支撑、引导和带动整个国民经济的发展。

中央如此,地方政府也是如此。因为,国有经济布局和结构的优化是发挥国有经济支撑、引导和带动功能的关键和前提。根据这样的定位,规划国有经济结构调整的方向,出发点应当放在如何通过国有经济的调整,使国有经济更好地发挥支撑、引导和带动作用,更加有效地促进地方经济的整体发展和提升上。各级地方的国有资产监督管理机构的工作任务与中央国有资产监督管理机构的工作任务,只有控制范围和调节控制力度的不同,不应当存在方向上的区别。在国有经济的布局和战略调整、国有资产的保值增值和促进广泛的大规模的联合协作等方面,对地方和对中央国有资产监督管理委员会的要求应该是一致的。

七、明晰产权关系,健全法律制度

改革中央与地方国有资产产权主体关系,应该以一级政府、一级产权主体、一级所有权、一级委托代理权、一级收益分配权、一级举债权、一级立法权的改革设想为基调,明晰产权关系,建立健全有关法律制度,以解决国有资产产权主体权利责任不对应、内部人控制和国有资产流失问题。

在新的国有资产管理体制下,每一级政府都应有清晰的产权及产权收益。包括经营性资产中依据政府股权获得的股息收入,依据国有资产占有使用权获得的红利收入等等。产权在不同级政府之间可以交易,但是不可以平调——把下级政府的好企业收上来,本级政府的差企业放下去之类。每一级政府都是一级独立的国有资本运营主体,能够根据政府履行经济建设和宏观调节控制职能的需要,组织国有资本金的筹集、投资、运营控制、收益的分配、国有资本的预算管理和国有资本的再投入等运营活动。每一级政府都有依据本级国有资产财产权利和国有企业管理效益为基础建立起来的信誉,能够通过国有资产举债筹集资金。每一级政府都能够履行建立健全法律的职能,及时立法以保护市场经济发展产生的新的财产权关系,特别是国有资产产权关系,保护国有资产所有者和占有使用者的财产权利,促进社会主义法制的完善。

八、运用经济手段,加强调节控制

运用经济手段,加强调节控制,是改革中央与地方国有资产产权主体关系的重要方面。这一措施将有效解决政企不分、行政干预过多的问题,从而实现国有资产管理模式由行政管理向产权管理的根本转变。

(一)加强国有产权主体内部的间接调控

从目前的国有资产产权主体体系组织架构来看,无论是实行监管层、运营层和经营层的三层架构也好,还是实行监管层与经营层的两层架构也好,都没有真正完善起来。中间层缺位问题比较突出。为此,应着力发展国有资本运营机构,做到有效的政企分离和政资分离。

按国有资产管理体制改革的总体设计,国有资产监管机构要在国有控股公司基础上建立中间层,来具体运作国有资本。其经营国有资产的方式,应该由对实物形态的具体资产经营,转为对价值形态的国有资本的经营;其直接对应的应该是资本运营公司或大型投资公司,通过授权国有资本运营公司,由其负责经营价值形态的国有资本。

但从目前国有资产监督管理委员会面对的企业来看,大都是经营实物资产的生产性企业。纯粹经营价值形态的资本型公司还很少。因此,事实上目前构建的国有资产监管体制实际上是两级架构模式。两层架构模式使得国有资本缺乏有效的运营平台。既无法实现国有资本的有效运营,又不利于国有资产监管部门与企业之间形成合理的市场化合约关系,有可能进一步强化政企不分的运行格局。这种缺乏中间运营层的国有资产监管体系不利于真正实现国有资本的有效运营。因此,完善国有资产产权主体关系的一个重要方面,就是加强国有资本运营层的建设——建立国有资本运营公司。国有资本运营公司是国有资产监督管理委员会与国有企业之间的隔离墙。组建国有资本运营公司后,国有资产监督管理委员会不再越过运营层对国有企业实施任何直接管理。

国有资产监督管理委员会对国有资本运营公司的管理应主要体现在以下

方面:按照规定公开选拔国有资本运营公司的人员;依据国有资本所有权和占有使用权收取股息和红利收益;对国有资本运营公司的业绩进行考核,按照有关法规对国有资本运营公司人员进行奖励(年薪制)或惩罚;当国有资产的损失达到一定比例时,依照规定解聘有关人员。

(二)加强中央对地方的间接调控

作为主要从事国有资本运作的特殊法人,中央与地方国有资本运营机构之间,是特殊法人之间的关系,二者都以运营国有资本为主要业务。中央政府国有资本运营机构与地方政府国有资本运营机构只是级次不同,分别隶属于不同级次的政府,不存在行政管理关系。中央政府为实现宏观经济调节控制目标,可以通过中央政府国有资本运营机构的股权投资,带动和引导地方政府国有资本运营机构的资本,进一步实现以经济手段调控经济和加强国有资产的监督管理。

中央与地方政府投资企业之间的关系,是独立企业法人之间的关系。虽然两者的产权分别隶属于不同级次的政府,但在统一开放的市场经济体制下,两者既可以是竞争关系;同时,也可以是股东之间的合作关系,还可以是经营合作关系。这样,不仅可以打破垄断提高社会经济效率,而且还可以促进专业化协作实现规模经济。中央政府的宏观经济调控政策也可以通过中央投资企业与地方投资企业之间的产权关系、契约关系等得以实施,进而实现对地方投资企业的间接调节控制。

本章小结

1.国有资产产权主体,又称为国有产权主体或国家财产权主体。具体是指享有或者拥有国有资产财产权利或具体享有国有资产财产权某一项权能,以及享有与国有资产财产权有关的权利的国家、组织、单位、法人和自然人。

2.国有资产产权主体体系,是由享有与国有资产财产权有关权利的各级政府、组织、单位、法人和自然人所构成的国有资产所有权主体、占有使用权主体和具体监督管理经营权主体的集合。国有资产产权主体体系可概括为四层次三元结构。

3. 改革中央与地方国有资产产权主体关系的理论依据主要包括：变革财产权关系以适应生产力发展理论；财产收益分配规律理论。

4. 中央与地方国有资产产权主体关系存在的问题主要表现为：国有资产产权主体缺位，导致监管失控；产权代表多元化，导致资产无人负责；产权主体控制权与剩余索取权不匹配，导致地方政府没有积极性；内部人控制，导致国有资产所有者和占有使用者财产权利受损。

5. 中央与地方之间国有资产产权主体关系改革的目标：建立一级政府，一级产权主体的国有资产产权主体管理体制。

6. 主要政策建议：健全产权主体；统一权利；分层管理；明确职责；打破隶属关系，实行联合协作；划分目标层次，明确工作任务；明晰产权关系，健全法律制度；运用经济手段，加强调节控制。

第五章 中央与地方国有资产所有权关系

改革中央政府与地方政府之间的国有资产所有权关系,是国有资产管理体制的一个难点和热点问题。党的十六大报告提出了国有资产所有权分级代表的改革方向。各级地方政府由分级管理国有资产转变为分级代表国家管理国有产权,这是对原国有资产管理体制的重大突破。本章探讨了中央与地方国有资产所有权权能的内涵,改革的理论依据,分析了存在的主要问题,论证并提出了改革中央与地方国有资产所有权关系的政策思路。

第一节 中央与地方国有资产所有权权能探索

一、所有权内涵

所有权是财产权利的最基本权能,财产权利的占有使用和处置等权利是所有权的派生权能。所有权可以分为私人所有权、公共所有权、团体所有权和国家所有权四种主要形式。从法律角度看,所有权是以法律允许的最绝对的方式处理事情的权利。从经济角度看,所有权是一种选择某一经济物品的使用的社会强制性的权利。

(一)私人所有权的含义

私人所有权是指为特定个人所持有的所有权,这种所有权可以让渡以交换具有共同个人所有权的其他物品。个人对其所有的物品拥有占有使用和处置权。个人可以自由地转让其私人财产,可以利用自己对于财产的所有权取得收入。个人所有权具有排他性。在个人所有权下,任何人之间通过相互协议而达成的契约性条款都是允许的,尽管并非所有经相互协议的契约性条款都受到政府的支持①。

(二)公共所有权的含义

如果说私人所有权是所有权的一极,那么公共所有权就是所有权的另一极。公共所有权是指某一社会全体成员所共同拥有的权利。任何人都无权排斥他人使用公有物。与私人所有权不同的是,个人对于公共所有权不存在排他性使用与自由转让的权利。这里的公共所有权不是我们通常意义上的国家所有权。有些西方经济学家也把这种公共所有权定义为"不存在所有权",因为不存在特定的组织或个人对于该公共物品的所有权②。

(三)团体所有权的含义

这是一种小社团团体共有的一种所有权形式。该所有权是为了维护该社团每个成员的最大平均价值,或者对于现有的社会成员来说,该所有权是要通过更多的成员保留更大的团体价值。与个人所有权相同的是,团体所有权的使用具有排他性,即排斥不是该团体成员对于其权利的运用。但是和私人所有权不同的是,该种权利不能私自自由转让,除非得到该社团其他成员或代理人的许可③。

(四)国家所有权的含义

西方经济学者对于国家所有权的定义是不统一的。有的认为,只要国家颁布公认的用于决定谁不能使用国有资产的政治制度,国家就可以排斥任何个人使用国家财产。也有一些学者把国家所有权等同于政府所有权,认为民主制度下的政府所有权与股份合作形式所有权类似,并产生相同的结果。如果一国的选民能够持有一份与该国财产中他应分享的那份相同的选票,则国家所有权更加与合作所有权相似。由于各国的政体不一样,因此,国家所有权的性质依赖于政府的类型④。

---

① 梁小民等:《经济学大词典》,团结出版社1994年版,第402页。
② 梁小民等:《经济学大词典》,团结出版社1994年版,第402页。
③ 梁小民等:《经济学大词典》,团结出版社1994年版,第403页。
④ 梁小民等:《经济学大词典》,团结出版社1994年版,第402页。

我们认为,国家财产所有权,是指政府代表全体社会成员拥有的对国有资产的最终的或终极的所有权。这种所有权是对国有资产的绝对的、排他的和充分的全面支配权。国家所有权权能是国家财产权权能体系中首要的权能。按管理体制划分,包括中央政府和地方政府对国家财产的所有权,即由国家财产所有者的代表,中央和地方政府作为产权主体拥有的最基本权利。国家财产权的所有权权能是占有权、使用权、收益权和处置权等其他权能的基础。

二、中央与地方国有资产所有权

从所有权的定义出发进行分析可以发现,经济学意义上的所有权,实际上是指经济主体对财产依法享有的最基本权利,是一种绝对的物权。而占有使用、收益和处分等权利,则是在所有权基础上派生出来的权能。它们共同构成了财产权利体系。

国有资产所有权按管理级次划分,可以划分为中央政府拥有的国有资产所有权和地方政府拥有的国有资产所有权。在我国目前国有资产管理体制下,中央政府拥有的国有资产所有权,是指国家国有资产监督管理委员会履行出资人职责,代表全体社会成员监督管理的国有资产的所有权。由中央财政投资形成的国有资产的财产权利,包括所有权、占有使用权、收益权和处置权等基本权能,以及在此基础上产生的委托权、代理权、监督管理经营权、收益分配权、国有资产举债权和立法权等派生权能。具体包括国务院代表国家拥有的对关系国民经济命脉和国家安全的大型国有及国有控股和参股企业,重要基础设施和重要自然资源等领域的国有及国有控股和参股企业的国有资产产权。

地方政府拥有的国有资产所有权,是指由国务院授权省、自治区、直辖市人民政府和设区的市、自治州级人民政府分别代表国家监督管理的国有资产的所有权。在分级代表体制下,由地方财政投资形成的国有资产的财产权利,包括所有权、占有使用权、收益权和处置权等基本权能,以及在基本权能基础上产生的委托权、代理权、监督管理经营权、举债权和立法权等派生权能。具体是指地方政府拥有的对由国务院履行出资人职责以外的国有及国有控股和参股企业的国有资产产权。

三、中央与地方国有资产所有权权能关系的实质

中央与地方国有资产所有权权能关系的实质包括以下两个方面的内涵：

第一，就狭义的中央与地方的国有资产所有权权能关系来说，它是指国有资产所有权不同级次政府管理主体之间的关系，即独立的国有资产所有权主体之间的关系。从这个意义上说，中央与地方国有资产所有权主体的地位是平等的。中央政府国有资产所有权是指中央政府对其管理的国有资产拥有的绝对的支配权。中央政府对关系国民经济命脉和国家安全的大型国有企业、基础设施和重要自然资源等，履行出资人职责，即拥有所有权。地方政府国有资产所有权是指地方政府对其管理的国有资产拥有的绝对的支配权。地方政府国有资产所有权意味着地方政府就是其投资管理范围的国有资产产权主体，从而以出资人的身份行使对资产完整的支配权。

第二，从广义角度看，中央与地方国有资产所有权权能关系的实质是国有资产终极所有者代表与次级所有者代表之间的国有资产所有权关系。其内涵是：国有资产的最终所有权归国家即中央政府。依据现有的法律法规，国有资产属于全体人民，归国家统一所有；各级政府对国有资产的管理、运营和监督都必须严格执行国家制定的法律法规；各级政府代表国家行使国有资产财产权，必要时中央政府有权统一配置资源。中央政府作为国有资产终极所有者的代表拥有国有资产的终极所有权，以及相关的监督权、资产划拨权和政策法律制定权等权能。地方政府作为国有资产次极所有者代表，拥有中央政府授权履行出资人职责的国有资产所有权，占有使用权、收益分配权以及相关的监督权、资产划拨权和政策法律制定权等权能。也就是说，国有资产的终极所有权国家所有，中央和地方政府分级履行国有资产的所有权权能以及相关的财产权能。从这个意义上说，中央国有资产产权主体的地位是终极所有者代表的地位，拥有国有资产的最高所有权权能，对地方国有资产产权主体有制约、限制、监督和管理的权利。而地方国有资产产权主体的地位是次级所有者代表的地位，其国有资产所有权权能是相对独立并受到最高所有权限制的。

第二节 改革中央与地方国有资产所有权关系的理论依据

一、三权分离理论和资本财产权收益理论

(一)资本财产所有权、占有使用权同监督管理经营权分离理论

马克思主义财产学说关于资本财产所有权、占有使用权同监督管理经营权分离的理论告诉我们：借贷资本财产所有者对于货币资本财产所有者来说，实际上是拥有了货币资本财产的占有使用权，而银行经理则应当是拥有货币资本财产管理经营权的主体；在企业，拥有货币资本财产占有使用权的是企业主，而拥有企业监督管理经营权的则是企业的监督管理人员和经理。监督管理人员和经理实际上是代表资本财产的占有使用者在行使监督管理和经营的职能。

对于自有资本财产的所有者来说，存在着自有资本财产的所有权、占有使用权与管理经营权的分离。表现在自有资本财产的所有者拥有自有资本财产的所有权，而他同时又是职能资本家，拥有自有资本财产的占有使用权。因此，他既依据资本财产所有权获得利息收益，同时又依据资本财产的占有使用权获得企业主收入。而管理人员和经理则是执行具体管理指挥职能的经营者，因此他依据资本财产的管理经营权（或者也可以说是依据他对自身的管理经验、管理才能、决策能力等无形资本的所有权），参与企业利润的分配。

对于借入资本财产的占有使用者来说，也存在着借入资本财产占有使用权与管理经营权的分离。借入资本财产的所有者是出借资本财产的所有者，企业的法人代表和决策层虽然拥有借入资本财产的占有使用权，承担着按期偿还借入资本本金和支付利息的责任和义务，但是，他不一定要亲自行使这个资本财产的管理经营权。他可以将这个资本财产的管理经营权委托给管理人员和经理去行使，而他则依据借入资本财产的占有使用权获得企业主收入，监督管理人员和经理则依据管理经营权获得收益。资本财产的所有权、占有使

用权同管理经营权分离,是社会分工的扩大和财产权组织形式的变化所决定的。

(二)资本财产权收益理论

1. 股权资本所有者获得收益的依据

一般而言,股权资本所有者获得收益的形式是股息。马克思认为,证券是代表资本的所有权证书,是代表已积累的对于未来生产的索取权或权利证书。股权资本财产所有者拥有的股票是代表资本财产的所有权证书,持有这个股票意味着股权资本所有者有权索取股票资本财产的收益。股权资本所有者获得股权资本财产收益的形式是股息,即股权资本财产所有权的报酬。

2. 股权资本与借贷资本所有者的区别

股权资本所有者与借贷资本所有者不同的地方在于:股权资本所有者是将货币资本投入生产过程(因此他是货币资本投资者),而借贷资本所有者是将货币资本贷给企业经营者(因此他是货币资本贷放者);前者货币资本财产的本金投入是永久的投资,后者货币资本财产的本金贷出是货币资本使用权的暂时让渡;前者投入的货币资本财产本金不能抽回,如果股权资本财产所有者要收回投资只能依靠不断地获得股息收入,或者将股票出售,而后者贷出的货币资本财产本金要按期收回并带来利息。

3. 脱离和参与生产过程的股权资本所有者

股权资本所有者可以分为脱离生产过程的股权资本所有者和参与生产过程的股权资本所有者两类。如果股权资本所有者完全脱离生产过程,那他就是纯粹的货币资本投资者,是企业的一部分不占有使用股权资本财产、不参与生产经营决策的股东。因此他所获得的股权收益就会采取股息的形式。而股息不过是利息的转化形式。其收益的数量界限应当是至少相当于或者等于货币资本财产的利息,也就是说,利息是股权资本所有者获得收益的最低界限。因此,在这种情况下,股权资本所有者获得的股权资本收益一般情况下应当高于货币资本利息率,这样股权资本所有者才会选择去进行股权投资。否则,股权资本所有者就会选择将其货币资本存入银行。现实经济生活中的大量非普通股股票的持有者包括在证券市场上以买卖股票为主要业务的股票财产所有者,都属于脱离生产过程的股权资本财产所有者。

如果股权资本所有者同时又是股权资本财产的占有使用者,或者说,他既作为出资人,同时又作为企业的管理决策者出现,是参与企业生产过程的股权资本所有者,那么,他获得股权资本财产收益的形式就包括股息(利息的转化形式)和利润形式(红利形式或者称为企业主收入)。正如马克思所指出的:"只要利润的一部分一般采取利息的形式,平均利润和利息之间的差额或利润超过利息的部分,就会转化为一种同利息相对立的形式,即企业主收入的形式。"①现实经济生活中的普通股股票持有者,拥有普通股权资本的所有权,同时又是自有资本和其他资本的占有使用者,他们是参与企业生产经营决策的股东,要为企业的生产经营负责并承担经营决策的风险。因此,他们的股息分配在其他非普通股股东的股息分配之后进行,如果企业还有可供分配的利润,他们还将作为重大经营决策的制定者(所有股权资本的占有使用者)以利润形式(红利的形式)获得企业主收入。如果经营决策失误,企业没有可供分配的利润,他们将不能获得企业主收入甚至不能获得普通股股息。

马克思在分析股份公司的特征时指出,股权资本的所有者即使"所得的股息包括利息和企业主收入,也就是包括全部利润(因为经理的薪金只是,或者应该只是某种熟练劳动的工资,这种劳动的价格,同任何别种劳动的价格一样,是在劳动市场上调节的),这全部利润仍然只是在利息的形式上,即作为资本所有权的报酬获得的。而这个资本所有权这样一来现在就同现实再生产过程的职能完全分离,正像这种职能在经理身上同资本所有权完全分离一样。"②可见,股权资本财产的所有权和占有使用权是有区别的。根据马克思的股权资本理论,我们可以对政府出资企业的国家股东所有权、占有使用权与监督管理人员与经理的具体管理经营权作进一步的界定,并据以确定各自的产权收益。

（三）马克思主义财产权学说的应用

马克思主义财产权学说的三权分离理论揭示了现代企业制度下产权关系

---

① 马克思:《资本论》第三卷(上),人民出版社 1975 年版,第 425 页。
② 马克思:《资本论》第三卷(上),人民出版社 1975 年版,第 493～494 页。

的基本规定性,是指导国有企业建立现代企业制度和现代产权制度的核心理论。只有遵循了财产权关系的基本规定性,保护各个财产所有者的财产权利,财产权关系才是和谐的,国有企业的改革才有可能成功,企业的经济效益才有可能提高,才能够达到改革产权关系促进生产力发展的预期改革目标。

马克思主义财产学说的三权分离理论和财产收益分配一般规律,为科学界定国有资本的所有者、占有使用者和监督管理经营者的身份和拥有的财产权利提供了理论依据,对于我们正确处理政府与所出资企业监督管理经营者之间的产权关系和中央与地方之间的国有资产所有权关系具有重要的指导意义。国有资本的所有者、占有使用者和监督管理经营者财产权利的明晰化是正确处理中央政府与地方政府之间的国有资产所有权关系的基础。以国有资本的所有者、占有使用者和监督管理经营者的身份和拥有的财产权利得到科学界定为前提,才能够进一步研究如何正确处理中央与地方之间的国有资产所有权关系。

在现行国有资产管理体制下,企业国有资产属于国家所有,国务院和地方人民政府分别代表国家履行出资人职责。这就在实际上明确了中央和地方政府的国有资产所有者的身份和权利。按照政府的授权,国务院和各级地方政府的国有资产监督管理委员会实际上是所出资企业国有资本的所有者,拥有国有资本的所有权;从各级政府国有资产监督管理委员会履行的管人、管事、管资产职能看,它们同时又是国有资本的占有使用者,因为它们是自有资本的所有者和占有使用者,因此还拥有国有资本的占有使用权。因此,政府国有资产监督管理委员会实际上具有国有资本所有者和占有使用者两种身份,它既是国有资本的所有者,同时又是国有资本的占有使用者——执行国有资本运营职能的国有企业主。中央和地方政府委派聘任的政府投资企业国有股东代表(董事长)、监事会主席(监事)和经理的身份是企业国有资本的监督管理经营者,拥有国有资本的监督管理经营权,依据国有资产监督管理委员会的重大经营决策,组织具体的监督管理和生产经营活动。相对于政府国有资产监督管理委员会而言,国有独资公司的董事长(董事)、总经理(副总经理、总经济师、总会计师等)、监事会主席(监事等)是国有资本的监督管理经营者身份,拥有国有资本的监督管理经营权。

在国有产权未来的发展过程中,组建中央与地方政府交叉持股并吸收其他投资主体共同出资的大型股份制企业将是国有经济发展的方向。因此,马克思主义财产权学说关于三权分离理论和财产收益分配理论,对于我们正确处理中央与地方政府国有股权关系具有指导意义。在中央与地方政府交叉持股并吸收其他投资主体共同出资组建的大型股份制企业中,各级政府国有资产监督管理委员会应依据国有资本所有权(出资比例)获得股息形式的所有权收益;依据国有资本占有使用权(管人、管事、管资产等重大决策制定权)和出资比例,以红利形式与其他出资人共同参与利润的分配,获得国有资本占有使用权收益;而在企业具体负责监督管理经营的由政府委派或聘任的国有股东代表、董事长、副董事长、总经理、副总经理和监事会主席(监事)等,作为监督管理经营者,应当依据监督管理经营能力等管理要素所有权,以年薪的形式参与企业实现利润(平均利润)的分配,获得监督管理经营者收入。

各级政府依据股权资本财产所有权获得的股息收益,应当至少相当于或者等于货币资本的利息,也就是说,利息是股权资本财产所有者获得收益的最低界限。各级政府依据股权资本财产占有使用权获得的企业主收入是以利润形式出现的,其数量界限应当是总利润扣除利息和股息后的余额部分,各级政府和其他股权所有者按照各自拥有的股权比例享有平均利润的相应部分。如果各级政府持有的股票是优先股股票,那么,就只能获得优先股股息收入,而不能获得红利收入。

二、财产权关系适应生产力发展理论

财产权关系属于生产关系范畴。中央与地方国有资产所有权关系是国有资产财产权关系的重要方面。马克思主义的财产权学说告诉我们,变革财产权关系的目的是适应和促进生产力的发展。生产力的进一步发展在宏观方面主要表现为国民收入的增加,即社会财富的增加;在微观方面则表现为企业经济效益的大幅度提高。判断中央与地方国有资产产权主体关系是否科学合理的主要标准是看生产力是否得到发展。根据我国现实的生产力发展水平,建立适应生产力发展要求的国家财产权结构是十分必要的。所以,要正确处理中央政府与地方政府国有资产所有权关系。实现生产力进一步发展的途径可以大致分为以下三个方面:

第一,通过政府职能与市场职能的合理划分,实现资源配置的优化,以提高整个社会的效率。市场经济条件下,存在着两个配置资源的系统。市场在资源配置方面发挥着基础性的作用,政府进行的资源配置主要是弥补市场配置的缺陷,起调节控制作用。国有资产是政府进行资源配置的重要手段。国有资本在经济建设领域的配置,主要目的是优化经济结构,实现政府的宏观调控目标,这是各级政府履行经济建设职能和宏观经济调控职能所涉及的领域。主要包括基础设施领域和基础工业、高科技产业和优势产业。例如,邮政、通信、运输和水、电、煤气及能源部门,制造业、石油化工业、航空航天业、电子行业等。由生产技术的性质决定,在这类产业部门内部不可避免会产生垄断。这类国有企业一般具有以下特征:经营目标双重化——即企业在经营活动中需要同时考虑利润目标和社会目标。生产规模大——由一家或少数几家企业进行大规模生产,一般要比由许多个规模较小的企业同时进行生产更有效率,更能提高资源的利用率。资金需要量大——投资回收期长,收益低,但外部效应明显。超前性——作为其他一切生产部门从事生产经营的基础性条件,应适当超前发展。为了使基础产业能够适度超前发展,客观上要求政府进行配置,以实现特定的社会经济发展目标。

竞争性产品是指那些市场经济其他主体有能力经营的、市场竞争充分、以营利为目标的产品。在市场经济的初级阶段,其他资本还没有足够的能力生产和提供全部的竞争性产品;同时,出于经济建设和宏观经济调控的目的,一部分竞争性产品和劳务还需要政府投资组织生产。政府投资组织生产的竞争性产品主要集中在加工工业、建筑业、商业和服务业等。从长远发展看,随着社会主义市场经济的进一步发展,在市场经济的成长和成熟阶段,国有资本应逐步从竞争性行业退出,投入到纯公共产品和基础设施等准公共产品领域。由于各级政府都要在其管辖范围内履行政治、社会、经济建设和宏观经济调控职能,因此从弥补市场失灵的角度看,各级政府都应当有国有资产的所有权、占有使用权、收益分配权和处置权、管理权等权能,这样才能保证各级政府正常的履行其职能。明确中央与地方之间国有资产所有权关系有助于国有资产调节控制作用的发挥,有助于在市场经济条件下,更好地发挥政府弥补市场失灵的职能,实现社会资源配置效率的提高。

第二,通过国有经济结构的调整,实现整个国民经济结构的优化,以促进社会生产的发展和社会财富的增加。尽管我国国有资产布局调整取得了一定的进展,但仍然存在很多问题。主要表现在:一是国有资产仍大量分布于一般竞争性领域,实践证明,国有经济在一般竞争领域并没有明显的竞争优势,国有资产大量分布于这些领域,严重制约了国有经济竞争力和整体素质的提高。二是国有资产仍大量分布于中小企业之中。由于中小企业自身并不具备明显竞争优势,结果是,与非国有企业相比,国有企业从整体上来看适应市场竞争的能力较差,经济效益较低。三是在许多该由国有经济和国有资本充分发挥作用的领域,国有资本却投入不足。比如在基础设施、基础研究、基础教育等方面。造成我国国有经济布局存在问题的一个重要的原因就是资本的有进有退只能是所有者的事情,只能由所有者决定。要使调整过程顺利推进,所有者必须是有效的,不仅需要权责利相统一,而且能够根据国家总体利益自主决策和承担责任。但是,长期以来我国有效的国有资产管理体制没有建立起来,特别是1998年政府机构改革之后,统一的所有权出现了严重分散的局面。国有资本所有者代表机构的弱化也大大制约了国有经济布局调整的有效推进。实行分级代表是目前解决国有经济战略调整问题的一项非常重要而有效的措施,即国家首先把有关国计民生必须由国家国有资产监督管理委员会管辖的国有资产统管起来,然后将其他的国有资产界定到省,再由所在省根据其经济发展的实际情况在省与市之间作进一步界定。这样就把存量国有资产的产权进行了合理而有序的分解。通过明确中央和地方政府的国有资产所有权,调动两个方面的积极性,进行国有经济结构的调整,以带动整个国民经济结构的优化,实现社会生产的按比例发展。

第三,通过明晰国有企业的产权关系,调动国有资产所有者、占有使用者和监督管理经营者的积极性,以促进企业经济效益的提高。原国有资产的所有权划分是中央政府统一所有,各级政府分级管理。这种所有权的划分有其历史渊源和历史合理性,但已经产生了许多问题。地方政府在管理国有资产上存在道德风险。地方政府虽然缺少法律所赋予的所有权以及由所有权带来的剩余索取权,但却拥有事实上的管理权利,使得地方在管理国有资产上缺少积极性,却会利用事实上的管理权利最大可能地谋取地方利益。通过明晰国有企业的产权关系,可以进一步明确各级政府的财产权利和应承担的责任,从而调动其管理国有资产的积极性。

以上三个途径都需要发挥中央和地方两个方面的积极性。所以,党的十六大根据我国国有资产产权管理的现状以及今后改革和发展的总体目标,提出在坚持国家所有的前提下充分发挥中央和地方两个积极性。一方面,各级政府都可以获得一部分国有资产的完整所有权,有利于调动它们的积极性,因地制宜地进行国有资产的经营和管理,解决国有资产产权主体虚位和缺位的问题。另一方面,通过建立国有资本运营机构促成政府的行政权与国有资本所有权相互分离,即政资分开,国有资本进入市场,按保值增值目标要求投放配置,由此彻底改变对国有资本行政管理的局面。只有各级政府获得了国有资产的完整所有权,成为本级政府资产的所有者,才有利于调动它们的积极性,为因地制宜地进行资产的经营管理和提高经济效益提供可能。

三、政府职能分工理论

从弥补和克服市场缺陷的角度来看,我们可以把政府的职能概括为三个方面:

第一,资源配置职能。从满足公共需要和弥补市场缺陷角度看,政府配置资源的内容是多方面的。主要包括:提供公共产品、提供基础设施、资助基础性科学研究,对具有外部效应的行业或产品的提供进行调节,鼓励有益产品的生产和消费,抵制有害产品的生产和消费。对自然垄断行业进行调节,在市场发育不全的领域培育市场,维护有效竞争,限制垄断;制定和实施国家的产业政策,保证社会资源的配置符合国家的发展战略等等。

第二,收入分配职能。财政收入分配的目标就是在一定程度上矫正市场过程建立的分配格局,使之达到公平和公正。减轻完全由市场作用下可能造成的两极分化的程度,缓和社会矛盾,满足社会成员基本的生存和生活需要。

第三,经济稳定职能。经济稳定职能是针对宏观经济周期波动的不可避免性而言的,它的目标就是调节经济运行,实现物价水平的稳定、充分就业和国际收支平衡,最终实现经济稳定增长。

虽然从总体上,我们可以把政府职能概括为资源配置、收入分配和稳定经济等三大职能。但从中央到地方,各级政府在履行职能时的侧重点和范围是有所区别的。一般来说,在市场经济体制下,地方政府的主要职能在于对资源的合理配置。因为,一般来说,地方政府在收入分配和经济稳定这两个职能上所起的作用不大。这是因为一国内部要素的流动性和地方政府缺乏可供其操作的政策工具。

当然,地方政府并不是没有收入分配职能。在商品、资本和人员等要素的地区间流动受到限制时,地方政府的再分配功能是很强的。我国市场经济的条件还没有完全具备,各类要素在地区间的自由流动还存在一定的障碍,如户籍制度的存在、有些地方设置的城市增容费、对外来人员在就业等方面的歧视政策等都不同程度地阻碍了生产要素的流动。因此,如果说中央政府执行收入分配职能有效与地方政府执行收入分配职能无效是以生产要素的完全自由流动为前提的话,那么,当这个前提不具备或不完全具备时,地方政府发挥收入分配职能还是有余地的,其作用大小视生产要素跨地区流动的难易程度而定。

因此,中央政府和地方政府在其履行职能上应有不同的侧重,地方政府的职能主要是资源配置职能。国有资产作为一种经济资源,由地方政府进行资源配置更有利于提高效率。所以,从效率的角度看,国有资产在中央政府和地方政府之间进行所有权划分有利于提高国有资产的配置效率。

四、公共产品提供的层次性理论

按照西方经济理论,不同性质的社会产品有不同范围的受益人。社会产品可以分成两个类别:一是公共产品,二是私人产品。公共产品是公众共同受益的产品,是指在消费过程中具有非竞争性和非排他性的产品。在现实生活中,有些产品兼有公共产品和私人产品的某些性质,所以将这类产品称为准公共产品。公共产品只能由政府来提供。准公共产品应当由政府和私人共同提供。因此,要根据受益范围来确定公共产品和准公共产品的提供主体。

按照公共产品的层次性理论,中央政府和地方政府在公共产品(含准公共产品,下同)的提供中各司其职、分工负责,中央政府负责全国范围的公共产品提供,而地方政府负责所辖区域的公共产品提供,这样有利于保持纳税人和受益人相一致,从而保证公共产品的提供效率。如果某些区域公民的公共产品由中央政府来提供,也就是说由全国的纳税人来提供,那么,一方面该区域的受益者将由于较少地付出代价而倾向于滥用和浪费被提供的公共产品;而另一方面,在受益范围以外的纳税人将得不到他们应得的消费。这种做法即不符合效率原则,也不符合公平原则。另外,由中央政府来提供区域性受益的公共产品,还面临两个问题:一是地方政府一般来说比中央政府更了解当地居民的偏好;二是地方政府比中央政府能更好地监控当地公共工程的进展状况。这两个问题同样也会导致由中央政府来提供地方性公共产品的效率不尽如人意。依照公共产品的层次性理论,在公共产品的提供上,应划分提供的不同层次,国有资产所有权也应该做出相应的划分。从规范的角度来讲,中央政府拥有所有权的国有资产应由全国纳税人提供、且受益范围是全体国民;地方政府拥有所有权的国有资产应由部分地区纳税人来提供、且受益范围仅限于局部地区居民。

五、制度变迁理论

制度是一个社会中正式的和非正式的制度安排的总和。制度提供了一种经济的刺激结构,随着该结构的演变,它规划了经济朝着增长、停滞或衰退的方向变化发展。西方学者认为:制度是一系列被制定出来的规则、守法程序和行为的道德规范,它旨在约束追求主体福利或效用最大化的个人行为。经济学家在使用制度这一术语时,一般情况下指的是制度安排,即约束行政模式和关系的一套行为规则。包括正式的和非正式的制度安排。在经济发展过程中,制度的作用无所不在。有效的制度能够保证市场经济有序地运行,从而促进经济更快地发展。反过来,经济的发展也会影响制度的变迁。制度变迁分为诱致性制度变迁和强制性制度变迁。诱致性制度变迁是现行制度安排的变更或替代,或是新制度安排的创造,它由个人或一群人在响应获利机会时自发倡导、组织和实行。与此相反,强制性制度变迁由政府命令和法律引入实行。制度变迁的发生是由于对更有效的制度绩效的需求所引起的。对于经济发展来说,一个国家一旦选择了某种发展方向,则这种发展方向在后来的发展过程中会得到自我强化。也就是说,人们在过去做出的选择,决定其现在可能的选择。制度变迁的方向取决于制度能否给人们带来递增的规模收益。当规模收益递增普遍发生时,制度变迁不仅能得到巩固和支持,而且会在此基础上沿着良性循环的轨道发展下去;反之,当规模收益递增不能普遍发生时,制度变迁就会朝着无效或不利于产出最大化的方向发展,而且会形成一种恶性循环,甚至会闭锁在某种无效率状态中。一个国家能否建立包括所有权制度在内的有效的、合理的制度结构的关键在于政府,因为绝大部分正式的制度安排都是由政府制定的。

  制定制度的目的是为人们协调自身的行为选择提供指导,从而减少人们互动关系中的不确定性。有效的制度安排应满足三个条件:明确无误、具有约束力和得到严格实施。当制度运行中缺乏这三个因素中一个或多个时,我们称这一制度是有缺陷的。由于这种有缺陷的制度不能有效地降低信息成本,不能减少不确定因素,也不能建立人们相互关系的稳定结构。因此,这种制度将是低效的。

  国有资产管理体制也是一种制度安排。即各级政府在管理国有资产时权限划分的基本制度安排。在原统一所有、分级管理的体制框架中,由国务院代表国家统一行使国有资产所有权,地方分级管理国有资产。下级政府只是上级政府在资产管理中的代理人,而不是所有者。在这种制度中,分级管理意味着上级政府既可以委托下级政府行使对某些国有企业的管理权,也可以不通过下级政府而直接行使对这些企业的管理权,还可以通过划拨和其他手段改变与下级政府之间对国有企业的实际权限划分。显然,在分级管理体制下,由于上级政府为了增强调控能力,赋予了自身可以事后变更国有企业实际权限划分的权限,从而造成了下级政府预期的不稳定性。如果上级政府的这种事后行为在下级政府看来是一种随机行为,目的是为了重新分割下级政府努力工作获取的收益份额,作为理性经济人的下级政府就可能改变对国有资产监管的行为方式和降低工作的努力程度,从而使国有资产分级管理这种制度安排无法实现其保值增值的预设目标。

由于制度的有效性依赖于参与人预期的稳定性,因此,如果国有资产管理体制的设计能使上下级政府之间相互信守承诺,则将促进双方的合作,从而提高制度效率。为了消除在分级管理体制下下级政府预期的不确定性,有效的制度安排应当是变分级管理为分级代表,即将国有资产存量在各级政府间作合理划分,把现在由地方政府分级管理的国有资产以适当的方式划归其所有,并从法律上明确。产权归属在这种体制框架中,地方政府与中央政府一样,都是国有资产的所有权主体,均在履行出资人职责的前提下,享有所有者权益,地方政府作为法定的国有资产所有者,具有不受干预的明确预期,在收益最大化目标的驱动下,地方政府会努力提高国有资本的运营效率,从而使国有资产保值增值目标得以实现。

第三节 中央与地方国有资产所有权关系的国际借鉴

一、美国的国有资产所有权关系

美国政府财产(国有资产)大约占全社会财产的5%,国有经济占国民经济的比重不超过5%~10%,其中工业占不到1%。美国的国有资产实行与财政体制相一致的分级所有体制。国有资产在法律上属于中央和地方政府分级所有,各级政府间有明确的财产边界,是国有企业的管理者。

联邦政府管理的企业主要有八类:部分电力(主要是田纳西河流域管理局的电力企业),全国邮政,国土管理(包括森林保护和国家公园的管理),运输(包括铁路客运、航空、军用航空运输和空中管制),保险(包括受理房屋保险、航运保险、股票市场保险、老年人退休金保险等方面的业务),医疗卫生(包括退伍军人医院),工业(包括政府的印刷厂和军事工业等)和环境保护。

州政府管理的企业有八个行业:本州范围的保险(包括失业保险),本州范围的电力供应,州内港口,公路(包括部分高速公路、桥梁、隧道的建设和收费),烈性酒类,医疗保险,彩票的发行,公共交通(包括地铁和公共汽车)。美国各州管理的企业较多,且多通过设立的政府机构(例如某某管理局)的形式来管理。

市镇政府管理的企业包括九个行业:市镇内的公共汽车和地铁,自来水的供给和污水处理,垃圾的收集和销毁,部分电力供应,市镇内的港口,飞机场,小学和图书馆等文化教育事业,公园、体育场等公共设施和医院诊所。上述美国各级政府所管理的国有企业,除少数是全行业的以外,多数是该行业的一部分。

二、澳大利亚的国有资产所有权关系

澳大利亚属于联邦制国家。联邦、州和地方政府之间严格按照宪法界定资产范围,国有资产分别属于联邦、州和地方政府三级政府所有,上级政府对下级政府所有的国有资产没有支配和收益权。

国有企业是国有资产的主要载体。联邦政府主要拥有控制国家经济命脉和国家安全的大型企业;州和地方政府主要拥有市政、公益事业等领域的企业。国有企业从股权结构看有三种形式:一是政府100%持股,如供水公司等;二是政府控股,一般股权在50%以上。有时不控股,则通过法律法规来调整企业行为;三是政府参股。

澳大利亚联邦政府的国有资产管理机构设在财政部。财政部主要负责制定财政政策、实施财政预算、监管国有资产和国有企业等。财政部下设六个职能部门,包括预算局、金融管理局、资产管理局、部门与国会服务局、公司管理局、金融和电子商务局。资产管理局代表联邦政府行使国有资产管理职能,主要是管理联邦政府的经营性和非经营性国有资产,具体负责国有资产的监督管理、出售转让、特许权经营、土地政策、基础设施项目和保险管理等。资产管理局下设两个部,一是股东及资产出售部,负责政府事业咨询、资产出售、土地政策和特许经营等工作;二是商业服务部,负责重大项目、房地产管理、保险及风险控制、商业项目运作等工作。资产管理局的工作目标主要是:最大限度地保护资产所有者的权利;对政府负责;高水平的财务核算;审核全部或部分有关项目;代表政府意志。

三、德国的国有资产所有权关系

德国国有资产为各级政府分级所有。德国财政实行分税制,相应地国有资产也为中央(联邦政府)、省(州)、市三级政府所有。每一级政府都可以作为国有股权的代表拥有一定范围内的国有资产。三级政府所拥有的国有企业基本上都涉及经济发展、居民生活的基础设施或公用事业部门。

在国有资产管理上,政府采取分类管理。政府主要根据国有企业是否具有竞争性、行业是否存在规模效益、是否需要大量基础设施投资这三个基本标准,把国有企业分为垄断性企业和竞争性企业两大类,并以此确定国有股所占比重的大小,由政府部门或国有金融机构进行分类管理。

四、几点启示

在西方发达市场经济国家,只要政府是分级的,那么财政税收就是分级的,政府资产及政府兴办的企业也必然是分级所有。国有企业仅指由中央政府(或联邦政府)兴办的企业。例如,美国的国有企业,指的是归属于联邦政府的企业。西方国家对国有资产(这里的国有资产包括中央政府所有的资产和地方政府所有的资产)的管理一般划分为三个层级。

第一层级,议会和政府对国有企业的监管。具体分以下四类:一是议会和政府分工监管,国有资产实行中央政府所有和地方政府所有,各级政府间有明确的财产界限,上级政府对下级政府的资产无权支配和获得收益,各级国有资产实体组织的经营方向和目标各有侧重;二是政府设置专门的管理机构来管理国有企业;三是政府多个部门分工管理国有企业;四是政府以一个部门管理为主,其他部门参与管理为辅。各个国家模式虽不尽相同,但都体现了企业重大决策权、企业董事会监事会人员的任免权、对企业国有资产的收益权和财产分配权、对企业经营行为的监督权以及对企业发展的指导权等权利。

第二层级,组建国有控股公司,从事资本经营。主要作用是专门进行产权经营,或是为减少国家对企业干预过多,以及为实现社会经济发展和政府的政策目标等。其特点:一是与非公有经济一样,目的是实现国有资产收益最大化目标;二是国家选派监管代表进入持股公司董事会,但不干预公司经营活动;三是多为跨行业、多层次所有的纯粹控股公司。

第三层级,实行董事会领导下的经理负责制。西方发达国家国有企业组织形式发展的共同趋势是实行公司制,即除保留极少数单一国有股东的国有企业外,将绝大多数国有企业改组为股份有限公司和有限责任公司。国有企业大多采取董事会领导下的经理负责制。由董事会作为连接政府和国有企业的桥梁,使政府的政策意图通过董事会得到贯彻执行,又使企业享有一定的经营自主权。国有企业实行董事会领导下的经理负责制,具体分为单一委员会制和双重委员会制两类。其根本区别在于,企业内部战略经营决策权与日常经营决策权的分配不同。单一委员会制把二者都集中于董事会;双重委员会制则把战略经营决策权交给监事会,把日常经营决策权交给董事会。比较而言,双重委员会制似乎能更好地起到弱化国有股东即政府干预企业日常经营活动的作用。

第四节 中央与地方国有资产所有权关系现状分析

我国中央与地方国有资产所有权关系存在的主要问题表现为以下方面。

一、所有权高度集中

国有资产的国家统一所有,意味着只有中央政府才能代表全民行使所有权。也就是说,各级地方政府对授权监管的国有资产不享有由所有权派生的重大事项决策权、资产收益权和选派管理者等权利。但在现实经济生活中,对于多达十几万家的国有企业,中央直接管理的仅仅是其中极少数特大型国有企业,除此而外的绝大部分国有企业实际上是由省、地、县三级地方政府在行使具体管理权。而且这种管理权表现为:不仅握有国有企业中包括人事任命权、收益权在内的基本的所有者权能;而且通过公司制的改造、出让国有股权、收购、兼并等资本运营活动,实际上也握有所管辖国有企业的财产处置权。因此,从这种管理权所涵盖的权益要素上看,地方政府似乎已掌握了实际上所辖国有资产的所有权。但在统一所有、分级管理体制框架下,地方政府所享有的这些所有者权能,既没有得到法律上的认可,也没有承担起对所管理国有资产的保值增值责任。这种权利、责任和义务不统一的产权关系,使分级管理模式在实际运行过程中引发出一系列难以克服的矛盾。大一统的国有资产管理体制,既造成了国有资产管理上的僵化,使得国有资产效益低下,又造成了国有资产管理上的软化,失去应有的约束。可以说,国有资产的全部中央所有而地方政府只有管理权,是我国国有资产监督管理存在许多弊端的最主要原因。

由于我国国有企业数量多,分布广泛,所有权高度集中的后果必然是监督管理难以及时到位,从而造成管理的低效率。表现为代理人的决策要经过层层上报、层层审批的行政管理程序来完成,造成决策缓慢,难以根据市场供求状况做出灵活快速的反应。依靠行政报批形式传递信息,渗入了传递者的主观偏好,各项指标水分很大,并随着传递环节的增加,真实度越来越低,形成各环节信息不对称。且随着管理链条的拉长,不对称程度越来越高,上下级之间互相蒙哄、虚夸、浮夸经营业绩,隐瞒经营失误现象严重。决策者依据失真的信息很难做出正确的决策。

我国各个地区、各个行业的状况千差万别,这样仅仅由中央一家所有,统一行使所有者职能其实是不合理的,也是不可能实现的。原有的国有资产所有权关系,其后果之一就是国有资产在交易上的较高社会成本。例如,因为地方政府只有管理权而无国有资产的交易权,只有中央政府才有权批准进行国有资产交易,所以国有资产的交易要按照政府的管理体制层层审批上报,其交易效率极为低下,而且交易成本很高。

二、部门所有制与地方所有制并存

部门所有制和地方所有制并存,导致自成体系、重复建设、重复生产、造成资产使用效率低下,经济结构不合理。在统一所有、分级管理的体制下,地方政府和政府职能部门虽然没有法律上的所有权,但在实际管理国有资产过程中已经形成了既得利益,逐渐形成了部门所有制或地区所有制。两类部门各自运行的结果,使名义上归全民所有的国有资产被条块分割的七零八落。每个企业都属于某一个行政主管部门,各部门按行政隶属关系分配投资和审批项目。这样,各地区企业之间难以形成协作关系。

大而全、小而全和盲目重复建设,是长期以来困扰我国经济健康发展的一个顽症。其中的原因,人们已作过许多分析,诸如条块分割的体制、市场发育不健全,等等。但是,最根本的原因在于国有资产统一所有,分级管理体制。首先,国有资产利益地方化和部门化,使地方政府和部门具有兴办国有企业的强烈冲动。对于地方政府来说,兴办国有企业是其管理经济工作的一个重要内容,是实现其政治、经济意图的重要手段。通过兴办国有企业可以增加地方税收、振兴地方财政,增加地方就业,还可以体现地方政府领导人的政绩。其次,兴办国有企业只有收益,没有风险,使地方政府无后顾之忧。兴办国有企业的资金供应体制,使地方政府争相兴办国有企业。因为,对地方政府来说,兴办国有企业是一项低成本的投资。地方政府虽有投资权,但投资的资金却并不是该地方政府的,有相当一部分是中央部门的拨款或低息贷款。而且即使国有企业经营不好,地方政府也不需要承担风险。由于项目选择不合理,或者经营不善而发生亏损,地方政府也不会因此被追究责任,以后有机会,还会再申请项目、争取资金,兴办国有企业,而不会太多的考虑国有企业的发展前景。

三、管理权与收益权不对称

地方政府国有资产实际管理权与收益权不对称,造成国有企业效率低下。在统一所有、分级管理的体制下,中央政府和地方政府作为不同的利益主体,存在着不同的利益取向,对企业的关切程度也就不同。对于中央政府而言,追求的是企业的利润目标,以实现所有者权益的最大化;而对于地方政府而言,只是作为国有资产的分级管理者,不拥有与管理权相对应的收益权,在实际管理权与收益权不对称的情况下,地方政府不可能完全将国有资产的保值增值作为评价企业绩效的唯一标准,反而更多考虑的是企业所承担的社会目标,如就业、城市建设、公共安全等。产生于这种不同的取向而对企业的索取,加重了企业的负担,对企业的长远发展带来了不利的影响。这种中央拥有名义所有权,地方拥有实际所有权的国有资产产权关系,使国有企业在社会目标与利润目标之间摆动,导致国有企业管理经营必然趋向于低效率,国有企业承担社会责任和创造利润的能力都将受到影响。

四、管理权与责任不对等

在统一所有、分级管理的国有资产管理体制下,中央仅仅直接管理部分国有资产,大部分国有资产由省、地、县三级地方政府管理。地方政府虽然不具有名义上国有资产所有者代表资格,但实际上其管理权相当大。作为国有资产产权主体,地方政府享有的财产权利是不完整的。现代企业制度中的财产权不仅包含占有、使用、收益、处分等项基本权利要素,而且还是权、责、利三者的统一体。所有者不仅可以享有财产权利,而且必须以出资额为限对企业债务承担有限责任。然而,由于地方政府并没有被界定为国有资产所有者代表,在实际享有上述某项权利的同时,并不承担相应的责任,于是就产生了国有资产流失问题。国有资产流失主要体现在国有企业改制过程中。对于地方政府来说,由于它并不是国有资产的所有者代表,因此它在国有企业改制时关心的是如何通过改制卸掉包袱,而不是如何在改制时维护国有资产所有者利益。因此,在地方政府干预下,国有企业被租赁或拍卖时,资产价格经常被低估;国有企业在破产兼并时,企业经常在地方政府庇护下,通过各种方式(如企业分立,非法转移、处置破产财产等)逃废拖欠国有银行的债务。由此造成的国有资产流失,损害了国家和中央政府的所有者权益。地方政府的上述行为,与统一所有、分级管理的国有资产管理体制有很大关系。这种权利和责任不统一的情况,必然诱使地方政府在力图获得国有资产带来的利益的同时,逃避应当承担的责任,从而造成地方政府对中央政府的搭便车行为。

五、国有资产分布不均衡

国有资产分布不均衡导致地区差距扩大。这几年,为了解决国有资产分布不均衡问题,中央政府加大了转移支付的力度,大量向中西部地区投资。但是,国有资产的分布仍难以达到平衡,一些沿海省份集中了大量的国有资产,而在中西部地区国有资产分布则相对较少。如果在不改变现状的情况下直接进行切块分割,中央直接拥有的国有资产不会有太大的变化,而中西部地区地方政府拥有的国有资产比例将会偏少,这对中西部地区经济的发展将会是一个天然的劣势。因此,国家在进行财产权利划分时,应当力求不同地区拥有大体相同的财产权利。否则,落后地区的发展将缺乏必要的经济基础。

有学者根据有关数据整理,列出了以下截至2002年各省、自治区和直辖市的国有资产、比重和位次的排序表。

省(市、区)名称	国有资产总量(亿元)	国有资产总量排序	经营性资产总量(亿元)	经营性资产排序	经营性资产占比重(%)
广东	7930.8	1	3929.7	1	49.5
上海	5225.3	2	3418.1	2	65.4
浙江	4393.1	3	1682.1	6	38.3
江苏	4313.8	4	1863.5	4	43.2
山东	3758.6	5	1812.2	5	48.2
北京	3619.7	6	1996.5	3	55.2
辽宁	2726.1	7	1300.4	7	47.7
河北	2450.8	8	1194.6	8	48.7
河南	2255.8	9	1089.1	10	48.3
四川	2217.9	10	1091.3	9	49.2
福建	2143.0	11	967.1	12	45.1
湖北	1829.7	12	739.4	17	40.4

省(市、区)名称	国有资产总量(亿元)	国有资产总量排序	经营性资产总量(亿元)	经营性资产排序	经营性资产占比重(%)
湖 南	1758.9	13	740.8	16	42.1
安 徽	1612.0	14	831.8	14	51.6
广 西	1606.7	15	790.9	15	49.2
云 南	1530.0	16	576.7	18	37.8
山 西	1520.6	17	859.1	13	56.5
天 津	1508.2	18	1079.2	11	71.5
黑龙江	1291.2	19	548.8	20	42.5
陕 西	1182.4	20	551.3	19	46.6
江 西	998.2	21	476.6	21	47.7
吉 林	896.5	22	424.7	24	47.4
重 庆	895.9	23	340.9	26	38.0
内蒙古	843.6	24	430.4	22	51.0
新 疆	829.6	25	230.7	27	27.8
贵 州	755.8	26	428.8	23	56.7
甘 肃	725.8	27	368.9	25	50.8
海 南	370.7	28	173.9	29	46.9
宁 夏	302.9	29	183.5	28	60.6
青 海	168.9	30	68.7	31	40.7
西 藏	166.1	31	89.7	30	54.0

资料来源:黄洪敏 陈少晖:《国有资产"分级所有"体制的重构》,《财经科学》2005年第2期。

从上面的资料,我们可以看出,从地区分布来看,六成多的地方国有资产总量和经营性国有资产都分布在东部12个省(市、区)。东部地区的国有资产总量为40046.8亿元,占全部地方国有资产总量的64.8%;这个地区的经营性国有资产为20208.2亿元,占全部地方经营性国有资产总量的66.7%。二成的地方国有资产总量和经营性资产分布在中部9个省(市、区)。中部地区的国有资产总量为13006.5亿元,占全部地方国有资产总量的21%;其中经营性国有资产为6140.7亿元,占全部地方经营性国有资产总量的20.3%。西部10个省(市、区)只积淀了一成多的国有资产,总量为8775.3亿元,占14.2%;其中经营性国有资产为3930.5亿元,占全部地方经营性国有资产总量的13%。[①]

中央与地方国有资产的划分,涉及两个问题:一是中央和地方之间的划分;二是地方与地方之间的划分。不仅有历史遗留问题,还有国有资产在各地区之间的现有分布格局不平衡问题,如果简单按现在谁管理谁就享有所有者权益,显然有失公允。不仅不利于缩小地区差距,而且会造成社会不稳定。因此,必须考虑地区平衡问题。

第五节 改革中央与地方国有资产所有权关系的政策思路

按照建立一级政府、一级产权主体、一级所有权、一级委托代理权、一级收益分配权、一级举债权、一级立法权的国有资产管理体制改革设想,中央与地方之间国有资产所有权关系改革的目标是:建立一级政府,一级所有权的国有资产所有权管理体制。即建立在中央统一政策指导下,各级政府分别代表国家履行出资人职责,财产权利与收益形式相对应,产权行使边界划分清晰,监督和激励约束机制健全的国有资产所有权管理体制。为此,我们提出以下政策思路。

一、改革的基本原则取向

由于国有资产承担社会性目标的特殊性,正确处理中央与地方国有资产所有权关系必须考虑特定产业满足不同社会性目标的区别。所以,不同性质的国有资产,其分级代表原则的内涵也不相同。

---

① 黄洪敏 陈少晖:《国有资产"分级所有"体制的重构》,见《财经科学》2005年第2期。

(一)国家所有,分级代表原则

对于资源性国有资产,如土地类国有资产(包括水域),可以在国家所有、统一规划的框架内,采取中央政府拥有所有权,地方政府拥有占有使用权的产权管理体制。这些作为一般生产条件存在的国有土地财产,构成了占有使用这些生产条件的企业生产经营的间接物质要素,是国家土地财产的具体表现形式,形成了企业生产经营成果的组成部分,存在着一般生产条件的国家所有者应当获得的转移价值和剩余价值。国家依据对这些土地资本财产的所有权,拥有补偿价值和剩余价值的索取权。作为间接生产要素的国家土地财产所有权的在经济上的实现形式,主要是国家作为这些间接生产要素的所有者应当获得的国有土地各种流转税和企业所得税收入。

国有土地财产作为资本使用,即作为直接生产要素使用,国家还应当获得国有土地资本占有使用权转让收入、采矿权转让收入、股息、红利或利润等收入。可以考虑将国有土地资产以股权形式出资,中央政府以土地资产股息的形式或按一定比例享有收益,地方政府代表国家履行土地国有资产占有使用者的权利,以红利形式获得收益;对于重要的国有自然资源,如森林、重要矿藏资源等,也可以采取以上管理体制。这将对重要国有自然资源的地方垄断和破坏性开发起到遏制作用。

(二)划分层次,分级代表原则

对于公共服务领域的国有资产,即关系国家安全的行业、自然垄断产业、基础设施和基础产业等,需要根据其服务特点区别对待。属于关系国家安全的行业和全国性的公共服务行业,应由中央政府履行国有资产出资人职责,如国防工业、铁路干线、航空运输、大电网等;而地区性公共服务行业,如城市道路、供水、煤气、市内电话及地方性的基础产业等,应由地方政府履行国有资产出资人职责。

(三)区分类型,分级代表原则

对于竞争性领域中的国有企业,应当按类型进行区分,由中央和地方政府分别代表国家拥有所有权和占有使用权。在相当长的时期内国有企业仍将存在于竞争性领域,特别是对支柱产业(优势产业)和高新技术产业更是如此。

因此,对这类产业,中央政府应履行关系整个国民经济发展的大型企业,特别是支柱产业中的大型企业和高新技术产业中的大型项目的国有资产出资人职责;而地方政府则应履行关系地方国民经济发展的地方支柱产业、制造业及高新技术产业企业的国有资产出资人职责。中央和地方都可以组建跨地区、跨政府级次、跨行业、混合所有制性质的大型股份制企业。

(四)优化经济结构原则

党的十六大报告明确了国有资产所有权的具体划分标准,关系国民经济命脉和国家安全的大型国有企业、基础设施和重要自然资源等,由中央政府代表国家履行出资人职责,其他国有资产由地方政府代表国家履行出资人职责。中央国有资产监督管理委员会成立以后,进一步明确了国有资产管理机构的首要任务是在中央政府和地方政府之间合理和公平地划分资产,国务院国有资产监督管理委员会直接监管的一共是196家,稍后又做出了调整,将196家经资产重组变为169家企业[①]。从资产的划分来看,中央政府出资人的职责范围与地方政府出资人的职责范围已经界定得十分清楚,而且,就量上来看划分也很到位,不存在不清楚和模糊的地方。在近18万家企业中,中央政府出资人就是要对这169家国有企业的资产履行出资人职责,其余所有企业的资产都由分布在各地方的省、市两级政府履行出资人职责。这样,国有资产管理体制改革的操作重心就由中央转移到了地方,应当按照国有资产在不同地区的重要程度,根据优化经济结构的要求对财产权利作进一步划分。

(五)投资者拥有产权原则

即谁投资,谁所有原则。国有资产增量问题较为简单,只要按照投资者拥

---

① 截至2004年12月1日,国务院已批准17户中央企业进行重组,至此,国务院国资委履行出资人职责的企业总数从189户减为181户。2004年12月30日国资委对中国建筑材料集团公司等5户企业重组进行通报,至此,国资委履行出资人职责的企业由181户调整为178户。2005年3月9日国资委对中国远洋运输(集团)总公司与中国外轮理货总公司重组进行通报 以上两户企业重组后,国资委履行出资人职责的企业由178户调整为177户。2005年4月26日国资委对天津水泥工业设计研究院等10户企业重组进行通报,之后,国资委履行出资人职责的企业由177户调整为172户。2005年8月1日国资委对中国电子信息产业集团公司等6户企业重组进行通报,之后,国资委履行出资人职责的企业由172户调整为169户。引自http://news.com.cn,2005年10月6日,《国资委企业改革局公布的国企重组进程及时间表》。

有产权的一般标准即可明确归属关系,即由中央财政投资形成的国有资产,归中央政府所有;由各级地方政府(省、市、县)投资形成的国有资产,归各级地方政府所有。这种划分标准内涵明确,所有权清晰,操作便捷,不会造成产权主体的讨价还价。可以先对存量国有资产进行来源界定。对于投资来源明确,投资主体单一的国有资产存量,适用于投资者拥有产权的划分原则。

(六)均权原则

由于在计划经济时期实行的是统收统支财政体制,在理论上中央政府是全社会唯一的投资主体,地方政府仅仅是投资代理人,并不具备投资主体性质。如果按照投资者拥有产权的划分原则,这一时期形成的国有资产将全部划归中央政府,这与分级代表的初衷是相悖的。在计划经济以及体制转轨时期,许多国有企业的行政隶属关系经历了许多变动,所有权关系复杂,难以在各级政府间清楚界定。我们认为,对于投资主体较多,产权关系复杂,一时无法明确界定投资来源的国有资产,可以设想按照均权原则加以处理,即除依据产业性质必须由中央持有所有权的国有资产之外,把分布于全国各地且根据产业性质不适合更高层政权机构管理的国有资产,按照全国人均值与辖区人口数量之积,界定给资产所在的省(自治区、直辖市)、市、县所有,对超出部分的资产所有权和占有使用权则由其上一级政权机构以合资方式持有。如果产业性质上不适合上级政权机构持有,则通过有偿转让方式逐步退出。所有权转让后获得的收入,再通过类似财政转移支付的方式支付给那些人均国有资产拥有值低于平均水平的地区。通过这种市场经济的产权交易原则进行的国有资产存量纵向与横向的调节,在各层次政权和地区之间形成产权归属清晰、责任分工明确、在互利基础上密切协作的国有资产分级代表体制。

二、主要政策建议

(一)统一政策

实行新的国有资产管理体制意味着中央政府拥有国有资产的终极所有权,各级政府分别代表国家履行出资人职责享有的所有者权益。中央政府与地方经营性国有资产管理机构之间的关系,是国有资产终极所有者代表与派生所有者代表之间的关系。各级地方政府作为国有资产所有者的代表，是由于国有资产管理体制的变化，在中央政府作为终极所有者代表的基础上派生出来的次一级的所有者代表。并不意味着中央政府放弃了国有资产终极所有权。

正确处理中央与地方国有资产所有权关系，应当在明确地方政府国有资产所有权、充分调动地方政府积极性的同时，进一步明确作为国有资产终极所有权的代表，中央政府应当拥有的相关权能。这些权能构成了统一政策的基础。主要包括：

1. 国有资产终极所有权。即国家财产权的最高代表依法对国家财产享有的最终所有权利。在我国，国家财产权的终极产权代表是中央政府；就经营性国有资产而言，国家财产权的客体是指由国家投入资本形成的人工生产资料等。国有资产终极所有权是由中央政府代表国家享有的国有资产最高财产权利。依据这一权利，中央政府有权制订统一的国有资产监督管理基本方针政策。

2. 国有资产划拨权。即在保持国有资产管理范围相对稳定的情况下，中央政府可以根据管理体制的变化和合理配置国有资源的需要，上收或划转其管辖的国有资产。或者，将中央直接管辖的国有资产下放给地方管辖。依据这一权利，在中央政府认为必要时，有权制订统一的通过行政划拨手段改变产权在中央和地方政府之间归属的政策。

3. 国有资产委托权。即中央国有资产产权主体通过法律和政策手段规范国有资产管理经营委托代理关系的权利。包括：在中央政府认为必要时，委托地方政府国有资产监督管理机构管理中央政府的某些国有资本运营事项和中央企业的某些经营管理事项；中央政府通过向地方政府投资的企业进行股份投资形成的委托代理关系等。依据这一权利，中央政府有权制订统一的国有资产管理经营委托代理法律和政策。

4. 国有资产处置权。即中央政府可以根据宏观调控需要制定国有产权出让、交易、破产、兼并等法律和政策的权利。包括，在地方政府难以或无力处置国有资产、或者由地方政府处置易导致社会问题、或者涉及多个地方政府之间利益矛盾时,需要中央政府出面处置。依据这一权利,中央政府有权制订统一的国有资产处置管理法律和政策。

5.国有资产基本法律的立法权。立法权是指国有资产管理法律法规的制定权和实施权。国有资产监督管理基本法律、法规和条例等,应由中央政府国有资产监督管理委员会制定。现阶段立法权的划分主要应体现在中央政府拥有国有资产管理基本法的制定权和实施权,地方政府拥有在国有资产基本法的基础上结合本地实际情况制定地方国有资产实施细则权。依据这一权利,中央政府有权制订统一的国有资产管理经营基本法律。

6.国有资产产权管理、运营管理和经营管理的监督控制权。即中央对地方管辖的国有资产,有监督查处的权力。必要时可以向地方国有资产监督管理委员会直接派出稽查特派员或工作组。例如,当地方政府国有资产监督管理机构和运营机构出现道德风险(违背国有资产终极所有者的意图,或者与国家宏观经济调控政策相背离)和逆向选择(地方政府不作为或者作为不力,监督管理和运营当事人为个人利益而侵犯国有资产所有者权益等情况下,包括人为造成国有资产流失)时,中央政府可以运用行政干预手段,直接进行监督控制。依据这一权利,中央政府有权制订统一的国有资产管理监督控制政策和查处政策。

(二)分级代表

国务院国有资产监督管理机构是代表国务院履行出资人职责、负责监督管理中央企业国有资产的中央政府直属特设机构。省、自治区、直辖市人民政府国有资产监督管理机构,设区的市、自治州级人民政府国有资产监督管理机构是代表本级政府履行出资人职责、负责监督管理地方企业国有资产的地方政府直属特设机构。地方各级政府国有资产监督管理部门,在中央统一政策指导下,实行分级代表,管理所辖范围内的国有资产,行使经过授权的国有资产所有者的财产权利。这种财产权利与地方政府作为国有资产产权主体的地位是相适应的,因此是相对独立和完整的财产权。

中央与地方分别代表国家拥有所投资企业的国有资产所有权。国家国有资产监督管理委员会拥有中央政府投资企业的完整产权。中央政府投资企是由中央政府国有资本运营机构出资或参股形成的子公司或分公司,是主要直接从事商品生产经营的经济实体和市场竞争主体。在产业选择上,主要集中于那些涉及国家安全的行业、自然垄断行业、提供重要公共产品和服务的行业,以及支柱产业和高新技术产业等关系国计民生的关键领域。

地方政府(省、市级政府)国有资产监督管理委员会拥有地方政府投资企业的完整产权。包括由省、市级政府国有资本运营机构出资或参股形成的,主要直接从事商品生产经营的经济实体和市场竞争主体。地方政府投资企业主要集中于那些涉及地方区域经济发展的关键行业、自然垄断行业、提供重要区域性公共产品和服务的行业,以及支柱优势产业和高新技术产业等关系地方国民经济的关键领域。

(三)财产权与收益相对应

统一所有,分级管理体制低效率的关键在于财产权与收益不对应,核心问题是与资本所有权、占有使用权和具体监督管理经营权相对应的收益不确定,没有法律保障。根据马克思主义财产权理论,财产所有权、占有使用权和具体监督管理经营权有着明确的收益形式。与资本财产的所有权对应的收益形式是股息(借贷资本所有权的收益形式是利息),与资本财产的占有使用权对应的收益形式是红利,具体监督管理经营权对应的收益形式是年薪,即基本工资以外的部分。

所有权的本质在于获得剩余索取权。受法律保护的资本所有权、占有使用权和具体监督管理经营权,确定的收益形式,是财产权利的内在规定性,是现代市场经济正常运行的必要条件,也是现代产权制度有效率运行的基础,是促进企业经济效益提高的前提。国有资产的所有者代表既拥有国有资产的所有权,同时又是国有资产的占有使用者,拥有占有使用权。因为,国有资产所有者的代表是国有资产监督管理机构,后者是以国有资本对企业进行投资,即以国家的自有资本进行投资,因此,国有资产监督管理机构同时又是国有资本的占有使用者,拥有占有使用权。而国有资产监督管理机构派驻企业的股东代表是国有资产监督管理委员会在企业的代理人,真正的国有资产占有使用者仍然是国有资产的所有者代表机构。所以,国有资产监督管理机构既以所有者的身份获得所有权收益——股息,又以占有使用者的身份获得占有使用权收益——红利。而企业具体的监督管理人员和经理则是管理要素的所有者,他们依据管理要素的所有权获得年薪收入。如果国有资产监督管理机构不是以国有资本对企业进行投资,而是以借入资本进行投资,那它就不是投入资本的所有者,而是借入资本的占有使用者,那么,它就不能获得利息收益,而只能获得红利(即企业主收入)。因此,在借入资本情况下,资本所有者要获得所有权收益就不必掌握控制权,他的剩余索取权应当由法律来保证。

要解决国有资产流失、国有企业经济效益下降和重复建设问题,就要调动中央和地方两个方面的积极性,最根本的解决办法是实现中央和地方的财产权利与责任对等,收益与风险对称。因此,应明确界定中央与地方政府国有资产的所有权、占有使用权和相对应的责任,与财产权利相对应的收益形式,以及具体监督管理人员、经理的管理要素所有权和要素收益的形式。使各级政府的所有权、占有使用权与剩余索取权相对应,具体监督管理人员和经理的管理要素所有权与剩余索取权相对应。同时,实行财产权利和责任(包括决策责任、监督责任、管理和经营责任)挂钩、财产权收益与企业效益挂钩。

(四)合理界定中央与地方产权行使边界

在当前形势下,由中央政府统一享有全部国有资产的财产权已不切合实际。我国现在已是分级财政体制,每级政府都有用自己的财力形成的自己的资产。另外,在过去国有企业演进过程中,资产关系的复杂化、企业职能的地方化也使地方政府产生了产权方面的要求。地方政府享有相应的所有者和占有使用者权益应该是在情理之中。所以,中央政府和地方政府之间必须确定产权行使边界。划分这一边界的最基本原则应当是适当、明确。若边界太窄,则不可能激发地方政府的积极性,更不利于国有资产利用效率的提高;若边界含糊,那么权责不明、多龙治水等不良现象的重演就是不可避免的。关键是要协调中央与地方之间的关系,既要维护中央进行宏观调控所依赖的国有资产基础,又要避免中央行使国有资产出资人权利过多而不利于调动地方的积极性,还要防止地方之间国有资产数量和收益差距过大,造成地区间经济利益的严重不平衡。

十六大明确地提出:关系国民经济命脉和国家安全的大型国有企业、基础设施和重要自然资源等,由中央政府代表国家履行出资人职责。其他国有资产由地方政府代表国家履行出资人职责。为划分中央和地方分级行使国有资产出资人职责的边界,作了原则上的明确。根据这一精神,合理界定中央和地方政府对国有资产的产权行使边界,应把握以下原则。

1. 国有资本运营总的方针政策由中央掌握

随着政府经济建设职能和宏观经济调控职能的明确,国有资本在哪些领域逐步退出,在哪些领域继续保持控制的决定权,即为实现政府经济建设职能和调控职能,国有资本运营总的方针政策,企业组织形式,确定国有资本控制范围的权限应该由中央政府制定。地方经济建设职能和调控职能涉及国有资本运营的政策由地方政府制定。地方国有经济布局调整、经济结构优化调整、优势产业发展和国有资本运营的方向、力度和形式,由地方政府根据中央的方针政策结合地方实际决定。

2. 国有股转让规则和收入使用办法由中央制定

中央政府应制订统一的国有股转让、出售规则和程序,以防止国有股转让过程中的国有资产流失等问题。国有股转让、出售应有利于国有资产利用效率的提高,应采用公开、公平、竞争的程序。中央政府应统一确定国有股转让出售收入的使用办法,规定这些收入的使用方向和范围。

3. 资本预算格式和程序的制订权限由中央掌握

在新的国有资产管理体制中,资本预算管理有着重要的地位,应该通过资本预算来约束国有资产监督管理机构、国有资产经营公司行使财产权利的行为。并应规定各级政府的资本预算须经同级人大的严格审议和通过,纳入各级政府总预算统一管理。

4. 出资人拥有完整产权

中央和地方政府在明确国有资产的管辖范围和边界的基础上,各自拥有对所属国有资产的所有权、占有使用权、收益权和处置权等权能,切实履行出资人职责,真正做到出资人到位,权利、责任和义务对等。

5. 通过组建大型股份制企业实现对地区贫富差距的调节

中央加大对经济落后地区的股权投入,与地方政府及其他经济成分组成多元产权主体的股份制企业,以经济手段调节地区贫富差距。

6. 中央与地方共同承担社会保障责任

在国有资产出资人权利分别行使的同时,将老职工的养老金等国有企业职工历史欠债从国有资产总量中剥离,由中央政府与地方政府共同承担,进行补偿。

应严格落实各级政府分别代表国家履行国有资产出资人的权利,上级政府不能凭借行政权利侵犯下级政府所辖国有资产的权利。区域范围内的国有经济布局和结构调整在涉及纵向产权关系时应通过股份制的方式,合资组建公司,以保证各级国有资产监管机构的所有权和占有使用权。各级地方政府出资形成的资产应当由当地政府配置,而不能由上一级行政部门或国有资产监督管理机构随意调配。

(五)加强对国有资产所有者代表的监督

第一,强化终极所有者对其代表的监督。全体人民作为全民财产的终极所有者,在行政代理的体制下,对财产运营的监督能力弱化,初始委托人监管权虚置,是国有资产无人负责的原因之一。在建立国有资产专职管理机构的条件下,虽有明确的机构对国有资产保值增值负责,但国有资产所有者代表并不同于所有者本身,仍有惰性和寻租动机,必须有一种机制来监督所有者代表的行为。现阶段可考虑依靠全国人民代表大会来行使初始委托人的监督权,由人民代表大会审定国有资产管理部门提交的国有资产经营预算、国有资产运营的重大方针政策、报告期国有资产运营状况分析等,并制定国有资产管理部门工作绩效考核办法,以此督促国有资产管理部门对国有资产的保值增值负真正责任。

第二,强化终极所有者代表对次级代表的监督。国有资产所有者代表是指国有资产所有权专职管理部门,次级代表主要是指国有资产所有权专职管理部门授权的有关国有资本运营机构。具体方法是以契约的形式明确规定受托运营机构对授权范围的国有资产的监管和运营目标及其考核指标;审核国有运营机构的资格；以法律形式明确和保护所有者、占有使用者和国有资本运营机构的财产权利，特别是与各个产权主体财产权利对应的收益形式和数量界限。

作为中央政府出资人和作为地方政府出资人的国有资产监管机构，都是代表国家履行出资人的职责，各自独立行使国有资产管理职能，分别对中央和地方政府负责的机构。它们之间不存在隶属关系。在由各级政府分级履行国有资产出资人职能的管理体制下，地方政府获得了对中小企业的国有资产所有权和占有使用权，中小企业改革的步伐明显加快。

国有中小企业改革是一项政策性很强的工作，涉及产权出售转让价格的确定、转让资金的运用、职工安置、归还对老职工的欠账及归还银行贷款等比较敏感的问题。如果处理不好，不仅会使得转让过程失去公平，损害各利益相关方的利益，引起社会不稳定，也会严重制约改革和调整的步伐。一方面，如果不指导、不监管，放任自流，地方政府出于本位利益，强化区域分割和市场保护，就会有改革倒退的危险。从这个意义上，现阶段中央对地方的指导和监督是必要的。另一方面，指导监督什么，如何指导监督，才不至于侵蚀地方政府对所属国有资产的出资人权利，才不至于利用指导和监督的权利干预地方，如果诸如转让上市公司国有股权等事务，仍然统一由国务院国有资产监督管理委员会批准，地方就无法自主工作，也会贻误改革。因此，防止中央政府管得过死过多、抑制地方在国有资产管理上的积极性和能动性，又要保证地方处置国有资产的过程符合一定的规则，公开透明，防止国有资产流失，是一个非常重要的问题。

中央出资人代表对地方出资人代表的指导和监督，不是变相的公共管理职能，而是基于终极所有者代表的身份对次级所有者代表的指导和监督。应当制定法律而不是行政法规来规范国有资产分级代表制度。上级政府国有资产监督管理机构必须依法对下级政府的国有资产管理工作进行指导和监督。在立法形式的选择上，应当制定法律，如《中华人民共和国国有资产管理法》，辅之以必要的行政法规。

第三，强化所有者代表对派驻企业产权代表的监督。派驻企业的国有资产产权代表,经国有资产监督管理机构授权,具体行使国有产所有权和占有使用权的代理权能。在行为目标与行为机制上,同国有资产所有者代表有明显差异,存在为追求个人目标而偏离所有者代表目标的可能性。因此,必须强化所有者代表对派驻企业的国有产权代表的监督。从监督的链条上看,此环节的监督更加重要,因为派驻企业的国有产权代表亲临国有资产的运营前线,亲自参与企业的重大经营决策,肩负着监督经营代理人的重任,是委托代理的核心所在。因此,派驻企业的国有产权代表的行为同国有资本运营效率密切相关。具体思路是,建立董事资格考核制度、监事职责制度以及董事、董事长绩效考核制度,并将绩效考核结果同个人收入挂钩,实行依据管理要素所有权获得年薪收入的改革,对有重大失误或绩效长期较差者,应撤消其任职资格。

(六)建立激励约束机制

按一般市场经济原则,应由企业出资者任免企业监督管理经营者。由行政上级任免企业监督管理经营者和由员工选举监督管理经营者的方式都不符合市场经济原则,他们都不是出资人。而我国目前国有企业的监督管理经营者是由上级部门任命的,形成的是行政规则,监督管理经营者是按照行政规则去经营与管理企业。能够担任监督管理经营者的,不是取决于其基本素质,而是取决于任命他的行政长官的意志。因此,应改革我国现在的国有企业监督管理经营者的管理体制。

第一,建立职业监督管理经营者制度。对于出资人而言,财产的占有使用权是财产权的重要权能,因而是不让渡的;控制和支配企业的关键是对监督管理经营者的任免权。所以,政府国有资产专职管理部门应有国有企业监督管理经营者的任免权,将国有资产保值增值考核结果同监督管理经营者聘任与报酬挂钩。应建立职业监督管理经营者制度,避免行政化。否则,确保国有资产保值增值就是一句空话。

在现代市场经济条件下,所有者和监督管理经营者之间已形成了一种市场,这个市场就是监督管理经营者市场。在监督管理经营者市场上交易的产品就是经监督管理经营者的管理劳动服务能力。这个市场同样是一个充分竞争和优胜劣汰的市场。在这个市场上众多的管理劳动供给者在彼此竞价,希望以最好的价格出售自己的管理劳动服务能力;而众多的管理劳动需求者也在这里相互竞争,希望以最便宜的价格获得最好的监督管理经营者,从而购得最优质的管理劳动服务以实现自己财产最大限度的保值增值。市场竞争均衡的结果必然是什么样质量的产品便获得什么样的均衡价格:优质优价、次质低价、质量太差不合需求者要求的必然淘汰出市场。而监督管理经营者在市场上出售的不仅仅是自己的特殊劳动力,还出售了自己的商誉、知识和管理能力等更重要的无形资产。这些无形资产关系到他在整个企业界的信誉、地位和个人的管理要素产权收益。如果企业经营失败而事后又被证明主要是监督管理经营者的失职造成的,就会严重影响他作为职业监督管理经营者的声誉。人们会认为他作为职业监督管理经营者要么是道德品质低下,要么是管理才能低下,或二者兼而有之。这样的职业监督管理经营者在企业界是难以立足的。而职业监督管理经营者为培养自己的管理才能和维护、提高自己管理才能的质量和信誉也投入了巨大的人力资本支出。而且,人力资本一旦形成,同样具有资产的专用性,决定了改作他途成本高昂;同时,人力资本的投资回报将通过监督管理经营者为企业资本所有者提供具体监督管理经营劳动而获得,其收益最终也将取决于公司的经营业绩和公司资本的增值。

按照马克思主义财产权学说的三权分离理论和财产收益分配规律,监督管理经营者的人力资本投资事实上已沉淀于企业之中,同企业资本的所有者事实上已构成了利益共同体关系。监督管理经营者作为自己的人力资本所有者可以不关心企业资本所有者的利益,但他不会不关心自己的人力资本价值。一次败德行为,终生被淘汰出局也就意味着其先前所做的人力资本投资将永远无法收回。监督管理经营者市场的淘汰机制所带来的高成本和管理要素收益来自平均利润的数量界限,使得监督管理经营者在内部人控制问题上不得不有所节制。

第二,建立监督管理经营者激励制度。内部人控制之所以产生,说到底还是企业高层管理人员为给自己谋求更多的不正当利益。其实,所有者和监督管理经营者之间的利益不是对立和冲突的,而是存在着双赢的可能。市场机制在他们之间之所以失效,即不能实现各方利益的最大化,是因为人们的认识和法律存在着缺陷。只要在利益分配机制上做出适当的安排,按照财产权分配规律明确国有资产所有者、占有使用者和具体监督管理经营者的财产权利、收益形式和数量界限,确实保护各个财产权利主体的应得利益,最大限度调动企业具体监督管理经营者的积极性,那么联结所有者、占有使用者与监督管理经营者之间的市场机制就自然能克服内部人控制问题,从而发挥所有者、占有使用者和监督管理经营者各自的比较优势,提高企业的经济效益。

为此,在利益分配机制的设计上必须遵循财产权收益分配规律,消除所有者、占有使用者和监督管理经营者之间的利益目标差异,使得监督管理经营者只有在给所有者和占有使用者带来最大利益时他自己才能获得最大利益。为此必须在监督管理经营者的薪酬体系设计上做出合理的安排:除了传统的给监督管理经营者以固定工资加年薪外,还应当允许监督管理经营者持股、给予其股票期权等。年薪制度和股票期权制度的实施,都使得所有者、占有使用者和公司的高层管理者构成了一个利益共同体:一损俱损、一荣俱荣。这种利益激励机制使得所有者和占有使用者有可能在把握监督管理经营者个人效用原则的基础上,激励监督管理经营者行为同所有者和占有使用者目标一致,从而克服内部人控制。因此,对监督管理经营者有激励作用的财务薪酬制度应当包括长期激励的制度安排。

(七)国有企业目标单一化

国有企业的改革之所以一直难以取得令人满意的效果,一个重要的原因就是国有企业始终具有多重非利润目标,而政府对于国有企业的利润目标和社会目标的调整是逐步的、局部的。与这种改革途径相对应的,有两种可替代的方法,其一就是取消国有企业的利润目标,令其只承担提供社会责任的功能,这样就根除了生产可能性缩小的原因,承担更多的社会责任。这一方案就是国有企业从竞争性行业全部退出。其二是只保留企业的利润目标,取消企业的非利润目标,这样也可以防止生产可能性缩小,国有企业将提供最大的利润,但不承担社会责任。这两种方法实际上都可以使国有企业的目标单一化。

原国有资产管理体制,使实际上具有国有资产占有使用权的地方政府没有法律地位上的财产权利,造成了地方政府没有一个稳定和明确的预期,使地方政府在管理国有企业时具有机会主义倾向。因此常常出现地方政府在管理国有企业时,出现和中央政府不同的目标取向。如果不明确划分地方政府和中央政府国有资产所有权和占有使用权,特别是与所有权和占有使用权相对应的收益权、与具体监督管理经营要素所有权相对应的收益权,即使确定经营性资产的目标是保值增值,也难以实现国有企业经济效益的提高。因为,地方政府具有国有企业经营者的管理权,地方政府可以通过对国有企业经营者施加影响,使经营性国有资产重新承担社会职能。因此,必须确定国有资产的分级代表主体及其相应的财产权利。

现代产权制度的产权归属清晰要求建立政企分开、政资分开的国有资产管理体制。经过20多年的国有企业改革,我们在落实企业自主权方面迈出了较大的步伐,但是由于在政府层面上一直没有实现政府公共管理职能与出资人对国有资产的监督管理职能分开,即没有实现政资分开,政府仍然时常以出资人的身份对企业行使社会公共管理职能,难以从根本上确立国有企业的市场主体地位。在现代产权制度下,各类财产权的归属必须清晰。笼统地讲国有资产归属全国人民,除了政治和意识形态上的意义外,不是现代产权意义上的归属清晰。现代产权制度的归属清晰,要求在中央和地方两级分别建立管人、管事、管资产相结合的国有资产管理新体制,从机构和工作职责上,将政府的社会公共管理职能与出资人管理职能分开;要求与国有资产所有权和占有使用权相对应的收益权、与具体监督管理经营要素所有权相对应的收益权,在法律上得到明确和保护。这样既有利于明确企业的国有资产出资人,推动建立归属清晰的国有企业产权制度,又有利于维护企业作为市场主体依法享有的各项权利,真正实现企业经济效益的大幅度提高。

本章小结

1. 国有资产所有权按管理级次划分,可以划分为中央政府拥有的国有资产所有权和地方政府拥有的国有资产所有权。中央政府拥有的国有资产所有权,是指国家国有资产监督管理委员会履行出资人职责,代表全体社会成员监督管理的国有资产的所有权。地方政府拥有的国有资产所有权,是指由国务院授权省、自治区、直辖市人民政府和设区的市、自治州级人民政府分别代表国家监督管理的国有资产的所有权。

2.中央与地方国有资产所有权权能关系的实质包括以下两个方面的内涵:第一,就狭义的中央与地方的国有资产所有权权能关系来说,它是指国有资产所有权不同级次政府管理主体之间的关系。第二,从广义角度看,中央与地方国有资产所有权权能关系,是国有资产终极所有者代表与次级所有者代表之间的关系。中央国有资产产权主体的地位是终极所有者代表的地位,拥有国有资产的最高所有权权能,对地方国有资产产权主体有制约、限制、监督、管理的权力。而地方国有资产产权主体的地位是次级所有者代表的地位,其国有资产所有权权能是相对独立的、受到最高所有权限制的。

3.改革中央与地方国有资产所有权关系的理论依据包括:三权分离理论和资本财产权收益理论;财产权关系适应生产力发展理论;政府职能分工理论;公共产品提供的层次性理论;制度变迁理论。

4.中央与地方国有资产所有权关系存在的主要问题是:所有权高度集中;部门所有制和地方所有制并存;管理权与收益权不对称;管理权与责任不对等;国有资产分布不均衡。

5.中央与地方之间国有资产所有权关系改革的目标:建立一级政府,一级所有权的国有资产所有权管理体制。即建立在中央统一政策指导下,各级政府分别代表国家履行出资人职责,财产权利与收益形式相对应,产权行使边界划分清晰,监督和激励约束机制健全的国有资产所有权管理体制。

6.改革的基本原则取向:国家所有,分级代表;划分层次,分级代表;区分类型,分级代表;优化经济结构;投资者拥有产权;均权。

7.主要政策建议:统一政策;分级代表;财产权与收益相对应;合理界定中央与地方产权行使边界;加强对国有资产所有者代表的监督;建立激励约束机制;国有企业目标单一化。

第六章 中央与地方国有资产委托代理权关系

人们通常把委托代理权关系简称为委托代理关系。从本质上说,委托代理关系是不同财产权利所有者之间的财产权关系。中央与地方国有资产委托代理权关系是国有资产产权关系的重要方面。改革中央与地方之间国有资产委托代理权关系,明晰和保护不同财产所有者的财产权利,对于加强国有资产的有效管理,提高国有资产运营效益,实现政府的工作目标,具有重要的作用。从广义上来看,凡是有合作的地方,就会存在委托代理权关系,而且大部分的社会经济、政治活动都反映着这种关系。从狭义角度讲,我们可以从经济学、法学等不同专业的角度来阐释委托代理权关系。鉴于本章对中央与地方国有资产委托代理权关系的研究是基于经济学理论,所以,我们仅从经济学意义上对委托代理权关系进行探讨。

第一节 中央与地方国有资产委托代理权权能探索

一、委托代理权关系的不同观点

现代市场经济中,随着社会分工的发展,专业化程度的提高,社会成员之间的信息差别日益扩大,市场参与者愈来愈处于市场信息的非对称分布之中。非对称信息严重影响着经济决策的制订及其决策结果。委托代理权关系理论就是研究非对称信息条件下市场参与者之间经济关系的理论。

西方学者认为:如果当事人双方,其中代理人一方代表委托人一方的利益行使某些决策权,则代理关系就随之产生。例如,詹森和麦克林对委托代理关系的定义是:"一个人或一些人(委托人)委托其他人(代理人)根据委托人利益从事某些活动,并相应地授权代理人某些决策权的契约关系"。① 根据他们的观点,委托代理权关系指的是一种显明或隐含的契约,即一个或多个行为主体指定雇佣另一些行为主体为其提供服务,与此同时,授予后者一定的决策权利,并依据其提供服务的数量和质量支付相应的报酬。在这一契约关系中,人们将能够主动设计契约形式的当事人称为委托人,而将被动在接受或拒绝契约形式中进行选择的人称为代理人。比如,在资本雇佣劳动的条件下,资本的所有者就有资格作委托人,而经理只能作代理人。詹森和麦克林强调委托代理权关系是一种契约关系这一点很重要。因为,这种解释反映了委托代理权关系的特点,即一种经济利益上的契约关系。

我国学者张维迎在其著作《博弈论与信息经济学》中指出:"经济学上的委托代理关系泛指任何一种涉及非对称信息的交易,交易中有信息优势的一方称为代理人,而另一方称为委托人。"② 也就是说,特定的某些信息,对于这些信息有知情者,有不知情者。同时,知情者利用这些信息使不知情者的利益受到影响,而不知情者又不得不为知情者的行为承担一定风险。这时,知情者称为代理人,不知情者称为委托人。从而进一步深化了委托代理理论。

我们认为,经济学意义上的委托代理权是在财产权基础上派生出来的财产权利。例如,在财产的所有权基础上派生出委托权,即委托他人代行所有者职能的权利;在财产的占有使用权(或者实际控制权)基础上派生出代理权,即接受委托代行占有使用者职能的权利。随着社会化生产的发展,在财产占有使用权基础上又进一步派生出监督管理经营委托权,即委托他人代行具体监督管理和经营职能的权利。由此,产生了多层次的委托权与代理权之间的关系。委托代理权关系是现代经济生活中较为广泛的一种契约关系,是委托人授权代理人以重大决策权或者具体监督管理经营权,要求代理人以委托人的利益为准绳进行工作所形成的一种关系。人们通常把委托代理权关系简称

---

① 约翰·伊特韦尔:《新帕尔格雪夫经济学大辞典》第三卷,经济科学出版社1992年版,第1035页。

② 张维迎:《博弈论与信息经济学》,上海人民出版社和上海三联书店1996年版,第26页。

为委托代理关系,但是,从本质上说,委托代理关系是不同财产权利所有者之间的财产权关系。因此,准确的表达应当是委托代理权关系。在现实经济生活中,委托代理现象很多。包括:股份公司中股东会与董事会之间的关系、董事会与经理层之间的关系、层级组织中上级与下级的关系等,保险公司中投保人与受保人的关系、几乎涵盖了经济领域的各种合作关系。在这些情况下,前者均拥有委托权,后者均拥有代理权。这些委托代理现象的共同点是:财产所有者委托他人占有使用财产并代表所有者执行职能;或者,财产占有使用者委托他人监督管理经营财产,代表占有使用者执行部分职能。

二、委托代理权关系的特征

委托代理权关系主要包括以下特征:

第一,经济利益性。委托代理权关系首先表现为一种经济利益关系。委托人一方先确定一种报酬机制,激励代理人尽心尽责,努力实现委托人利润最大化目标。代理人据此选择自己的努力行为,以求得自身效用最大化。尽管委托人与代理人的目标函数是不一致的,但是,他们都是利益最大化的追求者,都是经济人,因此,他们之间的关系表现为经济利益关系。

第二,契约性。委托代理权关系表现为一种契约关系。委托人与代理人之间不是一种普通的合作关系,而是一种经济契约关系,不管这种契约是显性契约还是隐性契约。所谓显性契约是指有书面协议或法律协议的合约,它严格规定了委托人与代理人之间的协作关系和利益关系。所谓隐性契约,是指约定俗成的一些规则,包括书面或口头的心照不宣的规则。一般都具有长期性,但不一定具有严格的法律效力。

第三,权利对等性。在不存在委托代理权关系条件下,财产权利在企业内部是统一的、不可分的,因为所有者即占有使用者和经理,不存在委托人与代理人,其实在自然人企业更是这样。然而,随着社会分工的发展和社会生产规模的扩大,所有权与控制权、执行权出现了分离,资本所有者、占有使用者和监督管理经营者的职能不再由所有者自己行使,而是寻找其代理人为其经营资本业务,因此产生了委托人与代理人,权利关系也随之发生变化。就是说,现在的权利不再是集中的,而是可分的。资本所有者(委托人)掌握所有权,获取资本所有权收益,资本的占有使用者掌握经营控制权,获得占有使用权收益,而具体监督管理经营者掌握执行权,获得另一部分经营收益。尽管权利分开了,但权利关系是对等的,即有一份权责,就有一份收益。

第四,契约不完备性。所谓完备契约,是指合约面面俱到地规定当事人之间的权利义务以及未来可能出现的情况。从人们的良好愿望出发,当然是契约越完备越好。然而,契约不可能是完备的,其理由有三:(1)任何事物都是动态的,而不是静止的。有些事情不可能完全预测到,如自然灾害、技术变化等;有些契约规定的事情可随着时间的推移而变化,等等。这些情况都可能使契约不完备。(2)订立契约的成本太高,甚至高于契约带来的利益。如此一来,人们都不想付出太高的成本去订立一份所谓的完备合约。(3)在履约过程中,由于当事人双方信息不对称,其中一方可能欺骗另一方,这样也会使本来显得完备的契约变得不完备。退一步说,如果契约是完备的,那么这种契约关系反映的是一种市场关系,而不存在委托代理权关系。显然,这种市场关系是处于一种完全竞争的状态,在这种状态下,交易费用为零,代理成本也就不存在。因此,也就不存在委托代理权关系。有交易费用的存在,才会有企业的存在,企业是一个契约组织。

第五,可操作性。任何委托代理权关系契约,都必须具有可操作性,这样代理人才可能依照委托人的意愿行事。否则,代理人将无所适从。或者,代理人会违背委托人的意愿,实行内部人控制,损害委托人的利益,而委托人又拿代理人毫无办法,因为这是契约的不可操作性引起的。所以,要满足契约可操作性要求,一方面应在契约中尽量将内容规定得简单、明了、具体、现实、易于履约和监督。另一方面,委托人与代理人可以在讨价还价中达成契约,这样便于双方尤其是代理人全面理解契约。

三、构成委托代理权关系的条件

构成委托代理权关系的基本条件或要素可概括如下:

第一,委托人与代理人双方一般应具有谈判、订立契约的行为能力。委托人必须具备的第一个条件是能够作为契约的一方来谈判、签约并履行契约中的有关规定。因此,委托人与代理人在契约谈判之前,必须进行一系列的权衡。如果委托人不具备谈判、立约与履约的行为能力,就不能成为名副其实的委托人,因而也难以实现其财产的保值增值。同时,代理人也必须具备谈判、签约与履约的行为能力,他必须能够同委托人讨价还价,并在许多可供选择的契约中选择一项预定行为,既能满足自身利益的要求,又能尽量满足委托人利润最大化的要求。

第二,委托人必须具有财产能力。就是说,委托人必须是财产的所有者或财产的代表者,他必须具有付酬能力,并拥有规定付酬方式和付酬数量的权利。在市场经济条件下,财产常以资本来表示,而资本是一种稀缺资源,又是一种信号。资本雇佣劳动多半是因为资本与劳动相比是更稀缺的资源,具有信号导向。只有如此,委托人才能真正关心财产的增长。所以,具有财产能力是成为委托人的必备条件。

第三,代理人必须具有信息优势。就是说,代理人所拥有的私人信息比委托人更多,代理人更了解市场行情,更熟悉企业的经营管理。所以,由他代理委托人经营比委托人自己经营,更能带来经营效率的提高和财富的增长。否则,就没有必要建立委托代理权关系。代理人在某些情况下,也需要有财产能力以取信于委托人。例如,依靠借入资本从事经营的资本占有使用者,实际上也与提供资本的所有者形成了委托代理权关系,即代理资本所有者占有使用资本。但是,资本的占有使用者也需要有自己的财产作为取得借入资本的信用基础。

第四,委托代理双方都面临市场的不确定性风险。而且他们之间掌握的信息是非对称的。就是说,一方面,委托人不能直接观察代理人的具体操作行为;另一方面,代理人不能完全控制选择行为后的最终结果。因为,代理人选择行为的最终结果是一个随机变量,其分布状况取决于代理人的行为。正因为如此,委托人不能完全根据对代理人行为的观察结果来判断代理人的绩效(performance)。所以,在委托人建立和维护委托代理权关系的过程中,如何确立对委托代理双方都有利的合同,是委托代理权关系的核心内容。

第五,委托代理双方在其中一方违反合约时,可自由退出其契约关系。如果委托人或代理人都不能退出合约,而是被合约所锁定(Lock-in),那么这种委托代理权关系是封闭的,缺乏效率的。换句话说,不存在有效的退出机制的委托代理权关系,就不是规范的、高效的经济代理关系,而是非规范的、非效率的和非经济的代理关系。

通过上面的分析可以得到一点启示:国有企业改革以及国有资产管理体制改革都必须建立合理的、有效的委托代理权关系,这样才有利于发挥委托人与代理人的激励约束机制的作用,从而降低代理成本,提高企业经济效益。

四、国有资产委托代理权关系探索

国有资产的委托代理权关系可以分为四个层次:

第一层次,全民作为委托人将财产委托给中央政府代理形成的委托代理权关系。国有资产原始所有权主体是全体人民。在保证全体人民所有的前提下,国有产权不可能由每一个所有者去亲自行使,客观上只能由全体所有者委托给政府去代表全体所有者的利益进行组织和运营。这就产生了国有资产的第一层委托代理权关系,在这里,全体人民是委托人,国家则充当了代理人的角色。从理论上讲,在全民所有制下,每个公民均是全民财产的所有者。但是,从全民财产的管理和经营角度出发,如果每个公民都直接参与全民财产的占有使用和经营管理,必然产生降低国有资产经营管理的效率问题。因此,必须要求一个客观主体行使对这些财产的所有、占有使用和管理经营权。国家是充当这个客观主体的天然代表。然而,国家是一个抽象的范畴,于是中央政府成为全民所有财产终极代理人的逻辑选择。

第二层次,中央政府作为委托人与各级地方政府形成的委托代理权关系。政府是由中央政府和各级地方政府构成的整体,它们之间的区别在于行使政府权力的级次、管辖和履行职能的范围不同。党的十六大提出的建立中央和地方政府分别代表国家履行出资人职责的分级代表的国有资产管理新体制,实际上是建立了一种中央政府与地方政府之间的国有资产委托代理权关系。即将大部分国有资产的财产权,包括所有权、占有使用权、收益权、处分权和立法权等权能委托地方政府代为行使。中央政府保留国有资产终极所有者代表的权利，即最高层级的财产权代表，拥有最终所有权、占有使用权（控制权）、划拨权、监督权和最高立法权。同时给予地方政府以出资人代表的权利，即作为所有者代表所拥有的管辖范围内国有资产的完整的财产权利。这就为进一步调动地方政府监督管理国有资产的积极性和进一步完善国有资产所有者、占有使用者与具体监督管理经营者之间的产权关系，包括委托代理权关系创造了条件。

第三层次，政府与国有资本运营机构的委托代理权关系。政府作为国有资产的所有者代表，是否将所有权、占有使用权和经营权进行进一步授权，决定了国有资产委托代理链条是否进一步延伸。在社会主义市场经济条件下，政府充当全民财产的所有者是一个必然的选择，正是这种必然的选择，形成了国有资产的第三层次委托代理权关系，政府把国有资产所有权、占有使用权和监督管理经营权委托给国有资本运营机构的国有资产所有权代表、占有使用权代表和监督管理经营者。

第四层次，国有资本运营机构与其投资企业的委托代理权关系。国有资本运营机构将国有资产投资于企业，或形成国有独资公司，或组成有限责任公司，或设立股份有限公司。国有资本运营机构通过派驻公司的股东会、董事会、监事会等内部管理机构的代表参与企业的经营管理，同时，通过聘任经理人员形成进一步的具体经营执行委托代理权关系。

以前的国有资产管理体制改革主要是针对政府投资企业的国有资产委托代理权关系进行的改革。党的十六大以后实际上是对第二层次的委托代理权关系进行改革，即对中央与地方政府之间的委托代理权关系进行改革。这是因为，国有资产管理新体制的核心内容是实施分级代表体制，只有正确处理中央与地方政府的国有资产委托代理权关系，才能保证产权主体到位，保障国有资产产权主体的财产权利，使国有资产有效利用、发挥其调节控制国民经济运行的作用。

五、完善中央与地方国有资产委托代理权关系应满足的要件

构建和谐的委托代理权关系要满足以下条件：一是信息的非对称。即代理人因具体操办委托人交办事宜而拥有比委托人更多的隐蔽信息，使得代理人处于信息优势地位，而委托人处于信息劣势地位。二是契约关系。委托代理权关系首先是一种契约安排关系，该契约规定委托人与代理人的责、权、利边界以及某一可立约指标（如利润指标）之间的函数关系。三是利益结构。委托代理框架中一个最基本的问题是：委托人如何设计一个代理人能够接受的契约（激励约束机制）以促使代理人采取适当行动，在代理人追求自身效用最大化的同时最大限度地增进委托人的利益。四是法律规范。委托代理权关系最重要的是以法律形式确定和保护委托人和代理人各自的财产权利，特别是依据财产权利获得收益的形式、分配顺序和数量界限。

中央政府与地方政府的事权关系以及由此产生的财产权关系，具备构成委托代理权关系的要件。

从信息结构看，中央政府的目标函数是制定一系列政策，进行宏观管理，从而实现国有资产的有效配置以及社会经济结构的优化和社会福利效用的最大化；而地方政府则在管辖范围内依据委托的所有者财产权利具体实施。地方政府了解本地区国民经济发展的总量和结构等具体状况，中央政府显然不如地方政府更了解各个地区的具体情况。因此，中央政府处于信息劣势地位，而地方政府则处于信息优势地位。

从契约关系看，国有资产监督管理的分级代表体制意味着我国国有资产管理体制已经向分权型管理体制迈出了关键的一步。意味着地方政府履行地方经济建设和地方民经济发展宏观调控职能的进一步明确，地方政府已经在事实上成了真正的国有资产所有权和占有使用权主体，拥有完整的国有资产财产权利及相关权能，以及承担筹集国有资本金、组织国有资本金投入，进行经济结构调整，促进地方经济发展，完成地方经济建设和宏观经济调控任务的责任。由此形成了中央政府与地方政府之间的契约关系。这种契约关系由

法律固定下来就转变为法律关系。

从利益结构看,作为委托人的中央政府为了使经济建设和宏观经济调控的政策目标得以实现,通过建立分级代表为特征的国有资产管理体制,实际上已经赋予了地方政府依据国有资产所有权、占有使用权,获得股息形式的所有权收益和红利形式的占有使用权收益的权利。这将大大调动地方政府加强国有资产监督管理的积极性,促进国有企业进一步改革,提高经济效益。至于地方政府是否能够获得这些收益,主要取决于地方政府进一步实行国有资产委托代理体制的效率、委托代理权关系是否符合财产权利的基本规定性,是否符合生产力发展的要求、监督管理是否到位,是否能够激励具体监督管理经营代理人尽心尽责,努力达到福利效用的最大化。作为代理人的地方政府据此选择自己的努力行为,以求得自身利益最大化。尽管作为委托人的中央政府与作为代理人的地方政府的目标函数在范围上是不完全一致的,但他们都是社会利益最大化的追求者,通过分级代表委托代理体制的建立,有可能实现各方利益的最大化。

从法律规范看,分级代表体制的一个重要内容是赋予地方政府依据中央政府国有资产监督管理基本法律法规,结合地方实际制定实施细则的立法权利。这就为地方政府以法律形式确定和保护地方政府委托人和代理人各自的财产权利,特别是依据财产权利获得收益的形式和数量界限,从而为进一步完善地方政府与国有资产具体管理经营者委托代理权关系,提供了法律保障的可能。地方政府应当充分认识新体制给予地方政府的立法方面的权利,积极完善地方国有资产监督管理的法律法规,推进国有资产管理体制改革的深化,完成地方政府的经济建设职能和调控职能,促进国有企业经济效益的提高和生产力的进一步发展。

六、中央与地方国有资产委托代理权关系的实质

中央与地方国有资产委托代理权关系的实质,是中央与地方国有资产所有者和占有使用者财产权利分配关系。我国幅员辽阔,地区之间发展不平衡,国有企业数量多,财产权利高度集中的中央政府国有资产管理部门无法行使

对众多企业的国有资产管理权能。因此,必须由中央和地方政府分级履行国有资产管理的职责,才能真正代表全体人民管理好国有资产。管理国有资产是实现国民经济发展的重要手段,因此,要发挥中央和地方两个方面的积极性。有的国有企业是地方通过各种途径筹措资金创办的,这些国有企业需要地方政府的协调,由地方政府进行管理和进行收益分配,才能尊重和调动地方发展经济的积极性。但是,一些由中央投资建设的国有企业,一些涉及到国家安全和全国性经济生活的重大设施,一些全国垄断性的国有企业,需要由中央一级政府代行所有者的职责,由中央政府来进行管理,才能保证宏观经济调控目标的实现。中央政府与地方政府国有资产委托代理权关系的调整,将为促进国有企业的改革,经济效益的提高和促进整个社会生产力的发展创造更好的体制环境。

第二节 改革中央与地方国有资产委托代理权关系的理论依据

一、马克思主义财产权学说揭示的委托代理权关系原理

马克思通过对资本主义社会财产权利的分析,提出了三权分离理论,揭示了委托代理权关系的基本规定性,为我们正确处理国有资产的委托代理权关系提供了理论依据。

(一)货币资本所有者与银行之间的委托代理权关系

马克思认为,现代社会的货币资本所有者将货币资本的实际控制权交给银行家去行使,而后者并不是货币资本的所有者,并不拥有货币资本的所有权,但却拥有实际控制货币资本的权利。这就在实际上形成了货币资本所有者与银行家之间的委托代理关系。在分析资本主义社会利润分割问题时,马克思指出:"随着大工业的发展,出现在市场上的货币资本,会越来越不由个别的资本家来代表,即越来越不由市场上现有资本的这个部分或那个部分的所有者来代表,而是越来越表现为一个集中的有组织的量,这个量和实际的生

产完全不同,是受那些代表社会资本的银行家控制的。"①马克思还指出:货币"只有在它是执行职能的资本的时候",才留在使用者手中。"只要资本到期流回,它就不再作为资本执行职能。"而作为不再执行职能的资本,它就必须再转移到货币所有者手中,因为货币所有者"一直是它的法律上的所有者。"②可见,在现代社会,在货币资本所有者与银行家之间实际上形成了一种委托代理权关系。即货币资本所有者并不直接控制其所有的货币资本,而是由银行家来控制这些货币资本。银行家实际上拥有货币资本的控制权,即货币资本的占有使用权。

(二) 借贷资本家与职能资本家之间的委托代理权关系

货币资本所有者让渡给商品生产者和经营者的货币资本,从本质上说是让渡了借贷资本的支配权,于是形成了在借贷资本家与职能资本家之间的委托代理权关系。马克思指出:"要把自己的货币作为生息资本来增殖的货币所有者,把货币让渡给第三者,把它投入流通,使它成为一种作为资本的商品;不仅对他自己来说是作为资本,而且对别人来说也是作为资本;它不仅对把它让渡出去的人来说是资本,而且它一开始就是作为资本交给第三者的,这就是说,是作为这样一种价值,这种价值具有创造剩余价值、创造利润的使用价值。"③ 可见,货币资本所有者通过借贷资本家将货币资本让渡给产业资本家,目的是获得货币资本财产的收益,即带来剩余价值。而借贷资本家将货币资本让渡给产业资本家生产剩余价值,实际上就是在借贷资本家与产业资本家之间形成了一种委托代理权关系,即由产业资本家代表借贷资本家执行实际控制货币资本的权利。

(三) 职能资本家与监督管理人员和经理之间的委托代理权关系

马克思指出:"资本主义生产本身已经使那种完全同资本所有权分离的指挥劳动比比皆是。因此,这种指挥劳动就无须资本家亲自担任了。一个乐

---

① 马克思:《资本论》第三卷(上),人民出版社 1975 年版,第 413 页。
② 马克思:《资本论》第三卷(上),人民出版社 1975 年版,第 381 页。
③ 马克思:《资本论》第三卷(上),人民出版社 1975 年版,第 384 页。

队的指挥完全不必就是乐队的乐器的所有者"。① 监督劳动和指挥劳动是行使资本占有使用权的表现形式,是一种具体的代理管理经营权。马克思还说:"与信用事业一起发展的股份企业,一般地说也有一种趋势,就是使这种管理劳动作为一种职能越来越同自有资本或借入资本的所有权相分离"。② 可见,借贷资本财产所有者对于货币资本财产所有者来说,实际上是拥有了货币资本财产的占有使用权,而银行经理则应当是拥有货币资本财产管理经营权的主体;在企业,拥有货币资本财产占有使用权的是企业主,而拥有企业监督管理经营权的则是企业的监督管理人员和经理。监督管理人员和经理实际上是接受货币资本的占有使用者的委托,代表资本财产的占有使用者在行使监督管理和经营的职能。

对于借入资本财产的占有使用者(职能资本家)来说,也存在着借入资本财产占有使用权与管理经营权的分离。企业的法人代表和决策层虽然拥有借入资本财产的占有使用权,承担着按期偿还借入资本本金和支付利息的责任和义务,但是,他不一定要亲自行使这个资本财产的管理经营权。他可以将这个资本财产的管理经营权委托给管理人员和经理去行使,而他则依据借入资本财产的占有使用权获得企业主收入,监督管理人员和经理则依据管理经营权获得年薪。因此,资本财产的所有权、占有使用权与管理经营权相分离,是监督劳动和指挥劳动的出现的根本原因,反映了职能资本家与监督管理人员和经理之间的委托代理权关系。

即使是用自有资本从事经营,也可以形成委托代理权关系。表现在自有资本财产的所有者拥有自有资本财产的所有权,而他同时又是职能资本家,拥有自有资本财产的占有使用权。但是,他可以将具体的监督管理经营权委托给管理人员去行使。因此,他既可以依据资本财产所有权获得利息收益,同时又可以依据资本财产的占有使用权获得企业主收入。而管理人员和经理则是受托执行具体管理职能的经营者,因此他依据资本财产的管理经营权(或者

---

① 马克思:《资本论》第三卷(上),人民出版社 1975 年版,第 435 页。
② 马克思:《资本论》第三卷(上),人民出版社 1975 年版,第 436 页。

也可以说是依据他对自身的管理经验、管理才能、决策能力等无形资本的所有权),以年薪的形式参与企业利润的分配。

(四)委托代理权关系产生的根本原因

委托代理权关系产生的根本原因是资本财产的所有权、占有使用权与管理经营权相分离。这是大规模协作生产的一个必然规律。

1. 监督和指挥劳动是大规模社会劳动的客观要求

大规模协作生产和社会劳动,客观上要求监督劳动和指挥劳动作为必要条件而存在。马克思指出:"起初资本指挥劳动只是表现为这样一个事实的形式上的结果:工人不是为自己劳动,而是为资本家,因而是在资本家的支配下劳动,随着许多雇佣工人的协作,资本的指挥发展成为劳动过程本身的进行所必要的条件,成为实际的生产条件。现在,在生产场所不能缺少资本家的命令,就像在战场上不能缺少将军的命令一样。一切规模较大的直接社会劳动或共同劳动,都或多或少地需要指挥,以协调个人的活动,并执行生产总体的运动——不同于这一总体的独立器官的运动——所产生的各种一般职能。一个单独的提琴手是自己指挥自己,一个乐队就需要一个乐队指挥。一旦从属于资本的劳动成为协作劳动,这种管理、监督和调节的职能就成为资本的职能。这种管理的职能作为资本的特殊职能取得了特殊的性质。"①因此,监督劳动和指挥劳动是协作生产和大规模社会劳动的必要条件,也是劳动过程的实际生产条件。

2. 监督和指挥劳动是提高经济效益的必然要求

监督劳动和指挥劳动是由资本主义生产过程的动机和目的决定的。马克思指出:"资本主义生产过程的动机和决定目的,是资本尽可能多地增殖,也就是尽可能多地生产剩余价值,……随着作为别人的财产而同雇佣工人相对立的生产资料的规模增大,对这些生产资料的合理使用进行监督的必要性也增加了。……雇佣工人的协作只是资本同时使用他们的结果。他们的职能上的联系和他们作为生产总体所形成的统一,存在于他们之外,存在于把他们

---

① 马克思:《资本论》第一卷(上),人民出版社 1975 年版,第 367~368 页。

集合和联结在一起的资本中。因此,他们的劳动的联系,在观念上作为资本家的计划,在实践中作为资本家的权威,作为他人意志——他们的活动必须服从这个意志的目的——的权力,而和他们相对立。"①可见,监督劳动和指挥劳动的目的是追求更多的剩余价值、合理使用生产资料,节约不变资本和提高生产总体的效益,而要达到这一目标必须服从统一的权力。

3. 社会化大生产决定了多层次的委托代理权关系

企业的规模越大,委托代理权关系层次就越多,激励和监督就越重要。这在现代大型企业中表现得尤为明显。在以自有资本进行生产经营活动的场合,多层次的委托代理权关系建立以后,所有者的权利主要表现为决定资本的投向和数量,依据所有权进行监督和获得股息收益;而所有者由于是以自有资本进行经营,因此他还是占有使用者,拥有占有使用权,即还要执行资产收益、重大决策、选择经营者等方面的职能。也就是说,在以自有资本进行生产经营活动的场合,所有者以资本所有者的身份掌握所有权并以股息形式获得所有权收益,同时以资本占有使用者的身份掌握控制权和以红利形式获得占有使用权收益。

当然,所有者也可以将所有者的权利委托其代表去行使,例如,委派的股东代表;还可以将占有使用权(重大决策权、监督管理权)委托给指定的董事长和监事会主席。但是,无论是所有者委派的股东代表,还是指定的董事长和监事会主席,都是所有者和占有使用者的代理人。所有者和占有使用者仍然要对这些代理人实行有效的监督,只有有效地监督,才能防止代理人的欺诈或偷懒行为。也就是说,一方面要保证代理人能充分独立自主地进行企业重大决策管理和监督活动,另一方面又要使代理人行为本身受到应有的制衡和监督。而企业具体的生产经营活动和监督劳动的职能,则由占有使用者的代理人进一步委托给经理等管理人员去履行。

(五)马克思主义委托代理权关系理论的指导意义

马克思揭示的委托代理权关系理论,对分析我国国有资产的委托代理权

---

① 马克思:《资本论》第一卷(上),人民出版社1975年版,第368页。

关系具有重要指导意义。委托代理权关系理论是马克思主义财产权学说三权分离理论的延伸,是马克思主义财产权理论的重要内容。建立现代产权制度,正确处理政府国有资产监督管理机构与其各个方面代理人的财产权关系,进而正确处理中央与地方之间的国有资产产权关系,应当以马克思主义财产权学说的委托代理权关系理论为指导。

第一,揭示了委托代理现象产生的必然性,即委托代理现象是社会化大生产的必然要求。根据这一原理,生产社会化程度的提高,带来资本的高度集聚和经营的高度专业化,对国有企业的生产经营提出了新的要求,要求拓宽融资渠道,扩大资本规模,从而形成企业投资主体多元化。在多元化的投资主体格局中,任何一个出资人都不可能凌驾于其他出资人之上,按照自己的意志去直接经营企业,而必须共同决策,共同分享经营收益;且资本经营又要求国有企业必须实行集权经营,政府出资人要按照预先达成的契约行使自己的权利,并以契约的形式将资本共同授托给专业经营者(经理)去经营。于是,就出现了资本的所有权、占有使用权同经营权的分离。同时,由于国有企业生产经营高度专业化,要求经营者具备较高的专业技能和经营才能,广泛占有信息,并根据市场供求状况灵活做出判断,这也要求国有资本所有者和占有使用者冲破自有自营的界限,将经营权授予专门的经理阶层,实现国有资本所有权、占有使用权与经营权的分离。

第二,揭示了委托人和代理人之间财产权利的基本规定性。包括:不同委托人依据的财产权利不同,获得的收益形式不同;不同代理人依据的财产权利不同,获得的收益形式也不同。自有资本所有者作为委托人具有双重身份以及相对应的两种收益形式。用马克思的委托代理权关系理论来解释,国有资产的委托代理权关系应当是:政府是在用自有资本从事生产经营活动,政府作为委托人(所有者)将所有者职能委托国有股东代表行使;政府同时又是国有资本的占有使用者,将资产的控制权委托给占有使用者的代表(控制权代理人——委派的董事长、监事会主席)行使,占有使用者的代表又将资产的具体经营管理权委托给经营管理代理人行使。政府作为国有资产的所有者保留对资产的所有权(投向决策权)、占有使用权(实际控制权),以及相关的所有者收益权、占有使用者收益权和监督权,并对股东代表、占有使用代理人和具体生产经营代理人的行为进行激励和监督。

第三,正确处理委托代理权关系将对生产力的发展产生积极的促进作用。现代企业的经理、董事和监事都在履行着监督管理劳动的职能或指挥劳动的职能。因此,他们的劳动是建立现代企业制度所必须的条件。既然监督劳动和指挥劳动是劳动过程的实际生产条件,那么,这种生产条件就是社会生产的一种必要的物质要素。监督劳动和指挥劳动作为物质要素,其内涵应当是监督管理人员对其自身管理经验、管理才能、决策能力等无形资本的所有权。因此,监督管理人员应当依据这种管理要素的所有权获得要素投入的收益。同理,拥有技术、专利等无形资本所有权的企业技术人员,也应当依据技术要素的所有权获得技术要素的投入收益。由此可见,所有权、占有使用权与经营权的分离是生产力发展的必然趋势,委托代理权关系的产生具有必然性。委托代理权关系产生的经济基础是生产力的高度发展。明晰国有资产所有者、占有使用者的身份和委托权利,明确国有股东代表、董事长、监事会主席、经理等管理要素所有者的身份和代理权利,以及在此基础上产生的进一步的委托代理权关系,将会极大地调动代理人的积极性,从而节约资本的使用,提高经济效益,促进劳动生产率的提高,为委托人,同时也为代理人自己谋求更多的收益。

第四,揭示了中央与地方国有资产委托代理权关系存在的必然性。社会主义国家国有资产的特殊性质决定了国有资产的委托代理权关系必然是多层次的。由于社会主义国家的国有资产组织形式是根据社会化大生产的要求确定的。由于国有资产数额巨大,分布广泛,即使是建立了专职的国有资产监督管理机构,也不可能对全部所投资企业进行直接监管和经营。因此,国有资产的委托代理权关系既包括全体人民与政府之间的委托代理权关系,也包括中央政府与地方政府之间、国有资产监督管理机构与所有权代表之间、占有使用权代表之间、具体监督管理经营者之间的委托代理权关系。

进一步看,全体人民把全民产权委托给中央政府,除部分特殊产权(如涉及国家安全)需要由中央政府直接行使各项权能外,大部分国有产权必须寻求有效的具体实现形式。为了达到既保证国家所有权得以有效地实现，又不丧失国家所有者权益的统一性，国有产权客观上需要进行多层次分解。即，通过建立委托代理体制，委托地方政府去履行国有资产的所有权和占有使用权，形成多层次的国有资产委托代理权关系。

二、西方委托代理理论

（一）委托代理收益问题

西方委托代理理论认为，委托代理权关系能够得以建立，是因为能为经济主体双方带来预期的净收益，并且达到双赢的目标。这是作为一种制度安排的最关键的支持因素。一般地说，委托代理收益是指由分工和专业化的发展所带来的比较收益和规模收益之和，它来自于分工效果和规模效果。分工效果是指持有不同条件禀赋（技能和偏好等）的两个或两个以上的经济主体通过分工而各自获得的超额效用，而规模效果是指经济主体随参与的经济活动规模的增大而获得的边际效用的增加超过边际规模的增大。

（二）委托代理成本问题

委托代理成本一般是指代理人的偷懒、不负责任及机会主义行为并以种种手段从公司攫取财富而给委托人带来的损失，以及委托人为抑制这种行为所花费的费用。代理成本来源于管理人不是企业的完全所有者这样一个事实。在部分所有的情况下，一方面，当管理者对工作尽了努力，他可能承担全部成本而仅获取一小部分利润；另一方面，当他消费额外收益时，他得到全部好处但只承担一小部分成本。结果，他的工作积极性不高，却热衷于追求额外消费，于是企业的价值也就小于他是企业完全所有者时的价值，这两者之间的差异即被称作代理成本。

代理成本产生的根源在于行为主体的利己主义动机及委托人与代理人之间的信息不对称性。经济主体的利己动机是客观存在的，由于利己动机的存在，经济主体各自追求效用的最大化，即委托人与代理人都以各自经济利益的最大化作为行为目标。因此，二者的目标函数不一致，代理人不可能自觉地将委托人的利益作为自己的行为准则。另外，在现代社会信息不完全的情况下，代理人拥有更多的私人信息,委托人无法准确了解代理人的自然禀赋及代理行为,双方之间存在严重的信息不对称性。由于经济主体的利己性和信息不对称的双重作用,引致道德风险和逆向选择。道德风险是指代理人利用自己的信息优势,通过减少自己的要素投入或机会主义行为在为自己最大限度地增进效用时,做出损害他人利益、降低组织效率的行为。如偷懒、不负责任甚至过度地在职消费等等。逆向选择是指如果私有信息无法为他方验证,掌握私有信息的人就有可能隐瞒或者谎报真实情况,以获取自己的经济利益。

(三)激励与约束机制问题

从管理科学的角度看,激励机制是指在组织系统中,激励主体通过激励因素与激励对象之间相互作用的方式。激励机制包括五个方面的制度:

1. 诱导因素集合,是指能满足一个人的某种需求,激发一个人的满足行为,诱导他去做出一定绩效的因素;

2. 行为导向制度,是指对激励对象的努力方向和所倡导的价值观的规定;

3. 行为幅度制度,是指由诱导因素所激发的行为强度量的控制措施;

4. 行为控制制度,是指对诱导因素作用于激励对象在时间和空间上的规定;

5. 行为规范制度,是指对激励对象行为规范的事前预防和事后处理。

而约束机制则是指在组织系统中,约束主体通过一系列的制度安排限制约束客体的不良行为。激励与约束是一对矛盾统一体,从行为方式上看是对立的,从最终目的看则是统一的,两者相伴相生,没有无激励的约束,也没有无约束的激励。在激励的同时必然存在约束,在约束的同时也必然存在激励。

西方委托代理理论侧重于研究对代理人的激励和约束机制。这是因为在所有权与经营权分离的情况下,委托人和代理人之间信息不对称,两者的目标函数可能不一致,代理人的行为倾向存在着道德风险和逆向选择的可能。为了防止代理人偷懒、不负责任及机会主义行为,委托者必须设计出更有激励意义的契约安排,对代理人进行激励与约束。从更深层面看,这种必要性来自于非对称性和非确定性两个原因。非对称性是指在代理制下委托人与代理人责任不对称,委托人承受的是资本的风险,而代理人承受的只是职位的丧失和收益的减少。非确定性表现在，委托人缺乏对代理人努力水平的了解与认识，委托人永远无法判断出哪一种努力程度是与委托人的利润最大化目标相对应的。另外，利润目标也是一个不确定因素，委托人与代理人之间签订的合约中的利润目标未必是一个最大的利润目标，无法反映代理人的最佳努力水平。由于责任不对称和不确定性因素的存在，产生了委托人对代理人行为激励和约束的内在要求。委托人希望通过建立激励约束机制激发代理人的责任心和创造性，抑制其不良的动机和行为，通过代理人绩效的提高，在抵偿代理成本后，能获得更大的收益。

我国学者张维迎认为，西方委托代理关系理论建立在两个基本假设上：一是假设委托人对随机地产出没有（直接的）贡献；二是假设代理人的行为不是直接地被委托人观察到。在这两项假设下，这一理论给出两个基本命题：一是在任何满足代理人参与约束及激励相容约束，而使委托人预期效用最大化的激励合约中，代理人都必须承受部分风险；二是如果代理人是一个风险中性者，那么就可以通过使代理人承受完全的风险（即使他成为惟一的剩余权益者）的办法来达到最优结果。[1] 我国公有经济中的委托代理关系则具有特殊性，它表现为两大等级体系，即从初始委托人到国家权力中心的自下而上的授权链，以及从权力中心到最终代理人的自上而下的授权链。[2] 政府作为联系双重体系的关键人，既是初始委托人的代理人，又是最终代理人的委托人。由于体制背景与假设条件的差异，当借鉴西方的委托代理理论来剖析这种多级代理关系时，就必须拓展委托代理理论的分析框架，加强对既是代理人又是委托人的政府行为的剖析，否则很难得出具有解释力的结论。

我们认为，西方委托代理理论在代理合约建立的基础（即在自由选择和产权明晰化基础之上）、维持合约的条件（代理成本小于代理收益）、委托人的风险意识（拥有剩余索取权的委托人是风险中性者，从而不存在偷懒动机，即具有监督代理人行为的积极性）、委托人的权利（由于剩余索取权具有可转让

---

[1] 张维迎：《企业理论与中国企业改革》，北京大学出版社1999年版，第53页。
[2] 张维迎：《公有制经济中的委托人——代理人关系理论分析和政策含义》，见《经济研究》，1995年第4期。

性,委托人通过行使退出权惩罚代理人违约行为的威胁是可信的)等方面的分析,具有合理性,在建立对代理人的激励约束机制方面的结论,即研究设置一种能给代理人足够刺激和动力的机制或合约,使代理人在追求个人效用的同时实现委托人预期效用最大化,对我国国有资产委托代理权关系的改革具有一定借鉴意义。但是,西方学者的委托代理理论并没有对这种激励约束机制做进一步具有可操作性的设计,因此还只是局限于理论层面。从这一点上来比较,马克思主义财产学说关于三权分离理论、财产权收益分配理论、特别是在产权主体拥有的财产权利、收益形式和收益的数量界限等方面的论述,具有特别重要的意义。

三、改革中央与地方国有资产委托代理权关系的意义

改革中央与地方国有资产委托代理权关系,是国有经济适应市场经济的核心问题,是深化国有企业改革的关键,是为促进社会生产力发展而在生产关系方面进行的重要变革。因此,改革中央与地方国有资产委托代理权关系具有重要意义。

(一)发展社会主义市场经济的客观要求

建立有效的中央与地方国有产权委托代理体制,是国有经济适应市场经济的核心问题。国有资产的经营过程是市场行为,市场的作用和效率决定国有资产的运营效益,国有资产的管理要更多地运用市场手段。为此,应建立权责明晰的国有资产所有权委托代理体制,落实国有资本的管理监督和运营责任,国家要由管理企业转向管理产权,形成对经营性国有资产追溯产权责任的体制和机制。实行所有权、占有使用权和企业经营权分离,建立出资人机构,受政府委托拥有股权,依照《公司法》以股东的方式行使出资人权利,履行出资人职责。企业在公司治理的框架下,拥有法人财产权,自主经营,自负盈亏,向出资人负责,成为独立的市场主体。要实现市场经济的发展,完全靠中央政府统管政府投资的企业,显然不能实现委托人到位,难以达到有效的监督和激励目的。因此,需要进一步实行中央对地方的国有产权委托代理体制,给予地方政府更多的财产权利,以发挥地方政府在促进市场经济发展中的重要作用。

(二)地方政府履行经济建设职能的需要

市场经济条件下,国有资本在经济建设领域的配置,主要目的是优化经济结构,实现政府的宏观经济调控目标,这也是各级政府履行经济建设职能和宏观经济调控职能所涉及的领域。从弥补市场缺陷、解决市场所不能解决的经济结构失衡问题的角度看,各级政府都应当履行经济建设的职能。由于各级政府履行经济建设职能的客观需要,完善国有资产的委托代理权关系具有必然性。

国有资产分级代表体制的确立,在实际上明确了各级政府的经济建设职能,从而明确了地方各级政府接受委托以出资人身份组织国有资本运营活动的责任,是中央政府与地方政府国有资产委托代理权关系的重大调整。因此,需要进一步完善有效的中央与地方国有产权委托代理体制,进一步清楚界定地方政府的财产权利,充分发挥地方政府的经济建设职能作用。

(三)提高国有资本运营效率的必然要求

党的十六大以前,无论是中央政府还是地方政府,都未能完全担负起行使所有者和占有使用者权利的重任。党的十五届四中全会提出了国家所有、分级管理、分工监督、授权经营的国有资产管理体制改革方针,但由于授权内涵、授权的对象及相应所需的条件、特别是依据财产权利获得收益的形式和数量界限等问题并未十分明确,改革方针仍难真正到位。地方政府实际上控制地方国有企业,承担资本运营的相应责任,但在法律上却无所有权和占有使用权,因此拥有实际管理权的地方政府不能决策。

改革中央与地方国有资产委托代理权关系,地方政府成为拥有所有权的次一级委托人,可以开展进一步的委托授权,从而使所有权代表和占有使用权代表进入企业,实施所有权管理和重大决策权、聘任经营者管理的国有资本运营委托代理体制,将有效实现国有产权约束。国有资本运营管理实行中央和地方分级委托代理,可以调动中央与地方政府的积极性,增强其责任心,能够促进责权利的细化,避免所有权、占有使用权和经营管理权的含混不清。委托代理关系更加明晰化的结果是所有者、占有使用者到位,经营管理权明确,所有权和占有使用权的约束显化和硬化。在法律程序上确认地方政府的国有资本委托代理权,能够有效加强地方政府运营国有资产的意识,克服短期行为和不作为心理,改变国资本运营管理权的割裂状态,有助于明晰产权,实现责、权、利关系的对等,有利于塑造市场多元产权主体,从而大大提高国有资本运营效率。因此,提高国有资本运营效率需要建立有效的中央与地方国有产权委托代理体制,明确中央和地方政府作为委托人的权利,责任和义务。

(四)为国有企业改革创造条件

改革中央与地方国有资产委托代理权关系,目的是推进国有企业改革和发展。从理论上讲,无论是国有企业的改制,还是国有经济有进有退的结构性调整,都会涉及到出资人问题和财产收益分配问题。但长期以来,由于没有在中央与地方之间确立科学的国有资产委托代理权关系,因而在国有企业改革的实际工作中,各个层面都在有意或无意地淡化、回避出资人问题和财产收益分配问题,以求绕过这个无法解决的问题使国有企业改革也能有所推进。所以,前一段的国有企业改革是回避了出资人问题和财产收益分配问题的改革。在这种背景下,虽然国有企业改革也取得了很大进展,但其本身是存在欠缺的,这是我们必须正视的问题。在国有企业改革过程中,我们在国有大企业建立现代企业制度方面做了很多工作,包括推动企业改制,也包括企业改制后的规范化管理,但相当一部分国有企业进行公司制改革后的效果并不十分明显。究其原因,由于委托代理关系不顺而导致的出资人不到位和财产收益分配不科学是最根本性的问题,没有负责任的出资人去严格地选任、考核经营者、没有建立与管理要素财产权相对应的收益分配制度等激励约束机制,仅仅从形式上去规范公司的法人治理结构,难以真正建立现代企业制度和达到预期的改革目标。

从改革发展的现实来看,改革中央与地方的国有资产的委托代理权关系,既有利于建立现代企业制度,解决国有企业产权主体权利、责任、义务模糊的问题,形成有效的公司法人治理结构;又有利于抓大放小,推动国有企业实施宏观战略改组。一方面,中央政府可以集中精力,从全国经济发展大局出发,抓好关键产业和骨干企业,发挥主导国民经济的作用,当好大所有者;另一方面,地方政府则可以因地制宜,搞活大批地方中小企业。因此,要建立新的国有资产管理体制,必须认真研究和处理好中央和地方之间的国有资产委托代理权关系,实现国有资产全方位、多层次的有效管理和经营。

　　国有企业改革与国有资产管理体制改革是密不可分的。国有企业在现代企业制度建设方面存在很大差距,一个根本原因就是国有资产委托代理体制改革滞后,突出表现为出资人没有真正到位和对国有资产多头管理。过去是以国有企业改革促进国有资产管理体制改革,十六大以后是以国有资产管理体制改革推动国有企业改革。我们说国有企业改革进入新阶段,这是一个重要特征。中央与地方国有资产委托代理权关系的改革,一方面将为深化国有企业改革创造条件,另一方面对加快国有企业改革提出了更为迫切的要求。实现国有资产保值增值,必须首先实现产权清晰,确保委托人层层到位,代理人权利、责任和义务对等,关键是要建立一整套落实委托代理权利和责任的制度。包括健全法人治理结构,明确委托人和代理人财产权利、获得收益的形式和数量界限,形成有效的激励和约束机制,加强对代理人的监管等。所有这些,都要求深化国有企业改革,加快现代企业制度建设步伐。中央与地方国有资产委托代理权关系的改革,应该能够推动国有企业改革的深化,推动国有企业体制创新、技术创新和管理创新,推动公司治理与国际惯例接轨。

第三节　中央与地方国有资产委托代理权关系现状分析

一、国有资产委托代理权关系的几次调整

　　在我国国有资产管理体制改革的进程中,国有资产的委托代理权关系进行了多次调整。

(一)国有资产委托代理体制改革初期(建国初期~1977年)

　　建国初期我国实行的高度集中统一的经济体制,应该说对于巩固政权建设和保证国家安全是很必要的,取得了伟大的成就,尽管付出的代价也是巨大的。正是由于国家实行对国有资产的高度集中统一管理,我们才能够集中人

力、物力和财力办大事,完成了156项重点工程的建设,建成了一大批大中型国有工业企业,形成了比较完整的工业体系和国民经济体系;顺利完成了第一个五年计划任务,极大地发展了社会生产力和我国的综合国力。但随着经济的进一步发展,高度集中的计划经济体制逐渐显露出不适应经济发展的方面。于是,在党的十一届三中全会以前,我国就对计划经济体制、特别是国有资产委托代理体制的改革进行过探索。由于国有资产在法理上属于国家,所以对于国有资产委托代理体制长期以来仅仅是在中央与地方之间的一种行政管理上的分合,主要是管理权限的委托代理和管理范围的调整。

第一次是1956年至1957年,即我国第一个五年计划末期。随着社会主义改造的基本完成和经济发展,国有资产管理体制的某些弊端开始显露。针对当时中央集权过多、管得过死的实际情况,党中央在八大会议上和会议前后,提出了改进措施。1957年10月,在党的八届三中全会上,通过了《关于改进工业管理体制的规定(草案)》、《关于改进商业管理体制的规定(草案)》和《关于改进财政管理体制的规定(草案)》。这三个关于经济体制改革的规定,总的精神是调整中央和地方、国家和企业的关系,把一部分工业管理、商业管理和财政管理的权利下放给地方和企业,以便进一步发挥它们的主动性和积极性。改革的方案是合理的,方法步骤也是稳妥的。从这三个规定来看,虽然也提出了要扩大企业的自主权的问题,但着眼点主要是放在调整中央与地方的管理权限委托代理关系上,对如何处理中央与地方之间的产权委托代理关系以及国家与企业之间的产权委托代理关系问题还没有提到应有的位置上来。

第二次是1958年大跃进期间进行的改革。改革的主要内容包括:把中央各部属企业的大部分下放给地方管理;把部分基本建设项目审批、计划管理等权限下放到地方,让地方自成体系,实行以地方为主的条块结合体制。同时,还相应地下放部分财权、税收权和招工权。

第三次是1961到1965年经济调整时期的体制改革。针对上述改革造成的经济比例严重失调和权力分散问题。这次改革主要是重新强调集中统一原则,上收企业,统一计划。

第四次是文化大革命期间国有资产管理体制的变动。在批条条专政的口号下,一部分大中型企业下放地方管理,物资管理权、基建投资权、计划管理权、税收减免权、信贷权、招工权等也基本归地方掌握。

总的来看,党的十一届三中全会以前的改革,主要是围绕国有资产经营管理权限在中央与地方之间如何划分问题,没有从改革国有企业角度来深化改革,也没有从明晰企业内部产权关系的角度来进行改革,当然也没有触及中央与地方国有资产产权委托代理制度改革问题。

(二)国有资产委托代理体制改革探索时期(1978年~2002年)

1978年12月18日至22日中国共产党第十一届中央委员会第三次全体会议召开,全会的中心议题是讨论把全党的工作重点转移到社会主义现代化建设上来。指出,在经济建设问题上,从纠正急于求成的错误倾向和全党要注意解决好国民经济重大比例严重失调等问题出发,必须采取一系列新的重大措施,对陷于失调的国民经济比例关系进行调整,并且对权力过分集中的经济管理体制着手认真的改革。党的十一届三中全会以后,我国开展了全面的经济体制改革,这一时期国有资产管理体制改革也取得了重大进展,但主要围绕国有企业的改革,而不是将重点放在中央与地方国有资产委托代理权关系上。我国国有企业的改革是从放权让利开始的。针对计划经济体制下国家对企业管得过死和职工报酬与企业经济效益脱节的弊端,经济体制改革最初采取了扩大企业经营自主权、强化对职工物质利益激励的措施。

1984年10月20日中国共产党第十二届中央委员会第三次全体会议召开。全会通过了《中共中央关于经济体制改革的决定》。指出改革的基本任务,是从根本上改变束缚生产力发展的经济体制,建立起具有中国特色的、充满生机和活力的社会主义经济体制。十二届三中全会以后,国有企业改革开始向企业承包经营责任制转换,到1987年底,国有工业企业承包面达到80%,同时在少部分企业进行了租赁制和股份制改革试点。放权让利式的改革虽然具有见效快的优点,但这种改革毕竟是浅层次的,没有涉及中央与地方之间的国有资产委托代理权关系的调整,未能触及企业产权制度这一根本性问题,也未能实现企业经营机制的实质性转变。

在国有企业的改革过程中,人们开始认识到国有资产产权委托代理的重要性。改革的实践推动了国有资产委托代理体制改革理论研究的深入。1986年起,理论和实际工作者开始对我国企业改革实践进行反思,逐渐认识到只着眼于企业放权让利改革是不够的,应当从根本上解决政企不分和企业经营机制转换的问题。通过对政企不分的国有企业管理体制的深入分析,人们认识到政企不分的症结在于政资不分,即由同一行政机构既执行社会经济管理者的职能,又行使国有资产所有者的职能;认识到要搞活国有企业和实现政企分开,国家社会经济管理职能与国有资产所有者职能相分离是必要的。

理论和实践的探索为国有资产委托代理体制改革进行了准备。1988年,国务院决定成立国家国有资产管理局,归口财政部管理。国有资产管理局作为国务院国有资产行政管理的专司机构,负责对国有资产进行综合管理。

1993年11月14日党的十四届三中全会通过了《中共中央关于建立社会主义市场经济体制若干问题的决定》。指出,社会主义市场经济体制是同社会主义基本制度结合在一起的。建立社会主义市场经济体制,就是要使市场在国家宏观调控下对资源配置起基础性作用。要进一步转换国有企业经营机制,建立适应市场经济要求,产权清晰、权责明确、政企分开、管理科学的现代企业制度。

十四届三中全会以后,我国开始了对国有资产委托代理体制的新的探索,包括对中央与地方国有资产委托代理权关系和政府与企业之间国有资产委托代理权关系的探索。国有资产实行国家统一所有、政府分级监管、企业自主经营的管理体制。国务院代表国家统一行使国有资产所有权,通过授权委托地方政府负责管辖范围内的国有资产管理权责。地方各级人民政府根据国务院的规定设立国有资产管理部门,对地方管辖的国有资产依法实施行政管理。但这一改革仍然没有触动委托代理权关系的实质,即委托人和代理人的财产权利、各自责任,以及委托人对代理人的激励约束机制问题,因此没有达到预期的效果。

(三)全面深化国有资产委托代理体制改革新时期(2003年~2006年)

党的十六大指出了国有资产委托代理体制进一步改革的方向。中央与地方新的国有资产委托代理权关系即将形成。党的十六大提出的建立新的国有资产管理体制的重要思想,回答了国有资产统一所有还是分级所有的问题,明确了中央政府与地方政府的委托代理权关系。国有资产所有者的终极代表是国家,中央政府和地方政府分别代表国家履行出资人职责。即实行所有权的委托代理,地方政府既具有代理行使所有权的代理人身份,同时还具有选择所有权代表、占有使用权代表和经营执行权代理人的委托人身份。从而为进一步完善中央与地方之间的委托代理权关系、完善政府与企业之间的委托代理关系创造了条件。是需要强调的是,新的委托代理体制,并不是把目前各部门分散的权力拼凑到一个部门集中行使,而是重在机构创新,由国有资产监督管理机构代表政府专门履行出资人职责,以资本为纽带,进行产权管理,理顺委托代理权关系。

二、中央与地方国有资产委托代理权关系存在的问题

(一) 占有使用权委托代理体制成本过大

当国家取得国有资产的代理权并拥有控制权和剩余索取权后,实际上中央政府并没有能力管理如此之多的国有企业。因此,建立纵向的授权链是不可避免的。在国家统一所有体制下必然形成一种占有使用权代理关系。我国十六大以前的国有资产管理体制基本上属于占有使用权委托代理体制。

这一特点是由我国原来的国有资产产权制度决定的。全民所有制在现阶段以国家所有制为其实现形式,由国家代表全体人民行使财产所有权。国家是由各个政府职能部门和各级地方政府组成的。中央政府因其种种局限,不可能直接监督所有企业,更不可能直接经营这些企业,它必须将国有资产的占有使用权和管理经营权授予若干主体去经营。在传统体制下,国有资产授权是依据行政体制进行的,中央政府将国有资产授权于各个政府职能部门和地方各级政府,而各政府职能部门又是由中央和地方各级部门组成,地方各级政府又管辖着本级职能部门,这样条中有块、块中有条,条块交叉并存,层层授权,层层代理,导致委托代理的环节特别多。由此,导致了国有资产的部门所有。

在占有使用权委托代理关系中,为了抑制下级政府利用授权采取有损于委托人利益的机会主义行为,建立一种权威性的纵向隶属等级结构是必要的。国有产权的占有使用权委托代理固然有助于国家对剩余索取权的拥有,避免市场交易成本,但需支付高昂的组织成本和信息成本。

首先,占有使用权委托代理的激励成本很高。在市场竞争中,交易者是成本和收益的直接承受者,从而激励成本较低。占有使用权委托代理的基础是等级制,这就存在一个所有者如何激励占有使用代理人努力监控国有资产的问题。在等级制中,上级一般不能保证下级按明确的方式行事,只能设计出一种下级对其反应的政策,而下级代理人的努力水平是监督强度和收入差异的函数。纵向授权链形成后,一方面委托人的监督活动并非是一种纯粹的获利行为,而是一种监督费用很高的公共选择,并很难设计出一个近似市场衡量标准的激励约束机制;另一方面,代理人并非是剩余索取人,其努力水平与报酬并不直接相关。这样,为抑制下级代理人的机会主义行为,需支付高昂的激励成本,且激励成本随国有经济规模的扩大而上升。

其次,占有使用权委托代理的信息成本较高。在市场交易中,价格机制以较低的成本向交易者传递有关信息。在占有使用权委托代理中,所有者为有效地监控国有资产,必须从下级代理人处收集足够的信息,并向下级发布各种规则和指令。然而,由于不仅在传递过程中会发生累积性的信息损失,而且下级代理人可能有意封锁信息或传递虚假信息,以实现自身效用最大化,从而使信息成本迅速上升。

再次,占有使用权委托代理有可能降低约束效率。等级组织内的交易存在严格的进入壁垒,委托代理合约具有长期性质,这就可能产生原谅失误、相互包庇、相互吹捧、不愿冒险和创新的倾向,以及委托代理关系的政治化。以上因素都容易对监督和惩罚代理人的机会主义行为产生软化作用。

最后,占有使用权委托代理将难以避免影响力成本。处于纵向授权链中的不同级别的代理人,为在内部资源的分配中获得较大份额的支配权以实现自身利益最大化,将会把相当多的时间和精力放在游说上级与建立人际关系网这类非生产性活动上,以期按照自己的利益去影响上级的决策,由此付出的代价便是影响力成本,施加影响力所导致的效率损失表现为人力与物质资源的浪费,以及由这种影响力的干扰所引起的委托人决策失误。

(二)占有使用权委托代理关系不规范

中央与地方国有资产委托代理权关系主要表现为行政委托形式。其最典型的特征在于,它并不是横向的、以市场交易为中介的资本委托代理权关系,而是纵向的、以政治程序和行政层级为中介的占有使用权委托代理关系。中央对地方代理人的选择,不是根据市场经济中自由契约的方式产生的,而是通过行政手段产生的。因此,国有资产管理代理人在行使职权的过程中,虽然处于代表国家(委托人)利益的代理人地位,但他们不是国有财产的所有者。因此,他们既不具备私人股东追求利润最大化的内在动机,又无自主支配资产转让的实际权力。这种委托代理权关系非市场化的现象,造成了二者权利界定的困难和委托代理关系的不规范。

在社会主义市场经济条件下,政府充当全民财产的所有者是一个必然的选择。正是这种选择,形成了国有资产的第二层次委托代理权关系。由于政府是由不同的职能部门组成的,必然对国有资产的所有者权能继续进行委托。过去,我国实行集权式管理体制,即国有国营,国有资产的所有者权能集中在中央政府,地方政府没有管理权,这种做法虽然不会产生委托代理问题,但却抑制了国有企业的活力;后来,随着政府行政管理体制的改革,地方企业仍属中央统一所有,但已改由地方政府分级监管,统一所有,分级管理,实际上是对占有使用权实行委托代理。然而,这种做法形成了中央与地方的利益博弈以及国有资产出资人的缺位或错位,成为制约国有经济发展的一大体制障碍。

(三)产权关系模糊

国有资产所有者代表主体是国家,但国家在抽象意义上不可能行使所有权,必须由具体的机构代表国家行使所有者权利。国有资产所有权的公共性质使得国有产权代表不可能像私人财产那样由自然人担任。因此,由各级政府某一或若干机构担任国有产权代表,责任风险人格化就成为关键。事实上,由于从中央到地方的纵向缓解层层传递,国有资产产权已被纵向分割,使得没有一个统一的主体能对国有资产经营风险直接负责。主要表现为以下三个方面。

第一,国有资产部门所有。国有资产名义上由国务院所有,国务院是国有资产统一的所有者代表。实际上是由中央政府各部门和各级地方政府的主管部门所支配,产权结构非常复杂,形成了分散、条块分割的状态。拥有国有资产产权或相关权能的中央与地方各主管部门,作为不同的产权代表者,容易形成各自既得利益。在国有资产管理体制不健全的情况下,大家齐抓共管,都有资产,又都不是明确完整的所有者,都可以管,又都可以不管;盲目决策、重复建设、资产闲置、资源浪费,形成巨大漏洞,使一些单位和个人违法侵占有机可乘。有些部门对国有资产的管理运营,以及国有企业经营缺乏科学性、民主性,对重大项目投资缺乏科学论证,使巨额国有资产有去无回。还有些国有企业在签订和履行合同过程中,不负责任,造成重大经济损失。经营决策与运营普遍存在短期化倾向,只顾眼前利益,忽视长远发展。有些国有企业在未搞清楚市场需求的情况下盲目投资,有的在自有资本严重不足的情况下扩张投资,结果产品缺乏市场竞争力,大量积压,周转资金长期占用,经营亏损,导致国有资产严重流失。

第二,所有者虚位。原有的国有资产管理体制,中央与地方国有资产委托代理权关系没有理顺,没有法律明确承担风险、承担责任和分享收益的主体,直接影响国有资产的正常运营,造成国有资产流失。如有些地方政府带有地方保护主义色彩的举措对国有资产管理造成了负面影响,成为促使国有资产流失的一个重要因素。体现在国有企业改制过程中,由于地方政府并不是国有资产的出资人代表,因此在国有企业改制时关心的是如何通过改制卸掉包袱,而不是如何在改制时维护所有者利益。因此,在地方政府干预下,国有企业被租赁或拍卖时,资产价格经常被低估,甚至零字拍卖;国有企业在破产兼并时,企业经常在地方政府庇护下,通过各种方式,如企业分立,非法转移、处置破产财产等,逃废拖欠国有银行的债务。由此造成的国有资产流失,从根本上说是保护了地方利益,损害了国家的财产权利。

第三,权限划分不稳定。在统一所有、分级管理的体制框架中,下级政府只是上级政府在资产管理中的代理人,而不是所有权代理人。在这种委托代理权关系中,分级管理意味着上级政府既可以委托下级政府行使对某些国有企业的管理权,也可以不通过下级政府而直接行使对这些企业的管理权,还可以通过划拨和其他手段改变与下级政府之间对国有企业的实际权限划分。显然,在分级管理体制下,由于上级政府为了增强调控能力,赋予了自身可以事后变更国有企业实际权限划分的权限,从而造成了下级政府预期的不稳定性。如果上级政府的这种事后行为在下级政府看来表现为一种随机行为,目的是为了重新分割下级政府努力工作获取的收益份额,作为理性经济人的下级政府就可能改变对国有资产监管的行为方式和降低工作的努力程度,从而使国有资产分级管理这种制度安排无法实现其预期的目标。

(四)财产权利与收益不对称

第一,管理权与收益权不对称。在原国有资产管理体制下,国有资产所有权统一于中央,地方不能成为国有资产的产权主体,只是中央政府的下属机构或在地方的代理人,其职能是分级管理国有资产和业务主管国有企业的经营活动。不是所有权主体,没有剩余索取权,只有责任,没有利益。不论哪级政府投资形成的资产,都属于国有资产,一律按国家统一所有的企业来对待,名义上由中央政府行使国有资产所有权,实际上又要求地方政府承担管理责任。当国有资产经营业绩较好时,往往有不同层次、不同部门的主体来分割利益;当出现问题时,却不容易找到责任主体。这种模糊的产权关系难以调动地方政府在推进国有企业改革方面的积极性,有的甚至阻碍此项工作。

第二,导致机会主义倾向。地方政府虽然缺少法律所赋予的所有权以及剩余索取权,但却拥有事实上的管理权利。这就使得地方政府一方面在管理国有资产上缺少积极性,另一方面容易导致地方政府利用所拥有的管理权利最大可能地谋取地方利益。管理资产的动力来源于获得资产的收益。由于地方政府拥有事实上的管理权利,维护地方政府利益的动机必然驱动其利用分级管理的机会,不顾国家权益去谋取地方利益。这在各地推动中小国有企业的改革改制中表现得非常明显。由于地方政府没有国有资产的所有权,在中小国有企业改革改制中,往往采取低价出售方式处理国有资产,导致国有资产流失严重,侵蚀国家权益。同时,由于中央政府远离地方国有企业,对其监管成本高昂,一系列有关加强改制行为规范的措施往往很难真正落到实处,经常发生上有政策,下有对策的现象。

第三,出现预算软约束行为。地方政府在拥有管理权利的同时并不需要承担责任,所以在干预企业投资决策时只考虑高收益,不考虑或很少考虑高风险,导致盲目投资、重复建设和产业结构趋同。而一旦投资项目出了问题,地方政府又可以把债务偿还、职工安置等责任推向上一级政府。大而全、小而全和盲目重复建设,是长期以来困扰我国国民经济健康发展的一大顽症。最根本的原因在于中央所有、地方分级管理的占有使用权委托代理体制。

国有资产利益地方化,使地方政府具有兴办国有企业的强烈冲动。对于地方政府来说,兴办国有企业是其管理经济工作的一项重要内容,是实现其政治、经济意图的重要工具。通过兴办国有企业可以增加地方税收、振兴地方财政,增加地方就业,还可以体现地方政府领导人的政绩。一个地方兴办的国有企业越多,它得到的实惠就越多,这个地方的领导因此得到的政治、经济方面的好处也就越多。反之,得到的利益就越少。所以,兴办国有企业对地方政府来说,充满了诱惑。

兴办国有企业只有收益,没有风险,使地方政府无后顾之忧。兴办国有企业的资金供应大锅饭体制,使地方政府争相兴办国有企业。因为,对地方政府来说,兴办国有企业是一项低成本,甚至无本万利的买卖。地方政府虽有投资权,但投资的资金却并不都是该地方政府的,有相当一部分是中央政府的拨款或低息贷款。国家预算(包括预算内和预算外)安排中,每年都有一笔数额不小的资金用于投资兴办国有企业,这些资金基本上是无偿的或低偿的。为了争到这些资金,为了项目能被批准,各个地方想尽各种办法去攻关,演绎出各路诸侯争相跑步(部)前(钱)进。一些地方,甚至不惜请客送礼,搞腐败,不管什么项目,不管有条件无条件,只要项目能被批准,只要能争到资金就上。项目能被批准,能争到资金,就是为本地区作了贡献。企业经营好了,盈利了,皆大欢喜,职工高兴,厂长(经理)高兴,地方政府也有政绩。由于项目选择不合理,或者经营不善而发生亏损,地方政府领导也不会因此被追究任何责任,以后只要有机会和可能,还会向上申请项目、争取资金兴办国有企业。而且,对于效益不好的企业,地方政府会运用行政权力予以保护,扭曲竞争。我国每年都有一些项目,投产之日就是亏损之时。对于地方政府来说,企业亏损不见得是件坏事,甚至还可能因此得到好处。企业亏损了,职工发不出工资,地方政府会以社会稳定为由逼银行向企业贷款,尽管这种贷款很可能是有去无回,但银行屈于压力,也只好放贷。企业还不了贷款,地方政府也不会负责任,只能倒逼国家财政贴钱偿还。这样的国有企业,是中央政府向地方政府输血的载体,至少是国家出钱帮助地方政府解决就业问题。所以,国有企业无论盈亏,对地方政府和部门来说往往只有好处,没有害处,或者说利远大于弊。

(五)相关法律不健全

由于与委托代理制休戚相关的制度体系的缺损,每层委托代理权关系中的委托人与代理人的身份,拥有的财产权利、责任、义务,收益形式、收益的来源和数量界限,均没有用明确和规范的法律形式加以确定。从而,身份不明确的资产委托人不必(即没有责任和义务),也没有可以依据的法律对身份同样不明确的资产代理人及国有资产进行有效的管理。我国现行的国有资产管理法律体系,是在没有国有资产管理基本法的条件下,由相关的政府部门建立的,大多是由部门规章制度组成,其中还有一些体现部门利益较强的部门规章。存在法律法规体系不健全,法律规格不高,法律法规体系内部相互矛盾、不兼容的的问题,缺乏对国有资产整体的约束效力。这样的法律体系与我们将要建立的国有资产管理分级代表体制的要求,显然是很不适应的。如果不依照十六大有关国有资产管理体制创新的精神,不按照国有资产管理体制改革目标的要求,不遵循市场经济对财产权利主体提出的基本规定性,不按照财产收益分配规律确定产权主体应有的财产权利、责任、义务,收益形式、收益的来源和数量界限,梳理完善现有的法律法规体系,势必给新一轮的国有资产管理体制改革带来制约。

第四节 改革中央与地方国有资产委托代理权关系的政策思路

长期以来,我国国有资产管理的主要特征是占有使用权委托代理制度。在建国初期这种选择是对的。随着社会主义市场经济体制的建立,这种占有使用权委托代理制度出现了许多不适应市场经济发展需要的方面。因此,国有资产管理的占有使用权委托代理制度需要改革,需要重新构建以所有权为核心的委托代理制度,理顺中央与地方政府之间的国有资产委托代理权关系。按照建立一级政府、一级产权主体、一级所有权、一级委托代理权、一级收益分配权、一级举债权、一级立法权的国有资产管理体制改革设想,中央与地方之间国有资产产权委托代理权关系改革的目标是:建立一级政府,一级委托代理权的国有资产委托代理权管理体制。即建立中央和地方政府分别代表国家行使国有资产委托代理权,享有委派聘任所有权代理人、占有使用权代理人、经营执行权代理人、企业重大决策和监督权的委托代理制度。为此,我们提出以下政策思路。

一、实行所有权委托代理

委托代理是社会化大生产条件下所有者、占有使用者与经营者之间产权关系分离与整合的组织机制。产权制度是经济代理的基础,产权制度不同,委托代理的形式、内容及其反映的经济关系亦不相同,对资源配置效率产生的影响也有明显差异。

明晰产权,改革和完善委托代理权关系是提高国有资产效率的重要途径。原有的中央与地方国有资产委托代理权关系是,中央统一所有,地方分级管理。本质上是国有资产所有权与占有使用权(监督管理权的或控制权)分离,所有权在中央,部分占有使用权给地方。而且,从一定意义上说,属于在财产收益权与占有使用权不对称基础上的国有资产占有使用权的委托代理。这种委托代理体制的弊端已经很明显,所以我们要构建一种新型的委托代理权关系。即,终极产权国家所有,中央政府和地方政府分别代表国家履行出资人职责,既要坚持国有资产的统一性和出资人的唯一性,又要充分发挥中央和地方两个积极性。中央管理关系战略性、全局性的维系国民经济命脉和国家安全的大型国有企业、基础设施和重要自然资源;其他国有资产交由地方政府代表国家行使出资人职责。这种新型的委托代理属于所有权层次上的委托代理。

二、委托代理权利与收益对称

改革要体现国家拥有国有资产终极财产权利和分级履行出资人职责,享有所有、占有使用、管理、收益、处置等权利的原则。在实际的制度设计中需要注意委托代理权利与收益相对称。国有资产所有权与股息(利息)形式的收益对应,占有使用权与红利形式的收益对应,具体监督管理经营权与年薪形式的收益对应。所有权收益(包括利息和股息)应当首先保证,以确保所有者的收益;占有使用权收益(红利)与企业具体监督管理经营者共享,直接与企业经济效益挂钩;企业具体监督管理经营者实行基本工资与年薪两种形式的收益,基本工资与普通工人一样,列入成本,年薪部分直接与剩余利润挂钩[①]。为最大限度调动经营者的积极性,年薪部分应当按一定比例与占有使用者实行收益共享。这样做的好处是,剩余利润多则两者收益都增加,剩余利润少则两者收益都减少,没有剩余利润则两者都没有收益。从而形成对国有资产所有权代理人、占有使用权代理人和经营权代理人的激励约束机制。

三、明确委托人职能

在新的国有资产委托代理体制下,国有资产委托人机构不是原来政府各部门职能和管理手段的简单合并。委托人机构的职能、履行职能的方式、手段都必须有重大的转变,由对企业的行政管理转变为行使所有权委托人职责。国有资产委托人职能应该主要包括以下几个方面。

---

① 这里的剩余利润是指企业缴纳所得税后的利润扣除利息、弥补亏损、提取公积金和法定公益金、分配股息后的剩余利润。关于国有资产收益分配权利、收益形式、分配顺序和数量界限的进一步讨论,见本书第七章第五节。——本书作者注。

第一,保证在某些重要行业和关键领域,国有和国有控股企业的控制地位。通过筹集和运用国有资本金,依法收缴国有资产所有权和占有使用权收益,提高国有资本的投资回报,实现政府的经济建设和宏观调控目标。

第二,推进所投资企业的公司制改制,建立有效的公司治理结构。明确委托人和代理人的权利和责任,建立激励约束机制,通过合理确定国有资本所有者、占有使用者和具体监督管理代理人的财产收益形式和数量界限,实现财产所有者的财产权利,提高企业经济效益。

第三,加强国有资本运营管理控制,形成国家财务核算体系。[①] 监督国有和国有控股企业财务报告的真实性,建立资产负债表、现金流量表和损益表,监控和改善资产负债结构,保持国有资产的安全性。以资本收益和现金收入来处理不良债务,补充职工的社保基金。

第四,向本级政府报告国有资产监管工作情况,国有资产的运营状况和其他重大事项。条件成熟的时候,相关信息应该向社会披露。

第五,通过编制和执行国有资产经营预算来优化配置国有资本,接受同级财政和审计部门的监督。国有资本金筹集、国有资产产权收益和国有资本金支出应当纳入政府国有资本经营预算管理,执行政府财政部门制订的统一的预算政策。

四、重构代理模式

构建高效率的代理模式,关键在于委托人必须具有充分的监控积极性和有效的监控手段。从充分的监控积极性方面看,只有真正的所有者才能对自己的财产运营状况充分关注,而所有者代表的监控积极性总是低于所有者本身的。但现实的矛盾是,在全民所有制条件下,全体人民作为初始委托人的监控能力极弱。原因在于:第一,初始委托人的身份具有不确定性,并没有规定谁来监控政府的代理行为,也没有明确初始委托人拥有什么权利及承担什么

[①] 国家财务是国有资本所有者的代表依据国有资本所有权所进行的国有资本运营活动。有关这一问题的全面讨论,参见李松森:《国有资本运营》,中国财政经济出版社 2004 年版,第 47~123 页。——本书作者注。

义务。第二,初始委托人不是剩余索取者,从而不能等比例和直接从他们的监控活动中获得利益,因此缺乏充分的监督动机。第三,即使初始委托人具有充分的监督动机,但由于法律限制其转让剩余索取权,因此他们也没有可能通过用脚投票的方式解除与代理人的合约,惩罚代理人的机会主义行为。于是在产权不可分,初始委托人缺乏有效监控能力和动机的矛盾状态中,初始委托人不可能直接监督最终代理人的行为。因此,两者之间必须存在连接中介。传统的国有资产委托代理机制是依赖于行政体系构建的连接初始委托人与最终的代理人之间的中介。这种代理模式链条长、环节多、决策过程缓慢,行政干预多,信息不对称,监控不力,代理成本高。

因此,应脱离行政体系,重构代理模式,由行政代理转向经济代理。其思路是:实现政府的双重职能分离,即社会经济的行政管理职能与国有资产所有权和占有使用权的管理职能相分离,构建国有资产专职管理体系,实现国有经济所有者代表和占有使用者代表机构专职化;国有资产管理部门以国有资产所有者代表和占有使用者代表的身份,制定国有资产使用和运营的方针政策,决定国有资产的投向和产权变动规则,对各单位占有的国有资产实施监督管理,并以合同的形式授权代理人对企业的资产进行运营;对国有资本运营状况进行考察、评价、指导;对所选派的国有产权代表和授权经营的代理人的行为、业绩进行监督评价,并将国有产权代表和授权经营的代理人的收入与企业经济业绩直接联系,实现管理要素所有权与收益权相对应。

五、明确地方政府的财产权利

在新的委托代理体制下,地方政府国有资产管理机构要履行国有资产出资人的职责,必须拥有以下财产权利:国有资产所有权,主要是决定投资方向,对所投资企业拥有股权,选派国有股东代理人的权利;国有资产占有使用权,主要是资产管理、重大决策和选派占有使用权代理人和选择经营管理代理人的权利;国有资产收益分配权,主要是决定股息、红利和代理人年薪分配的权利;国有资产处置权,主要是决定企业重组、产权和资产转让、破产拍卖等权利。统一行使国有资产出资人的权利,对分散在各职能部门中的国有资产出资人职能进行整合、归并，承担相应的义务和责任，形成管资产和管人、管事相结合的机制；对本级政府负责，同时接受国家国有资产监督管理委员会的指导和监督。新的委托代理权关系赋予了地方政府完整的国有资产所有者和占有使用者的财产权利，必将充分调动地方政府管理国有资产的积极性。

六、建立双向监督制约机制

我国国有资产的委托代理同西方市场经济的委托代理有极大的不同。西方市场经济委托代理的合约是建立在自由选择和产权明晰化基础之上的，委托人因直接拥有剩余索取权而具有监督代理人行为的积极性，并因其剩余索取权具有可转让性，使委托人能够通过剩余索取权的转让重新选择代理人。在这些条件下，西方的委托代理理论不必研究委托人如何监督代理人，更不必研究如何使委托人去监督代理人，只须设置一种能给代理人足够刺激和动力的机制和合约，使代理人在追求个人效用的同时实现委托人预期效用最大化。

而我国国有资产委托代理权关系则具有特殊性，委托代理权关系的构建都是紧紧围绕政权体系，经历多重委托、多重代理，责任主体混乱、职责不清，缺乏监控积极性。同时，由于受行政管理体制制约，使委托人失去经营者选择权，造成对代理人的监控弱化。由此看来，构建新的国有资产委托代理体制具有特别重要的意义。

在中央与地方政府国有资产委托代理权关系改革中，仍然应当确保中央政府政令的畅通。一部分国有资产出资人权利划归地方政府后，虽然明确了地方政府的财产权利，但中央政府从宏观层次上制定的有关国有企业改革和国有经济战略性调整和国有企业重组的方针政策不能因此而在地方失效。解决地方自主权和中央宏观调控指导权之间的矛盾，仍然是新的委托代理权关系必须面对的问题。

当中央与地方国有资产委托代理权关系由以政策调整为基础转向以宪法和法律规范为基础之后，地方政府不得违背宪法和法律的规定，超越自己的职权范围，损害中央权威；同样，中央政府也不得违背宪法和法律的规定，随意收回或下放权力。为此，应建立中央与地方的双向监督制约机制。

中央对地方的监督主要是中央为保证地方政府行为的合法性和与既定目标的一致性而对地方实施的检查、控制和纠偏的活动；地方对中央的监督主要是地方政府通过法律手段维护自己的财产权利。从而保证中央与地方权利的合理划分，促进双方相互合作，形成中央与地方职能的协调一致。改变中央对地方的监督与控制的方式，变通过行政手段和人事手段为主的直接管理方式为通过经济手段和法律手段为主的间接管理方式，加强宏观政策的执行监督。双向监督制约机制的建立，中央政府与地方政府会更倾向于接受宪法和法律的约束，从而更有利于中央与地方关系的民主、稳定与法制化。建立地方利益表达机制，并通过立法和监督机制的建立来改善中央与地方的委托代理权关系。

在新的中央与地方国有资产委托代理权关系中，中央政府是国有资产终极所有者代表的地位不应改变，中央政府依据这一权利仍然要加强对地方政府在履行职能方面的监督。如果对地方政府的监督和制约不力，则存在着地方权利被滥用的危险。为防止这种情况的发生，需要改革和完善地方的权利监控体系。健全和完善对地方政府权利的监督和制约，主要包括中央政府自上而下对地方的监控与社会公众的监督。在中央与地方分权的制度下，中央对地方、上级对下级的监控体系将继续存在。同时应发挥地方选民和社会舆论自下而上的监督作用，通过选举、揭发、检举、控告、弹劾等方式监督和制约地方政府权利的行使。

七、规范国有资产委托代理权关系

中央与地方的国有资产委托代理权关系的变化始终要符合生产力发展的要求。在社会主义市场经济条件下，唯有按照市场经济的内在规定性，以法制的形式来规范中央与地方的委托代理权关系，才能够为发展社会主义市场经济提供保障。改革中央与地方国有资产委托代理权关系需要法律的支持，用立法的形式明确中央与地方之间的委托代理权关系，规定中央政府和地方政府管理国有资产的范围、权限和责任，是当前的重要任务之一。

中央和地方政府分别履行出资人职能，意味着国有资产的终极财产权仍属于国家,中央和地方国有资产管理机构分别履行出资人职责,可以行使对所投资形成的国有资产拥有完整的财产权利。这一新的国有资产委托代理权关系的建立要求对原来分散在各部门的出资人职能进行整合与归并,也需要很多工作的重新分工和细化。因此,中央和地方国有资产管理部门如何准确地履行委托人职能,如何进一步合理划分和界定中央和地方委托人职能的履行范围,并赋予其完整而统一的权利与责任,需要在法律中进一步明确。

本章小结

1. 经济学意义上的委托代理权是在财产权基础上派生出来的财产权利。在财产的所有权基础上派生出委托权,即委托他人代行所有者职能的权利;在财产的占有使用权(或者实际控制权)基础上派生出代理权,即接受委托代行占有使用者职能的权利。随着社会化生产的发展,在财产占有使用权基础上又进一步派生出监督管理经营委托权,即委托他人代行具体监督管理和经营职能的权利。由此,产生了多层次的委托权与代理权之间的关系。

2. 委托代理权关系主要包括以下特征:第一,经济利益性;第二,契约性;第三,权利对等性;第四,契约不完备性;第五,可操作性。

3. 构成委托代理权关系的基本条件或要素可概括如下:委托人与代理人双方一般应具有谈判、订立契约的行为能力;委托人必须具有财产能力;代理人必须具有信息优势;委托代理双方都面临市场的不确定性风险;委托代理双方在其中一方违反合约时,可自由退出其契约关系。

4. 国有资产的委托代理权关系可以分为四个层次:第一层次,全民作为委托人将财产委托给中央政府代理形成的委托代理权关系。第二层次,中央政府作为委托人通过授权将国有资产的所有权和占有使用权进一步委托给各级地方政府形成的委托代理权关系。第三层次,政府与国有资产经营管理机构的国有资产所有权代表、占有使用权代表和监督管理经营者之间的委托代理权关系。第四层次,国有资产经营管理机构与其投资企业的国有资产所有权代表、占有使用权代表和监督管理经营者之间的委托代理权关系。

5. 中央政府与地方政府国有资产的委托代理权关系,实质上是中央与地方国有资产所有者和占有使用者财产权利分配关系。

6. 改革中央与地方委托代理权关系的理论依据包括:马克思主义财产权学说揭示的委托代理权关系原理、西方委托代理理论。

7. 改革中央与地方国有资产委托代理权关系具有以下意义:发展社会主义市场经济的客观要求;地方政府履行经济建设职能的需要;提高国有资本运营效率的必然要求;为国有企业改革创造条件。

8. 中央与地方国有资产委托代理权关系存在的主要问题:占有使用权委托代理体制成本过大;占有使用权委托关系不规范;产权关系模糊;财产权利与收益不对称;相关法律不健全。

9. 中央与地方之间国有资产产权委托代理权关系改革的目标:建立一级政府,一级委托代理权的国有资产委托代理权管理体制。即建立中央和地方政府分别代表国家行使国有资产委托代理权,享有委派聘任所有权代理人、占有使用权代理人、经营执行权代理人、企业重大决策和监督权的委托代理制度。

10. 主要政策建议:实行所有权委托代理;委托代理权利与收益对称;明确委托人职能;重构代理模式;明确地方政府的财产权利;建立双向监督制约机制;规范国有资产委托代理权关系。

第七章 中央与地方国有资产收益分配权关系

国有资产收益分配权是国有资产财产权利的重要权能,直接关系到中央与地方政府所拥有的国有资产所有权和占有使用权在经济上的实现,影响到中央和地方管理国有资产的积极性和主动性。因此,研究中央与地方国有资产收益分配权关系,对于完善我国的国有资产管理体制,建立现代产权制度,提高国有资产的运营效益,保证国有资产的保值增值,促进生产力的进一步发展具有重要意义。本章将对国有资产收益分配权能的内涵、改革中央与地方之间国有资产收益分配权关系的理论依据进行讨论,在对存在的主要问题进行分析的基础上,提出改革的目标和政策建议。

第一节 中央与地方国有资产收益分配权权能探索

一、国有资产收益的内涵

(一)国有资产收益的概念

国有资产收益有广义和狭义之分。广义的国有资产收益是指国有资产纯收入,是企业总产品扣除生产资料补偿价值和必要产品价值后的余额。广义国有资产收益的分配包括三个部分:国有天然生产资料所有者收益,主要表现形式是作为土地财产所有权收益的税收;国有人工生产资料所有者收益,主要表现形式是作为国家资本财产所有权收益的股息和占有使用权收益的红利;国有资产具体监督管理经营者收入,主要表现形式是作为管理要素财产所有权收益的年薪。

狭义的国有资产收益就是指国有人工生产资料所有者投资收益。它是国有资本运动的结果,在形式上表现为一定的价值增量。因此,又称为国有资本收益。但在实质上,国有资本收益同其他性质资本的收益一样,是劳动者进行生产劳动所创造的,是劳动者剩余劳动的物质形式。从宏观经济角度看,狭义国有资产收益就是国有企业总产品的价值构成 C+V+M 中的 M 部分在作了纳税扣除之后的剩余。

马骁教授曾对国有资产收益进行了深入分析,指出:"政府代行国家投资者所有权表明政府是国有资产的总代表,政府可以独立拥有国有企业或以国有资产作股本或财政资金作股本参与现有国有企业的股份化进程或股份制企业的创建。……政府应当凭借国家投资者所有权直接从国有独资企业和有国家股参与的股份制企业分得一部分实现利润,其制度安排的形式可以是上缴利润或生产经营型国有资产收益或表现为国家股股息和红利。"[①]因此,从微观经济角度看,狭义国有资产收益是指企业经营、使用国有资产所取得的纯收益即税后利润。具体说,狭义国有资产收益是指国家或其授权的国有资产监督管理机构凭借国有资本的财产权,即出资者所有权和占有使用权而取得的股息、利润、股权转让收入和其他依法取得的收益。

(二) 国有资产收益的本质

国有资产收益在本质上体现为一种财产权关系。这种财产权关系,就其一般性而言,是国有资产的所有者、占有使用者和经营者之间的经济利益关系;在我国市场经济体制下和分级代表国有资产管理体制下,这种财产权关系具体表现为中央政府与地方政府国有资产收益分配权关系,政府国有资产监督管理机构和企业具体监督管理经营者之间的经济利益关系。由于国有资产属于全民所有的本质特征,由于社会主义生产目的所决定,不同财产所有者之间的关系在根本利益上是一致的,但也存在着非本质的矛盾。国有资产收益分配管理的根本任务,就是要保障国有资产不同财产权利所有者获得财产收益的权利,解决其中存在的非本质性矛盾,促进和谐财产权关系的实现,促进

[①] 马骁:《财政制度研究》,四川人民出版社 1997 年版,第 174~175 页。

企业经济效益的提高和社会生产力的进一步发展。

(三)国有资产收益与税收的区别

国有资产收益与国家税收有着严格的区别。税收是国家作为国有土地所有者凭借其主权或天然生产资料(作为一般生产条件的生产资料)和天然生活资料所有权,即国有土地所有权获得的收入,属于广义的国有资产收益。其使用方向是用于国家履行其提供和改善一般生产条件和生活条件,即国家履行行政管理和社会管理职能的需要,为社会提供公共产品及服务。而国有资产收益则是国家以拥有的人工生产资料财产权或出资者所有权和占有使用权为前提而取得的收入,本质上是一种资本收益,用于国家履行经济建设的职能需要,使国有资本得以正常循环和不断积累。国有资产收益是对国家资本金投入的一种回报。按照投资者拥有产权的原则,国家作为国有资本的所有者和占有使用者,在法律规定的范围内,对其投入到企业的资本金所形成的收益享有剩余索取权。国有资产收益是国有资本再投入的源泉,同时也是国家财政收入的重要来源。

我国是社会主义国家,国家的双重职能决定了国有资产收益存在的必然性。从客观上讲,国家具有双重身份,即社会经济管理职能(从财产权主体角度说是国有土地所有者职能)和国有资本所有者职能。这就决定了国家对政府投资企业具有双重关系。国家作为社会经济管理者,主要通过征税的办法取得收入,主要用于国家管理需要,包括保证国家机器正常运转和社会发展的需要;并用以管理经济,包括运用各种经济、政治和法律的手段对国民经济运行进行宏观调节和控制,对社会秩序进行必要的规范和矫正,即提供和改善一般生产条件和一般生活条件等。国家作为国有资本的所有者,主要通过对国家的投资进行管理,包括公益性投资和经营性投资,并从企业经营成果中取得投资收益,将集中的收入转投于国家急需重点扶持的地区、产业和企业,促进国有资产在总体上的保值增值和国民经济结构的优化,从而发展和壮大国有经济,稳固和壮大社会主义经济的物质基础。正如马骁教授指出的:"在市场经济条件下政府和企业的利益分配关系及制度安排应该是:(1)国家主权所有关系,其制度安排是流转税(如增值税、消费税、营业税等)和所得税等;(2)

国家投资者所有权关系(Ⅰ),其制度安排是国有企业上缴利润和有国家股参与的股份制企业分给的股息和红利,其实质是一种政府和企业间准经济属性分配关系的制度安排;(3)国家投资者所有权关系(Ⅱ),其制度安排可以是税或者费,主要反映所有企业(和居民)有偿使用政府劳务和政府提供或生产的公共物品的分配关系,其实质是一种政府和企业间的带有交换性质的准经济属性分配关系的制度安排。"[①]因此,国有资产收益由于国家的双重职能和分配的依据不同,收益的形式也不同。国有资产收益不同形式的存在有其客观必然性。

曾有人认为,政府已经通过各种税收取得了国有资产的收益,因此不应当要求政府投资企业上缴利润。这种观点实际上是混淆了两种不同性质收入——税收和利润的区别。国家税收与国有资产收益依据的财产权利是不同的,其收益的形式也是不同的;国家税收的征税对象是全体社会成员和各种经济成分,征收的是其超额利润(包括超额所得)的部分,而国有资产收益的征缴对象是政府投资的企业,征缴的是国有资产所有权收益和占有使用权收益,是投资的回报,两者的区别是明显的。如果政府投资企业不上缴股息和红利,那么,国有资产出资人的财产权利就不能够得到实现。因此,那种认为政府已经通过各种税收取得了国有资产的收益,不应当要求政府投资企业上缴利润的观点是错误的。

二、国有资产收益的分类

我国的国有资产数量巨大,分布广泛,产权有多种表现形式,相对应的国有资产收益也呈多样化趋势。国有资产收益根据不同的标准可作如下分类。

(一)经营性收益和非经营性收益

国有资产收益按其形成来源划分,包括经营性收益和非经营性收益。经营性收益是指企业由于占有使用国有资产或国家投入的资本金,通过正确的生产经营决策,加强生产经营管理,进行技术创新,促使劳动生产率提高和降

---

① 马骁:《财政制度研究》,四川人民出版社1997年版,第177页。

低产品成本所获得的生产经营净成果。经营性收益是社会财富增长的源泉,提高经营性收益和资产使用效率是国有资产管理的基本任务之一。非经营性收益,是指并非由于企业自身努力,而是因为某些客观因素使企业获得的收益,比如国家的特许垄断经营,自然资源的级差地租、股票溢价收入、资产重估增值和接受馈赠等。区分经营性收益和非经营性收益,可以使我们客观评价企业的经营业绩,制定相应的收益分配政策,防止分配中产生不公平现象,对不合理的收入进行限制,实施有效的收入分配调节。

(二)中央收益和地方收益

国有资产收益按管理体制划分,可分为中央收益和地方收益。中央收益指按照现行国有资产管理体制,直接解缴中央金库的国有资产收益,其主体部分是归属中央直接管辖的国有企业的股息和经营利润。地方收益指解缴各级地方政府金库的国有资产收益,主要是归属地方政府管辖的国有企业的股息和经营利润。合理划分中央收益和地方收益,符合党的十六大提出的国有资产管理体制改革的要求,有利于调动中央和地方政府在国有资产管理中的责任心和积极性,提高国有资产的运营效益。

(三)企业留存收益和企业上缴收益

国有资产收益按初次分配的结果划分,包括企业留存收益和企业上缴收益。企业留存收益是按照国家的有关规定,留归政府投资企业自行支配使用的那部分国有资产收益。企业留存收益的主要部分应当用于企业扩大再生产,少部分用于职工集体福利事业和职工奖励。企业上缴收益是国家作为国有资产所有者和占有使用者,依据国家投入资本金的所有权和占有使用权从企业获得的投资和运营回报。

(四)国有资产监督管理部门收益和国有资产运营公司收益

国有资产收益按管理经营主体不同,可分为国有资产监督管理部门取得的收益和政府授权的国有资产运营公司取得的收益。国有资产监督管理部门收益是指各级政府国有资产监督管理部门依据国有资产所有权和占有使用权组织的国有资产收益。国有资产运营公司收益,是指经国有资产管理机构授权批准成立并经登记注册的国有资本经营中介公司,代表国有资产所有者和占有使用者进行国有资本运营活动所获得的国有资产收益。

(五) 已分配收益和未分配收益

国有资产收益按实现的方式不同,可分为已分配收益和未分配收益。已分配收益的表现形式有多种,如税后利润、股息、红利、认股权证等形式。作为产生于企业生产经营中的收益,税后利润并不完全分配给股东,有一部分留下作为资本公积,增加资本金的数量。未分配收益表现为增加的资本公积金、盈余公积金、公益金和未分配利润等形式。

(六) 国有企业、集体企业和其他经济主体上缴的收益

国有资产收益按经济主体的性质不同,可分为国有企业上缴的收益、集体企业上缴的收益和其他经济主体上缴的收益。国有企业上缴的收益是国有资产收益的主体部分,集体企业由于历史的原因或多或少地占用了一部分国有资产,在对这些企业的国有资产进行严格界定后,形成的收益应按照国有资产所占比例及时上缴国家。此外,凡是拥有国家资本金或占有使用国有资产的其他经济组织和单位也应及时上缴国有资产收益。

三、国有资产收益分配权的界定

国有资产收益分配权的界定,是要解决国家参与社会总产品价值分配的根据问题。马克思主义财产权学说的财产收益分配一般规律为国有资产收益分配权的界定提供了理论依据。

(一) 社会总产品分配理论

我们认为,在我国社会主义市场经济条件下,资本、土地和劳动力财产的所有者分别依据资本、土地和劳动力财产权,要求得到其投入物质资料生产过程的各种生产要素所应当得到的收益。因此,以利润(包括利息、股息和红利)、国家税收和工资形式获得生产要素投入的收益具有客观必然性。

1. 生产资料的补偿形式

马克思的社会总产品理论告诉我们,社会总产品的价值构成包括三个部分:已消耗的生产资料价值(C),必要劳动价值(V),剩余劳动价值(M)。即:

社会总产品价值 = 已消耗的生产资料价值 + 必要劳动价值 + 剩余劳动价值

以公式表示为:$G = C + V + M$

其中,C是补偿在生产过程中消耗掉的生产资料的价值,以保证简单再生产的顺利进行,称为补偿基金。

生产资料按其性质不同,可以分为自然界固有的生产资料和劳动创造的生产资料两类。自然界固有的生产资料(又称天然生产资料)是国家凭借土地所有权(即国家主权或天然生产资料所有权)而拥有的作为一般生产条件的生产资料。包括土地、森林、河流和矿藏等资源性资产。劳动创造的生产资料(又称人工生产资料)是资本财产所有者(包括国家资本财产所有者)凭借人工生产资料所有权拥有的作为直接生产要素的生产资料。例如,资本财产所有者投资形成的机器设备、厂房、运输工具、原材料、辅助材料、道路、桥梁、运河、水库等资产。

按照两种不同性质生产资料的划分和生产资料补偿理论,补偿价值应当包括两个部分。其一,补偿消耗掉的自然界固有的生产资料C_1;其二,补偿消耗掉的劳动创造的生产资料C_2。由此,社会总产品价值公式应变化为:

$$G = C_1 + C_2 + V + M$$

其中,C_2是以折旧基金的形式出现,即劳动创造的生产资料消耗以折旧基金的形式进行补偿。那么,C_1——即自然界固有的生产资料补偿基金——是以什么形式出现的呢?换言之,天然生产资料消耗应当以什么形式进行补偿?显然,天然生产资料的消耗有一个至今尚未被人们认识的补偿形式。

以企业为例,如果把期间费用忽略不计①,那么,企业营业收入的公式可以表示为:

营业收入 = 营业成本 + 营业税金(流转税、土地税、资源税等) + 营业利润

即:$G = C_2 + V + C_1 + M$

其中,营业成本包括了固定资产折旧费C_2和直接工资V;而营业利润则可以表示为M;营业税金则恰好可以表示为C_1,成为自然界固有的生产资料

---

① 期间费用是行政管理部门为组织和管理生产而发生的管理费用和财务费用,是企业经营耗费的组成部分。这里,为分析简便,暂且忽略不计。——本书作者注。

消耗的补偿形式。

可见,两种不同性质的生产资料具有不同的补偿形式。人工生产资料的消耗以折旧基金的形式进行补偿;天然生产资料的消耗以流转税等税金的形式进行补偿。由于国家是天然生产资料的所有者,也由于某些天然生产资料的再生的长期性(例如,土地肥力的消耗要经过多年的努力才能得到改良,森林资源的消耗要经过几十年的植树造林才能见到成效,水产和野生动物资源的消耗也要经过几年以至十几年的人工繁育、休养生息才能恢复),还由于某些天然生产资料的不可再生性(例如,石油天然气资源、矿产资源的消耗是无法补偿的),国家应当以税金的形式筹集资金用于补偿天然生产资料的消耗。例如,用于一般生产条件的改善、生产环境的保护治理,以及某些天然生产资料的再生产等。因此,国家征收的流转税等从性质上说是一般生产条件的转移价值。

2. 广义国有资产收益的分配

从财产收益的角度来分析,国民收入作为物质要素收益来源的表现形式,可以表述为社会总资产纯收入。社会总资产是天然生产资料所有者(国家)、包括国家在内的各类人工生产资料所有者和劳动力所有者所拥有的各种资产的总和。国民收入的分配可以表述为社会总资产纯收入的分配。社会总资产纯收入的分配,是物质资料生产部门的劳动者创造的价值在天然生产资料所有者、各类人工生产资料所有者和劳动力所有者之间的分配。任何分配都是有依据的,资源性资产所有者,以自然资源——天然生产资料为物质实体,凭借天然生产资料所有权,获取一般生产条件投入收益(企业所得税)、凭借天然生活条件所有权,获得一般生活条件投入收益(个人所得税);人工生产资料所有者,以人工生产资料为物质实体,凭借人工生产资料所有权,获取投资收益(利息、利润——股息、红利);劳动者以自身的劳动力为物质实体,凭借劳动力所有权获取工资。①

广义国有资产收益,是企业总产品价值扣除生产资料(含天然生产资料和

---

① 严格地说,企业的管理经营者也拥有特定的财产权利,其参与分配也有其特定的依据,即以管理知识、经营才能和管理经验等管理要素为物质实体,凭借对这种无形资产的所有权,获取经营者收入。关于这一问题的讨论我们在下一节进行。——本书作者注。

人工生产资料)补偿价值和必要产品价值后的余额。广义国有资产收益的分配,是国家凭借天然生产资料所有权和国家投资形成的人工生产资料所有权及占有使用权参与企业资产纯收入的分配。在具体管理经营权从占有使用权中分离出来的情况下,还应当包括管理经营者依据管理要素所有权参与的分配。

以企业为例,若某企业人工生产资料全部是由国家投资形成的,则该企业资产纯收入的分配应当是在天然生产资料所有者、人工生产资料所有者、占有使用者和国有资产经营者之间的分配。其中,M1 应当表现为企业所得税;M2 表现为国有企业上缴国家的股息、红利或利润;M3 则应当表现为国有资产具体监督管理经营者高于普通工资的年薪收入。若某企业人工生产资料是由不同所有者共同投资形成的(例如,有政府投资的股份制企业),则企业资产纯收入的分配就是在天然生产资料所有者——国家,各类人工生产资料投资主体和企业经营者之间的分配。天然生产资料所有者——国家,以企业所得税形式获取国有资源(一般生产条件)收益;人工生产资料的各类所有者——股东,以股息的形式获取投资收益、以红利的形式获得占有使用收益;企业经营者则以年薪收入的形式获得经营者收入。可见,广义国有资产收益的分配包括三个部分:国有天然生产资料所有者收益 M1;国有人工生产资料所有者投资收益 M2(包括占有使用者收益);国有资产经营者收入 M3。用公式表示为:

$$M = M1 + M2 + M3$$

(二)国有资产收益分配权的含义

广义的国有资产收益分配权是指国家凭借全部国家财产的所有权和占有使用权,参与社会总产品分配的权利,以及依据占有使用权决定经营者收益的权利。按照马克思主义财产权学说的物质要素理论和财产权收益分配一般规律理论,土地、资本和劳动是社会生产过程中的必要物质要素。这些物质要素的所有者依据不同的财产权利,要求得到要素收益是财产收益分配一般规律的客观要求。社会总产品实质上是物质资料生产部门的劳动者创造的价值,它是经济进一步发展的基础,是土地财产所有者、生产资料财产所有者和占有使用者、具体监督管理经营者和劳动力财产所有者财产权利实现的源泉,反映着各个财产权利主体对经营成果的分配关系。

不同的财产权利主体获得财产权收益的依据和形式不同。如前所述,国家所有的土地财产所有权是国家获得税收收入的依据;劳动者所有的劳动力财产所有权是劳动者获得收益的依据;生产资料所有权是生产资料所有者获得收益的依据;生产资料占有使用权是生产资料的占有使用者获得收益的依据;企业的监督管理和经营者拥有的管理要素财产所有权是其获得年薪收益的依据。

狭义的国有资产收益分配权是指政府凭借对生产资料的所有权和占有使用权,而获取剩余产品价值的权利。国有资产收益分配权作为政府拥有国有资本财产权利的重要权能,是国有资本财产所有权在经济上的实现形式,是由国有资本所有者拥有的所有权所决定的派生权能。

国有资本所有者的财产权利包括:国有资本所有权,表现为国有股权和依据所有权获得收益的权利;国有资本占有使用权,表现为企业的重大决策权、监督管理权、经营者选择权和依据占有使用权获得收益的权利等。收益分配权是财产权利的核心,是所有权和占有使用权的实现形式。如果所有者和占有使用者的收益分配权得不到实现,那么财产所有者的所有权和占有使用权就失去了意义,就会影响资本所有者投资的积极性和占有使用者组织管理资产运营的积极性,还会影响到整个国有资产的保值增值,并最终影响到社会主义经济基础的巩固和发展。

因此,国有资产收益权的实现是整个国有资产管理的中心环节和达到促进生产力发展根本目的的标志。确认国有资产的收益分配权,对于保护国有资产所有者和占有使用者完整的财产权利具有重要意义。它反映了社会主义市场经济发展所必须具备的财产权利的基本规定性和财产权关系,是社会生产关系再生产的决定性环节。

(三)国有资产收益分配权的构成要素

1. 国有资产收益分配权的权利主体

国有资产收益分配权的权利主体是拥有国有资产财产权的代表。十六大报告指出由中央政府与地方政府分别代表国家履行出资人职责。因此,更确切地说,国有资产收益分配权的权利主体应该是代表全体社会成员拥有国有资产财产权的中央政府和地方政府。根据投资者拥有产权的原则,中央政府和地方政府作为国有资产所有者的代表是获得国有资产收益的主体,应当依据财产权分配规律决定国有资产收益分配的形式、数量界限及确定国有资产收益分配的方法。

2. 国有资产收益分配权的权利客体

国有资产收益分配权的权利客体,即分配的对象,是指狭义的国有资产收益。它是国有企业总产品的价值构成 C + V + M 中的 M(剩余价值)部分在做了纳税扣除后的剩余,表现为企业占有使用、经营国有资产所取得的纯收益,即税后利润。在分级代表体制下,国有资产收益分配的权利客体可以进一步划分为中央政府投资企业和地方政府投资企业的经营成果。

3. 国有资产收益分配权的内容

国有资产收益分配权主要包括国有资产收益政策制定权、征收管理权、国有资本金再分配(投资)权和国有资本金预算编制权。在分级代表体制下,国有资产收益分配权利的内容进一步表现为中央和地方国有资产监督管理机构在以下各个方面的权利。因此,研究中央与地方国有资产收益分配权关系,要分析国有资产收益分配权应该如何在中央与地方政府之间进行合理配置。

国有资产收益政策制定权,是指国有资产监督管理机构依据国有资产监督管理法律法规,确定收益形式、分配顺序、数量界限和收益收缴方式,制定投资方案和确定分配政策方案的权利。法律法规和政策是两个不同的范畴,一方面中国目前的国有资产法律体系不很完整,在执法过程中需要制定某些政策作为对国有资产法律体系的重要补充;另一方面,即使国有资产法律体系比较健全,国有资产管理法也难以涵盖全部的国有资产收益政策,而且随着客观经济情况的变化,需要出台一些新的国有资产收益分配政策。在分级代表体制下,国有资产收益的基本政策应当由中央政府制定。地方政府可以根据中央的基本政策结合地方实际情况,制定具体的实施政策。

国有资产收益征收管理权,是指国有资产监督管理部门依据国有资产管理法律法规,组织国有资产收益的收缴管理和监督检查等一系列工作所行使的权利。在分级代表体制下,应当由中央和地方政府分别对所管理的政府投资企业创造的国有资产收益进行征收。

国有资本金再分配权,是指国有资产监督管理机构依据国有资产收益分配政策和法律法规,以及履行经济建设职能的要求,组织国有资本金再分配,即国有资本金运用的权利。在分级代表体制下,中央和地方政府是独立的国有资本运营主体,应当根据国家统一的调控方针和本级政府确定的经济建设和调控目标,自主行使国有资本金运用的权利。

国有资本金预算编制权,是指国有资产监督管理机构依据国家相关法律法规的规定,按照国家财政部制定的统一的预算方针政策,编制国有资本金运营基本年度计划的权利。在分级代表体制下,中央和地方政府作为独立的国有资本管理主体,应当按照国家统一的国有资本金预算方针、政策和程序,编制本级政府的国有资本金预算。

(四)国有资产收益分配权的表现形式

在分级代表国有资产管理体制下,国有资产收益分配主要包括企业留存收益以及上缴政府国有资产监督管理委员会收益两部分。这是因为,无论是留存企业的所有者权益还是上缴政府国有资产监督管理委员会的投资者收益都是国有资产收益分配的内容。

1. 留存企业的国有资产收益分配形式

留存企业的国有资产收益分配形式根据国有资本经营形式的不同而有所不同,具体表现在:

(1)根据《公司法》规定,股份经营企业的收益分配,应在缴纳所得税后,弥补企业在税前利润弥补亏损后仍存在的亏损,然后按照净利润的10%提取法定公积金和按5%提取法定公益金,当法定盈余公积金达到注册资本的50%时可以不再提取,之后剩余的利润可以向投资者进行分配。

(2)中外合资企业中国有资产收益分配的方式是:根据《合营企业法》及其实施细则的规定,合营企业在缴纳所得税之后,应当提取企业储备基金、职工奖励和职工福利基金、企业发展基金。其中,储备基金的提取比例不得低于税后利润的10%,累计提取数额达到企业注册资本的50%后,可以不再提取。职工奖励和职工福利基金的提取比例由企业自定,其中企业的储备基金主要用于弥补亏损,企业的发展基金主要用于扩大企业生产经营或按企业章程规定作为投资人的增资,剩余利润部分可以按照章程、投资合同或投资比例在各投资方之间进行分配。

2. 上缴政府国有资产监督管理委员会的国有资产收益分配形式

上缴政府国有资产监督管理委员会的国有资产收益分配形式根据国有资本经营形式的不同也有所不同。[①] 具体表现在:

(1) 股利

股利是指股份制企业按照股东的股本所占的股份比例分配给股东的利润。对于实行股份制经营的那部分国有资产,股利是政府作为股东,凭借其持有的资本所有权即股权,参与股份制企业经营收益分配而取得的收入。股利包括股息和红利。股息是股东依据股本所有权以固定比例计算的股金利息(包括优先股股息和普通股股息),而红利则应当是普通股股东依据股本占有使用权在公司分配股息后对剩余利润进行的分配。股息是所有公司股东获得股权收益的形式;优先股股东在普通股股东分配股息之前进行股息分配。红利的分配在普通股股息分配之后进行,其数量主要取决于企业分配股息之后的剩余利润的数量。这种分配方式主要适用于国家控股,参股等股份制经营的国有企业。

(2) 上缴利润

上缴利润是指国有企业实现的税后利润上缴政府国有资产监督管理委员会的部分。具体包括三种形式:一是上缴利润定额包干,即核定一个上缴利润定额,盈利企业的超收部分全部归企业;二是上缴利润基数包干,超收分成。即核定一个上缴利润的基数,盈利企业的超收部分按规定比例在国家与企业之间分成;三是上缴利润递增包干,即企业在核定上缴利润基数的基础上,逐年按一定的递增率向国家财政上缴利润。上缴利润一般适用于未实行公司制改制的政府直接经营和实行承包经营的国有独资企业。

(3) 租金

[①] 李松森:《国有资本运营》,中国财政经济出版社 2004 年版,第 553 页。

租金是指依靠出租国有资产而获得的定期收入。租金可分为固定租金和浮动租金,固定租金是根据企业实际情况确定的租金额,不随企业利润的变化而变化;浮动租金是事先确定企业税后利润的基数和租金基数,根据企业的经营状况而上下浮动的租金额。这种形式适用于实行租赁经营的国有企业。

(4) 资产占用费

资产占用费,是指国有企业对占用的国有资产按照规定的标准缴纳的费用。资产占用费是国有资产有偿使用的一种具体形式,是企业对占用资产按规定标准付费的责任制度。这种分配方式适用于直接经营、委托经营方式的国有企业和占用国有资产的集体企业等。

(5) 产权转让收入

产权转让收入包括两个部分:一是国有资产产权转让收入,即国家通过国有资产产权转让、出售、拍卖、兼并等方式取得的收入;二是国有资产使用权转让收入,即国家通过国有资产使用权转让而取得的收入。这种方式适用于一切存在国有资产产权转让和交易行为的企业和单位。

国有资产收益分配应注意留存企业收益和上缴政府国有资产监督管理委员会收益之间的比例问题。留存企业的收益可以增强企业的再发展潜力,而上缴政府国有资产监督管理委员会的部分可以使政府国有资产监督管理委员会有更多的财力进行国有资产再投资。这就需要平衡两者之间的关系,另外也涉及到股利政策的选择、企业可持续发展能力等一系列的问题。

四、中央与地方国有资产收益分配权权能关系的实质

国有资产收益分配权是由国有资产所有权和占有使用权派生出来的权能。根据所有者和占有使用者权益归属的不同,国有资产收益分配权也归属于不同的投资主体和占有使用主体。根据十六大报告提出的中央与地方分别代表国家履行出资人职责,即国家所有,各级政府分级代表国家行使产权,国有资产收益的终极代表是国家。中央和地方行使的财产权利是出资人所有权和占有使用权。从法律上看,出资人职能包含投资、运营、分配等重大经营决策权、人事任免权、资产监督管理权。出资人的这些权利是在国有资本财产所

有权基础上派生出来的占有使用权。因此,在新的国有资产管理体制下,国有资产收益分配权也可划分为中央政府国有资产收益分配权和地方政府国有资产收益分配权。

中央与地方国有资产收益分配权权能关系的实质,就是要赋予各级政府与其履行出资人职责所拥有的国有资产所有权和占有使用权相对应的国有资产收益分配权,以调动各级政府管理国有资产的积极性。

中央政府国有资产收益分配权应是指按照现行国有资产管理体制,中央政府凭借直接归属于它的国有资产的财产权,参与所投资企业实现利润分配的权利。

地方政府国有资产收益分配权应是指在遵守国家统一法律法规的前提下,地方政府凭借其对直接归属于地方政府管辖的国有资产的财产权,参与所投资企业实现利润分配的权利。

国有资产收益分配权作为国有资本财产权利体系中依据所有权和占有使用权产生的财产权利,应由中央与地方政府分别独立享有。这就要求在中央政府与地方政府之间合理划分出资人所有权和占有使用权,而收益分配权作为所有权和占有使用权的实现形式,对于提高中央政府和地方政府在国有资产管理中的积极性和主动性,提高国有资产的使用效率,保证国有资产的保值增值方面有非常重要的意义。因此,科学界定中央政府和地方政府之间的国有资产收益分配权已成为完善国有资产管理体制的当务之急。

第二节 改革中央与地方国有资产收益分配权关系的理论依据

一、资本财产权收益分配规律

(一)货币资本所有者作为委托人的收益形式

作为委托人的货币资本所有者依据货币资本所有权收回本金并获得利息形式的所有权收益。马克思指出:货币资本借入者必须按期归还本金并偿付利息。"但借入者必须把它作为已经实现的资本,即作为价值加上剩余价值(利息)来偿还;而利息只能是他所实现的利润的一部分。"①"如果现实的回流没有按时进行,借入者就必须寻求别的办法来履行他对贷出者的义务。"②可见,货币资本财产的占有使用者必须按照规定的日期归还借入的本金并偿付利息,而且他实现的利润必须大于偿付的本金和利息,这样,他才能获得占有使用货币资本的收益;如果没有按时归还本金和偿付利息,货币资本的占有使用者就必须以其他的方式履行偿债的义务。马克思还指出:资本的所有者如果将其所有的资本交给另一个人"当作资本来使用",他也就给了后者生产"利润即剩余价值的权力",③而后者要把所生产的利润的一部分付给资本的所有者,"他支付给所有者的那一部分利润,叫作利息。因此,利息不外是一部分利润的特别名称,特别项目;执行职能的资本不能把这部分利润装进自己的腰包,而必须把它支付给资本的所有者。"④"生息资本是作为所有权的资本与作为职能的资本相对立的。"⑤可见,资本所有者获得收益的形式是利息。利息是利润的一部分。作为委托人和法律上的所有者,货币所有者依据货币资本所有权获得利息形式的财产权收益。

(二)货币资本占有使用者作为代理人的收益形式

作为代理人的产业资本家,依据占有使用权获得一部分平均利润形式的占有使用权收益,即企业主收入。根据马克思关于资本财产收益分配的理论,"只要利润的一部分一般采取利息的形式,平均利润和利息之间的差额或利润超过利息的部分,就会转化为一种同利息相对立的形式,即企业主收入的形式。"⑥"货币资本家在把借贷资本的支配权移交给产业资本家的时间内,就把货币作为资本的这种使用价值——生产平均利润的能力——让渡给产业资本

---

① 马克思:《资本论》第三卷(上),人民出版社 1975 年版,第 395 页。
② 马克思:《资本论》第三卷(上),人民出版社 1975 年版,第 390 页。
③ 马克思:《资本论》第三卷(上),人民出版社 1975 年版,第 378 页。
④ 马克思:《资本论》第三卷(上),人民出版社 1975 年版,第 379 页。
⑤ 马克思:《资本论》第三卷(上),人民出版社 1975 年版,第 426 页。
⑥ 马克思:《资本论》第三卷(上),人民出版社 1975 年版,第 425 页。

家。"①,马克思还指出:"资本的真正的特有产物是剩余价值,进一步说,是利润。但对用借入的资本从事经营的资本家来说,那就不是利润,而是利润减去利息,是支付利息以后留给自己的那部分利润。"②马克思把支付利息以后的那部分利润称作企业主收入。"……利息归货币资本家所有,归资本的单纯所有者,也就是在生产过程之前和生产过程之外单纯代表资本所有权的贷出者所有;企业主收入则归单纯的职能资本家所有,归资本的非所有者所有。"③可见,产业资本家,即货币资本的实际占有使用者,是在行使货币资本的支配权,为自己生产平均利润。马克思还指出:"执行职能的资本家不是从他对资本的所有权中,而是从资本同它只是作为无所作为的所有权而存在的规定性相对立的职能中,得出他对企业主收入的要求权,从而得出企业主收入本身。一旦他用借入的资本来经营,因而利息和企业主收入归两种不同的人所得"④。"企业主收入来自资本在再生产过程中的职能,也就是说,是由于执行职能的资本家执行产业资本和商业资本的这些职能而从事活动或行动得来的。"⑤这里,马克思指出了作为代理人的货币资本占有使用者,是因为用别人的资本来经营,执行了产业资本或者商业资本的经营职能,才能够获得企业主收入,而利息则归委托人即货币资本的所有者所得。

根据马克思提出的这一企业主收入原理,对于完全用借入资本财产从事经营的企业经营者来说,他实际上是占有使用包括各种形式借款形成的资本财产的代理人,其收益是依据资本财产的占有使用权获得的,表现为支付借款本金和利息后的利润。

(三)自有资本所有者作为委托人的收益形式

在以自有资本从事经营,并且委托监督管理人员和经理从事具体管理活动的情况下,货币资本财产所有者同时又是占有使用者,其获得收益的形式是

---

① 马克思:《资本论》第三卷(上),人民出版社 1975 年版,第 393 页。
② 马克思:《资本论》第三卷(上),人民出版社 1975 年版,第 418 页。
③ 马克思:《资本论》第三卷(上),人民出版社 1975 年版,第 420 页。
④ 马克思:《资本论》第三卷(上),人民出版社 1975 年版,第 426~427 页。
⑤ 马克思:《资本论》第三卷(上),人民出版社 1975 年版,第 427 页。

利息和企业主收入。马克思指出:"资本的使用者即使是用自有的资本从事经营,也具有双重身份,即资本的单纯所有者和资本的使用者;他的资本本身,就其提供的利润范畴来说,也分成资本所有权,即处在生产过程以外的、本身提供利息的资本,和处在生产过程以内的、由于在过程中活动而提供企业主收入的资本。"①马克思还指出:"用自有的资本从事经营的资本家,同用借入的资本从事经营的资本家一样,把他的总利润分为利息和企业主收入。利息归他所有,因为他是资本的所有者,是把资本贷给自己的贷出者,企业主收入归他所有,因为他是能动的、执行职能的资本家。"②可见,本身既是资本所有者同时又是资本占有使用者,就同时拥有资本的所有权和占有使用权。因此,就可以既获得利息收入,同时也获得企业主收入。

(四)监督管理经营人员作为代理人的收入形式

作为代理人,监督管理人员和经理的收入是利润的组成部分。马克思在批判资产阶级将企业主收入与监督工资相混淆的观点时指出:"在资本主义生产方式的基础上,一部分工资表现为利润的不可缺少的组成部分。正如亚.斯密已经正确地发现的那样,在那些生产规模等等允许有充分的分工,以至可以对一个经理支付特别工资的营业部门中,这个利润部分会以经理的薪水的形式纯粹地表现出来,一方面同利润(利息和企业主收入的总和),另一方面同扣除利息以后作为所谓企业主收入留下的那部分利润相独立并且完全分离出来。"③可见,监督管理人员和经理获得的收入是对利润的分配,来自于剩余价值,或者说是利润的组成部分。那么,监督管理人员和经理获得收入的数量界限就只能是利润超过利息和股息的余额的一部分。在资本财产占有使用权和监督管理权分离的情况下,监督管理人员和经理与企业主共同参与对这个余额的分配。

(五)所有者和占有使用者获得财产收益的数量界限

资本所有者和占有使用者获得财产收益的数量界限是平均利润。马克思

---

① 马克思:《资本论》第三卷(上),人民出版社 1975 年版,第 421 页。
② 马克思:《资本论》第三卷(上),人民出版社 1975 年版,第 421 页。
③ 马克思:《资本论》第三卷(上),人民出版社 1975 年版,第 431 页。

认为，剩余价值或剩余产品的"分配的正常界限——是作为一份份的股息，按照社会资本中每个资本应得的份额的比例，在资本家之间进行分配的。在这个形态上，剩余价值表现为资本应得的平均利润。这个平均利润又分为企业主收入和利息，并且在这两个范畴下分归各种不同的资本家所有。但资本对于剩余价值或剩余产品的这种占有和分配，受到了土地所有权方面的限制。正像职能资本家从工人身上吸取剩余劳动，从而在利润的形式上吸取剩余价值和剩余产品一样，土地所有者也要在地租的形式上，按照以前已经说明的规律，再从资本家那里吸取这个剩余价值或剩余产品的一部分。"①这就是说，资本财产所有者和占有使用者获得的财产收益不是剩余价值的全部，而是一部分。因为，土地所有者要依据土地财产权获得一部分剩余价值。因此，土地所有者依据土地所有权获得的一部分剩余价值，对资本财产所有者和占有使用者的收益起到了限制作用。"每个资本的利润，从而以资本互相平均化为基础的平均利润，都分成或被割裂成两个不同质的、互相独立的、互不依赖的部分，即利息和企业主收入，二者都由特殊的规律来决定。"②"就利润分为利息和企业主收入来说，平均利润本身就是二者合在一起的界限。平均利润提供一定量的价值由它们去分割，并且也只有这个量能够由它们去分割。"③可见，资本财产所有者和资本财产占有使用者获得财产收益的共同的数量界限是平均利润。

平均利息和平均净利润分别是资本财产所有者和占有使用者获得财产收益的数量界限。马克思指出："如果产业资本家同货币资本家进行比较，那末，使前者区别于后者的只是企业主收入，即总利润超过平均利息而形成的余额，而平均利息则由于利息率而表现为经验上既定的量。"④"只要利润的一部分一般采取利息的形式，平均利润和利息之间的差额或利润超过利息的部分，

---

① 马克思：《资本论》第三卷（下），人民出版社1975年版，第927页。
② 马克思：《资本论》第三卷（上），人民出版社1975年版，第421页。
③ 马克思：《资本论》第三卷（下），人民出版社1975年版，第974页。
④ 马克思：《资本论》第三卷（上），人民出版社1975年版，第423页。

就会转化为一种同利息相对立的形式,即企业主收入的形式。"①可见,资本所有者获得收益的数量界限是平均利息;而资本的占有使用者获得收益的数量界限是平均利润和利息之间的差额。或者,可以称之为平均净利润。

(六)自有货币资本占有使用者获得财产收益的数量界限

自有货币资本占有使用者获得收益的数量界限是平均利息和平均利润。企业主收入的大小从根本上说取决于企业创造的剩余价值量,具体说受利息率、成本管理水平、生产技术水平和经营者的决策能力、经营能力等多种因素的影响。马克思指出:"如果总利润等于平均利润,这个企业主收入的大小就只由利息率决定。如果总利润同平均利润相偏离,总利润和平均利润(在二者都扣除利息以后)的差额,就由一切会引起暂时偏离——不管这种偏离是一个特殊生产部门的利润率同一般利润率的偏离,还是某个资本家在一定生产部门获得的利润同这个特殊部门的平均利润的偏离——的市场行情决定。"②"利润率在生产过程本身中,不仅取决于剩余价值,而且取决于许多其他情况:生产资料的购买价格,效率高于平均水平的生产方法,不变资本的节约,等等。……而就每一笔交易来说,取决于资本家的狡猾程度和钻营能力。"③可见,企业在购入生产资料过程中的低成本、生产方法的改进、生产材料的节约和企业经营者对每一笔交易的经营能力都影响着利润率的高低,进而影响企业资本占有使用者的收益。

二、资本财产权收益分配规律理论的指导意义

马克思主义财产收益分配规律理论中关于资本财产所有者和占有使用者获得财产收益的数量界限理论和平均利润率理论,为我们确定政府投资企业取得国有资本收益的数量界限和对政府投资企业的业绩考核提供了科学的方法和依据。

第一,马克思主义资本财产权收益分配规律理论,为确定中央和地方国有

---

① 马克思:《资本论》第三卷(上),人民出版社 1975 年版,第 425 页。
② 马克思:《资本论》第三卷(上),人民出版社 1975 年版,第 419 页。
③ 马克思:《资本论》第三卷(上),人民出版社 1975 年版,第 419 页。

资本的所有者、占有使用者和监督管理经营者的财产收益形式提供了理论依据。

中央和地方国有资产监督管理委员会应当依据国有资本的所有权,以股息形式(或者相当于股息的利润部分)向所出资的国有企业收取国有资本所有权收益;同时,依据国有资本的占有使用权以红利形式(或者相当于红利的利润部分)获得平均利润的一部分,即马克思说的企业主收入。作为企业国有资本的具体监督管理经营者,国有股东代表(董事)、监事会主席(监事)和经理等,实际上是代表各级政府行使国有资本的具体监督管理和经营的权利,拥有依据监督管理经营能力等无形资本的所有权获得年薪收入的权利。

对于由多个不同层级的政府共同投资建立的股份制企业,各层级政府投资主体应当按照持有股权的比例和同一股息率计算其各自应当获得的股息。如果各级政府国有资产管理监督机构拥有普通股股权,参与企业的经营管理决策,那么它还拥有企业资本的占有使用权,既具有国有资本所有权职能,还具有国有资本占有使用权职能,因此,还应当以红利形式参与企业剩余利润的分配;而政府委派或聘任的经理则行使具体的监督管理和经营企业的职能,因此应当获得经营者收入。对于由中央政府和地方政府与其他投资主体共同出资组建的股份公司(包括政府绝对控股、相对控股和参股公司),也应当比照上述作法办理。

第二,马克思主义财产权收益分配规律理论为国有企业实行监督管理经营者年薪制改革提供了理论依据。按照马克思关于监督管理劳动的理论,现代企业中的监督管理人员和经理应当依据劳动力的所有权和自身监督能力、管理能力、决策能力和经营能力等无形资本的所有权,既获得劳动力工资收入,又获得管理要素等无形资本财产收益。因此,监督管理人员和经理的收入应当有两个来源:一是来自预付的可变资本,二是来自企业实现的利润,即利润支付利息和股息后的部分。所以,我国实行的政府投资企业监督管理人员和经理年薪制应当由基本工资和管理要素收益两个部分构成。其中,基本工资应当与其他普通员工的工资水平一样,而年薪则与企业实现的平均利润直接挂钩,按照一定比例在支付股东股息后进行分配。这样才能起到最大限度地激励所有权代表、占有使用权代表和企业管理经营者的作用,达到所有者、占有使用者和具体监督管理经营者收益同步增加,或者,同步减少,实现委托人和代理人利益的一致,从而进一步促进企业经济效益的提高。我国有些地方在试行年薪制改革的过程中实行的固定年薪数额并计入经营成本的做法,导致分配顺序倒置,违背了财产收益分配规律。虽然也起到了一定的激励作用,但不能保证所有者和占有使用者获得财产收益,也不能最大限度地调动具体管理经营者的积极性。

第三,马克思主义财产权收益分配规律理论为确定国有资产所有者、占有使用者和监督管理经营者获得收益的顺序,建立激励机制提供了理论依据。

作为一般的劳动者,企业内部的监督管理经营者(包括企业内部董事、监事和聘任的经理)应当与其他劳动者一样,在企业销售(营业)收入中得到劳动力财产所有权的收益——相当于普通劳动者的工资。企业外部的监督管理经营者(包括外部董事、国有资产监督管理委员会派驻企业的监事会主席、监事)由原单位支付其基本工资。

作为国有资产的所有者代表,国有资产监督管理委员会依据国有资产的所有权,参与企业实现利润(所得税后的利润)的分配,按平均股息率从企业实现的利润中获得股息收益[①];然后,再依据国有资产占有使用权以红利形式获得一部分剩余利润。

国有资产监督管理委员会派驻企业的国有股东代表(包括企业内部和外部的董事长、董事、监事会主席、监事)和聘任的经理,是企业的监督管理经营者,他们依据管理要素的所有权以年薪形式与企业国有资产的占有使用者——国有资产监督管理委员会——共同参与企业剩余利润的分配。

如果企业的监督管理经营者积极地履行了监督管理经营职能,最大限度地发挥了监督管理、决策和经营的能力,那么,随着企业实现利润的增加,国有资本所有者除获得以股息表现的国有资本所有权收益外,还会获得更多的以

[①] 这里的平均股息率是指按行业和企业规模确定的在企业正常经营情况下能够为股东提供的股息占平均利润的比例。——本书作者注。

红利形式表现的企业主收入(平均利润中的一部分);企业的监督管理经营者也会获得更多的管理要素所有权收益。如果企业的监督管理经营者没有积极地履行职能,或者,由于能力欠缺没有实现企业赢利(或者利润增加),那么,他们就只能得到相当于普通员工一样的工资收入或较少的管理要素收益。

此外,如果企业的监督管理和经营者(包括技术人员)持有本企业的普通股股票,无论是他们自己出资购买的还是采取股票期权方式得到的,那他们就具有了第三种身份——股东的身份,和第四种身份——自有资本占使用者的身份。因此,他们还应当依据股权所有权获得股息收益和依据股权占有使用权获得红利收益。这样,以管理要素所有权和股权为依据,企业的监督管理和经营人员就会获得管理要素财产权收益(技术人员获得技术要素财产权收益)、股权资本财产所有权收益和股权资本占有使用权收益。

第四,马克思主义财产权收益分配规律理论对提高国有企业经济效益,具有特别重要的意义。马克思在分析英国合作工厂的财务账目时曾指出:"在扣除经理的工资——这种工资形成所投可变资本的一部分,同其他工人的工资一样——以后,利润大于平均利润,虽然这些工厂有时比私营工厂主支付更高更多的利息。在所有这些场合,利润高的原因是由于不变资本的使用更为节约。但这里使我们感兴趣的是:在这里,平均利润(= 利息 + 企业主收入)实际地并且明显地表现为一个同管理工资完全无关的量。因为,在这里利润大于平均利润,所以企业主收入也大于通常的企业主收入。"[①]可见,承认和维护监督管理人员和经理(包括技术人员)的财产权利,对于企业的发展壮大,提高企业的经济效益,进而为资本财产的所有者和占有使用者提供更多的财产收益,具有重要的作用。

我国国有企业正处在深入改革时期,改革能否成功的一个重要标志是企业经济效益是否提高。政府获得所出资企业股息的数量和获得利润(企业主收益)的数量,在股息率已定的情况下,主要取决于企业创造的剩余价值量,具体说受成本管理水平、生产技术水平和经营者的决策能力、经营能力等多种

[①] 马克思:《资本论》第三卷(上),人民出版社1975年版,第436~437页。

因素的影响。因此,加强对政府投资企业国有资本金绩效的考核和对企业具体监督管理经营者业绩的考核,是维护国有资本所有者、占有使用者和经营者财产权利的重要手段。所以,承认并保护监督管理人员和经理的财产权利,调动监督管理人员和经理的积极性,充分发挥其管理要素的作用,对劳动生产率和经济效益的提高十分重要。这样,就在实际上建立了一种激励机制,使管理要素所有权与企业的经济效益直接联系起来,从而最大限度地调动监督管理经营者的积极性,实现真正意义上的产权清晰、权利、责任和义务对等,达到提高劳动生产率,提高经济效益,促进生产力发展的目的。同时,也可以避免出现道德风险和逆向选择等委托代理过程出现的弊端。我国国有企业多年改革成效不显著,企业经济效益不高的问题,与国有资产所有者、占有使用者和监督管理经营者的财产权利界定不清,有着直接的关系。国有资产所有权、占有使用权和监督管理经营权的进一步分离,以及财产权利的明确、收益形式的确定、分配顺序和收益数量界限的确定,将进一步明晰国有企业的产权关系,既可以维护国有资产所有者和占有使用者的财产权利,又可以维护监督管理人员和经营者的财产权利,对企业的监督管理人员和经理将产生更大的激励作用,会大大激发其努力搞好企业经营的积极性,将对解决国有企业经济效益不高问题产生积极的作用。

三、改革中央与地方国有资产收益分配权关系的现实意义

改革中央与地方国有资产收益分配权关系,具有以下几个方面的重要意义。

(一) 有利于国有资本所有权和占有使用权的实现

收益权是财产权的一项重要权能,资产收益是资产所有权和占有使用权借以实现的经济形式。所有者拥有资产所有权和占有使用权的根本目的,就在于获取产权收益。国有资产收益权是国家凭借国有资本所有权和占有使用权参与社会产品分配的权利,是国家作为出资人享有的基本权利之一。保障国有资产收益,实现国有资产保值增值,是国有资产产权管理的核心内容;维护国家资产收益权,确立国家在企业收益分配中的主体地位,是保障国有资产

所有者和占有使用者权益的要求。

现代产权制度的建立,要求维护产权所有者和占有使用者的合法权益。改革国有资产收益分配制度是现代权制度的必然要求。产权在本质上是一种经济权利,在企业中形成了以产权(所有权)为本源、控制权(占有使用权)为核心、经营权(管理要素所有权)为基础、债权为监督的财产权利体系。在该体系中,投资者投入资本金形成法人形式的企业,相应的资本金形成企业的法人财产。在股份公司,产权是一种与资本量相关联的权利。资产的所有权可以量化,按照少数服从多数的资本所有者权利决定原则,由所有权决定企业的实际控制权和收益权,再由控制权决定经营权的归属。产权的一个最重要的特征就是拥有企业收益的剩余索取权,即拥有索取在扣除了经营成本后所剩余的收益的权利。资本所有者取得收益的比例与投入资本的比例相同,资本的占有使用者取得收益的比例与企业的经济效益直接联系。政府作为国有资本的所有者和占有使用者,在所投资企业获得的收益比例也遵循这一原则。各级政府作为国有资本的所有者,在所投资企业获得的收益比例应与投入资本的所有权和占有使用权相对应。因此,根据国有资产管理新体制的要求,在实行所有权分级代表改革的过程中,同步实行国有资产收益分配权的改革,将进一步明晰各级政府的国有资产财产权利,真正实现中央与地方政府各自的所有权和占有使用权。

(二)有利于财权与事权相统一

在市场经济条件下,从政府的职能是提供公共产品和促进经济结构优化这一点来考虑,应当按照公共产品受益范围的层次性和地方经济结构优化的需要来规范各级政府的财权与事权支出范围。相应地,各级政府对其投资形成的国有资产、按体制划分给各级政府拥有产权的国有资产,根据财权与事权统一的原则,也应该分别享有各自的国有资产收益分配权。

尽管1994年实行的分税制对中央和地方之间的事权作了原则性的划分,但仍然存在不够合理的地方。例如,社会保障、义务教育、粮食补贴等本应由中央承担的事情却由地方政府负担或与地方政府共同负担,而一些本应由地方政府负担的事情却由中央政府在做,例如,地方企业的债务风险可以推给中央政府承担。

总起来说,地方政府要做的事情还要做,而收入却大幅度的减少了,这就使得地方政府只能依靠乱收费与变相借债来满足支出的需要。由于分税制体制改革是在不调整地方既得利益的基础上进行的,因此,中央与地方各自的事权和财权的划分还不够完善。《预算法》保证了地方预算自主权,但仅原则地规定了中央政府和地方政府间支出的划分。国务院关于实施分税制的补充法规中,对地方政府主要支出责任的内容做了进一步规定:地方预算主要负责地方党政机关的运转费用、地方经济发展的需求、武装警察和民兵的部分费用、地方融资的资本投资、地方企业技术革新和开发新产品的试制费、农业支持费、城市维护和建设费和地方文化、教育和医疗卫生、价格补贴和其他支出有关开支。实际支出的划分遵循上述一般性原则。提供与地方经济发展有关的社会服务与事务,主要责任属于地方政府,包括:公共管理、安全与保障、提供社会服务(如教育、医疗卫生、社会保障、住房和城市、地方服务等)。因而,地方政府在人力资源开发、发展基础设施和工农业发展中应当发挥重要的作用。

鉴于地方政府在资本投资、扶持优势产业、地方企业技术革新、发展基础设施等方面的支出需求,在法律上界定中央与地方政府的国有资产收益分配权,使各级政府能够依据国有资产的所有权和占有使用权,维护国有资产所有者和占有使用者的合法权益,更好的发挥各级政府的作用,提供公共物品和劳务,弥补市场在资源配置方面的缺陷,无疑具有重要的现实意义。这样不仅有利于完善分税制体制,促进各级政府之间财权的理顺,而且有利于各级政府财权与事权相统一。

(三)有利于权利、责任和义务相统一

权利、责任和义务相统一是国有资产管理体制能够有效运行的基本规定性,也是改革中央与地方国有资产产权关系的重要原则。长期以来,地方政府虽然对国有资产拥有实际的占有使用管理权,地方政府也享有国有资产的部分收益权,但由于缺乏法律依据,地方政府面对不确定的收入体系,没有动力提高国有资产的运营效率,在管理国有资产方面,普遍存在着短期行为。因此,对国有资产经营状况漠不关心,甚至造成管理主体缺位,国有资产及其收益大量流失。由中央与地方分别代表国家履行出资人职责,给予其完整的财产权利,将有助于从根本上解决这一问题。作为国有资产出资人代表的各级政府国有资产监督管理机构,既享有出资人的资产收益、重大决策和选择管理者的权利;又要承担代表人民、代表国家履行出资人职责,监管好国有资产、实现国有资产保值增值、搞好国有企业、发展壮大国有经济的职责;还要履行出资人义务,维护企业的经营自主权。这样才能够充分调动中央与地方监督管理国有资产的积极性和主动性。

(四)有利于政府履行出资人职能

国有资产收益的收取和使用是中央和地方政府调控经济、进行经济结构调整的一个重要政策手段。这是国有资本所有者和占有使用者财产权利的体现。各级政府向企业投入资本金是为了促进基础设施和基础产业、优势产业和高科技产业的发展,满足公共需要,既有提供准公共产品的服务,又有提供一般竞争性产品的生产;既有公益性行业,又有经营性行业。为进行调节控制,政府需要通过国有资本金预算对公益性行业予以补偿,对重点产业加大投入。不同级次的政府,调节控制经济运行的范围和优化经济结构的内容和重点不同,依据管辖国有资产的范围,中央政府从所投资企业收取税后利润,用于调整需要优化的产业结构、地区结构和产品结构,加大对国民经济命脉产业和关系国家安全,以及重要资源产业的控制力度,体现了宏观经济调控的需要。地方政府在管辖范围内组织国有资产收益,将有利于地方政府更好地进行地方经济结构的调整,促进优势和特色产业的进一步发展。

国家的双重职能对国家参与政府投资企业分配提出了要求。首先,科学、合理地区分国家的行政职能和国家的出资人职能,要求采取有利于适应这种双重身份和职能分开的分配形式。一般说来,适应国家履行管理者职能的需要,宜采取税收和公共支出的分配形式,以发挥税收和公共支出的规范性、稳定性的特点;适应国家履行出资人职能的需要,宜采取利润和国有资本金投入的分配形式,以发挥利润分配和国有资本金投入的灵活性优势。其次,国有资产所有权、占有使用权和经营权的分离要求进一步改革企业利润分配体制。国家参与政府投资企业税后利润的分配,是国家行使国有资本所有权和占有使用权的重要体现,建立规范的国有资本投入收益和占有使用收益制度,清楚地界定国家作为所有者和占有使用者的权益,有利于避免国家对企业经营权的行政干预,有利于企业自主经营,有利于履行国有资产所有者和占有使用者的职能。再次,坚持税后分利,是政府双重身份和职能分开的必然要求,是规范国家与企业分配关系的基础条件,同时也是建立和完善国有资本金预算的前提。

(五)有利于实现国有资产保值增值

改革中央与地方国有资产收益分配权关系,将有利于搞好国有资本收益分配管理,促进国有资产保值增值的实现。国有资产收益分配制度改革是深化经济体制改革的重要环节。我国原有经济体制的弊端,突出地表现为国有资产财产权利不清晰和由此而导致的收益分配制度上的大锅饭,严重压抑了地方政府、企业经营者和职工的生产经营积极性,这也是以放权让利作为切入点的国有企业改革不能够取得预期成效的原因。在市场经济条件下,市场价格机制、竞争机制的作用都要依赖于经济主体对自身利益的追求。明晰地方政府的财产权利和企业经营者的财产权利,是调动其管理监督、搞好生产和经营管理积极性的前提。

改革中央与地方国有资产收益分配权关系,明晰各级政府的财产权利,密切所有权、占有使用权、管理要素所有权与企业经营效绩、股息、红利和劳动报酬的联系,国有资产的监督管理主体、企业经营者才有搞好生产经营的动力与压力,才能彻底实现企业经营机制的转换,实现国有资产的保值增值。国有资产收益是实现国有资产保值增值的重要环节和途径。政府投资企业的生产经营效益决定了国有资产收益的多少,也决定了国有资产的保值增值程度。因此,明晰中央与地方国有资产收益分配权关系,提高国有企业的盈利能力,是国有资产管理的中心任务。国有资产的保值增值离不开收益分配过程,收益分配不但是国有资产保值增值得以实现的最终环节,而且,从分配在社会再生产中的地位来看,分配也反作用于生产,因而收益分配的实现也是国有资产得以不断保值增值的途径和条件。改革中央与地方国有资产收益分配权关系,有利于各级政府加强国有资产收益分配管理,确保国有资产收益及时足额收缴,建立和完善国有资本金预算,保证国有资产收益切实用于国有资本再投入,为国有经济的持续、稳定发展增强后劲,为国有资产长远保值增值奠定基础。

第三节 中央与地方国有资产收益分配权关系的国外借鉴

世界上几乎每个国家都拥有相当比重的企业归国家所有或国家持有其股份。各个国家的国有资产管理方式不尽相同,有的采取集权方式管理,如法国、英国等;有的采取分权方式管理,如美国、加拿大等国家;有的采取集权与分权相结合的管理方式,如日本、韩国等国。在此,我们以法国、美国、日本这三个国家为例,分别介绍其处理中央与地方的国有资产收益分配权关系的做法,以资借鉴。

一、部分国家中央与地方国有资产收益分配权关系

(一)法国:高度集权的国有资产收益分配体系

在发达的市场经济国家中,法国是一个长期实行"计划市场经济"的国家,也是企业国有化程度最高的国家。尽管经过 1993 年的私有化运动后,国有部门中的大型企业数量明显减少,余下的国有企业主要集中在基础产业部门,但国有部门的产值占国内生产总值的比重仍是世界上最高的。

法国国有企业创建的途径有三种:第一,通过购买私人企业股份;第二,通过企业兼并;第三,通过国家向私人企业参股。不论实行哪种办法,都是从私人资本家手中把企业的全部股份或部分股份购买过来,归国家所有。这样,国家就成为企业的股东。法国经过上个世纪 80 年代初的国有化运动后,由财政部门用五年时间分批把股金偿还给私人股东。在这期间,国营企业每年要向国家上缴 15%~30% 的利润用于偿还私人股东的股金。五年之后,国营企业除向国家交税以外,不再上缴利润。但国家作为股东参与分红,红利作为财政收入上缴国库。

为了便于对国有企业进行管理,法国政府将国有企业划分为三种类型:第一种,非法人的公司事业单位及从事工商业活动的行政机构性质的公共事业机构,包括邮电、国家印刷厂、存款银行等;第二种,工商业性质的公共事业机构和国有企业,包括国家森林管理处、烟草和火柴工业管理部、法国煤矿公司和国有

银行等；第三种，中央政府或授权地方政府掌握部分股份的股份有限公司。根据法国官方的划分标准，国家持有 30% 以上资本的企业才称为国有企业。

法国是实行单一制政体的国家，且具有历史悠久的中央统制传统，长期以来实行高度集权的财政管理体制。从中央与地方的关系看，行政管理权和经济调控权都高度集中于中央政府。法国的权力机构是议会，地方财政的预算收支完全由中央决定。在这种体制下，国有企业管理体制也表现出高度集中于中央的特点，由中央政府独揽管理权，地方无权建立国有企业。法国的国有资产统一由财政部管理，具体决定国有企业的投资分配、企业亏损补贴分配，包括政策性亏损补助和计划合同规定的补贴等。1981 年 9 月社会党政府颁布《权力下放法》之后，法国对中央与地方关系进行了重大改革，实行中央与地方分权，扩大了地方政府的财力，地方政府可以根据中央政府的授权进行投资。尽管下放了财权，中央政府仍集中全国财政收入的 70% 左右，仍属于高度集权制。各级地方政府之间不存在隶属关系，其财政预算由各级议会决定。但中央对地方财政有适度的法律监督权，体现在国有资产管理方面，就是由中央政府制定法律、法规，各级地方政府依据法律法规对国有资产进行管理。

法国国营企业的经营收入，主要是国营企业上缴国库的分红收入。由于法国的国营企业有很大一部分是通过购买私人股份形成的，因此采取股份制经营方式。国营企业的利润在缴纳所得税之后，一部分利润按股份进行分红，红利一般占企业纯收入的 10% 左右，国家股权取得的分红，全部上缴国库；其余部分留给企业自行支配。尽管法国的国有经济在法国的整个国民经济中占有相当比重，国有企业生产总值占全国生产总值的 18% 左右，但国营企业上缴财政的分红收入在整个预算收入中的比重却很小[①]。由于长期以来法国实行高度的集权制，红利收入基本上归中央政府所有，分权之后的法国政府，对于地方政府投资形成的国营股份，实行地方政府也享有所占份额应收得的红利收入。尽管如此，综合起来说，由于国营企业的相关法律法规均由中央政府统一制定，地方政府只能按国家的法律执行。由此可见，法国国有资产收益分

---

① 财政制度国际比较课题组：《法国财政制度》，中国财政经济出版社 1998 年版，第 66 页。

配权相对集中于中央政府。

(二)美国:高度分权的国有资产收益分配体系

美国是联邦制国家,其政府分为联邦、州、地方三级。与三级政府相对应,国有资产管理体制也按照联邦、州、地方政府三级划分。美国的国有资产大体分布在以下几个领域:一是包括土地和各种建筑物在内的各类政府不动产;二是各级政府投资兴建的交通、桥梁、机场等基础设施;三是国有企业资产和混合企业中的国有资产;四是国家对科学研究的投资所形成的资产。

美国的国有企业在美国经济中的作用是微不足道的。国有企业资产和就业人数占全国企业总资产和就业总人数的1%左右,除邮政和铁路全部属于国有外,在其他领域都仅占部分或很小的比重[1]。美国国会对国有资产的管理主要是通过对国有企业的立法方式进行的。联邦政府在规范州和地方政府的行为方面,权力是有限的。相应地,美国实行的也是财政分权制,在国有资产方面,联邦政府与州政府、地方政府均有自己独立的政府财产。联邦政府拥有的企业称为联邦国有企业,州政府与地方政府拥有的国有企业统称为地方国有企业。联邦一级国有企业的设立、撤销和国有企业的内部控制制度都要由国会通过立法来决定。美国的国有企业,根据其资产组织形式不同,包括政府直接拥有的国有公司企业以及其他三种特殊形式的国有企业组织形式。对于各级政府直接拥有的国有公司企业,联邦政府、州政府、地方政府都有权决定它们在国有资产收益分配方面不纳税、不上缴利润,而且接受政府拨款和从联邦银行借款来维持运转。对于以下三种特殊形式的国有企业,其利润分配形式也有所不同。

第一种,国有民营企业。即将国有企业或其设备以租赁的方式出租给私营企业经营使用,这在飞机工业中较为突出。在这种情况下,一般来说,各级政府向承包商收取租赁费,按规定上缴国库。但由于大多数情况下,国有企业的租赁是与政府采购相联系的,因此,各级政府不仅不向承包商收取租费,反而要每年拨出专款以补偿和更新政府固定资本的损耗。

第二种,政府赞助企业。这种企业资本属于私人所有,经营目标可能是盈

---

[1] 财政制度国际比较课题组:《美国财政制度》,中国财政经济出版社1998年版,第22页。

利的,也可能是非盈利的。但政府每年向它提供大量补贴和资助,使其服务于某些特定的经营目标。在这种情况下,一般来说,政府不享受企业的收益,反而要向其提供补贴。

第三种,国家参股企业。即国家和私人垄断组织共同掌握企业的股权,并共同参与企业管理。在这种经营方式下,政府的国有资产收益来源于企业税后利润分配的红利。

美国绝大多数国有企业都出租或承包给私人企业经营。被出租企业,由承租方自主经营,政府向承租方收取租金,并监督承租商的经营活动。美国更多的国有企业是由政府通过招标,与主承包商签订购货合同,由主承包商管理企业并层层转包。租赁和承包管理是美国国有企业管理体制的主要特征。

综上所述,美国国有企业的一个突出特点是盈利性工商企业少,主要是从事社会基础设施建设和服务的国有企业,而且其中绝大部分是提供社会管理服务以满足政府特定目的需要的企业。因此,各级政府的财政收入中来源于国有资产收益的份额非常少。但无论如何,由于美国实行的是高度分权的财政管理体制,中央与地方的国有资产收益分配权关系也因为各级政府之间产权的明晰而异常明确。

(三)日本:集权与分权相结合的国有资产收益分配体系

日本的国有企业一般是指由中央政府或地方政府全部或部分出资兴办的企业。更为广义的定义有:"作为政府的政策手段,政府以某种形式拥有并参与经营的企业。"①日本国民经济核算体系(新 SNA)关于国有企业的定义是:"为公共所有或支配,依据公司法及其他公法、特别立法、行政规定等拥有法人资格的公共性法人企业。同时,是由在市场上出售其生产的大部分社会产品、服务的大规模非法人政府事业体演变而来的,从其活动类型,即生产技术、经营形式的特性,可以作为产业来分类的事业所。"②其中,由中央政府出资的企业称为中央政府企业,由地方政府出资的企业称为地方政府企业,中央政府

---

① 昌忠泽:《国有企业之路:日本》,兰州大学出版社1999年版,第1页。
② 昌忠泽:《国有企业之路:日本》,兰州大学出版社1999年版,第2页。

或地方政府部分出资的企业称为公司混合企业。在日本,法律上没有国有企业、国营企业等用语,在实践中也没有对国有企业作过一个公认的统一的定义。由于文化传统的不同,日本把国有企业一般称为公营企业或公企业,为了符合我国的习惯称谓并保持体例上的一致,我们均把日本的公企业称为国有企业。日本国有企业的分类如下图:①

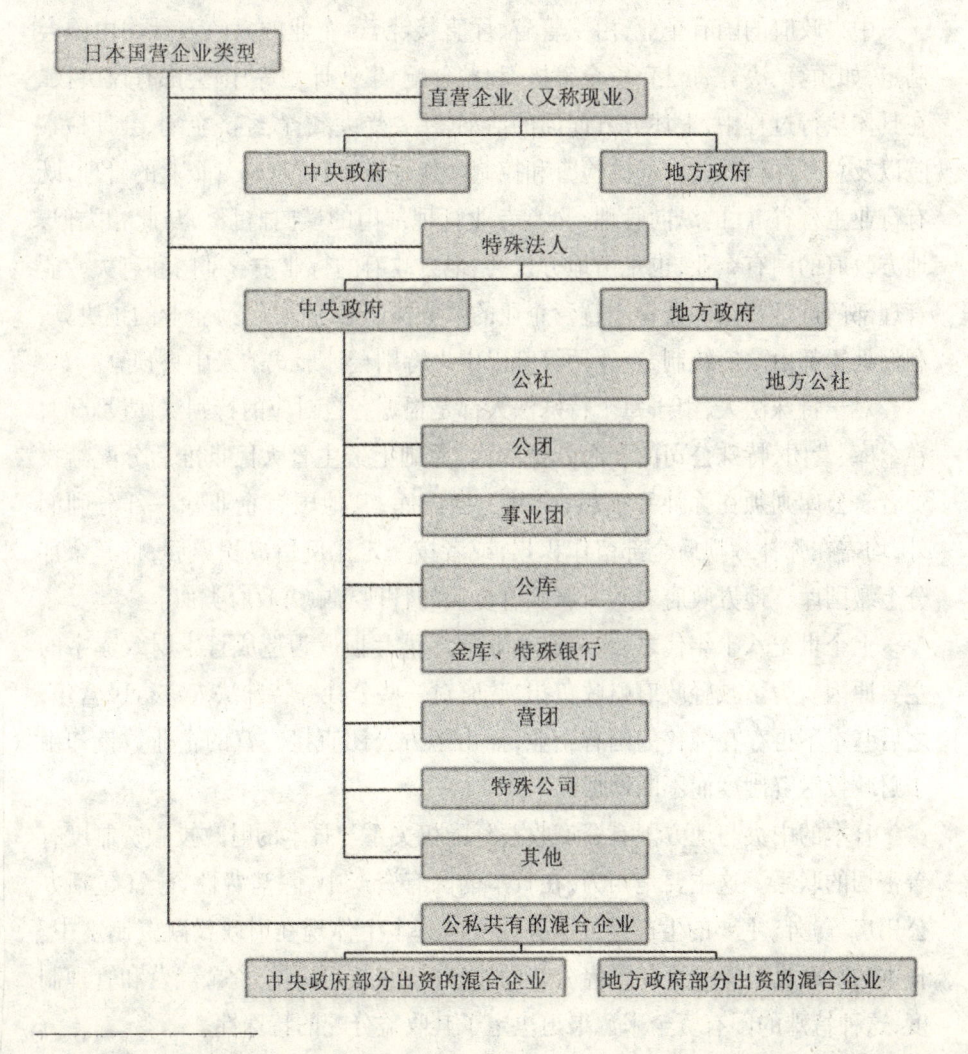

```
日本国营企业类型
├── 直营企业(又称现业)
│   ├── 中央政府
│   └── 地方政府
├── 特殊法人
│   ├── 中央政府
│   │   ├── 公社
│   │   ├── 公团
│   │   ├── 事业团
│   │   ├── 公库
│   │   ├── 金库、特殊银行
│   │   ├── 营团
│   │   ├── 特殊公司
│   │   └── 其他
│   └── 地方政府
│       └── 地方公社
└── 公私共有的混合企业
    ├── 中央政府部分出资的混合企业
    └── 地方政府部分出资的混合企业
```

---

① 任远:《外国国有资产管理》,中国财政经济出版社1990年版,第128页。

日本是实行单一制的国家,其政治体制是实行中央、都道府县、市町村三级自治,其中都道府县、市町村在日本法律上称为地方自治实体,各级政府的事权、财权划分以及相应的法律制度及政策决策管理权均集中在中央,以中央集权为特点。但地方自治权特别是举办事业的自治权仍得到保证,可谓是中央集权领导下的地方自治体制。

中央政府的国有企业,由主管省、厅直接经营,企业的大政方针均由国会制定,如预算、决算、价格、资金筹措、利益分配、事业计划等,国会都有议决权。在具体执行过程中,上述方方面面的活动,还要受大藏省、经济企划、会计检察院以及总务厅行政监察局的检查和控制。就是说,对政府直营企业的管理,既有行业主管省、厅的纵向管理,又有专业管理部门的横向监督。与此相类似,地方政府的国有企业,也是由地方议会、地方政府的行业主管部门和有关专业管理部门进行管理和监督。直营企业的财务体制是统收统支,企业的预决算、利润处置都由政府统制,企业预算都以中央特别会计形式纳入中央预算。

对于特殊法人,由于每个特殊法人都是根据各自对应的特别法律设立的,在金库、营团、特殊公司的利润分配方面,原则上经主管大臣批准后分配给投资者。公库则须在弥补亏损后,全部上缴国库,其他国有企业除一部分利润外,均需在弥补亏损后全部留作积累,或者按一定比例留成积累后,将其余部分上缴国库。地方政府对其所属国有企业的管理与中央政府类似。

上个世纪八十年代之后,国有企业的严重亏损成为造成日本财政赤字的主要原因。为了减轻政府财政负担,政府对一些公社等特殊法人进行民营化,之后基本不再存在纯粹的国有企业,而由地方公团直接经营的企业数量却由于财政投融资制度而不断增加。

日本的中央与地方国有资产收益分配权关系与日本的财政投融资制度有着密切的联系。这主要是因为,在日本的国有资产中,除消费性资产(包括办公用房等)外,主要的生产性或服务性资产基本上体现在财政投融资制度中。日本的财政投融资制度是世界公认的比较成功的国有有偿资金经营和管理制度,这种特殊的国有资金来源渠道决定了其收益分配的特殊性。

财政投融资是指以政府信用为基础筹集资金,以实施政府政策且形成固定资产为目的,采取投资(出资、入股等)或融资方式将资金投入企业、单位和个人的政府金融活动。确切地说,财政投融资是由资金运用部、简易保险资金、特别会计中的产业投资构成的政府资金和用政府保证债、政府担保的借款方式筹措的民间资金为主要资金来源,采用投资、贷款及认购债权的方式将这些资金运用于特别会计、公库、银行(日本开发银行和日本输出入银行)、公团、地方公共团体、特殊公司等的政府政策性金融活动。所有的资金来源中仅有产业投资和特别会计资金来源于国有企业资金贷款的本金偿还和利息收入。

日本的财政体制具有明显的地方自治与中央集权相结合的特点,实行一级政府、一级财政。但这种财政体制在市场经济国家中是属于中央集权型的。原因在于日本地方财政自治权限的大小是由中央确定的。在日本的投融资制度方面,由中央政府投融资形成的国有资产贷款本息的偿还归中央特别会计预算,而地方政府只享有本级政府投融资形成的贷款本息收入。这与国有资金来源的有偿性提供有关,而不是通过财政无偿拨款投资形成。因此,日本的国有企业基本不存在利润上缴问题,而是在税前通过偿还本金和支付利息来提供资金的补偿和收益,对于企业的税后利润基本不存在收益分配权。

二、几点启示

综合以上比较分析,可以看出,由于各国政治体制、国有企业形成方式、经营方式的不同,决定了各国的国有资产收益分配权在中央与地方之间的关系也不同。各国中央与地方之间国有资产收益分配权关系各有利弊。对于采取集权管理模式的国家,由于管理体制高度集权,导致中央对地方统的过死,中央对地方管得过多,使得地方政府没有了管理的积极性;对于采取分权管理模式的国家,由于分权导致地方自主权过大,地方政府对于企业的投资往往偏离社会经济发展目标,不利于中央政府的宏观调控;国有资产的管理权分散在多个部门,导致国有资产的多头管理,多部门之间相互掣肘,不利于实现资源的有效配置和国民经济的平衡协调发展。

这表明,世界上并不存在一个统一的模式,关键是要从本国国情出发,选择与本国国情相适合的国有资产管理体制以及收益分配权划分制度。尽管如此，上述国家处理中央与地方国有资产收益分配权关系的做法仍有一些值得我们借鉴的地方。

（一）国有资产收益分配权是国有资产管理体制的重要内容

虽然各国的国有资产收益在财政收入中比重都较小，但仍是国有资产管理体制中不可或缺的一部分。不论是联邦制国家（如美国），还是单一制国家（如法国、日本），尽管各国的国有资产管理体制有所不同，甚至差异很大，但普遍都存在中央国有资产和地方国有资产。国有资产收益分配权在中央与地方政府之间进行划分，为各级政府履行政府职能、满足特定社会目标提供了财力支撑与保障。通过以上各个国家的比较，其共同点是：几乎大部分国家的国有资产经营都采取股份制形式，其国有资产收益的形式也就以股息、红利为主，基本上不存在企业利润的上缴形式。这种产权明晰的经营方式对于国有资产收益的分配是有利的。各级政府可以按照各自拥有的股份而享有收益，与私人股份处于相同的地位，不会出现中央与地方政府之间的利益冲突。分得股息、红利的多少完全取决于企业的股利分配政策，不受各级政府的行政干预，有利于政企分开、政资分开。

（二）地方政府普遍拥有国有资产收益分配权

国有资产收益分配权是国有资产管理的核心问题。各国的中央与地方国有资产收益分配权体制差异相当大，但没有任何一个国家采取完全集权的模式。如日本向地方适度分权的做法，即使是法国这种高度集权的国家，也给予了地方政府一定的机动权，至于美国，地方的国有资产管理权限则更大。

（三）国有资产收益的分配侧重于企业自身发展

上述国家在国有资产收益的分配方面基本上采取了侧重于企业发展的做法。例如，日本基本不存在国有企业利润上缴财政的问题，由于其特殊的有偿国有资本金提供体制，使得各级政府以债权人的形式出现。因此，对于国营企业除了能在税前收取资金本金和利息之外，不具有分享税后利润的权利。美国虽然有些国营企业采取租赁方式出租给私人经营，应该收取租赁费，但一般又与政府采购相联系，目的是为了满足社会的特定需求。因此，一般也不参与国有企业的税后利润分配。虽然法国各级政府按其所占股份享有国有企业的税后分红,但相当一部分利润留归企业用于扩大再生产、技术改造以及职工福利。

(四)财权与事权相统一且以法律法规为依据

上述几个国家政府之间的财权与事权都比较统一,各级政府的事权和财权的划分比较明确,各级政府根据自身的事权范围来划分财权,有明确的收入与支出,自编预算,自求平衡。因此,它们的财政管理体制比较稳定。在国有资产收益分配权方面,对于各级政府之间财政活动的协调,主要是依靠法律手段来进行的。即通过各级政府的立法,明确各自的责、权、利,使国有资产管理法律化、规范化和制度化。

第四节 中央与地方国有资产收益分配权关系现状分析

一、中央与地方国有资产收益分配权关系的历史沿革

长期以来,国有资产收益都是我国财政收入的一个重要组成部分。有学者统计,利改税前,我国国有企业收入占国家预算收入的比例一般在40%~50%左右。企业收入占国家收入的比例如下表:

时 期	国有企业收入占国家预算收入的比例(%)
"一五"时期	41.3
"二五"时期	54.4
"三五"时期	53.92
"四五"时期	54.74
"五五"时期	45.4

资料来源:赵春新:《社会主义财政学》,武汉大学出版社1998年版,第148页。

因此,中央与地方国有资产收益分配权关系与财政收入的划分、财政体制的改革存在着密切的联系。财政体制反映、规定和制约着政府与企业、中央与地方两大基本经济关系。纵观建国以来的50多年,随着财政体制的变化,中央对地方财权的上收与下放,国有资产收益作为财政收入的一个重要组成部分,在中央与地方之间的分配权关系也随之发生变化。

(一)1949~1957年的统收统支体制[①]

建国初期,为了尽快恢复国民经济的发展,我国实行了高度集中的统收统支的收益分配制度。在这一时期,国家实行的是完全的集权制。地方政府的财政收入、国有企业的利润以及基本折旧基金大部分甚至全部上缴中央金库。企业发生亏损由国家补贴,发展生产所需的资金都由国家拨款解决。在这一体制下,地方政府对于国有资产收益既无征收管理权,也无政策制定权。也就是说,国有资产的收益分配权完全集中在中央政府手中。当时的这种分配制度对于国家集中财力、解决当时的财政困难起到了积极的作用。但中央对地方、对国有企业统制的过死,不利于调动与发挥地方政府、国有企业以及企业职工的积极性。

(二)1958年的企业下放与财权下放

1957年,为了适应当时形势的发展,我国开始调整中央与地方的关系。针对中央对地方和企业管得过多、统得过死的弊端,国务院先后制定了《关于改进工业管理体制的规定》、《关于改进商业管理体制的规定》和《关于改进财政管理体制和划分中央和地方财政管理体制权限的规定》三个文件,下放国有企业的管辖权,并于1958年开始实行。从1957年底开始到1958年6月15日止,中央各工业部所属的企事业单位80%左右交给了地方管理。

企业下放给地方管理后,地方政府对于国有资产收益享有征收权,在中央政府与地方政府之间实行利润分成制度。地方政府管理的企业实现利润的80%归中央所有,20%归地方所有。到1959年,由于权利下放得过多,在扩大

[①] 马建堂、刘海泉:《中国国有企业改革的回顾与展望》,首都经济贸易出版社,2000年版,第27页。

地方政府和企业的财权以后,没有相应地从宏观上加强控制和综合平衡,出现了基本建设投资规模盲目扩大的问题。于是1961年~1963年,我国进入国民经济调整时期,在财政管理体制方面重新强调和实行高度的集中统一。

(三)1970年的再次下放[①]

1970年2月,全国计划会议讨论制定了《第四个五年计划纲要(草案)》。提出在企业管理体制上,要以块块管理为主,中央直属企业可以分为地方管理、中央管理、中央与地方双重管理三种形式。经过这次大规模的企业下放,中央部属企业由原来的10533家减少到142家(不含军工企业)。

随着企业下放,又提出了下放财权的问题。1970年拟定的《第四个五年计划纲要(草案)》,决定实行财政收支大包干体制。对各省、自治区、直辖市实行定收定支,收支包干,保证上缴(或差额补贴),结余留用或者全额分成,收入留成,一年一定的办法,从1971年开始实行。国家的财政收入除中央部门直接管理的企业收入和海关关税归中央外,其余全部划归地方。国家的财政支出除中央部门直接管理的基本建设、国防战备、对外援助、国家物资储备等支出归中央外,其余也全部划归地方,由地方统筹安排。对于调动地方政府的积极性来说,采取收支包干的办法,取得了一定的效果。但由于核定收支很难找到一个科学的方法,且各地国有资产数量不同,造成地区间机动财力过于悬殊,苦乐不均。收支大包干体制是对计划经济体制的一次改革尝试,由于财政收支范围是根据企事业单位的隶属关系划分的,谁的企业,收入就归谁支配;谁的建设项目、事业,支出就由谁安排,事权与财权较统一。但由于当时正处于文化大革命非常时期,且由于缺乏正确的行业规划和强有力的计划引导,不少投资带有很大的盲目性,造成了资源浪费。

(四)1980~1984年的分灶吃饭财政体制

在以往的30年中,我国实行高度集中的计划经济体制,也相应形成了实质上的统收统支财政体制。针对中央统得过死、管得过多的弊端,1980年,大

[①] 马建堂、刘海泉:《中国国有企业改革的回顾与展望》,首都经济贸易出版社2000年版,第32页。

部分地区实行了划分收支、分级包干、五年不变的财政体制,俗称分灶吃饭体制。其主要内容是:按照经济管理体制规定的行政隶属关系,明确划分中央和地方财政之间的收支范围。中央所属企业的收入、关税收入和中央其他收入,归中央财政,作为中央固定收入;地方所属企业的收入、盐税、地方税等划归地方财政,作为地方固定收入。另外,经国务院批准,上划给中央部门直接管理的企业,其收入作为固定分成收入,20%归地方财政,80%归中央财政。

分灶吃饭这一体制,大大增强了各级政府财权与事权的统一性,增强了权、责、利的结合程度,从而在一定程度上调动了地方政府的积极性。但一些地方为了争取财源,往往采取盲目建设、重复建设的做法,助长了画地为牢、诸侯经济的倾向,从而影响了整个国民经济的协调发展。

(五)1983年实行的利改税制度

利改税,是指将国有企业上缴纯收入的利润分配形式改为向国家缴纳所得税、调节税等税收分配形式,从而把国家与企业的利润分配关系用税收法律的形式固定下来。尽管利改税体现的是政府与国有企业之间的分配关系,但作为财政收入形式的一种变化,中央与地方之间收入划分也由过去的利润划分转变为这一时期的税收划分。因此,有必要对利改税制度进行分析。

1983年4月,国务院批转了财政部修改后的《关于国营企业利改税试行办法》。该文件要求,从1983年6月1日起,在全国范围内对国有企业实行第一步利改税改革。第一步利改税是一种税利并存的模式。其基本做法是:

1. 对有利润的国有大中型企业,按55%的税率征收所得税。税后利润一部分上缴国家,一部分按照国家规定的留利水平留给企业。上缴国家部分,根据企业的不同情况采取不同办法处理。

2. 对有利润的国有小型企业,按八级超额累进税率征收所得税。征税以后,由企业自负盈亏,国家不再拨款。对税后利润较多的企业,国家可以收取一定的承包费,或者按固定数额上缴一部分利润。

第二步利改税是在第一步利改税基础上进行的,其基本内容是:将国营企业应当上缴的财政收入按11个税种向国家纳税,由税利并存逐步过渡到完全的以税代利。这实际上是混淆了国有资产财产权与国家社会管理权的区别,混淆了两种不同性质收入的区别。导致国有企业的税收负担大大高于其他经济成分,形成了对国有经济的不公平待遇,影响了公平竞争。

由于两步利改税直接将利润上缴这一财政的基本和主要收入形式,改为以国有企业所得税形式上缴,使得原有的分灶吃饭体制下各级政府之间的收入划分变得不再适应了。于是1985年~1987年开始实行划分税种,核定收支,分级包干的财政体制。后来1988年实行了企业承包经营责任制,将所得税纳入了承包范围,实际上是又混淆了两种不同性质收入的区别,回到了利改税之前的利润上缴形式。

(六)1989年实行的税利分流改革

1989年1月财政部和国家体改委提出了《关于国有企业实行"税利分流"的试点方案》,将国家作为社会管理者和资产所有者的双重身份区别开来。其基本内容是:

1. 税利分流。企业的利润分别以所得税和利润形式上缴国家一部分,其余留给企业。

2. 税后承包。企业上缴所得税后交给国家的国有资产收益部分以承包形式确定下来。并规定统一所得税制,降低所得税率;取消调节税;重新核定承包基数。

中央与地方之间的收入划分实行收入递增包干,总额分成加增长分成的体制。1988年,酝酿组建国有资产管理局,将国有资产的产权管理职能从政府的行政管理职能和一般经济管理职能中分离出来,统一归口行使国有资产所有权管理职能。为了维护全民所有制财产,保护国家所有者利益,国务院授权国有资产管理局行使国有资产所有者代表权、国有资产监督管理权、国有投资和收益权、资产处置权。各地也相继成立了国有资产管理局。但这仅是事先的设想,实际上国有资产管理权限并没有集中到国有资产管理局,国有资产管理局只是履行了部分所有者职能,国有企业的所有权职能仍分散在多个部门。

(七)1994年以来的分税制财政体制

1993年11月,中共中央十四届三中全会做出《中共中央关于建立社会市场经济体制若干问题的决定》,明确对国有资产管理实行国家统一所有,政府分级监管,企业自主经营的体制。此时各级政府都拥有了国有资产的管理权。分税制明确划分了中央与地方的财政收入与支出。中央管理的企业国有资产收益归中央政府,地方管理的企业国有资产收益归地方政府,地方政府享有管理国有资产收益的权利。但地方政府仍然没能从根本上摆脱作为中央政府附属的地位,国有资产收益的征缴仍需根据中央的统一规定,地方政府没有独立的收益分配权。随着1998年国有资产管理局被撤销并入财政部,国有资产的所有者职能又分散到多个职能部门,形成了由财政部行使收益及产权变更职能;大型企业工委行使选择经营者职能;国家经贸委行使重大投资、技改投资的审批及产业政策的制定、国有企业的破产、重组、兼并、改制等职能;国家计委行使基本建设投资管理职能;劳动部负责审批企业工资总额的多头管理局面。相应地,地方政府管理国有资产的职能也分散到各个地方部门。由于出资人权利的分割行使,使得国有资产产权主体缺位,国有企业经营效益下降,造成国有资产收益严重流失。

(八)2002年十六大之后的国有资产管理新体制

2002年11月,中共十六大报告明确提出:建立中央政府和地方政府分别代表国家履行出资人职责,享有所有者权益,权利、义务和责任相统一,管资产和管人、管事相结合的国有资产管理体制。2003年3月,十届全国人大批准新一轮机构改革,决定在中央政府和省、市(地)两级设立国有资产监督管理委员会,从明确出资人权利的角度入手,改革国有资产管理体制。出资人财产权主要包括:出资决策权、国有资产收益分配权、产权代表的任免权和重大经营决策权。其中,国有资产收益分配权直接关系到中央和地方的利益分配。这就决定了改革中央与地方国有资产收益分配权关系,成为影响国有资产保值增值,推动经济结构的战略性调整与国有企业改革,确保国有资产优化配置,实现政府宏观经济调控总体目标的关键。

二、中央与地方国有资产收益分配权关系存在的问题

建国后,中央和地方的行政分权改革都是围绕着国有企业管理权归属问

题展开的。纵观1978年以前所进行的几次体制变革,可以清楚地看到,所有这些变革都是在传统体制——计划经济的矛盾集中到一定程度的条件下,为缓解矛盾而实施的。当计划经济体制过于集中,导致经济活力减弱、经济增长放慢或停滞时,就倾向于权力的下放,以调动地方和企业的积极性;当对经济增长失去控制,经济秩序出现混乱时,便倾向于权力的上收。国有资产要么是国家统一所有前提下的分级管理,要么是由中央统一管理,中央同地方之间进行权利划分。但无论分权还是集权的改革,都没有达到预期的效果。其主要原因是没有考虑所有权的配置效率问题,核心的问题是收益分配权划分问题。尽管分税制改革以来,地方政府已经初步奠定了享有管理国有资产收益的权利基础,但这只是一个雏形,从建立分级财政体制的要求看,目前中央与地方国有资产收益分配权关系仍存在诸多问题。主要表现在以下几个方面。

(一)收益分配权高度集中

在传统的中央集权型财政体制下,中央与地方的国有资产收益分配权关系是:中央统一制定国有资产收益的办法,然后再将收益在中央与地方政府之间进行分割,不涉及或很少涉及收益分配权的划分问题。

而分权型财政管理体制则不仅要求在中央与地方之间划分国有资产所有权,还要求适度划分各自的权能,这是责、权、利的有机结合和统一,是分权型财政体制的基本要求,也是新体制下正确处理中央与地方国有资产产权关系不可回避的问题。但由于长期以来,国有资产实行统一所有,因此,相应的收益分配权也集中在中央政府手中。这样一种过度集中的国有资产收益分配权管理模式,很难适应中国各地复杂的经济情况,不利于地方政府实现其财产权利,也不利于地方政府利用国有资产收益分配权调控当地经济的发展。

(二)政府间事权与财权不统一

虽然分税制改革基本上对中央和地方政府的事权与支出范围作了初步划分:中央政府主要承担国家安全、外交和中央国家机关运转所需经费、调整国民经济结构、协调地区发展、实施宏观经济调控所必需的支出以及由中央直接管理的事业发展支出;地方政府主要承担本地区政权机关运转所需支出以及本地区经济、事业发展所需支出。但这种划分的清晰度远不够具体和透明,在运行中存在的明显问题是:中央与地方政府责任界定不够明确,交叉较多,如在社会保障、口岸建设等领域存在责任划分不清的问题,而且对国有资产收益也存在着因所有权关系不合理,组织收缴困难的问题。

事权不明确必然导致财权的不稳定。各级政府财政都拥有对所属国有企业的收支任务,要明确划分收支却缺乏应有的客观依据。这样,我国的财政体制或是一年一次,或是五年一次地变动着,重新在各级财政之间划分收支和确定基数比例。同时,在体制执行过程中,还伴随着国有企业隶属关系的变动而引起的相关财政收支划转。在过去实行统一所有、分级管理的体制下,不仅许多没有改制的国有企业存在着无法偿债、历史欠账需要消化、职工需要安置等大量潜在支出问题,而且已经改制的公司制企业,虽然按照《公司法》规定只承担有限责任,但改制过程中没有涉及到的历史债务、职工安置等问题,最终仍留给了中央政府。

由于国有资产统一由中央政府所有,地方政府不会主动去化解这类问题,风险自然会因为统一所有的产权制度而继续累积,而且还可能导致地方政府在短期利益驱使下,转移风险,最后形成更大的风险。事实是,在国有企业改制过程中出现的下岗职工社会保障问题、企业不良资产、重点基础产业领域等的再投资问题都需要从国有资产收益中进行弥补。这些问题的根本解决,需要改革中央与地方之间的国有资产收益分配权关系,使地方政府成为一级独立的国有资产所有权和占有使用权主体,拥有自己相对独立的国有资产收益分配权。

(三)收益分配权法律不健全

国有资产收益分配权法律主要存在以下两个方面的问题。

第一,纵向上缺乏法律依据。在统一所有、分级管理的国有资产管理体制下,地方只有国有资产的管理权,没有财产所有权以及法律上明确的由此派生的其他各项权能。尽管地方政府拥有实际上的管理权等部分权能,但由于没有法律依据,导致了地方政府对国有资产的漠不关心,没有提高国有资产管理效率的积极性。如在2001年上市公司国有股减持过程中,地方政府几乎没有任何积极性,甚至阻碍这项工作的开展。这是因为,上市公司几乎都是隶属于地方政府管理的,但国有股减持所得到的收益却与地方政府没有任何关系,全部缴入中央财政。这就违背了财产权规律,既然是地方政府投资的企业,那么就应该由地方政府享有所有权、占有使用权、处置权,以及相应的收益分配权,地方企业减持国有股的收益就应该交由地方政府支配。但事实却是地方投资的企业不算是地方政府的产权,地方企业的减持国有股收益交中央政府支配,投资人与企业之间的资本财产权纽带关系不见了,代之以地方投资、中央拥有的上下级行政关系。

另外,正是这种统一所有、分级管理的体制,地方政府对于资源的使用以及国有资产的转让及最后成果的支配都不具有充分的权利,使得地方政府为了实现自身的效用最大化,对国有资产的经营效益不够关注,为了满足自身利益甚至出现出售所管理的国有资产的短期行为。

第二,横向上法律依据混乱。1993年底中央颁发的《国务院关于实行分税制财政管理体制的决定》规定:作为过渡措施,近期可根据具体情况,对1993年以前注册的多数国有全资老企业实行税后利润不上缴的办法。文件出台后,我国企业税后利润上缴制度暂停。1994年,财政部、原国家国有资产管理局和中国人民银行联合颁发了《国有资产收益收缴管理办法》,把国有企业应上缴的利润纳入了国有资产收益范围,并对收益的组成、收缴主管部门、具体收缴方法和处理处罚办法等都作了详细明确的规定,要求各类型的国有企业及时全部上缴国有资产收益。法规出台后,国有资本金的收益上缴仍未实现。原因一是在《国务院关于实行分税制财政管理体制的决定》关于暂停企业税后利润上缴的相关条款未被废止前,出台其他收益收缴管理办法引起了企业管理者的混乱。企业管理者不知道在具体实施过程中该运用哪一个法规,在利己思想的支配下,当然是执行不上缴利润的政策;二是根据我国《立法法》规定,下位法不得违背上位法的原则条款,由财政部、原国家国有资产管理局、中国人民银行等部门颁布的管理办法与1993年国务院颁布的规定相冲突,违背了此原则[①]。在实际运行中,当然无法得到实施。这样,在十几年

---

① 《建立国有资本经营预算制度研究》课题组:《建立健全我国国有资本经营预算法律制度探讨》,见《国有资产管理》2005年第5期,第28页。

来企业利润不用上缴的思维惯性和旧的法规未予废止、新的征收法律法规尚未出台的情况下，国有资产产权管理部门以出资人身份征收国有资产经营收入就缺乏明确的法律依据和征收手段。

十六大报告提出中央和地方分别代表国家履行出资人职责，即实行分级代表为特征的国有资产管理新体制。我们理解，这一体制应有以下内涵：中央政府作为国有资产的终极所有者代表，拥有全部国有资产的终极产权和直属企业的国有资产财产权利；地方政府拥有所管理的国有资产的完整的财产权利，即包括所有权、占有使用权、收益权和处置权等各种权能在内的财产权利。但地方政府所拥有的这些财产权利，特别是国有资产收益分配权利，需要法律上进一步明确的界定。

（四）收益征收管理秩序混乱

国有资产从分布范围看，纵向有中央管理与地方管理的国有资本，横向有各行业主管部门授权的企业集团，投资公司等管理的国有资本，方位上有境内和境外国有资本。国有资产从分布范围的广泛性和国有资产管理体制的不完善，必然带来国有资产收益管理工作的复杂性和艰难性。目前，国有资产收益管理存在的主要问题表现为以下方面：

第一，国有资产收益多头管理。国有资产收益的管理部门应该是国有资产监督管理机构。但实际并非如此，政府的财政部门，企业的主管部门，还有政府的一些其他部门，都在管理国有资产的收益，各部门之间的工作也不十分协调。涉及企业上缴国家收益时，企业主管部门则站在企业的角度强调资金的困难，国家投入不够，强烈要求减免；财政与国有资产管理部门在国有资产收益管理问题上涉及到征收权的问题，多少年来争论不休，后来国家有关部门虽然下发了文件，进行了征收与监缴的分工，实际工作中征收部门也并不积极，国有资产管理部门的监缴也是流于形式或没有履行监督职能。多头管理，必定会带来国有资产收益管理上的漏洞。

第二，国有股权收益被严重侵蚀。在国有企业股份制改造中，本应按照股权平等、同股同利、利益共享、风险共担的原则，依据所有权分得股息、依据占有使用权获得红利。可国有股一方面在评估时被任意压低，一方面在分红时，同股不同利,对个人股既分红又计息,对国有股则少分红,甚至不计息。同时,上市公司中国有股不能流动,风险不能规避,损失很大。另外,在国有企业股份制改造或在中外合资合作企业中,不按规定进行资产评估,违反国家规定将国有资产低价折股、低价出售、或者无偿分给个人、设立企业股;国有无形资产(商标权、商誉、工业技术权利、特许权、土地等资源使用权)不作价或低价评估。结果使股份制企业和中外合资合作企业的非国有股东凭空获得一笔数量可观的所有者权益,而且在未来还会获得本应属于国有股东的权益。

第三,国有资产被无偿占用。非国有企业占用国有资产,包括国有资产以出借、出租、联营等形式从事生产经营活动时,应按有偿使用的原则,由政府国有资产监督管理部门征收资产占用费。但是,由于中央与地方的国有资产收益权责不清,国有资产占用费的收取几乎成为空谈。

第四,政府与企业之间的博弈。在计划经济时期,各部门实行利润包干,后来实行利改税,国家下放管理权限,尤其是1993年底颁发的《国务院关于实行分税制财政管理体制的决定》规定:作为过渡措施,近期可根据具体情况,对1993年以前注册的多数国有全资老企业实现税后利润不上缴的办法。自此之后,中央企业基本上都没有上缴利润,各级地方所属企业也基本上不再上缴利润。能否从企业中征缴到国有资产收益,完全取决于政府与企业之间谁更强硬,获取国有资产收益成了政府与企业之间的博弈。究其原因,主要是出资人代表缺位,所有权、占有使用权和企业的国有资产具体监督管理经营权之间的关系不够明晰,没有法律的规范和保障。

第五节 改革中央与地方国有资产收益分配权关系的政策思路

按照建立一级政府、一级产权主体、一级所有权、一级委托代理权、一级收益分配权、一级举债权、一级立法权的国有资产管理新体制改革设想,中央与地方之间国有资产收益分配权关系改革的目标是:建立一级政府,一级收益分配权的国有资产收益分配权管理体制。即建立中央和地方政府分别依据国有资产所有权和占有使用权收缴国有资产收益的分配制度。为此,我们提出以下政策思路。

一、改革的基本原则取向

(一) 财权与事权相统一

各级政府投资形成的经营性国有资产,根据投资者拥有产权的原则,应该由各级政府分别享有这些国有资产运营所形成的收益。这是理所应当的,也是财权与事权相统一所要求的。但应该注意到,过去几十年国有资产运营中所产生的下岗职工社会保障基金缺口、国有企业的显性和隐性债务等问题,解决的资金来源仍需部分由国有资产的收益解决。这就需要在划分中央与地方国有资产收益分配权关系时,考虑到历史欠账。为了弥补这一缺口,中央与地方政府应各自拿出一定比例的收益来补充社会保障基金;国有企业的债务也可通过债转股的形式转作股权投资。中央与地方国有资产收益分配权关系的调整应在考虑上述因素的基础上进行,财权与事权相统一原则的实施应相对稳定。

(二) 注重效率,兼顾公平

在中央与地方政府之间合理划分国有资产收益分配权,最主要的目的是提高国有资产的使用效率,实现国有资产的保值增值。效率固然重要,但也要兼顾公平。由于各地区社会经济条件不同,国有资产的分布不均衡,地区间客观地存在着由于资源、人口等方面的不同形成的国有资产运营效益上的差异。这就需要中央对各地方实行有区别的国有资产收益分配权划分。在新的分级代表体制下,国有资产数量大、质量好的地方,可能会更强调在各自区域内自主支配资产收益;而在国有资产数量少、困难多的地方,则可能要求中央政府统筹对于国有资产收益的分配权,并实行调节控制。因此,完善国有资产管理体制,进行中央与地方国有资产收益分配权的划分,需兼顾效率与公平原则。必要时,可以考虑中央政府加大对某些地区的国有资本投入,与地方政府共同组建股份制企业,带动地方经济的发展。同时,配合实施中央财政的转移支付政策,促进地区间的均衡发展。

(三)遵循财产权收益分配规律

财产权收益分配规律是市场经济正常运行的基本规定性之一。它要求财产的所有权、占有使用权和监督管理经营权与收益权相对应,并且受到法律的保护。对于国有资产来说,各级政府拥有国有资产的财产权利,以国有资产所有者和占有使用者的身份参与国有资产收益分配,获得收益的形式和获取收益额的多少,取决于出资额占资产总额的比例,即国有资产收益分配权与所有权和占有使用权相互匹配。国有资本的份额越大,相应地政府收取的资本收益就越多。随着现代企业制度的建立和公司制改革的全面推行,投资主体呈现多元化,各级政府不再是企业的唯一投资者,国有资产更多地是以国家股、法人股等国有资本金的形式出现。这就需要建立国有资产收益分配权与财产所有权和占有使用权之间的匹配关系。各级政府凭借出资额所占比例享有相应的收益,并承担相应的责任。

(四)财产权受法律保护

健全的国有资产法律法规是实现中央与地方国有资产收益分配权合理划分的必要保证。它可以促进中央与地方国有资产产权关系的规范化,并使其在实际操作过程中有法可依,从而保证国有资产收益分配权的实现。为了实现十六大国有资产管理体制的改革目标,应大力加强国有资产法律法规建设。以法律形式明确中央政府与地方政府产权主体的地位,国有资产的产权划分标准、划分范围,确立国有资产所有者、占有使用者的身份和财产权利,以及相对应的收益分配权利、收益形式和数量界限,以及建立激励约束机制,实行对具体监督管理经营者财产权利的保护制度,提高国有资产的使用效率,体现国有资产收益分配权的法制化、制度化、规范化原则。

二、主要政策建议

(一)统一政策,适度分权

国有资产收益分配权在中央与地方政府之间的划分,本质上还是国有资产收益的集权与分权问题。在市场经济体制下,国有资产的国家所有,应限定在法律层面、收益分配政策层面和各级政府的管辖范围层面,而不是将国有资产收益全部或者大部集中到中央。如前所述,我国当前面临的主要问题是国有资产收益分配权的过度集中,无疑需要进行改革。但改革不能完全放弃中央政府的集中,高度的分权在中国目前也是行不通的。

第一,中国在政治上是一个中央集权制国家,确保中央宏观调控的主动权,确立中央政府的主导地位和权威,是实现社会政治稳定和国民经济协调发展保证。因此,中央政府应当保留方针政策和法律法规的制定权,以及基于终极所有者代表的监督权。

第二,我国正处于市场经济发展的初级阶段,中央一定程度的集中是促进市场经济健康发展的必要条件。市场经济的实质是公平竞争。实现公平竞争既需要确定微观经济主体的自主经营地位,也需要创造统一的宏观政策和制度环境,国有资产收益分配政策统一是一个重要的方面。因此,客观上要求国有资产收益的基本政策及重要法规必须由中央制定。只有这样,才有利于在全国范围内实现公平竞争。

第三,从国外情况看,虽然各国的国情不同,国有资产收益分配权下放的程度不同,但世界上大多数国家的中央政府对地方国有资产的收益分配权仍部分控制。中央政府在收益分配权方面保持一定程度的集中,一方面是出于中国国情的考虑,另一方面也是对国际有益经验的借鉴。

中央与地方国有资产收益分配权的划分,虽然要确保中央的支配地位,但绝不是说中央集中的国有资产收益分配权越多越好。正确的选择应该是:从中国国情出发,摒弃传统的高度集权模式,走适度分权的道路。这是因为:

其一,适度分权有利于促进地方经济的发展。中国是一个大国,全国经营性国有资产大概10万亿元,分布在约18万家国有企业中,中央政府直接管理的企业只有100多家,99.9%的企业是由各级地方政府来管理的[①]。由于各地自然条件和经济发展水平很不均衡,财政能力以及国有资产的经营情况均有很大差异。在这种情况下,赋予地方政府与所有权、占有使用权相对应的收益分配权,是符合财产权分配规律要求的。地方政府对其所管理的国有企业

---

① 魏杰:《增强国资管理机构内生动力》,见《国际金融报》2002年11月14日。

收益进行分配,不仅不影响国家管理国有资产总体方针的统一贯彻执行,反而有利于促进地方政府根据本地经济的实际情况,因地制宜地积极采取一些有利于企业发展的收益分配措施,促进地方经济的发展。

其二,适度分权是有效实现地方政府职能的必要条件。我国地方政府客观上担负着调控地方经济运行的重要职责,包括兴建地方公共基础设施,支持经济发展和结构调整,调节区域范围内的地区平衡等。要完成这个任务,需要赋予地方相应的财权,这其中也包括国有资产收益分配权。将必要的国有资产收益分配权赋予地方,并加以引导和监督,将有利于地方政府更好地发挥地方政府组织并调控区域经济发展的作用,完善国家宏观调控体系。

其三,适度分权是完善法律法规体系的前提。为了保证国有资产管理政策法规的统一,维护统一市场和企业的公平竞争,财务会计核算方面的法律法规制定权应集中于中央。对于历史原因造成的社会保障资金缺口、国有企业的显性和隐性债务的弥补,应由中央统一确定中央与地方各自承担的比例、国有股权转让的程序以及转让收入的使用办法。在这一前提下,可考虑对地方根据各地的经济情况对其所管理国有企业的税后利润(股息、红利)上缴比例、税后留利使用方向或减免等方面的法律法规向地方适当分权。对于国有资产收益分配权的内容,如企业上缴利润比例、上缴方式、使用方向等可由地方自主决定。也就是说,对于这些国有资产收益,地方不仅具有征收管理权,也拥有一定程度上的政策、法律法规制定权。这样做有利于地方政府根据本地实际情况灵活运用国有资产管理政策法规,促进地方经济的发展。但有一点需要强调,地方政府对于国有资产收益的政策制定权只限于省一级,不宜层层下放。因为这将不利于政府对于国有资产的统一管理,权利下放的层级过多,势必引起管理上的混乱。

(二)规范国有资产收益分配秩序

在国有资产收益分配中必须正确处理中央和地方的关系,形成合理的国有资本收益分配格局。在国有资本收益的分配中,应当切实加强各级政府国有资产管理机构的国有资产收益的分配职能,在明确各级政府出资人职责范围的前提下,履行出资人的收益分配权,改变国有资产收益主体缺位和虚位的局面。随着经济的发展和企业的壮大,使各级政府能够依据国有资产财产权——即所有权和占有使用权,维护其合法权益,集中必要的财力物力,更好发挥各级政府促进经济发展和宏观经济调控的作用,弥补市场在资源配置方面的缺陷。

国有资产收益分配权是国有资产出资人的一项最重要的权能,必须对它做出更加明确而具体的规定,才能确保国有资产出资人的财产权利不受侵犯。在市场经济体制下,按照马克思主义财产权学说关于财产权收益分配的规律,国家应通过制定相关法律规范国有资产收益分配秩序。

第一,规范国有资产收益的形式。国有资产产权主体依据国有资产所有权履行的职能主要是产权管理,包括决定投资方向、投资数量、转让或购买股权、委派股东代表、同其他出资人一样选出出资人代表进入董事会,收益分配管理(包括决定股息和红利的数量、获得管理要素收益的具体监督管理经营者范围、管理要素收益与占有使用权收益——红利——的比例)等,其获得所有权收益的形式是股息;依据国有资产占有使用权履行的职能主要是控制管理,包括企业重大决策控制、资产占有使用控制、人事控制(即通过董事会聘任具体生产经营者)等,其获得占有使用权收益的形式是红利;国有资产具体监督管理经营者依据管理要素所有权履行的职能主要是执行管理,包括执行董事会的经营决策方案,组织具体的生产经营活动,其获得管理要素收益的形式是年薪。

第二,规范国有资产收益分配的顺序。企业实现利润首先交纳企业所得税,税后利润应依次支付银行贷款利息、弥补亏损、提取公积金、法定公益金等,然后再按照优先股股息、普通股股息、普通股分红和具体监督管理经营者年薪共享的顺序进行分配。经理人员的收入实行基本工资与年薪两种形式,其中基本工资计入成本。需要说明,企业国有股东代表的工资应由委派单位发放,为激励其努力工作,可以从国有股东获得的红利收入中按一定比例提取年薪;董事会和监事会成员是全体股东的代表,产生于企业内部的董事会和监事会成员的基本工资应计入成本,年薪部分按占剩余利润的一定比例进行分配,从企业外部派驻企业的董事会和监事会成员的基本工资应由委派单位支付,年薪部分按占剩余利润的一定比例进行分配。

第三,规范国有资产收益分配的数量界限。按照马克思主义财产权学说关于财产权收益数量界限和理论和平均利润率理论(参见第一章第二节),国有资产收益分配的绝对数量界限是企业实现的利润(包括利息),利息按固定利息率计算,股息(包括优先股和普通股)可以按平均股息率计算,余下部分为红利,红利可以按比例在出资人和监督管理经营者之间依据占有使用权和管理要素所有权进行分配。其中,管理要素收益——年薪,可以参照职业经理人的市场价格,对扣除基本工资后的部分折算成占正常经营情况下实现红利的比例计算。普通股股东的分红和经理人员的年薪完全与企业实现的红利挂钩。这样可以更好地体现资本所有者、占有使用者、监督管理经营者履行职责与获得收益的关系,既可以维护各个财产权主体的财产权利,又可以最大限度地促进所有者、占有使用者和监督管理经营者更好地履行职责,正确地决策、加强监督管理和经营,避免内部人控制,提高经营管理水平,降低成本,从根本上解决国有企业产权关系模糊和经济效益不高的问题。

第四,确定年薪制实施范围。根据马克思关于监督管理劳动和经理的有关论述,我们建议可以将监督管理经营者的范围作以下界定,并纳入年薪制实施范围。监督者应包括:国家向国有企业派出的监事会主席、监事、党委书记、纪委书记、工会主席;管理者应包括:董事长、副董事长、董事、高级技术人员(例如总工程师等);经营者应包括:总经理、副总经理、总经济师、总会计师。这样界定一方面是为了职责分工更加明确,权利、责任和义务更加清晰,另一方面是为了更有利于调动各个方面的积极性,形成民主科学的决策机制和真正相互制衡的约束机制,避免决策失误、产生内部矛盾和监督约束弱化。

(三)建立国有资产经营预算

为了确保国有资产监督管理委员会对所出资企业的国有资产收益权,应当设立国有资产收益专户,并建立健全国有资产经营预算体系,以监督管理国有资产收益的收缴、分配和使用。对国有独资企业和国有独资公司,应根据企业所处行业的盈利水平(平均利润)和发展需要,合理确定企业盈利上缴与留存企业作为发展基金的比例;对国有控股和参股公司等混合所有制企业,应按照企业董事会和股东大会确定的分配方案,同其他股权一样平等地参与股利分配。此外,国有股权转让取得的收入,应纳入国有资产收益。凡是企业应上缴的国有资产收益,要及时足额地解缴国有资产收益专户,并纳入政府国有资产经营预算。至于国有资产收益的分配使用,则应按照国有经济布局调整和经济结构优化的需要,一般用于特定地区、重要产业和企业的再投资。包括:国有独资企业、独资公司的追加投资;国有控股公司的扩股、配股;购买其他企业股权,进行新的投资项目等。这些国有资产收益的再投资,要符合国民经济发展的整体要求。其中,重大项目应纳入国家发展规划。同时,还要注意提高资源配置效率和经济效益。只有当国有资产监督管理委员会对所出资企业的国有资产收益,真正履行了出资人职责,才能确保国有资产出资人职责的整体性、统一性,从而有利于实现政府的社会公共管理职能与国有资产出资人职能分开。也只有在政资分开的基础上,才能真正实行政企分开和所有权、占有使用权与经营权的分离,从而保证国有资产出资人到位。

　　1995年颁布的《中华人民共和国预算法实施条例》①第20条规定:各级政府预算按照复式预算编制,分为政府公共预算、国有资产经营预算、社会保障预算和其他预算。

　　这一规定对政府以不同身份进行的收支活动加以区分,较之单式预算,便于对不同的预算资金采取不同的管理办法,反映不同性质预算资金来源和使用情况,从而更加有效地管理预算资金。国有资产经营预算是地方政府预算的有机组成部分。各级国有资产监督管理委员会以出资人代表的身份筹集资本金、收取投资收益,向国有企业进行资本投资,应当编制资产经营预算。地方财政的整体职能不仅不会因机构和预算的分立而被肢解,相反能得到加强。这样,将有利于地方政府更好地加强对国有资产的管理。

　　从另一角度来看,建立地方国有资产经营预算,有利于为企业创造公平竞争的市场环境。国有企业与政府有着双重关系:一方面作为独立的市场主体,

---

① 《中华人民共和国预算法实施条例》于1995年11月2日国务院第三十七次常务会议通过,1995年11月22日发布施行,中华人民共和国国务院令(第186号)。——本书作者注。

国有企业对政府财政的贡献应同其他非国有企业一样,主要通过照章纳税来体现;另一方面,国有企业作为市场经营主体,对出资人的贡献应通过向代表政府行使出资人职能的国有资产监督管理委员会上缴投资收益(包括股息和红利)来实现。

在计划经济体制下,政府的社会经济管理职能和国有资产管理职能高度重合,企业国有资产的最大问题是政资不分、政出多门、产权虚置。因此,不可避免地产生种种矛盾,如混淆税收和资产收益的界限,不利于资产收益的及时收缴和再投入;以社会目标冲击盈利目标,企业负担沉重,政权职能影响产权职能的发挥;地方政府经济管理的全部精力几乎都用来管理国有企业,无暇顾及其他所有制企业;微观干预过多,宏观调控不力等。由此导致国有资产使用效率低下和流失严重。通过将地方政府的两种职能分离,两种预算分列,则从制度上保证了国有企业的经营自主权,有利于提高国有企业的效率,加强资产监督,减少资产流失。国有资产经营收入是国有资本经营预算收入的主要来源,是确保国有资本经营预算顺利执行的前提。通过编制国有资产经营预算,反过来也有利于国有资产监督管理委员会实现资产的收益分配权。

(四)加强宏观调控,平衡地区利益

国有资产收益分配权划分是否合理取决于国有资产财产权的划分是否合理。目前,国有资产地区的分布情况是:地方的国有资产主要分布在东部沿海地区,中西部分布较少。各地区之间拥有的国有资产数量差异较大,分布不平衡。从直接投资看,一些地方国家投资多,一些地方国家投资少;从国有资产运行的效果看,一些地方开放早,环境和政策有利于发展,企业经营状况好,资产有了很大的增值;一些地方因经济发展基础差,地理位置和开放条件处于劣势,企业经营困难,背上了沉重的包袱,已经成为当地的负担,需要花费很大的成本才能解决存在的各种遗留问题。在分级代表体制下,国有资产数量大、质量好的地方,可能更强调在各自区域内自主支配资产收益,自己解决遗留问题;而在国有资产数量少、困难企业多的地方,则可能要求中央统筹对国有资产的收益分配权,并进行调节控制,通过中央的国有资产转移支付帮助这些地方解决历史遗留问题。

实际上,要在中央和地方之间合理划分国有资产,面临的矛盾非常多,处理不好,将产生许多问题。中央与地方之间划分资产应当考虑地区之间的利益平衡。目前国有资产在各地区间的分布不平衡,如果简单按照现在谁管理谁就享有权益,显然有失公允。那样做不仅不利于缩小地区差距,而且会造成社会不稳定。从现实的角度看,平衡地区间利益关系有两种途径:一种是通过对存量的调整求得大体平衡;二是通过增量调整进行平衡。但究竟如何调整,如何保障地区之间在国有资产分布上得大体公平,是一个很难解决的问题。绝对的公平不可能,但大体的调整和平衡还是必要的。此外,在资产划分过程中,若不考虑投资关系,也不符合市场原则。

在中央与各地方之间划分国有资产收益分配权,虽然可以唤醒地方政府作为国有资产产权主体的意识、充分调动地方管理国有资产的积极性,但另一方面也容易导致诸侯经济、地方割据、重复建设等问题的出现。这是因为企业利润是各级地方政府财政收入的一个重要来源,地方政府为了能加快本地区经济文化事业的发展,为了自身利益,都会竞相上马市场价值高、需求量大、利润丰厚的短、平、快项目,因而造成地区间盲目建设、结构雷同,引起地区间的过度竞争,资源严重浪费。对于这一问题,应由中央统一确定国有资产的投资方向和范围,各地方发展本地优势产业,实现地区间的产业优势互补,中央对于符合整个国民经济发展需要的投资项目,进行股权投资以带动和引导地方和民间资本投入。

另外,还有一个普遍担心的问题:各级政府分别代表国家履行出资人职能,是否会削弱国家的宏观调控能力,甚至导致地方政府因过分考虑地方利益而形成地方保护主义,进一步扩大地区之间的差距和引起区域之间的矛盾。对于中央政府的宏观调控能力是否会因分级代表而受到削弱问题,我们认为,市场经济条件下,政府拥有国有资产的宏观目标是弥补市场的缺陷。国家是由各级政府组成的政权体系。地方政府具有调节控制地方经济运行的职能,实行各级政府分别代表国家履行出资人职能,不仅不会削弱国家的宏观调控能力,反而会有利于加强政府对市场经济的调节控制能力。至于地方保护主义问题,在市场经济发展过程中、在分级财政体制和国有资产分级代表体制下,是不可避免的现实问题。解决这一问题的根本途径应是健全市场经济的法律体系,以规范各级政府的经济行为和行政行为,同时,加强中央政府对地方经济的调节控制。例如,通过组建跨地区、跨政府级次的大型股份制企业,加大对落后地区的国有资本投入,以缩小地区经济发展差距,缓解区域之间的矛盾。而不是否定国有资产管理体制改革的方向,也不是否定将国有经济作为政府宏观调控的重要工具。

(五)建立健全法律保障体系

各级政府分别代表国家履行出资人职责,是一种新的探索,是一项触及各方面利益调整的系统工程。仅仅依靠现有的政府行政法规,依靠已经实施的《公司法》和相关法规,不能完全解决这一新体制下的特殊产权关系问题。因此,国有资产管理体制改革面临的一个突出问题,表现为立法滞后和适应新体制要求的法律法规的短缺。国有资产管理体制的改革要建立符合市场经济发展要求的财产权关系,就要有法律作保障。市场经济是法制经济,财产权利受法律保护是市场经济正常运行的内在规定性。要让国有资产管理体制改革措施做到有法可依、有章可循,就必须在完善《公司法》的基础上,建立新的《国有资产管理法》。在法律基础上构建新的国有资产管理体制和运营框架,国有资产收益分配权作为财产权派生的一项权能,不太可能专门制定一部法律。因此,对于国有资产收益分配权的规范也需要涵盖其中。

目前,各方面呼吁最强烈的是制定《国有资产管理法》。专门的国有资产管理法规将明确出资人的法律地位、管理职能,调整国有资产的所有权、占有使用权、收益权、处置权、管理权、监督权等产权关系,以及国有资产产权的转换,包括流通、转让、并购等市场行为。由于各方面对国有资产新体制的认识和理解不是短时期能够统一的,在这种条件下,要制定一部涵盖不同性质国有资产的尽善尽美的《国有资产管理法》难度是很大的。为适应目前这一过渡期,建议将该法律所涵盖的范围尽量限于经营性国有资产,以留有充足的余地加以补充。但最基本的关于新成立的国有资产监督管理委员会在法律上的定位、中央与地方国有资产监督管理委员会分级代表出资人管理国有资产的产权关系,以及对应的权利、责任和义务等都应该明确。另外,国有资产收益要防止流失,保证收益真正用于国有资本的再投入,实现国有资产的保值增值,促进国有资本运营效益不断提高,也必须从法律、法规和制度上予以保障。要切断国有资产收益流失的源头,必须依法治理。因此,国家必须尽快制定出《国有资产管理法》并加紧制定与之配套的国有资产收益管理制度,明确国有资产收益的依据、形式、分配的顺序和数量界限,收益收缴和使用制度,为保证国有资产收益的安全完整提供法律保障。

本章小结

1. 国有资产收益有广义和狭义之分。广义的国有资产收益是指国有资产纯收入,是企业总产品扣除生产资料补偿价值和必要产品价值后的余额。狭义的国有资产收益就是指国有人工生产资料所有者投资收益,主要表现形式是作为国家资本财产所有权收益的股息和占有使用权收益的红利。

2. 国有资产收益在本质上体现为一种财产权关系。这种财产权关系,就其一般性而言,是国有资产的所有者、占有使用者和经营者之间的经济利益关系;在我国市场经济体制下和分级代表国有资产管理体制下,这种财产权关系具体表现为中央政府与地方政府国有资产收益分配权关系,政府国有资产监督管理机构和企业具体监督管理经营者之间的经济利益关系。

3. 国有资产收益与国家税收有着严格的区别。税收是国家作为国有土地所有者凭借其主权或天然生产资料(作为一般生产条件的生产资料)所有权,即国有土地所有权获得的收入,属于广义的国有资产收益。而国有资产收益则是国家以拥有的人工生产资料财产权或出资者所有权和占有使用权为前提而取得的收入,本质上是一种资本收益,用于国家履行经济建设的职能需要,使国有资本得以正常循环和不断积累。国有资产收益是对国家资本金投入的一种回报。

4. 国有资产收益包括经营性收益和非经营性收益、中央收益和地方收益、企业留存收益和企业上缴收益、国有资产监督管理部门收益和国有资产运营公司收益、已分配收益和未分配收益、国有企业、集体企业和其他经济主体上缴的收益等类别。

5.广义的国有资产收益分配权是指国家凭借全部国有资产的所有权和占有使用权,参与社会总产品分配的权利。狭义的国有资产收益分配权是指政府凭借对生产资料的所有权和占有使用权,而获取劳动者为社会创造的剩余产品价值的权利。国有资产收益分配权作为政府拥有的国有资本财产权利的重要权能,是国有资本财产所有权和占有使用权在经济上的实现形式,是由国有资本出资人拥有的所有权所决定的派生权能,是国有资本出资人应该拥有的基本财产权利之一。

6.国有资产收益分配权主要包括国有资产收益政策制定权、征收管理权、国有资本金再分配(投资)权和国有资本金预算编制权。在分级代表体制下,国有资产收益分配权进一步表现为中央和地方国有资产监督管理机构的权利。

7.中央与地方国有资产收益分配权权能关系的实质,就是要赋予各级政府与其履行出资人职责所拥有的国有资产所有权和占有使用权相对应的国有资产收益分配权,以调动各级政府管理国有资产的积极性。

8.马克思主义财产收益分配规律理论中关于资本财产所有者和占有使用者获得财产收益的数量界限理论和平均利润率理论,为我们确定政府投资企业取得国有资本收益的数量界限和对政府投资企业的业绩考核提供了科学的方法和依据。

9.正确处理中央与地方政府的国有资产收益分配权关系,将有利于各级政府国有资本所有权和占有使用权的实现,有利于各级政府财权与事权相统一,有利于国有资产管理的权利、责任和义务相统一,有利于各级政府履行国有资本出资人的职能,有利于实现国有资产保值增值。

10.中央与地方国有资产收益分配权关系存在的问题主要表现为:收益分配权高度集中;政府间事权与财权不统一;收益分配权法律不健全;收益征收管理秩序混乱。

11.中央与地方之间国有资产收益分配权关系改革的目标:建立一级政

府,一级收益分配权的国有资产收益分配权管理体制。即建立中央和地方政府分别依据国有资产所有权和占有使用权收缴国有资产收益的分配制度。

12. 改革的基本原则取向:财权与事权相统一;注重效率,兼顾公平;遵循财产权收益分配规律;财产权受法律保护。

13. 主要政策建议:统一政策,适度分权;规范国有资产收益分配秩序;建立国有资产经营预算;加强宏观调控,平衡地区利益;建立健全法律保障体系。

第八章 中央与地方国有资产举债权关系

国有资产举债是国有资产产权主体筹集国有资本金的重要形式。在市场经济体制下,中央和地方政府的国有资产监督管理机构是一级独立的国有资本运营主体,分别承担着所管辖范围经济建设和调节控制市场经济运行的政府职能。为了更好地发挥国有资产产权主体运营国有资本、促进经济发展的职能作用,中央和地方政府的国有资产监督管理机构应开辟规范化的融资渠道。为此,改革中央政府与地方政府之间国有资产举债权关系,是值得关注和研究的问题。本章探讨了国有资产举债权权能的内涵,论证了国有资产举债的必要性和可行性,提出了中央与地方之间国有资产举债权关系改革的目标和政策建议。

第一节 中央与地方国有资产举债权权能探索

一、公债与公共举债权

公债是中央政府和地方政府在国内外发行债券或向外国政府和银行借款所形成的政府债务。在信用经济高度发达的今天,为某种需要而举债已成为十分普遍的经济现象。举债的主体或借债人主要有两类:一是私人和企业;二是政府。私人和企业举借的债务称为民间债务或私债;政府举借的债务称为公债。公债的性质主要有两个方面:第一,从形式上看,公债是一种有价证券,公债券是国家为了筹措资金而向投资者出具的、承诺在一定时期支付利息和到期还本的债务凭证。公债券是债券的一种,它具有债券的一般性质。第二,从功能上看，公债最初是弥补政府财政赤字的手段，但在现代市场经济条件下，公债也成为政府筹集资金、扩大公共事业开支的重要手段，并且随着金融市场的发展，逐渐具备了金融商品和信用工具的功能，成为国家实施宏观经济政策、进行宏观调控的工具。在西方国家，公债包括国债和地方债。其中，国债专指中央政府的举债；地方债则是指地方政府的举债。在我国，由于目前不允许地方政府举债，所以把国债视同为公债。

公共举债权是指公债的举债主体所拥有的举借债务的权利。首先，它是由法律所赋予的，并受到法律严格约束的权利。其次，拥有公共举债权的主体是政府。通常是由于中央政府或地方政府出现了财政赤字或建设资金不足时，为了弥补财政赤字或资金缺口，需要以举借债务的方式借入资金。因此，需要拥有举借公共债务的权利。再次，现代社会存在着大量的闲散资金，同时政府信用发达，为政府行使公共举债权筹措资金提供了可能。

二、国有资产举债和国有资产举债权

关于国有资产举债和国有资产举债权的内涵，目前理论界还没有给出一个确切的界定。我们认为，国有资产举债问题主要是伴随着国有资产分级代表体制的建立而提出的。随着中央与地方国有资产产权主体体系的形成，各级政府职能责任的定位，组织国有资本运营活动已成为国有资产产权主体履行职能的主要方面。因此，通过国有资产举债筹集资本金成为国有资产产权主体组织国有资本运营活动的重要内容。我国社会主义市场经济体制的建立，使得国债市场得到长足的发展，已经成为社会主义市场经济体系的重要组成部分，成为国有资产产权主体筹集资本金的重要渠道，在国民经济的运行中发挥着越来越重要的作用。

国有资产举债是各级政府国有资产产权主体为了实现其经济建设职能所需要的资本金，凭借国有资产产权主体的经济信誉，采取有偿的方式，向国内外发行国有资产债券或向外国政府和银行借款所形成的政府经济建设债务。

国有资产举债权是指在市场经济体制下，各级政府的国有资产产权主体，凭借国有资本财产权，为了履行政府经济建设职能，实现经济结构优化、调节

控制经济运行,发展壮大国有经济,通过举借债务而筹集国有资本金的权利。

广义的国有资产举债权包括:中央政府国有资产监督管理主体举借债务的权利、地方政府国有资产监督管理主体举借债务的权利、中央和地方国有资本运营机构举借债务的权利、中央和地方政府投资企业举借债务的权利。由于国有资本运营机构和政府投资企业举借的债务,都是以国有资产作为取得信用的物质基础,其债务负担最终都要由国有资本运营所产生的收益来偿还。所以,从根本上说,国有资本运营机构和政府投资企业举借的债务最终都要由政府来承担偿还的义务。因此,本章所讨论的国有资产举债权仅限于拥有国有资产所有权和占有使用权的政府国有资产监督管理机构举借债务的权利,即政府的国有资产监督管理机构作为举债主体的狭义的国有资产举债权。

三、公共举债权与国有资产举债权的联系

公共举债权与国有资产举债权存在着联系的方面。从理论上来说,国有资产债务属于公债的范畴。因为它的举债主体也是政府,因此具有公债的一般特性。二者的联系有以下方面。

(一)行使举债权筹集资金的方式相同

在现代信用经济中,无论公共举债权还是国有资产举债权的行使,都要以债务资金供求双方按照价值规律从事债权投资和举债活动作为基础。一般条件下,行使举债权筹措资金的条件是:代价合理,期限固定,风险共担,有严格的法律约束。代价合理,是表示债权投资的收益(政府借入资金的代价)不能低于应债人的边际投资收益。否则,就不能成为一种投资选择,政府也难以实现筹措资金的目的。期限固定,是指债务发行前必须根据资金需求的性质明确规定借款期间。风险共担,是指举债人和债权人在共享债务资金创造收益的同时,必须承担运用债务资金的风险。[①] 有严格的法律约束,是指无论公共举债权还是国有资产举债权,都应当是由法律所赋予的权利,并且受到法律的严格约束。也就是说,公共举债权和国有资产举债权的行使必须有相应的法

---

① 冯健身:《公共债务》,中国财政经济出版社1999年版,第2页。

律、条例等为依据,并在法律、条例上具体标明债务资金需求条件,即愿意负担的代价、期限、利率和举债规模。因此,公共举债权和国有资产举债权,乃是对发行者有严格法律约束,对投资者利益有严格法律保护的一种特殊信用权利。

(二)以信誉度、安全性和稳定收益性为基础

人们通常认为公债的发行是凭借国家的信用。但对形成国家信用的基础却少有充分说服力的解释。其实,所有权利的产生都与财产权利有着密切的联系,都可以从财产权利中找到最隐秘的依据。国家信用也不例外。我们认为,国家信用的基础是国家的主权,即土地财产国家所有权。公债由政府以国家主权所拥有的土地财产权作为承担还本付息责任的基础。所以公债的信誉度和安全性是顶级的。在发达国家的主要信用评级机构对证券的评级中,以主权为基础的公债总是这个国家有价证券评级中最高的。公债由于风险最小,安全可靠,政府又有着高度的信誉,其市场价格发生波动的程度相对于其他证券来说,通常要小得多。由于其市场行情相对稳定,公债的收益率也常处于相对稳定状态。因此,公债乃是一种几乎没有风险的、有可靠收益的信用品种。正因为如此,在一些发达国家,公债利率就成为市场的基准利率。因此,政府举债的信誉度、安全性和稳定的收益性成为政府行使举债权的基础。

国有资产债的发行是凭借各级政府国有资产产权主体的信用。国有资产本身具有价值,政府拥有国有资产的数量和质量、国有资产的保值增值状况,构成了政府举借国有资产债务的信用基础。国有资产债也具有很高的信誉度、安全性和稳定的收益性。国有资产债的收益来自于国有资产的增值。实现资产的保值增值是投资者的最低要求,也是国有资本运营管理的直接目标。国有资本的运营主体首先应当考虑以较少的国有资产占用,获取最大的经济效益。其次,各级政府投资形成的国有资产,所有权和占有使用权属于各级政府。拥有国有资产并非政府投资的直接目的,政府投资的直接目的在于创造社会财富、获取投资收益、减轻人民税收负担。国有资产的数量、质量和政府投资企业的经营效益,直接影响到国有资产举债的信誉度、安全性和收益性,因此成为行使国有资产举债权的基础。

四、公共举债权与国有资产举债权的区别

(一)举债权产生的原因不同

公共举债权的产生,直接原因是政府财政收不抵支。随着政府职能范围的不断扩大,财政支出的规模也相应扩大,仅靠税收已经不能满足政府财政支出的需要,政府不得不靠举借政府公债来筹集一部分财政资金,用以弥补财政赤字或资金缺口,解决财政困难。因此,国家就需要立法赋予政府公共举债的权利。

国有资产举债权属于政府举债权的组成部分。在我国,政府行使举债权筹集债务资金主要是用于经济建设。陈共教授曾对国债筹集经济建设资金的功能进行了深入的分析,指出:"国债具有弥补财政赤字的功能,又具有筹集建设资金的功能,似乎无法辨别两种功能的不同。其实不然,在现实经济生活中仍可以从不同角度加以区别。例如,我国财政支出中经济建设资金占50%左右。由于固定资产投资支出的绝对数和比重都较大,如果不发行国债,势必要压缩固定资产投资支出,从这个角度讲,发行国债具有明显的筹集建设资金的功能。有的国家则从法律上或在发行时对两种不同功能作出明确的规定。如我国发行的国库券,没有明确规定目的和用途,但从1987年开始发行重点建设债券和重点企业建设债券(其中包括电力债券、钢铁债券、石油化工债券和有色金属债券)。又如日本在法律上将国债明确分为两种:一是建设公债;二是赤字国债。"[①]刘邦弛教授也指出:我国政府"将国债募集的资金投入生产建设领域,有效使用,扩大就业,能够对经济增长产生积极效应。……国债投资与经济结构调整相结合,重点用于基础设施建设,着力发挥国债投资的引导、调控作用,必然孕育着经济增长的巨大潜力,促进基础设施建设同经济发展协调平衡,推动产业升级和地区结构调整,有利于提高我国经济增长质量和效益。……国债资金还支持了企业技术改造、高新技术产业化以及装备本地化项目的建设,使我国企业的整体技术水平大幅提高,国际竞争力增强,促进

---

① 陈共:《财政学》,中国人民大学出版社2000年6月第二版,第217页。

了产业结构的优化升级。国家利用国债资金实施大规模退耕还林、天然林保护工程,提高了重点江河流域的水环境质量。在地区分布上,国债资金坚持向中西部倾斜,缓解了中西部地区基础设施建设资金短缺的矛盾,在这一地区建成了一大批基础设施项目,为中西部地区经济起飞创造了条件。"[1]可见,国有资产举债既是政府公债的组成部分,同时又与政府公债存在区别。

第一,国有资产举债权是伴随着国有经济而产生,并且服务于国有经济的。国有经济是我国社会主义经济制度的基础,是现代市场经济条件下政府调节控制市场经济运行、实现国民经济结构优化的手段和经济形式。行使国有资产举债权筹集的资金的主要是用于基础设施、基础产业、重要资源产业、垄断性产业和优势产业的建设,是为了促进国有经济的发展和壮大。

第二,行使国有资产举债权的目的是实现资源的优化配置。通过国有资本的投入引导社会资本的流向和流量,进而调节国民经济结构、特别是地区经济结构。因此,行使国有资产举债权显然不是为了弥补财政公共预算的赤字(下同),而是出于一种投资的需要。行使国有资产举债权筹集的资金具有"专款专用"的特性,主要用于政府经济建设项目的投资。

第三,国有资产举债权问题主要是伴随着国有资产分级代表体制的建立而提出的。国有资产举债权作为政府举债权的重要构成要素,一直没有在政府举债权中明确区分,是与政府作为社会管理者和作为资产所有者所履行的职能没有得到进一步区分(这也是"政资不分"的表现之一),政府各部门职能分工没有进一步清楚界定的体制相联系的。随着党的十六大提出的分级代表国有资产管理新体制的建立,意味着政府作为社会管理者和作为资产所有者所履行的职能将进一步界定和区分,意味着国有资产财产权管理职能从财政部门独立出来,意味着国有资产运营职能,从而政府的经济建设职能,将成为各级政府国有资产监督管理机构的重要职能。中央政府和地方政府的国有资产监督管理委员会将成为独立的国有资产财产权代表,成为履行国家经济建设职能的专职部门,成为实际上的国有资产产权主体和运营主体。而筹集国

---

[1] 刘邦驰:《国债经济运行理论与实践前沿》,中国财政经济出版社2005年版,第2~3页。

有资本金无疑是国有资产产权主体从事运营活动的基本内容之一,国有资产举债权则是国有资产产权主体据以筹集国有资本金的最重要的权利。因此,随着国有资产产权主体从财政部门逐渐独立出来,其代表国家组织经济建设的职能也应逐渐从财政部门独立出来。国有资产举债权作为各级政府国有资产产权主体筹集国有资本金的权利,也必然在政府举债权体系中作出进一步的区分。这样,才能更好地发挥各级政府国有资产监督管理机构在履行政府经济建设职能和调节控制市场经济运行方面的作用。

(二) 举债权的性质不同

社会再生产过程的分配是一个广义的经济属性分配概念。它包含着因分配主体不同、分配依据不同而相互区别的不同分配客体、不同的分配范围、不同的分配形式和不同分配目的的不同属性的分配。财政分配就是其中的一种。财政分配是以国家为主体的分配,由于分配的依据不同,它包括两种属性的分配,即以国家为主体的公共属性分配和以国家为主体的经济属性分配。[①] 公共属性的分配,依据的权利是土地国家所有权基础上派生的政治权利和社会管理权利,而这些权利产生的物质实体是国家主权所有的土地财产,分配的客体是剩余产品价值的一部分,分配的范围是主权所辖的范围,分配的形式主要是税收和公共支出,分配的实质性目的是维护社会生产关系,分配的一般性目的是满足社会的共同需要,分配的直接目的是满足国家履行政治职能和社会职能的需要。公债属于公共属性的分配,因为它依据的是国家主权和政府的信誉。公债的还本付息主要来源于税收,通过公共预算安排其支出;发行公债的目的在于弥补公共财政赤字,满足政府履行政治和社会职能的需要。因此,公共举债权的性质是公共属性的分配权利。

以国家为主体的经济属性分配,依据的权利是在国家资本所有权和占有使用权(即生产资料国家所有权和占有使用权)基础上派生出来的组织国家经济建设的权利。这种权利产生的物质实体是国家代表人民拥有的国有资

[①] 有关两种属性分配理论的系统阐述,参见李松森:《两种属性分配理论与财政政策研究》第一章导论:财政政策的理论依据研究,中国财政经济出版社,1997年版,第1~19页。——本书作者注。

产,分配的客体是国家所有的生产资料价值和一部分剩余产品价值——或称一部分社会产品和国民收入,分配的范围是生产资料发挥作用的范围,分配的形式主要是折旧基金和利润。其中,折旧基金是国家资本的回流形式;而利润则是国家投资的收益形式,包括依据所有权获得的股息和依据占有使用权获得的红利;分配的目的是满足国家履行经济建设职能的需要。

国有资产举债属于以国家为主体的经济属性分配,依据在国有资产的财产权基础上派生的国家组织经济建设的权利,权利产生的物质实体是政府拥有的国有资本,分配的客体是一部分国民收入。正因为国有资产举债的目的主要是用于经济建设,因此,其收入要纳入国有资本金预算,作为国有资本金的重要来源来安排国有资本金支出,以用于优化国民经济结构,进而实现整个国民经济的健康稳定发展,满足国家履行经济建设职能的需要。从国有资产举债权产生的物质实体、发行目的、预算的组织形式以及与国家履行职能的关系等几个方面来看,国有资产举债权显然不同于凭借国家土地所有权(表现为政治权利和社会管理权利)派生的公共举债权。可见,国有资产举债权属于以国家为主体的经济属性分配权。

(三)举债权的行使主体不同

虽然公债和国有资产债的举债主体都是政府,但一般说来,公债的使用主体主要是政府的财政部门,用以弥补财政赤字即政府公共预算赤字,筹集非经济建设资金。而国有资产债的使用主体由于国有资本运营活动多层次性的特点,表现为多层次的国有资产产权主体。郭复初教授认为:"随着国有经济产权代表的确立和产权管理体系的完善,国有经济已划分为产权代表部门、资产经营公司、国有企业三个层次,形成一个多层次的经济体系。"[①]"与国有经济多层次的经济体系相适应,国有经济财务管理也呈现多层次的特点。第一个层次:国有资产产权代表部门的财务活动。……第二个层次:国有资产经营公司的财务活动。……第三层次:拥有国有资产的生产经营企业的财务活

---

① 郭复初:《国家财务论》,西南财财经大学出版社1993年版,第18页。

动。"①经过完善国有企业组织形式的改革,我国目前拥有国有资产的企业主要有以下形式:一是国有独资企业或公司;二是有一定国有资本投入的合营性企业与分公司,包括国内合营企业和中外合资经营企业;三是有政府投资的股份有限公司和有限责任公司。国有资产债务作为各级政府国有资产所有者筹集的国有资本金,在以上三个层次流动,由不同的国有资本运营机构所运用,因而国有资产举债权的行使主体应当是各级政府的国有资产监督管理机构。

(四)举债权依据的物质实体不同

公共举债权依据的物质实体(即信用担保物),包括政府的国有土地财产(含资源性国有资产)、依据国有土地财产所有权而获得的税收收入和其他财政收入,因而具有很高的信誉。公债的偿还资金来源主要有四个方面。一是经常性预算收入,税收是经常性预算收入的主要来源,因而是公债偿还最简单最直接的资金来源。二是预算盈余,即用政府上年预算收支的节余部分来偿还公债的本息。三是举借新债,即通过发行新债来偿还旧债。四是偿债基金,即在政府预算中设置专项基金用以偿还公债。由于公债属于以国家为主体的公共属性分配,决定了偿还资金来源的多样性。

国有资产举债权依据的物质实体(即信用担保物),是各级政府的经营性国有资产的价值和国有资产保值增值的状况,因而有很高的经济信誉。政府的经济信誉主要是指由政府偿还国有资产债务的能力、债务使用管理水平及运用债务资金所带来的收益所形成的取信于民的程度。经营性国有资产是指国家作为出资者,在企业中依法拥有的资本和权益。经营性国有资产本身具有价值。国有资产保值状况是指维持国有资本规模不变的价值补偿和维持原有的生产能力的状况。国有资产增值状况主要是指由国有资产所有权和占有使用权所带来的财产收益和其他所有者权益,以及通过对国有资本收益的合理分配,用于自身积累,实现国有资本价值总量增长的状况。由于国有资产债务属于以国家为主体的经济属性分配,其还本付息应该而且只能来自于国有资产经营主体运用国有资本金新创造的国民收入,即国有资产债务资金使用

---

① 郭复初:《国家财务论》,西南财经大学出版社1993年版,第18~19页。

带来的收益。只有在国有企业产权关系清晰,从而企业管理水平提高、经济效益提高的前提下,才能通过国有资产举债筹集国有资本运营资金,以刺激国有经济健康良性的发展。

(五)举债权主体履行的职能不同

公债的举债权主体是政府的财政部门。财政的职能是以国家为主体的公共职能,凭借国家主权所有的一般生产条件和生活条件的所有权,以国家主权所有者的身份参与社会产品和国民收入的分配,对国家政治、社会和宏观经济环境所具有的功能或影响。主要包括收入分配、资源配置和稳定经济三个方面的职能。财政部门举债主要是为了弥补财政赤字,筹集公共建设资金,调节经济运行。反映了以国家为主体的公共属性分配关系,具有宏观调控的特征。

国有资产债的举债权主体应当是政府的国有资产监督管理部门。其职能属于国家财务职能的范畴。国家财务履行的职能是以国家为主体的经济职能,是从国家财政职能中逐渐分离出来的,凭借国家所拥有的国有资本所有权和占有使用权,以国有资本所有者和占有使用者的身份,参与社会再生产过程,对国家经济建设所具有的功能和影响。主要包括经济建设、发展壮大国有经济、促进国民经济结构优化的职能。由此可见,国有资产债举债权主体的职能范围是经济建设领域,它反映了以国家为主体的经济属性分配关系,因而具有结构优化的特征。

五、中央与地方国有资产举债权权能关系的实质

中央与地方国有资产举债权权能关系的实质是承认各级政府作为国有资产产权主体的身份、承担履行政府经济建设职能的责任和拥有国有资产的运营权利,其目的是通过国有资产举债达到促进经济发展的目标。

(一)中央国有资产举债属于国债范畴

中央政府国有资产举债是指中央政府发行国有资产债,以筹集经济建设资金,从而实现中央政府国有资本运营目标,属于国债范畴。中央政府国有资产举债是国债的重要组成部分,因而同国债一样具有有偿性、自愿性、灵活性的特征。在西方理论界,多把国债作为公债的组成部分看待,是专指中央政府

的举债。由于国债的发行凭借的是国家信用,因而被称为金边债券。

(二)地方国有资产举债属于地方公债范畴

地方政府国有资产举债是指各级地方政府发行国有资产债,以筹集经济建设资金,从而实现地方政府国有资本运营目标,属于地方公债范畴。地方政府国有资产举债是地方公债的重要组成部分,因而具有地方公债的特征。地方公债和国债同属公债体系。由于地方公债的发行凭借的是地方政府的信誉,因此也具有较好的信誉度,与国债的称呼相对应,被称为银边债券。

地方公债具有公债的一般特性。地方公债的种类除公债理论一般的分类方法外,按照西方国家的划分又可根据担保条件分为一般责任债券和收益债券两种类别。一般责任债券属于纯公共品项目,即项目本身难以收回投资。它以地方政府的经常性财政收入为担保,其信誉度较高;收益债券属于准公共品项目,即这类债券投资的基础设施建设项目建成后可以取得一定的收益,一般可以通过项目本身的收益还本付息。收益债券的发行以项目未来的收入作担保,资信相对较低但收益率比较高。因此,收益债券属于经济建设类债券。

(三)地方国有资产举债的特点

作为国有资产举债体系的组成部分,地方政府国有资产举债与中央政府国有资产举债一样,具有安全可靠和固定收益的特点。同时,它与中央政府国有资产举债又有区别。一方面,由于举债主体不同,地方国有资产举债相对于中央国有资产举债,除信誉度方面的差距外,还有发债规模、债务用途、发行和推销方式等方面的差别;另一方面,地方国有资产举债在品种、期限、流动性和收益率等方面具有一定优势。特别是由于其建设项目一般与各地居民的生活、工作环境密切相关,因而更能得到各个地区居民和企业的关注。相对于中央政府国有资产举债来说,地方政府国有资产举债具有以下六个特点。研究这些特点,有助于更好的理解中央政府国有资产举债权与地方政府国有资产举债权的关系。

1. 地方国有资产举债不仅具有还本付息和有计划分配等一般政府信用的特点,而且具有筹措快速及时、运用灵活、针对性和稳定性强的特点。

2. 地方政府国有资产举债既可以包括债券形式,还可以包括借款等非债券形式。其中,债券形式的城市公债应当可以在证券市场上流通和抵押。

3. 地方政府国有资产举债包括地方政府国有资产产权代表部门作为直接债务人举借的债务,地方所属国有企业的内外债务和以地方政府国有资产产权代表部门为担保的内外债务。

4. 地方政府国有资产举债与中央政府国有资产举债的一个重要区别,是它的选择性和限定性。即无论发债主体、债务资金使用范围、发债方式等方面,都有要经过严格的选择。特别是对于我们这样一个发展中大国来说,各地经济社会发展水平很不均衡,无论经济发达地区还是欠发达地区,地方政府都有着明显的发债冲动。所以,精心选择、严格限定发债主体以及债务用途,是建立地方国有资产举债制度的一个关键问题。

5. 内债是地方政府国有资产举债的主要构成部分。地方政府可以举借国有资产外债,但必须慎重,认真考虑将来的偿还能力问题,并严格按程序由中央政府审批、归口中央有关部门管理。因此,地方政府国有资产外债原则上只能是一种国有资产举债收入的辅助形式,不构成主要来源。国有资产内债是地方政府在本国境内的国有资产债务,债权人可以是本国的银行、企业、行政事业单位、各社会团体及居民个人,其还本付息和取得的收入均以本币为计量单位。

6. 地方政府国有资产举债具有地方性特征,即地方政府国有资产举债筹集的资金主要用于地方基础设施建设和重要产业发展,为地方的发展和人民物质文化生活水平的提高创造条件,待项目建成后则用该项目所形成的收益来偿还国有资产债务本息。

第二节 改革中央与地方国有资产举债权关系的理论依据

在国有资产分级代表体制下,每一级政府,既是国有资产的产权所有者,同时又是国有资本的运营主体,国有资产举债权是各级政府作为国有资本运营主体应有的财产权利之一。马克思主义财产权学说为我们正确认识国有资产举债权和改革中央与地方国有资产举债权关系提供了理论依据。

一、资本占有使用权让渡理论

马克思主义资本占有使用权让渡理论认为：资本的所有者如果将其所有的资本交给另一个人"当作资本来使用"，他也就给了后者生产"利润即剩余价值的权力"，[①]而后者要把所生产的利润的一部分付给资本的所有者，"他支付给所有者的那一部分利润，叫作利息。因此，利息不外是一部分利润的特别名称，特别项目；执行职能的资本不能把这部分利润装进自己的腰包，而必须把它支付给资本的所有者。"[②]"生息资本是作为所有权的资本与作为职能的资本相对立的。"[③]资本的所有者可以依据资本的所有权获得收益；收益的形式是利息，利息是利润的一部分。货币"只有在它是执行职能的资本的时候"，才留在使用者手中。作为不再执行职能的资本，它必须再转移到货币所有者手中，因为货币所有者"一直是它的法律上的所有者。"[④]货币资本所有者让渡给商品生产者和经营者的货币资本，从本质上说是让渡了一种生产平均利润的能力。货币资本所有者通过借贷资本家将货币资本让渡给产业资本家，目的是获得货币资本财产的收益，即带来剩余价值。"货币资本家在把借贷资本的支配权移交给产业资本家的时间内，就把货币作为资本的这种使用价值——生产平均利润的能力——让渡给产业资本家。"[⑤]可见，产业资本家是货币资本的实际占有使用者，是在行使货币资本的支配权，为产业资本家自己生产平均利润。

货币资本借入者必须按期归还本金并偿付利息。"但借入者必须把它作为已经实现的资本，即作为价值加上剩余价值（利息）来偿还；而利息只能是他所实现的利润的一部分。"[⑥]"如果现实的回流没有按时进行，借入者就必须

[①] 马克思：《资本论》第三卷（上），人民出版社1975年版，第378页。
[②] 马克思：《资本论》第三卷（上），人民出版社1975年版，第379页。
[③] 马克思：《资本论》第三卷（上），人民出版社1975年版，第426页。
[④] 马克思：《资本论》第三卷（上），人民出版社1975年版，第381页。
[⑤] 马克思：《资本论》第三卷（上），人民出版社1975年版，第393页。
[⑥] 马克思：《资本论》第三卷（上），人民出版社1975年版，第395页。

寻求别的办法来履行他对贷出者的义务。"①可见,货币资本财产的占有使用者必须按照规定的日期归还借入的本金并偿付利息,而且他实现的利润必须大于偿付的利息,这样,他才能获得占有使用货币资本的收益;如果没有按时归还本金和偿付利息,货币资本的占有使用者就必须以其他的方式履行偿债的义务。

马克思财产权学说关于资本占有使用权让渡理论,对于我们认识国有资产举债的基本原理具有指导意义。根据上述理论,我们不难看出,国有资产举债权实际上是一种对货币资本的占有使用权。货币资本所有者将其拥有所有权的货币资本以按照规定的日期归还本金并偿付利息为条件,让渡给国有资本运营主体,实际上是让渡了一种生产平均利润的能力。国有资本运营主体通过举债借入资本进行运营,成为了货币资本的实际占有使用者,是在行使货币资本的支配权。因此,国有资本运营主体作为货币资本财产的占有使用者,必须按照规定的日期归还借入的本金并偿付利息,而且其实现的利润必须大于偿付的利息,这样,才能获得占有使用货币资本的收益;如果没有按时归还本金和偿付利息,货币资本的占有使用者就必须以其他的方式履行偿债的义务。也就是说,国有资产举债筹集的资金应当用于经济建设项目,因为,只有用于经济建设项目的投资,才能创造国民收入;同时,国有资本运营主体通过举债筹集到的国有资本金必须加强管理,提高使用效益。这样,才能在偿还本金和支付利息之后获得货币资本的占有使用权收益。

二、国家财产权理论

马克思主义财产权学说认为,生产资料国家所有是逐步实现的,国家拥有财产所有权和占有使用权的根本目的是进行社会管理,使生产、占有和交换的方式同生产资料的社会性质相适应,最大限度地发展生产力。国家占有生产资料,从而政府管理的目的是对生产进行社会的有计划的调节。国家拥有生产资料所有权和占有使用权就是要按照生产力发展的客观要求,通过国家对

---

① 马克思:《资本论》第三卷(上),人民出版社1975年版,第390页。

经济运行的调节控制,消除社会生产的无政府状态。国家占有生产资料的根本目的是为了促进生产力的发展。根据马克思主义财产权学说的国家财产权理论和发展生产力理论,显然,国有资产举债是占有生产资料的重要手段,其根本目的是按照生产力发展的客观要求,通过国家举债占有更多的生产资料,对经济运行进行调节控制,消除社会生产的无政府状态,促进生产力总量的快速增加。

中央政府和地方政府,作为国有资产所有者的代表,既享有国有资本的财产权利,又承担着对经济运行进行调节控制,消除社会生产的无政府状态,促进生产力总量快速增加的职能。这是社会主义市场经济发展对各级政府的基本要求,也是各级政府国有资产产权主体的基本职能。因此,中央和地方政府都应当拥有国有资产举债的权利,通过国有资产举债更多地占有社会资本,组织国有资本运营,实现经济建设目标和促进生产力快速发展。

三、国家财务理论

所谓国有资本运营,是指国有资本所有者的代表为了实现国民经济结构优化和经济稳定的最终调控目标,通过实现国有资本保值增值的直接目标,对国有资本进行筹集、投入、经营、组织收益与再投入的经济活动。

郭复初教授在对国有资本运营的基本特征进行深入研究的基础上,高度概括了国有资本运营的内涵,提出了国家财务的概念。认为:国有资本运营又称国家财务活动,"是指以国家作为生产资料所有者主体,对国有资产生产经营单位所进行的本金投入与取得资产收益的经济活动",[①]包括:国家财务筹集、国家财务投资、国有资产的形式与配置。其中,国家财务筹集是国家财务活动的首要内容。国家财务筹集"是指国家以所有者身份所进行的融资活动。直接融资是直接向投资者筹措资金的融资方式。包括国家为进行经济建设而发行股票、经济债券等方式的集资活动。"[②]国有资本运营重视资本的支

[①] 郭复初:《国家财务论》,西南财经大学出版社1993年版,第33页。
[②] 郭复初:《国家财务论》,西南财经大学出版社1993年版,第34页。

配和使用。在国有资本运营的过程中,支配和使用资本比占有资本更为重要,因为利润主要来源于使用资产而非拥有资产。

国有资产举债是筹集国有资本金的重要手段,通过国有资产举债可以最大限度地动员社会资本,获得对更多资本的支配权,投入经济建设,以创造更多的社会财富。当然,明晰货币资本所有者和国有资产举债者的产权关系,明晰国有资产举债者与从事国有资本具体监督管理和经营者的产权关系,最大限度地发挥管理要素的作用,是保证国有资产举债达到最终目的和避免债务风险的前提。因为,只有在偿还了货币资本所有者的本金和支付利息之后,国有资产举债人和国有资本具体监督管理和经营者才可以获得占有使用权收益和要素所有权收益,国有资产举债才是有意义的。否则,就会徒增政府国有资产产权主体的国有资产债务负担。赋予中央政府和地方政府国有资产产权主体国有资产举债权,与更好地履行政府职能、发挥政府调节控制经济运行和优化经济结构的职能有着密切的联系。

四、国有资产分级代表理论

党的十六大报告提出建立中央和地方政府分级代表国家履行出资人职责的国有资产管理新体制。新体制能否真正建立并行之有效,最关键的问题包括以下四个方面:

一是中央与地方履行国有资产出资人职责的界定。新体制已经明确了国有资产出资人的职能是管人、管事、管资产和监督国有资本运营。

二是划分中央与地方履行国有资产出资人职能的范围。新体制已经对中央和地方政府履行出资人职责的范围作出了基本的划分,明确了中央和地方政府管理的政府投资企业。

三是明晰国有资产所有者、占有使用者与具体监督管理经营者的产权关系。因为,判断新体制效果的根本标志之一是看政府投资企业的经济效益是否得到提高,生产力是否得到进一步发展。因此,需要进行产权关系的调整。新体制为明晰这种产权关系创造了法律和体制条件。

四是明确各级政府国有资产监督管理机构在政府履行职能中的地位和作

用,并在此基础上界定其履行政府职能所需要的权利。

如果明确了中央和地方政府国有资产产权主体组织经济建设的职能,那么,就应当赋予其组织国有资本运营的权利,而组织国有资本运营活动的首要内容就是国有资本金的筹集。因此,就必然要赋予中央政府和地方政府国有资产产权主体以国有资产举债的权利。因为,国有资产举债权是国有资产财产权的派生权能,有了资产的财产权才有举债的物质实体,即信誉保证,才能据以举债筹集资本金,从事国有资本运营活动。因此,必须对中央和地方国有资产产权主体所应履行的职能做进一步的界定。只有在清楚界定职能的基础上,才能够进一步确定其履行职能所应当拥有的权利。

我们认为,在市场经济体制下,中央和地方政府国有资产产权主体拥有国有资产的目的是对市场经济的运行进行调节控制,国有资产是政府履行调控职能的必要手段。这是发展社会主义市场经济对政府提出的基本规定性。而为了实现政府调控职能,就应当赋予中央和地方政府国有资产产权主体所需要的权利,包括国有资产举债权。因此,国有资产举债权是国有资产新体制的基本构成要素之一,应当根据中央和地方国有资产产权主体履行职能的需要、根据新体制确定的出资人范围,进一步划分中央和地方国有资产举债权。

五、改革中央与地方国有资产举债权关系的现实意义

国有资产举债权是国有资产产权(所有权和占有使用权)的派生权利。政府国有资产举债有中央国有资产债和地方国有资产债之分,前者由中央政府发行及支配使用,后者由地方政府发行和支配使用。在新的国有资产管理体制下,研究正确处理中央与地方国有资产举债权关系,具有重要的现实意义。

(一)有利于健全政府职能

在市场经济条件下,市场在资源配置方面发挥着基础性作用,政府的职能主要是宏观经济调控。通过各种政策手段来调节控制国民经济运行,自觉依据基本经济规律和市场经济客观规律,主动引导经济发展,弥补市场在资源配置方面的缺陷,是市场经济条件下政府履行经济职能的主要特点。政府具有

四种身份,一是社会成员共同政治利益的代表,凭借行政管理权力履行政治职能。二是社会管理者,凭借社会管理权力,履行社会职能。这两种权力都以国家主权所拥有的土地所有权为物质实体。三是国有资本所有者(生产资料所有者),凭借国有资本所有权(生产资料所有权),以政府投资所形成的生产资料或国有资产为物质实体,通过国有资本运营活动,履行组织引导经济建设的职能。四是宏观经济管理者,凭借宏观经济管理权,以全部自然资源和国有资产为物质实体,履行总体经济调控的职能。

随着经济的发展,政府的政治职能和社会职能日趋扩大,从与维护政治统治和维持社会存在发展直接相关的行政、司法和国防等领域,扩大到包括外交、文化教育、科学技术、卫生保健、环境保护、社会保障等领域。同时,政府的经济职能也逐渐发展为政府职能的必要组成部分。例如,通过组织水利、交通、电力、通讯等基础设施建设,为经济发展提供不断改善的物质条件,通过国有资本的运营来控制国民经济命脉,实施各种经济政策直接或间接地调节控制经济运行。

中央政府和地方政府是国家政权体系的必要组成部分,在各级政府职能划分的范围内,中央和地方政府都要履行经济建设职能和宏观经济调控职能。例如,中央政府对地区经济结构优化、地区经济发展水平的调节,跨行政区重大经济建设项目的协调,经济总量的平衡、国民经济的稳定发展等;地方政府调整本地区经济结构,组织地区主导产业的发展,增加地方就业,促进地方经济发展水平的提高等。

应当认识到,在以分级代表为基本特征的国有资产管理新体制建立之后,各级政府的国有资产监督管理机构实际上应当是承担政府经济建设职能的机构。无论是从国有资本投入带动引导社会资本、国有企业建立现代企业制度的改革和国有经济结构调整角度看,还是从国有资产所有者财产权利的行使、现代产权制度的建立和国有资本运营收益收缴的预算管理角度看,中央和地方政府都在实际上履行着政府的经济建设职能。

公有制为主体、多种所有制经济共同发展,是我国社会主义初级阶段的一项基本经济制度。公有制是社会主义经济制度的基础,是国家引导、推动经济和社会发展的基本力量,是实现最广大人民根本利益和共同富裕的重要保证。公有制为主体,首先表现在国有资产和集体资产在社会总资产中占优势,这是公有制为主体的前提。其次要发挥国有经济的主导作用。国有经济在经济中起主导作用主要体现在控制力上,即控制国民经济和经济制度的发展方向、控制经济运行的整体态势、控制重要产业和稀缺资源的能力。因此,国有经济是国民经济的支柱。正确处理中央政府与地方国有资产举债权关系,运用国有资产举债权动员社会资本进行经济建设,将进一步增强国有经济的经济实力、控制力和制约引导作用,推进整个国民经济的进一步发展。

国有资产举债权作为中央和地方国有资产监督管理机构筹集国有资本金的重要权利,关系到国有资产产权主体组织国有资本运营活动、履行政府经济建设职能的程度。因此,改革中央与地方国有资产举债权关系,将有利于各级政府全面行使国有资产所有者的财产权利,更好地履行经济建设的职能。如果中央和地方政府国有资产产权主体没有国有资产举债权,那么,作为国有资产所有者代表的各级政府进行国有资本运营活动就会受到制约,其履行的经济建设职能就是不健全的。

(二)有利于提供准公共产品

在市场经济体制下,政府履行职责的方式是提供纯公共产品和准公共产品。公共产品根据受益范围的不同可以分为全国性公共产品和地方性公共产品。受益范围遍及全国的是全国性公共产品;受益范围仅限于特定地域消费者的是地方性公共产品。对于中央和地方提供的纯公共产品应当以税收等公共收入供应资金,而对于准公共产品则应当以中央和地方国有资本的收益和国有资产举债来供应资金。

但是,在多级政府体系中,纯公共产品和准公共产品受益范围的地域空间差异性往往会导致各级政府特别是中央和地方政府之间在责权划分方面的矛盾。为了协调,中央政府常常在财政体制上实行分权,扩大地方政府的经济决策权和财权,调动地方政府的积极性。中央政府着重提供那些直接关系国计民生、关系国民经济发展全局的全国性纯公共产品和准公共产品,主要承担经济稳定和收入分配职能;地方政府在管理和调节地方事务的基础上,通过提供地方纯公共产品和准公共产品来提高本地区的资源配置效率,满足本地区居民的多样化需求。中央和地方各级财政之间相对独立,各级政府财政都有相对独立的收入作为行使事权的保证。

地方政府应该提供地方性纯公共产品和准公共产品,这符合效率原则。因为,在人口及生产要素存在流动性的情况下,居民可以通过"以足投票",表明对某种纯公共产品和准公共产品的消费偏好,从而刺激地方政府更有效地提供适合于本地居民偏好的纯公共产品和准公共产品。地方政府提供地方纯公共产品和准公共产品需要资金。地方政府可以通过征税、收费获得的财政收入用于地方纯公共产品的支出,通过举债获得的债务资金用于准公共产品的支出。在由税费提供的纯公共产品中,受益者和成本负担者是一致的;而由举债获得的债务资金提供准公共产品则把准公共产品的受益与成本负担分割为两个不同的时期,使受益者和成本负担者有可能变得不一致。因此,一般而言,地方政府的经常性支出应由税费等财政资金承担,资本性支出则不应以筹集税费等财政资金作为唯一的渠道。地方政府通过举债筹资将成本分摊到以后的各个受益期,将有助于提高符合效率要求的准公共产品提供水平。由于地方政府对准公共产品的支出属于资本性支出,所以地方政府对绝大多数准公共产品的支出可以通过举债来筹集资金。

我国经过20多年的较快发展,人们对公共物品的偏好也在经历由弱变强的过程。所以,无论从现实需要出发还是从历史经验考虑,财政支出规模都需继续扩大。公共产品理论、特别是划分全国性公共产品和地方性公共产品的理论,为进一步界定市场经济条件下中央政府和地方政府提供公共产品的范围提供了依据,同时也为中央和地方政府运用经济属性分配手段之一的国有资产举债筹集资金,履行政府经济建设职能,提供准公共产品提供了理论依据。建立和完善中央与地方国有资产举债制度,赋予各级政府国有资产产权主体一定的举债权,有助于国有资产公共性的发挥,有助于在市场经济条件下,更好地发挥政府弥补市场失灵,提供公共产品的职能,因而具有十分重要的意义。

(三)有利于规范融资行为

尽管我国禁止地方政府发行地方债,但是客观上已经形成了地方政府融资体系。相当一部分地方政府自觉或不自觉地采取了变相发债的形式。主要包括:

1. 中央财政发行国债再转贷给地方,用于地方经济建设项目。其实也就是中央政府代替地方举债,这种方式虽然也能够满足地方的部分资金要求,但是与地方自行举债相比,对地方的约束力较差,不利于理顺政府间财力关系,终非长久之策。

2. 根据国家统一安排,由地方政府举借的大量外债。地方政府面临着较大的汇率风险。

3. 通过开发银行贷款的方式形成的债务。

4. 通过信托投资公司的介入,地方政府变相发行债券。

5. 以企业债的形式发行地方债。基本上是在国家政策许可的范围以内采取的变通方法。

此外,还有地方的非法集资、摊派等等。大部分融资方式脱离了财政体系的监督,实际发生时却不得不从财政列支。虽解决了现实问题,但由于缺乏明确的法律依据,管理分散,不利于建立有效的偿还机制和决策责任机制,不利于强化地方政府的债务约束,容易酿成债务风险。同时,这种低水平的融资方式限制了金融市场的发展,也使中央有关部门和地方人大无法实施有效的监管和制约。另外,这种隐蔽的债券融资,必然使融资利率升高,增加地方政府的还债成本以及偿债风险,同时也会扰乱国家正常的金融秩序。最后,地方政府采用这种不规范的融资方式,缺乏有效监督,随意性大,影响了地方政府的形象。同时,又造成新的财政困难,也容易滋生腐败问题。

建立地方国有资产举债制度,用地方政府的规范融资替代传统的向银行借款等间接筹资渠道,整个投融资过程受市场机制的约束,可以保证资金筹措和使用的效率,使得地方政府的举债活动限定在法律规定的范围内,极大程度地减少随意性。

（四）有利于完善公债管理体制

在分级代表国有资产管理体制下，每一级政府都是独立的国有资产产权主体，都应拥有独立的国有资产财产权利，应当有依据所拥有的国有资产为物质实体而形成的信用，可以依据各自的信用进行国有资产举债。

明确中央和地方政府国有资产举债权可以满足财政支出规模日益扩大的需要。随着经济的发展，各级政府的职能不断完善，进行经济结构调整、组织引导社会资本进行经济建设的任务逐渐增多，经济建设等开支规模也不断扩大。因而，通过各级政府国有资产产权主体组织进行资本运营，带动社会资本发展经济，维持一定的经济增长率、保证社会经济环境稳定，是各级政府履行职能的重点。于是，要求有稳定的国有资本金来源。在地方税收不能完全保证地方经济建设支出需要的情况下，要求有国有资产举债权以筹集经济建设资金，有利于实现事权和财权的统一。

国有资产举债权管理体制的改革，是国有资产产权改革的重要组成部分。改革中央政府与地方之间的国有资产举债权关系，有利于加强对中央和地方政府国有资产产权主体的约束，调动各级政府的积极性和责任心，能够促进责权利的细化，避免所有权和占有使用权的含糊不清，改变过去只管花钱不管还钱和吃大锅饭的状况。通过明晰举债资金的所有权、占有使用权和具体监督管理经营权，使国有资产举债所筹集的资金能够实现更好的经济效益，对经济建设发挥更大的促进作用。各级政府可以将国有资本推入市场，按照保值增值的目标要求投放配置，按照市场经济特点对资产进行价值管理。

改革中央与地方国有资产举债权关系有利于建立和完善政府信用体制，是加强国有资产管理，实现国有资产保值增值的需要。在国有资产分级代表体制下，每一级政府都应该有清晰的产权和产权收益，包括经营性资产中的政府股权、非经营性政府资产、税费收入、上级政府财政转移支付、土地批租收入等。"每一级政府都有自己的信用，这里既包括直接债务也包括或有债务，既包括显性债务也包括隐性债务。债务规模、债务风险、偿债能力、偿债观念等构成了每级政府的信用记录。由于信用等级不同，有些可以扩张信用，有些必须先收缩债务。盲目投资、重复建设、逃废债等等惯常的不合理的经济行为，影响到所涉及各级政府的诚信,可以通过信用管理手段进行总体的资信评价。"①因此,改革中央与地方国有资产举债权关系,将进一步推进政府信用体制的建立。

(五)有利于推进财政体制改革

在分级财政体制下,作为国家政权体系中的中央政府和各级地方政府,应有明确界定的职能和管理范围,即每一级政府都有明确的事权,各级政府也都应有与其履行职能相对应的组织收入的权利。而举债权是规范化的分级财政体制下各级政府应有的财权,这是所有实行分级财政体制的国家长期实践得出的经验。在划分政府间事权的基础上,赋予地方政府包括举债权在内的应有财权,是进一步深化财政体制改革的重要步骤。

贾康和白景明教授指出:"深化我国地方财政改革的大思路,应从1994年财税配套改革的基本制度成果出发,按照建立公共财政框架的方向,在适度简化政府层级的前提下按照'一级政府、一级事权、一级财权、一级税基、一级预算、一级产权、一级举债权'的原则构造完整的多级财政,同时改进和完善中央自上而下的财力转移支付制度。"②分税制下,各级政府有明确的事权范围,政府事权是与政府财权相对应的,地方财政要相对独立于中央财政,在既定的收支划分基础上承担收支平衡的责任。一般而言,地方政府的收入来源主要包括几个部分:一是地税收入,由中央政府授权归地方政府拥有的与其事权相适应的税收收入;二是非税收入,主要是各种规费收入;三是地方政府从共享税中分享的收入以及中央政府财政转移支付的收入;四是地方政府资产收入和基金收入;五是地方政府公债收入。无论是税还是费,都建立在法律基础上。先立法,后征收。凡是政府收入,都应统一纳入政府财政预算,由财政部门统一管理,置于议会和公民的监督之下。允许地方政府举债,是当今世界实行分税分级财政体制国家的一般通例。无论是财政集权程度较高的单一制国家,如法国、英国、日本等,还是实行财政分权的联邦制国家,如美国、德国等,

---

① 郑新立 李连仲:《国有资产监管与经营》,中国经济出版社 2005 年版,第 189 页。
② 贾康、白景明:《中国地方财政体制安排的基本思路》,见《财政研究》2003 年第 8 期,第 2 页。

地方公债均在其财政收入和公债体系中占据重要地位。各国实践证明,地方债已成为保证地方财政独立性的重要条件。没有地方债制度,适合市场经济要求的分税分级财政体制就难以真正确立和实施。

我国于1994年实行了分税制改革,在中央与地方之间事权与财权的界定方面前进了一大步,但分税制在制度的配套方面还不十分完善。其中,地方政府公债制度的缺位,使得地方财政收入与财政支出之间互相匹配的关系存在极大的制度隐患。一方面,分税制促进了中央财政收入占财政总收入比重的提高,明显地强化和改善了中央政府的宏观调控能力。另一方面,地方政府的资金缺口在拉大,地方财政赤字扩大的趋势进一步加剧。地方财政主要承担本地区政权机关运转所需支出,以及本地区经济、事业发展所需的支出。但地方税中除营业税外其余均为小税种,税源零散,征收难度大,收入不够稳定,增长缓慢;有的税种税收弹性小,而且共享税中的主要税种——增值税收入仅留给地方25%。因此,短期内地方税收入增加的难度很大。

从财政转移支付看,实行分税制后中央财政收入的比重增大。对于由此引起的地方财政收支出现的差额,理应采取中央财政补助地方的方法来解决。但由于我国现行财政转移支付仍沿袭了老体制因素,还不是国际上通行的严格意义上的财政转移支付;而且,相对于弥补地方财政收支差额的资金需求,用于转移支付的财力无疑是杯水车薪。这样,我国地方政府越来越庞大的财政赤字[①],如果没有相应正规性的收入弥补,地方政府要么不得不减少本应由其提供的地区公共产品,导致该区域内居民总体福利的降低;要么不得不通过制度外的非正规渠道获取收入以弥补赤字。这将导致对一系列业已确定的制度安排的破坏。缓解我国地方政府财政资金困境的突破点,无疑将是更多地着眼于地方政府举债权的确立。允许地方政府拥有通过灵活的信用融资方式自我调节的权利,有利于在地方税收入不足或不均衡及中央转移支付资金不

---

① 《中华人民共和国预算法》(1994年3月22日第八届全国人民代表大会第二次会议通过)第二十八条规定:"地方各级预算按照量入为出、收支平衡的原则编制,不列赤字。除法律和国务院另有规定外,地方政府不得发行地方政府债券。"因此,地方政府的财政赤字通常表现为隐性赤字。——本书作者注。

足或暂不到位的情况下,扩大地方财政履行职责和收支平衡的回旋余地,保证地方政府职能的顺利履行。

国有资产分级代表体制实际上是财政税收体制进一步改革的组成部分,是分税制财政体制改革的继续。伴随着中央和地方政府利益的调整,税收立法权的分权、各级政府国有资产举债权等的改革必将提到议事日程。从政府与市场的职能划分上看,市场经济要在资源配置方面发挥基础性作用,政府要加强宏观调控。显然,政府对市场的宏观调控职能,只依靠中央政府是难以完成的,还必须调动地方政府的积极性。为此,地方政府也应该拥有履行经济调控职能的权利和手段。所以,国有资产分级代表、税收立法权的分权、各级政府国有资产举债权,是财政税收和国有资产管理体制改革的必然。改革中央与地方国有资产举债权关系,将进一步推进财政体制的深化改革。

第三节 中央与地方国有资产举债权关系现状分析

一、国有资产举债权集中于中央政府

我国从1981年起开始发行国债,至今已经有20多年的历史。相对而言,我国国债制度逐步趋于完善。中央政府凭借其自身的信誉,为了筹集财政资金而举借一定数额的债务,把发行国债作为一种长期稳定的建设资金来源,以求加快经济的发展速度,同时用来作为国家宏观调控的手段,以调节经济的运行。

与原统一所有,分级管理的国有资产管理体制相适应,国有资产举债作为内含于国债的组成部分,长期以来一直实行高度集权的管理体制。中央政府国有资本运营主体,依靠中央发行国债作为国有资本金的重要来源,在有效履行中央政府职能,实现经济结构优化的目标,调节控制市场经济运行,实现国有资本的保值增值等方面,发挥了重要作用。同时,也基本建立起了中央政府权利、责任和利益统一的财政体制,为进一步完善地方国有资产运营体制创造

了条件。

近年来,我国经济继续稳步发展,我国政府在国债发行政策的运用中,既继承了前几年国债发行中的有益方面,也进行了一定的创新。其重点体现在长期国债发行适度减少,国债投向从拉动经济增长向调整经济结构实现协调发展方向转变。国债的投向一是继续加大对农村基础设施建设的投入,改善农村生产生活条件,包括节水灌溉、人畜饮水、农村道路、农村沼气、农村水电、草场围栏等农村工程,以及县城电网改造等;二是加大公共医疗卫生体系、基础教育、基层政权和公检法司政法部门的设施等建设的投入;三是继续向西部地区倾斜,支持东北地区等老工业基地调整改造,促进技术进步和产业升级,加快煤矿安全改造、采煤沉陷区治理步伐;四是继续加强生态建设和环境保护;五是加快江河治理等重大水利设施建设,保证续建国债项目,特别是青藏铁路、南水北调、西电东送等重大项目建设。可见,我国国债的主要用途是经济建设。而且,举债权高度集中于中央政府。

二、中央国有产权主体组织国有资本运营的职能不健全

中央政府国有产权主体是指国务院国有资产监督管理委员会。从对国务院国有资产监督管理委员会界定的职能方面看,尽管举债权是出资人筹集资本金的重要渠道和融资手段,但中央政府国有资产产权主体并没有国有资产举债权。现行国有资产举债体制是中央财政部门代国有资产产权主体举债,然后由其投向中央政府监管的国有企业。也就是说,在国有资产举债管理体制上,还没有实现"政资分离"。表明中央政府国有资产产权主体的地位还不够明确、组织国有资本运营的职能还不够全面,即国有资产监督管理主体在政府履行经济建设职能中的地位和运用国有资本金调节控制市场经济运行的职能还没有得到清楚界定。

三、地方政府不拥有国有资产举债权

建国以来,为满足经济建设的需要,我国地方政府主要发行过两种属于国有资产性质的公债。1950年以前,东北人民政府为筹措生产建设资金,发行

了东北生产建设折实公债,实际上属于国有资产债务。1958年4月2日,中共中央做出了《关于发行地方公债的决定》,决定从1959年起停止发行国家经济建设公债,但允许各省、市、自治区、直辖市在有必要的时候,发行地方建设公债。同年6月5日,颁布了具体的执行条例。江西、东北等省根据本地实际,不同程度的发行了地方经济建设公债。地方经济建设公债也属于国有资产债务。

在传统的计划经济体制下,我国的国家财政是高度集中统一的财政,地方财政只是中央财政的附属物。此时公债的发行,是由中央政府统一安排和部署,并由各级政府共同努力来完成的。这就无所谓国债和地方债的区分,或者说是只有国债而无地方债,地方政府没有单独的举债权。所以,在计划经济体制下,公债也就是国债,或者反过来国债也就是公债,两者不需要进行区别。这是因为,如果不将所有的债务发行权都集中到中央手中,地方政府自主发债将使这部分资金运动处于统一计划之外,就会形成对国民经济计划和综合平衡的冲击。与计划经济体制必须高度集中统一财权财力这一根本要求相适应,我国曾将既无内债又无外债视为社会主义的优越性,整个国家的所有债务都集中到中央,然后取消了的公债发行。因此,长期以来,地方政府不拥有举债权,包括地方政府国有资产举债权。

在市场经济体制下,公债的主要作用是弥补财政赤字和间接调控经济。地方公债的发行,其主要目的是为了保证地方政府履行经济建设职能、进行经济结构调整和促进区域经济发展所需要的国有资本金供给,弥补地方财力不足。在新的国有资产监督管理体制下,地方国有资产监督管理机构作为地方政府国有资本的运营主体,不能依靠国有资产举债筹集国有资本金,不利于地方政府有效履行经济建设职能,不利于地方政府运用国有资本调节控制市场经济的运行,也不利于地方政府责任、权利和利益的统一。

四、地方政府国有资产产权主体职能不明确

长期以来,我国地方政府尽管在事实上承担着大量的债务,但在法律上一直没有取得公债发行权的合法地位。当今世界任何一个国家都是由多级政府

组成的,各级政府有其特定历史时期的主要任务。随着经济的发展,中央与地方政府的关系也表现为一种动态的发展过程。在特定的政治、经济和国际环境下,地方政府可能表现为中央的派出机构,完全服从于中央的安排。而在大多数时期,地方政府应具有较强的独立性,其行为目标非常明确,就是追求地方经济发展和福利的最大化。包括当地经济发展、民众福利状况的改善、政治民主化进程的加速,等等。但是,地方政府的独立地位往往受到传统理论的质疑。在原国有资产管理体制下,地方政府不是独立的国有资产产权主体,因而没有筹集国有资本金组织国有资本运营活动的必要。但随着新的国有资产管理体制的推行,地方政府已经成为拥有完整国有资产财产权利的产权主体,这就有必要明确地方政府国有资产产权主体的经济建设职能,赋予其通过举借国有资产债务筹集国有资本金组织国有资本运营活动的权利,以促进地方经济的发展。

五、中央集权与地方分权的矛盾

在市场经济体制下,中央政府的宏观调控有利于实现良性竞争。这样,地方政府要先服从于中央政府的经济活动安排,才能着手自身的经济活动,为了保证公平的市场竞争环境,防止出现地区封锁,往往实行统一集权式的管理。在我国,举债权的高度集中在很大程度上就是对此有所顾虑,从而一直没有赋予地方政府发债的权利。但这样一来,地方政府履行区域经济发展、组织地方经济建设的职能就要受到制约。我们认为,在市场经济体制下,政府的宏观经济调控职能是由中央政府和地方政府共同完成的,因此,应当赋予地方政府相对独立的财产权利,包括国有资产举债权。在不引致地区市场壁垒的前提下,应尽可能调动地方政府的积极性,中央政府能少干预就应该少干预,可以考虑让各级政府各司其职,依据自身的能力与需要来实施符合地方实际情况的经济政策,包括赋予地方政府量力实施国有资产举债权利以促进地方政府更好地发挥职能作用。

六、客观上存在道德风险

就举债而言,企业发行债券从理性人追求自身利益最大化出发,会选择最优或次优的资本筹资结构来确定债券的发行量;中央政府也是从全国经济容量和需要出发来选择合适的发行量;而地方政府就有可能出现追求预算约束的最小化,也就是多持有货币的偏好。原因很简单,因为一方面存在地方政府换届因素,前届政府有可能不承担全部债务或部分债务的偿还,从而会导致道德风险,即地方政府可能用举债筹集来的资金满足日常的经常性开支,而将债务偿还留给下几届政府,从而出现提前透支地方税收的现象。这种情况不能说是公平的。另一方面,地方政府为追求政绩,往往也会产生多持有货币的偏好,如不能规范管理、加强控制,比如会导致地方债务风险加大。避免道德风险是应当的,但以不给予地方政府举债权来避免它,就往往会使地方政府履行职能受到制约,也不符合分级财政体制的改革方向。

七、法律限制

1994年3月22日第八届全国人民代表大会第二次会议通过的《中华人民共和国预算法》第28条规定:"地方各级预算按照量入为出、收支平衡的原则编制,不列赤字。除法律和国务院另有规定外,地方政府不得发行地方政府债券。"早在1985年9月9日,国务院办公厅也发出了《关于暂不发行地方政府债券的通知》。此后,1993年4月11日,国务院发布的《关于坚决制止乱集资和加强债券发行管理的通知》第3条,再次明确指出:"地方人民政府不得发行或者变相发行地方政府债券"。1998年8月11日,国务院办公厅转发了《中国人民银行整顿集资乱批金融机构和乱办金融业务实施方案的通知》,再次明确地方政府不得发行债券。

一般说来,在经济发达国家,中央财政实际可支配收入占全国财政收入的比重较高,而且金融市场较为发达。因此,这些国家的地方政府在出现财政赤字的情况下,可以通过发行债券或向银行借款来予以弥补。而我国自新中国成立后的近30年时间,实行的是高度集中的计划经济体制,中央与地方之间的财力分配格局也基本上是高度集中的。自1980年实行划分收支、分级包干、五年不变的财政体制后,财政收入占GDP的比重和中央财政收入占全国财政收入的比重均大幅度下降,形成了财力过度分散的格局。1994年分税制改革后,中央财政收入占全国财政收入的比重有所提高,但中央财政实际可支配收入的比重和全国财政收入占GDP比重仍然较低。在当时的情况下,如果允许地方政府发行债券,势必会造成财力更加分散的局面。在上个世纪90年代,中央禁止地方政府发行公债,很大程度是基于这方面的考虑。

除此之外,中央政府禁止地方政府发行公债,还出于以下几方面的考虑:首先,地方政府发债容易在规模和投向上脱离中央政府的控制,不利于中央宏观调控职能的发挥,而且还可能影响到国债的顺利发行。其次,地方政府缺乏对所投资项目必要的审查、管理和监督的经验,会在一定程度上造成债务资金使用效率的低下;一旦如此,地方政府有可能无法到期还本付息,从而影响政府信誉。再次,地方公债资金用于建设需要,有可能会出现与民争利,产生挤出效应。最后,可能会加大地区之间的不平衡。

随着总体经济形势和观念的变化,对于地方公债问题的认识必然也会不断深化。应该承认,中央政府的以上政策考虑在一定时期确实存在一定的合理性。如果赋予地方政府举债权,也很可能会带来各方面的问题;即使在地方公债制度比较发达的西方国家,也或多或少的存在这些问题。然而,只要我们通过科学的设计和稳步的推进,可以在最大程度上避免或者解决这些问题。

八、地方债务管理不规范

在地方政府存在合理融资需求的前提下,尽管中央禁止地方政府发行地方债,但是客观上已经形成了地方政府融资体系,并且产生了变相的甚至是隐蔽的地方政府债务融资行为。地方政府为了筹集基础设施建设资金和公用事业资金,普遍采取了多元化融资、多头借款的政策。这些措施的实行普遍都缺乏规范管理,借债随意性大,形成了无序、混乱和失控的局面。目前地方政府的债务问题情况复杂,形势严峻。主要表现为以下几个方面。

第一,规模庞大,结构分散。地方政府所负各种债务的总体规模已经相当庞大,在某些地方,地方财政已经超负荷运转,地方政府所背负的债务负担已经到了债务危机的边缘。不仅各省、自治区、直辖市不同程度地负有各种债务,而且省、市、县、乡镇各级政府均有不同形式的举债欠账行为。并且,地方政府的层级越低,所负债欠账的相对规模越大,债务负担相对越重,越容易直接引发各种社会问题。

第二,隐蔽性强,透明度差。目前地方政府举债属于非法或违规行为,因此各级政府在举债问题上大都巧借名目,遮遮掩掩,再加上地方政府缺乏必要的信息披露机制,透明度极差。因此,尽管谁都知道目前各地、各级地方政府的债务总量已经不小,但是谁也说不清楚规模究竟有多大。

第三,缺乏统一口径,缺少预警机制。地方政府的负债欠账项目,各级政府均缺乏可信的统计数据,甚至连统一的统计口径都没有。因此各级地方政府的真实债务规模无法统计,而且负债率、偿债率等监控指标也无法运用,债务预警机制因而也无法建立。

第四,违约率高,副作用大。由于地方政府在任何债务关系中都属于强势一方,因而地方政府的债务违约率通常是最高的,这不仅破坏了金融市场的信用秩序,而且也严重危及了地方政府的信誉和权威,从而对社会稳定构成不容忽视的潜在威胁。

第五,缺乏统一管理,呈现加速倾向。尽管近年来中央政府做了大量工作,也试图控制和缩减地方政府债务,但由于中央政府和地方政府均缺乏统一的地方债务管理机构和科学的管理办法,因此地方政府债务目前正处于失控边缘,规模呈加速上升趋势。

第四节　公债管理体制的国际借鉴

西方学者认为,公债可作为政府调节、干预经济的重要杠杆,其作用不仅在于吸引通胀时的劳动力,增加经济萧条时期的需求以稳定经济,还在于通过公债政策,引导社会资金的有效使用。公债可能是一种经济上的福利,是增加国民收入和保证充分就业的因素。因此，维持预算平衡并不重要。但进入80年代以后，赤字财政政策开始受到抨击，主要是人们认为公债形成的国家投资消除了短期的萧条，但政府投资总是缺乏效率，影响经济的持续增长潜力；另外人们还认为公债使公共投资增加，容易引发垄断，不利于通过自由竞争达到经济的高效率。但就公债作为政府宏观调控的手段这一点，经济学家形成了共识。

一、美国地方公债的管理

美国实行联邦、州和地方三级预算管理体制，各级地方预算独立。因此，我们所说的地方公债在美国是指州和地方政府公债。

从历史上看，美国州、地政府的债务规模是起伏不定的，但总是与州、地的基础设施建设——运河、铁路、公路等等的建设有关。1870年纽约州首次采取发行债券的办法筹集资金应用于扩建伊利运河①。这种做法对各州产生了很大影响。它们相继仿效纽约州的做法，依靠借债进行基本建设，致使各州债务急剧攀升。到1841年，各州债务总额达到19300万美元。这是州地政府第一次举债高峰。自此，每当遇到州地基础建设大量增加，州地政府的债务也会剧增。如19世纪40、50年代，为铁路的迅速发展筹集资金使各州再次借助于举债。到1860年各州债务总额达到25700万美元。从1870年起，地方政府为了开展市政建设也开始举债。1890年，由于扩大公路建设，州地政府债券再次增加，到1916年其总额达到46500万美元。

第二次世界大战后，州地政府进行的基础建设大量增加，债务增长速度也大大提高。1950年州地政府积欠的债务只有240亿美元，到1983年则达到4545亿美元，增长了13倍。平均每个国民都要负担1926美元的州地公债。与此同时，州地政府依靠举债进行的基础设施建设项目也越来越广泛。目前

---

① 伊利运河——美国纽约州西北部运河。从伊利湖岸的布法罗，经莫霍克谷地，到哈得孙河岸的奥尔巴尼。长581公里，宽12米，水深1.2米。1817年始建，1825年竣工。以后曾数度扩建，从1909年起经改建后，运河长544公里，宽45米，水深3.6米。成为纽约州通航运河系统的主要水道，对美国中西部的经济开发和纽约市的发展起很大的作用。——本书作者注。

已涉及到学校建设、公路运输、公用事业、社会福利、市政建设、工业援助等各个方面,即主要用于与人们生活有关的公共服务设施和发展工业所必要的基础设施建设。

二、日本地方公债的管理

日本的地方公债最早可追溯到明治初年。1879年,日本确立了发行地方公债必须通过议会议决的原则,从此开始了地方债制度的建设。1888年日本颁布的《市制及镇村制》,1890年颁布的《府县制》和《郡制》,都使得地方债制度趋于完善。1940年,地方债首次实行发行限额,发债主体以大城市为主体,发行对象为大银行和大信托投资公司。

目前,日本地方公债的发行主体为都、道、府、县等。此外,日本地方自治法也赋予了特有地区、地方公共团体组织以及地方开发事业等特殊地方公共团体举债权。日本的地方公债有两种含义,从广义上是指地方政府超过一个会计年度的负债,从狭义上仅指地方政府发行的债券。通常的日本地方公债是指狭义的概念。

日本地方公债制度的特点是:每月都有地方政府发行债券;发行方式有公募和私募两种,原先大都以公募为主,1979年以后以私募为主;无论发行主体为谁,只要在同一时间发行地方公债,发行条件都相同;发行对象以金融机构为主;面额较大;大都为付息债券,利率参照同期限的国债利率,私募债券利率略高于公募债券利率;享受一定税收优惠等。

为了防止地方政府滥发债券,日本政府对地方债券实行严格的审批制度。《地方自治法》规定:现阶段地方自治团体在地方债的发行方式、利率、偿还方式等方面,必须获得自治大臣或都道府县知事的许可。其具体程序为:地方政府要求发行债券时,要事先向自治省申报,提出所要发展的建设项目、资金来源和所要发债的额度。自治省审查后,将各地的发债计划汇总,同大藏省协商后,统一下达分发给各地的发债额度。如果发行公募债券,在得到地方议会和自治大臣的认可后,由大藏省、自治省、受托银行以及证券公司召开会议,联合决定每月发行总额及地方发行额。

三、几点启示

在债券市场比较发达的西方国家,地方政府发行债券是非常普遍的,如美国的州地政府和日本的府甚至县都能以自己的名义发行债券筹集资金。其具体做法与特点有以下方面。

(一)分税分级财政体制模式

在实行分税分级财政体制的西方国家,地方财政是独立的一级财政,拥有一定的发行债券的权限。此外,市场经济也决定了各级政府所属机构和单位也有一定的相对独立性,拥有一定的发债权限。西方国家债券市场的存在,为债券发行与流通提供了场所,是西方国家整个社会资本流向的一个重要方面。债券市场的运转,为西方国家资本的流动和运用提供了重要的渠道,不仅有着增强资本盈利能力的作用,而且有利于增大社会需求总量。在社会有效需求不足的情况下,各种公债的发行动员了闲置资本而增大了社会需求,有利于社会总供需均衡。这些,都决定了西方市场式公债与我国计划式公债的不同形式和特点。如今,西方国家特别是工业化国家,地方政府的借款占全部地方政府收入来源大多在10%以上,这些借款被广泛地用于城市公共基础设施建设方面。主要原因是大多数城市设施的资本具有密集型特征,政府的经常性财政收入难以满足这些巨额的投资需求。西方国家承认地方政府的独立主体地位,赋予其灵活的筹资机制,地方政府可以根据需要而发行债券,具有经济上的合理性。

(二)有效的约束机制

重视防止道德风险,保证地方公债发行的安全性。西方经济理论认为,只有建立从自身利益出发的约束机制才是最稳定的状态,也就是最有效的状态。那么,就必须进一步深化行政体制改革,建立严格科学的政府官员任期考核制度,认真核实地方政府官员任期内的债务情况,将不良债务列入各级政府官员任期考核内容,对其所涉及到的各种指标综合考虑。同时辅以监督机制,包括行政监督机制和市场监督机制。其中,行政监督机制主要强调地方议会对地方政府发债的监督,市场监督机制主要是指市场信用评价体系。在美国,行政体制决定了议会对政府活动的硬约束,发挥了实实在在的监督作用,有的州对一般收入债券还实行了投票表决机制。同时,美国的信用评级制度十分发达,地方政府的信用级别对地方政府债券的发行、债券筹资成本、债券的流动性都产生着重大影响。

(三)有效的法律保障

发债的安全性主要过法律予以保障,法律约束效力高。法律对债券发行的约束主要是通过规定债券的用途和债券的偿付两方面来发挥作用。发行债券筹资如果用于日常性开支,也就是用于纯消费性开支,将负担转移给未来的纳税人是有失公平的,也不利于经济的持续发展。因此,西方国家往往规定债券的用途首先不能用于弥补公共财政赤字,然后再讨论其具体的用途与偿还。比如,美国地方债券分为两类,一般责任债券和收入债券。其中一般责任债券是由州、县、镇等地方政府发行,是以其征税能力和征税权力来保证的债务凭证。这里需要指出的是,美国实行分税制,即使是镇这样比较低的政治实体也具有对财产税的无限征税能力,其实质是用地方财政收入及财产价值作为信用担保的经济基础。而收入债券是为某一特定项目融资,以项目的收入还款,其发债的依据是项目的赢利能力。地方债券的偿付有严格的规定,如果地方政府不能偿还债务,债权人可以依法起诉要求强制执行,可扣押财产。地方政府甚至可以提高税率来偿还债务,而且规定收入债券的偿还期限不能超过项目的寿命周期,每年偿还一定的数额。

(四)严密的经济论证

地方政府发行公债的科学性要经过严密的经济论证。首先,从经济总量上考察财政的承受力和经济发展的资金缺口,从财政的承债能力和社会的应债能力两方面来设计限制指标,如公债依存度、公债偿债率等指标。然后通过财务管理方法来确定一个筹资结构,决定发债总量。其次,对于单个项目的可行性研究分析采用公共效益分析方法,避免只投入不出效益的工程项目,同时对于配套资金的到位予以高度的重视,以防债务负担过重现象的发生;对于用于教育、社会保障等难以衡量收益的一般责任债券的使用,主要突出对使用经费的配比、有效利用和到位情况。在美国,影响投资者选择的地方政府债券指标主要有以下几个:净债务与应税财产估价值的比率,人均净债务水平,偿债资金需要量与每年财政总收入的比率等。这些指标都有其积极的现实意义,比如偿债资金需要量与每年财政收入的比率很直观的反映了财政的承债能力和再发债空间,有利于约束地方政府在安全的范围内发行债券。

(五)政府间举债权关系的协调

首先,关于中央与地方债竞争的调控。中央政府不允许发行地方公债争夺国债的市场,以免债券的总量接近国际警戒线。一旦这样,中央政府就会将原来代替地方发行的债券交于地方政府,国债的发行量就会自然减少。通过中央的宏观调控,保证总量上的适度。

其次,关于地方政府之间可能出现的恶性竞争。为防止地方政府各自为政,导致资金流向发达地区而引起地区间差距的进一步拉大,往往以投入产出效率为基本衡量标准。中央政府通常采用更加积极有效的政府转移支付制度来进行调控。体现在中央财政转移支付资金边际效用的提升上,对于发达地区通过发行公债已筹集相对多建设资金的,中央政府可以减少对其的转移支付,而将削减的部分用于加大对欠发达地区的扶持力度,来遏止差距拉大的可能性,促进地区间的平衡发展。

第五节 改革中央与地方国有资产举债权关系的政策思路

按照建立一级政府、一级产权主体、一级所有权、一级委托代理权、一级收益分配权、一级举债权、一级立法权的国有资产管理体制改革设想,中央与地方之间国有资产举债权关系改革的目标是:建立一级政府,一级举债权的国有资产举债权管理体制。即建立中央和地方政府分别依据拥有国有资产数量和经营效益,根据履行经济建设职能和调节控制职能需要,在中央统一政策指导下,通过国有资产举债从事国有资本运营活动的政府信用制度。为此,我们提出以下政策思路。

一、区分公共债务和国有资产债务

长期以来,我国对公共债务和国有资产债务不作区分。国债的使用方向、使用效益,难以比较分析,政府履行经济建设职能的重点难以得到充分反映。一方面不利于对国债资金使用的监督,另一方面也容易掩盖国债筹集运用过程中存在的问题。

按照国有资产监督管理机构权责统一和政资分开的原则,可以考虑在中央政府层面区分公共债务和国有资产债务。公共债务由财政部组织发行,用于弥补政府公共财政赤字;国有资产债务由国务院国有资产监督管理委员会组织发行,用于筹集国有资本金和进行经济结构调整。公共债务和国有资产债务区分后,发行主体进一步分化,责任更加明确,目的性更强,将有助于对债务规模的控制和使用效果的管理评价。公共债务和国有资产债务区分后,发行主体要按照复式预算的要求,将不同性质的国债资金纳入不同的预算进行管理。公共债务资金纳入政府公共预算进行管理,国有资产债务资金纳入政府国有产经营预算进行管理。为使国债发行符合国家的宏观经济调控政策,公共债务和国有资产债务都应当纳入财政部国家预算,进行统一平衡和管理;执行国家财政部制定的统一的举债政策,与中央政府的经济总量平衡政策、经济结构调整政策、国家预算政策等保持一致。

二、在明晰产权关系的前提下提高偿债能力

国债会形成一国政府的经济负担,所以国债必须有一定的限度。国债的限度一般是指一定时期国家债务规模的最高限度。国债规模受社会应债能力和财政承受能力的制约。社会应债能力是指一定时期各类国债的发行对象购买国债的能力总和;财政的承受能力是指财政抵补其债务负担的程度。可以通过一系列指标来表示,以考察国债规模是否适度,为政府的经济决策提供依据。财政承债能力指标有:(1)国债依存度。它是指当年的债务收入与财政支出的比例关系。目前这一指标的国际公认警戒线为25%~35%左右。(2)国债偿债率。它是指当年的国债还本付息额与中央财政收入的比例关系。这

一指标的国际公认警戒线为10%左右。社会应债能力指标有:(1)国债负担率。它是指当年国债累计余额与当年经济总规模(GDP)的比例关系。根据世界各国的经验,发达国家的国债累积余额最多不超过当年GDP的45%。(2)居民应债率。它是指国债余额与居民储蓄存款余额的比例关系。一般认为,国债余额低于居民储蓄存款余额即二者的比例小于100%即可。

从我国国债规模的几个主要经济指标中(见表8－1),会得到一个看似矛盾的结论:从国债依存度和国债偿债率来看,我国的债务压力一直是比较大的,但从国债负担率和居民应债率来看,国债规模还有进一步扩张的余地。这种看似矛盾的现象,一方面说明我国经济体制转轨时期的国民收入分配格局发生了扭曲,即国民收入分配过于向个人倾斜,财政集中度过低,财政收入的基础薄弱,以至造成在债务依存度较高的同时,国民经济的债务负担水平却只有世界平均水平的四分之一。另一方面,我国国债举债主体集中于中央政府,因而国债依存度是按照当年债务收入与中央财政支出的比例进行计算的,与国际通用指标的计算口径不同,因此,我国的国债依存度高于国际警戒线。所以,公债发行规模的控制一方面应建立在增强国家财政汲取国民收入的能力基础上,另一方面,客观地说,我国发行公债还有很大的空间。

举债的根本问题在于是否有很高的偿债能力。如果举借债务资金的运用结果能够保证偿付到期的债务本金和利息,即有很高的偿债能力,而且还可以实现一定的利润,那就不存在债务风险问题。增强国家财政汲取国民收入的能力主要有两个途径,一是增加税收收入;二是增加利润收入。由于税收和利润随着经济的发展而增加,因此,发展经济是根本。

国有资产举债的目的在于促进经济的发展,属于专门为经济建设筹集的债务资金。国有资本金一经投入,就可以带动社会资本的投向,就要占有使用国家的土地,因此,就要缴纳流转税和企业所得税,从而为国家财政提供税收。因此,国有资产举债具有通过促进经济发展来扩大税基的作用。

国有资产产权主体举债是在行使货币资本的占有使用权,在支付债务本金和利息之后,国有资产产权主体应当能够获得平均利润的一部分。因此,要求国有资产产权主体对举债筹集的资金按照明晰产权关系,保护财产所有者财产权利的要求,按照货币资本所有权、占有使用权和具体监督管理经营权分离的原则,保证货币资本所有者、占有使用者和具体监督管理经营者的财产权利。只有最大限度地调动占有使用者和具体监督管理经营者的积极性,加强对国有资产债务资金的监督管理,合理节约使用,提高国有资产债务资金的使用效益,才能保证国有资产举债获得应有的收益。只有这样,才能够使政府财政有更充足的财源,又不致背上难以承受的债务负担。

表8-1　　　　　国内国债规模指标体系(%)

年 度	国债依存度	国债偿债率	国债负担率	居民应债率
国际公认警戒线	25%~35%	10%	45%	小于100%
1991	34.48	7.80	5.41	12.80
1992	41.57	12.60	5.25	12.10
1993	44.85	7.70	5.50	11.80
1994	52.41	9.60	5.21	11.50
1995	53.28	14.20	5.45	10.60
1996	55.61	7.70	5.60	9.87
1997	57.77	23.30	8.10	13.09
1998	60.40	23.90	10.80	14.42
1999	28.07	15.66	11.94	16.43
2000	26.14	11.59	12.70	17.66
2001	23.72	11.74	14.05	18.53
2002	25.67	13.05	17.90	19.78
2003	24.46	13.01	18.68	21.14

资料来源:表内各年度数据根据国家统计局:《中国统计年鉴(2004)》,表3-1、8-1、8-10、8-11计算,中国统计出版社2004年9月第1版,第53页、第288页和第296页。

三、明确不同性质债务资金的支出方向

财政资源的有限性要求财政政策必须按照科学的发展观,在坚持总量控制的前提下,采取有保有控的方式调整和优化资金的使用方向和支出结构,解决财政越位和缺位并存的问题,引导经济结构优化,促进经济社会全面、协调和持续发展。因此,国有资产债务资金与公共财政资金要严格区分,国有资产债务资金只能用于经济建设项目,重点放在支持在建项目的尽快建成投产和发挥效益上。同时,对有利于技术升级和优化部门结构的高新技术产业、新兴主导产业以及形成瓶颈制约的建设项目,如港口、铁路、电力、资源勘探等继续提供支持,向加快西部开发和振兴东北老工业基地等方面倾斜。而建立社会保障系统、解决三农问题、基础教育、生态环境建设和国土整治等方面的资金需求,应属于公共财政资金支出的范围,应当以税收收入来供给资金。

四、严密论证地方国有资产举债制度的可行性

(一)地方政府的信誉为建立地方国有资产举债制度提供了可能

政府国有资产举债从性质上说,属于以国家为主体的经济属性分配手段。在社会主义市场经济条件下,构成政府国有资产举债信誉的根本依据是政府拥有大量的以各种形式存在的国有资本,并且,以国有资本作为物质实体取信于民。即可以以充足的国有资本及国有资本运营带来的收益偿还债务。政府国有资产举债的目的主要是用于经济建设,政府国有资产举债收入要纳入国有资产经营预算,作为国有资本金收入来安排国有资本金支出,用于优化国民经济结构,进而实现整个国民经济的健康稳定发展,其实质是满足政府履行经济建设职能的需要。从政府国有资产举债的物质实体、发行目的、预算的组织形式,以及国有资产举债与政府履行职能的关系等几个方面看,政府国有资产举债显然不同于凭借政治权力和社会管理权力组织的公共属性举债。市场经济条件下,地方政府为满足履行经济建设职能的需要,显然可以凭借本级政府的信誉通过国有资产举债筹集资金。

(二) 国有资产举债是国有资本金的重要来源

政府国有资产举债之所以能够成为国有资本金的重要来源,原因在于政府国有资产举债(包括地方政府,下同)完全符合资本金的特征。政府通过国有资产举债筹集的资金,是为了进行商品生产与流通活动而垫支的货币资金,通过国有资本金预算投入到物质生产领域,转化为政府国有资本金的重要组成部分。以国有资本金收入形式形成政府投资企业的各种销售收入、国有股权收入、红利、资本公积金、公益金与其他收入等,直接为反映生产经营管理成果服务。通过国有资本金收入的分配形成成本补偿和企业纯收入,并将企业纯收入分为国家税收、投资者收益、企业留用纯收入和经营者收入,进一步将企业留用纯收入分为企业积累基金与消费基金,直接为形成补偿基金、积累基金与消费基金服务。将积累基金分配为劳动资料与劳动对象的追加资金,将企业消费基金分为集体消费基金与个人消费基金等,从而扩大生产与流通要素,直接为企业积累基金与消费基金的再分配服务。

可见,政府通过国有资产举债筹集的资金转化为国有资本金以后,表现为原垫支的货币资金的循环周转与增值扩张过程。政府通过国有资产举债筹集的资本金符合垫支货币资金运动的全部特征。因此,政府国有资产举债能够成为国有资本金的重要来源。

(三) 国有资产举债的运营管理符合国有资本运营管理的特征

政府国有资产监督管理部门按照经济结构优化和经济总量平衡的要求作出国有资产举债决策,进行产权管理,对投资与收益进行综合管理,以及对基本管理制度与办法的制定与实施进行管理;国有资本运营机构依据委托授权组织国有资本的投入和运营;政府投资企业通过国有资产举债资金的筹集、投资、耗资、收入与分配活动,实现保值与增值,通过国有资产举债资金收益的上交,维护所有者和占有使用者的合法权益,体现了国有资本运营活动多层次的特征。政府国有资产举债的运营管理围绕着所有者、中介经营者和生产经营组织三个主要国有资本运营主体而发生与展开,体现了国有资本运营主体的多元化特征。

政府国有资产举债资金的投入主要目的是对地区结构的优化、产业结构的优化、部门结构的优化和企业内部资源结构、实业资本、金融资本和产权资本等资本形态结构的优化,存量资本和增量资本的优化,资本经营过程的优化等等,体现了国有资本运营结构优化的特征。

国有资产举债的运营要求打破地域观念、行业观念、产品观念。得到政府国有资产举债资金投入的企业应当面对整个国内市场和世界市场,自主经营,壮大国有经济实力,体现了国有资本运营的开放式经营特征。

政府国有资产举债资金的运营要求投入资金必须保全与完整;同时也要求取得收益。以政府国有资产举债收益分配为前提,才能实现生产经营规模的扩大,提高资源配置的效益,体现了国有资本金增值性的特征。

政府国有资产举债资金的运营要求最大限度地支配和使用资本,以较少的国有资本调动支配更多的社会资本,从而实现对整个国民经济运行的调节和控制。政府国有资产举债资金的运营主体不仅关注政府国有资产举债资金的投入方向和优化配置,而且还要考虑作为宏观调控手段对总需求的扩张性作用,体现了国有资本金调控手段的特征。

(四)地方经济实力的提高为建立地方国有资产举债制度提供了可能

随着经济的发展,一些省份和城市的经济实力有了很大增强。这些地方财政收入规模较大,工业和第三产业生产能力较强,企业竞争能力强,需求能力大,对内和对外贸易发展迅速,经济发展具有较强的后劲。地方政府的可支配收入及现金流的增加,使其具有相当的负债潜力。同时,经济的发展也对这些地方城市公用事业和基础设施建设方面提出了更高的要求。这些地方凭借其雄厚的经济实力,已经在解决地方建设资金缺口方面做过多种尝试,其风险防范意识和偿债能力较强,在资金的管理和运用方面积累了宝贵的经验。如果允许这些地方政府通过国有资产举债进行筹资,应能达到较好的效果。

(五)巨大的投资需求为地方国有资产举债创造了条件

中国是世界上储蓄率最高的国家之一。随着经济的发展,我国人均收入不断提高。虽然现阶段我国居民储蓄存款的增加有一定的特殊原因,但是巨额的资金依然代表了居民的投资能力。一部分投资者将债券作为替代储蓄的投资对象,构成了对债券的稳定需求。其次,经济的发展也带动了企业大量的融资需求。保险公司、证券投资基金、社保基金、养老基金等机构投资者队伍的不断壮大,增加了对多元化投资和多种金融产品的需求。与巨大的投资需求相比,债券市场的发展具有巨大的潜力。地方政府国有资产举债无疑将会拥有广大的投资人基础。如果适时推出地方政府国有资产债券,将能吸引众多个人投资者和机构投资者。

(六)资本市场的发展为地方国有资产债的发行和流通提供了基本条件

经过十几年的发展,我国资本市场逐步趋于成熟。市场的监督、管理手段和能力也逐步增强,为开放和发展地方国有资产债券市场提供了一个良好的外部环境。首先,我国现有的证券交易网络,包括上海、深圳两个交易所,银行间债券交易市场,即将发展起来的场外交易市场(如柜台交易市场)等和交易规则,都为地方国有资产债券的交易、为提高地方国有资产债券的流动性创造了最基本的条件。其次,我国市场中介机构,如投资银行、信用评级机构、会计审计机构等,已经有了较大的发展,能够为地方国有资产债券的发行、承销、评级、流通转让提供全方位的服务,并且对地方国有资产债券发行主体进行有效的市场约束和监督。最后,我国先后颁布了《企业债券管理条例》、《中华人民共和国国库券条例》、《禁止证券欺诈行为暂行条例》、《中华人民共和国国债一级自营商管理办法》等法律和法规,初步形成了较合理的债券市场规范。

(七)政府债务发行管理已具备较成熟的经验

由于多年的国债、企业债、金融债发行经验,特别是近 20 年的国债发行实践,使我国在债券的发行方式、品种结构、期限结构、利率结构等方面都积累了经验。从中央政府来说,国债市场上形成了长、中、短期国债相结合;一般国债、专项国债、特种国债相结合;可上市国债和不可上市国债相结合;凭证式国债和记账式国债相结合;付息国债和贴现国债相结合的局面。从地方政府来说,一些地方通过近几年的融资活动,尤其是通过使用中央转贷的国债资金,也开始接触到较为规范的做法,并在实践中不断积累了国有资产债务资金管理和提高资金使用效率的经验。

(八)地方国有资本运营主体的建立为国有资产债的管理提供了保证

分税制要求各级政府的事权与财权相对应,只有各级政府的财权清晰了,相应的事权才能有效落实。国有资产分级代表体制的建立表明中央和地方的财产权向分级所有体制迈出了实质性的一步。中央政府作为出资人的权利应主要体现在关系国家安全、基础设施、重要资源、涉及国计民生的国有企业方面,其他方面国有资产的出资人权利都应交由地方政府。地方政府已经成为独立的国有资本运营主体。随着国有资产管理新体制的建立,地方政府的经济实力将显著提高、决策权将进一步扩大。地方在财权上将有更大的发言权和自主权,从而增强地方国有资本运营的独立性。这些都将为地方政府国有资产举债提供制度和信用保证。另外,国有资产运营主体中有相当一部分由原来的专业部门或行政性公司改造而成,可以考虑以各地方国有资产运营主体中涉足地方基础设施和公益性项目领域的公司,作为地方政府国有资产举债的主体,在地方政府的授权下发行国有资产债券,对所筹集的资金进行运营管理。

五、科学设计地方国有资产举债制度

(一)制定发行原则

1.偿债能力原则

地方政府发行国有资产债券的规模必须与其偿还能力相适应。地方政府国有资产举债必须以当地国有资产总量和资产收益的一定比例为限,同时也要考虑地方政府国有资产债务余额与当地 GDP 之间的适当比例关系。必须对偿债能力进行科学的预测。在发行和管理过程中,始终以偿债能力作为中心。

2.效益原则

地方政府必须充分考虑国有资产债券资金的使用效率。无论采用何种国有资产债券形式,所筹资金都应限定用于经济建设性支出,不能用于平衡经常性财政收支。考虑到作为发债主体的地方政府职能的特殊性,资金产生的效益不能不包括社会效益。

3.法制原则

为了地方国有资产举债的长久稳定发展,应营造良好的法制环境,建立严格的发行审批制度、债券评级制度、充分的信息披露制度和偿债制度。

4. 谨慎原则

地方政府国有资产债的总量需要由中央财政进行统一平衡和宏观控制。建立明确的中央财政审批制度,对发债主体、发债规模和发行条件等进行严格的审查和限制。

(二)确定发行主体

给予地方政府国有资产举债的权利,并不意味着所有的地方政府都可以发行国有资产债券。给予地方政府国有资产举债权在我国是一项新的探索,各方面对此的认识还很有限。为了避免地方政府一哄而上,竞相发债,国家应当加以控制。这就需要对能够发债的地方政府应具备的条件进行限定。从国际经验来看,地方公债管理中,对发债主体应该具备的条件要进行严格规定。如美国的各级政府机构在组建过程中,就通过立法对发行债券的权利给予了明确的界定。市政债券的发行主体包括州和地方政府、政府机构(含代理或授权机构)等。

对地方国有资产债券的发行主体可作如下考虑:第一,发行主体应为地方省和计划单列市级政府、地方政府从事公用事业建设的机构以及从事地方市政建设的公司。第二,根据现实条件,从法律上对地方国有资产举债主体的资格条件进行限定,对申请发债的地方政府进行严格审查、确定。第三,可确定在省和大中型城市中选择符合条件的地方进行试点。如北京、上海、广州、深圳、浙江、天津、南京、大连、沈阳等地。可由财政部根据各地方预算及财力情况,定期公布具备国有资产债券发行条件的地方政府名单。发行地方国有资产债券的地方政府应具备的条件包括以下几项:

1. 经济发展较快,经济结构比较合理,地方产业具有优势,在国内外有一定竞争力。

2. 地方政府宏观调控能力较强。具备较强的风险防范意识和风险抵御能力,具有管理公债项目的丰富经验,能及时履行偿债义务。

3. 地方国有产权管理水平高,产权明晰,国有资本运营效益好,经营性国有资产质量高,信用水平高,国有资本金预算编制、执行和管理规范。

4. 债券市场发育较成熟,拥有较广泛的债券投资群体。

5. 有现金流稳定的市政项目,国有资产债券兑付有充分保证。

(三)选择发行形式和发行方法

可选择由地方政府授权承担市政项目的城市建设投资公司、国有资产经营公司等发行地方国有资产收益债券,以项目的收入来偿还债券本息,政府以某一具体税项或其他法定规费收入形成的稳定的现金流对债券的发行提供担保。收益债券不受城市政府财政状况的影响,主要取决于基础设施项目的收益,因此应该结合城市基础设施投融资体制改革和公用事业的改革,主要发展收益债券。各地城市建设投资公司一般均为国有资本运营机构,其与当地政府存在着难以分割的联系,资本实力雄厚,从事当地的市政基础设施建设活动,其信用实际上等同于政府的信用。而且,一些城市的投资公司、公用事业企业已经进行过发行企业债券的尝试,具有一定的管理经验和实践能力。在初始阶段,发达地区的国有资产债券发行应面向本地居民和法人,不鼓励在全国范围发行及短期内上市流通。若考虑允许东北老工业基地和西部地区中的少数地方发行国有资产债券,则可面向全国发行。

借鉴国外做法,地方国有资产债券的发行方法主要包括公募法(竞争承销)和私募法(协议承销)。建议在地方国有资产债券发行初期采用协议承销法,由具有较强承销能力的证券公司作为主承销商,联合其他证券机构组成承销团,以全额包销方式发行,以保证发行成功。

(四)明确发行目的与使用方向

地方政府在发行国有资产债券时,必须明确其经济目标,同时相应明确地方政府国有资产债券的用途。一般说来,地方政府国有资产债券筹集的资金应主要用于以下几个方面:

1. 基础产业投资。主要是农业、能源、交通、邮电、通讯、原材料等基础产业的建设。

2. 优势产业投资。主要是地方的支柱产业、国际竞争力强、市场占有份额大,能够带动地方经济发展和增加就业的产业。

3. 兼有公共投资和商业投资双重特点的公共设施项目投资。包括文教、卫生、城镇基础设施建设等。

4.增进社会福利投资。主要包括住宅建设、环境保护、绿化和环境治理等。

地方公共建设项目按收益不同一般可分为纯公益性项目、准盈利性项目和盈利性项目。其中纯公益项目只能通过发行一般责任债券来筹资,通过政府经营城市获得城市资产增值,提高财政收入来偿还;准盈利性及极少数盈利性项目可以以发行收益债券,以项目收益来偿还。地方政府每年在政府工作报告中应汇报国有资产债的发行规模、资金投向、使用状况、项目进展、偿债计划等项内容,接受地方人大对国有资产债券的用途,管理和运营效益的监督。

(五)确定地方国有资产债券期限

地方国有资产债券的期限是指国有资产债券发行日至还本付息终止日这段时间。确定地方国有资产债券的期限要考虑项目的工期和收益期时间的长短、市场利率的水平及其走势、其他债券的期限安排、债券市场的流通性等多方面因素。

建议国有资产债券期限应以中长期为主,一般情况可考虑为3~10年,特定情况下,也可为10~20年。这是基于以下考虑:地方政府发行国有资产债券筹集资金,其投向主要是基础设施项目,建设周期较长,且其服务于当地企业和居民的时间也较长,即项目的收益期较长。为了使国有资产债券资金的使用周期与项目的周期在一定程度上相匹配,应以中长期债券为主。这样有利于借入资金的合理使用、保证国有资产债券按期还本付息,这也是各国在实践中经常采用的做法。国有资产债券的期限长,其利率的确定要考虑的因素就较多。应综合考虑通货膨胀和投资者的接受程度来确定国有资产债券的期限。目前我国债券市场的流动性较差,且其他品种多为中期或短期。在发行初期,可以考虑中短期的安排作为一种过渡,待时机成熟时可发行中长期国有资产债券,以形成较为合理的地方国有资产债券期限结构。

(六)确定地方国有资产债券的利率

1.利率水平

一般来说,影响债券利率的因素包括:(1)发行单位信誉。由债券发行地方政府的财务状况、发展前景以及在社会公众中的形象等多方面所决定。(2)债券期限。在通常情况下,期限长,利率高。(3)同期的银行储蓄存款利率。在通常情况下,债券利率应高于同期银行储蓄存款利率。(4)预期通货膨胀率;(5)税收。债券所得税率对债券利率的影响。(6)债券的流动性。债券的交易流通是吸引投资者和促进债券发行的重要条件。

确定地方政府国有资产债券的利率可从以下角度来考虑:首先,在市场经济条件下,任何债券的利息都应该由其风险大小来决定。从地方国有资产债券本身的特点来看,一般由地方政府的国有资产及其收益作为偿还的保证,其信用仅次于国债,所以利率应略高于同等期限的国债。其次,目前有少数企业债券实际用于地方基础设施项目建设,应执行企业债券的规定利率(在同期银行定期存款利率的140%以下①)。地方国有资产债券利率应低于企业债券的利率。再次,地方国有资产债券利率会因为各地情况不同而有所差别,应制定统一的利率幅度标准。最后,地方国有资产债券利率应该比同期银行定期存款利率略高。具体确定地方国有资产债券的利率时应参照同期银行定期存款利率水平,结合对具体发债主体的信用、偿还能力、资金的投向、发债时的利率水平变化等情况的分析进行确定。

2.利率种类。短期地方国有资产债券应采用固定利率的形式,运作初期中长期利率建议一般采用固定利率的形式,市场成熟时可在固定利率和浮动利率中进行选择。

(七)确定地方国有资产债券的规模

合理的确定地方国有资产债券规模,应做多方面考虑。要考虑合适的发债规模,从而处理好中央和地方国有资产债的比例关系,避免影响国债的发行,影响中央政府的宏观政策效果。一方面要满足发债地方政府的基本建设、社会公益性事业的资金需要,另一方面又要避免发债数量过多,超出地方经济的承受能力,反过来加重地方的财政负担,为债务的偿还带来隐患。处理好各

---

① 1993年《企业债券管理条例》第十八条规定,企业债券的利率不得高于银行相同期限居民储蓄定期存款利率的40%。——本书作者注。

地方政府之间的债务比例,避免出现争夺资金的情况;确定合理的公债规模,降低政府发债的成本,保持债券的流通性。

借鉴美国、日本的经验,应由国家财政确定年度的地方国有资产债发行额度,并在国家预算中加以体现,从宏观角度控制发债的规模。同时,应在有关法律中对地方政府的国有资产债规模加以限制,防止地方无节制发债现象的发生。发行规模要经过详细的测算和严密的论证,并经过地方人民代表大会的审批。

我国学者高培勇教授和宋永明教授认为,参照国际惯例,衡量公债规模的指标体系应当包括国债依存度、国债偿债率、国债负担率、国债借债率和政府赤字率等五个指标。[①] 根据这一思想,结合一级政府、一级信用的原则,我们认为在确定地方政府发债规模时可以考虑以下六个指标。

1. 地方国有资产债依存度。地方政府当年国有资产债务收入与地方政府财政支出的比例。建议控制在20%左右。

2. 地方国有资产债偿债率。地方政府当年的国有资产债务还本付息支出与地方财政收入的比例。建议控制在7%~15%之间。

3. 地方国有资产债负担率。地方政府国有资产债务余额与当年地方GDP的比例。建议控制在60%以下。

4. 地方国有资产债借债率。地方政府当年国有资产债务发行规模与当年GDP的比例。建议控制在5%~10%左右。

5. 地方政府赤字率。地方政府国有资产债与地方经济实力(GDP)的比例。建议控制在2%至3%左右。[②]

[①] 高培勇、宋永明:《公共债务管理》,北京,经济科学出版社2004年版,第85~89页。本书提出的地方国有资产债依存度、地方国有资产债偿债率、地方国有资产债负担率、地方国有资产债借债率指标概念及经验数据,借鉴了高培勇、宋永明关于衡量公债规模的指标体系的部分观点。——本书作者注。

[②] 韩文秀、刘成曾在《我国实施积极财政政策的潜力及可持续性问题研究》一文中指出:"财政赤字占GDP的比例在3%左右(或更高一些)连续保持三、五年甚至更长一些时间的现象,在国外经济发展史上并不鲜见。我国在实施积极财政政策过程中可以参照这一比例"。见《宏观经济研究》2000年第12期。

6. 地方政府信用度。除以上指标外，还应当建立地方政府信用度指标，以反映地方政府的资金能力和信用水平。基本设想是：借鉴企业资产负债率的思路，将地方政府国有资产债券余额占地方政府经营性国有资产总额的比重，作为评价和反映地方政府资金能力和信用水平的指标。建立这一指标的好处是，将地方国有产权的管理水平、国有资本的运营效绩、国有资本的总量与地方国有资产举债规模联系起来。地方政府国有产权的管理水平高、国有资本的运营效绩好、国有资本总量多，反映其资金能力强和信用水平高，地方政府就可以多发国有资产债。反之，地方政府只能少发国有资产债或不发国有资产债。从而，促进地方政府加强地方国有产权的管理，提高地方国有资本的运营效益。另外，地方政府的融资规模不仅要与地方政府的偿债能力相适应，还要与社会的应债能力相适应。

（八）发展地方国有资产债的流通市场

发达的地方国有资产债流通市场是发行市场的重要支撑，也是增强投资者信心的前提条件。目前，我国债券流通市场由三部分组成，即沪深证券交易所市场、银行间交易市场和证券经营机构柜台交易市场。交易所交易是较为规范的形式，但条件严格、费用相对较高；场外交易费用较低，国外地方债券的交易大多数为场外交易中的柜台交易。我国地方政府国有资产债券的交易市场应该是交易所交易和场外交易并重。应采取以下措施：

第一，规范运作，实行做市商制度。做市商是在证券市场上，具备一定实力和信誉的证券经营法人。做市商作为特许交易商，不断向公众投资者报出某些特定证券的买卖价格，双向报价并在该价位上接受公众投资者的买卖要求，以其自有资金和证券与投资者进行证券交易。做市商制度一般为柜台交易市场所采用。做市商通过这种不断买卖来维持市场的流动性，满足公众投资者的投资需求；通过买卖报价的适当差额来补偿所提供服务的成本费用，并实现一定的利润。做市商制度能够提高交易市场的效率，大大缩短市场交易的时间，增强市场的流动性，为市场参与者提供双方都认为合适的市场价格，维护市场交易的公平和秩序。因而应鼓励信誉良好的大中型商业银行、证券公司充当地方政府国有资产债券的做市商。

我国债券市场已经在进行做市商制度试点。2000年《全国银行间债券市场债券交易管理办法》中明确金融机构经批准可开展债券双边报价业务,即做市商制度。2001年4月3日《中国人民银行关于规范和支持银行间债券市场双边报价业务有关问题的通知》规定了做市商应符合的条件和应当遵守的规范。地方政府国有资产债券市场应借鉴国际成功经验,在大力发展交易所债券市场机构投资者的同时,采用双边报价制度,并在此基础上推行较为规范的做市商制度。

第二,建立地方国有资产债券回购制度。目前,我国债券的交易方式有现货交易和回购交易。债券现货交易是某一交易日交易双方就交易债券的品种、数量、价格达成交易合同,于当天或次日进行债券的交割和资金的清算。投资者可在银行间债券市场、交易所债券市场、银行柜台债券市场对上市债券进行现货交易。债券回购交易是质押式回购,也叫封闭式回购,是指在交易中买卖双方按照约定的利率和期限达成资金拆借协议,由资金融入方提供一定的债券作为质押获得资金,并于到期日向资金融出方支付债券本金及相应利息并购回债券。债券回购是影响市场流动性的一个重要因素。

第三,严格金融监管。与美国等国家的注册制不同,我国债券的管理体系为审批制。在美国,市政债券的监管主要体现在二级市场的监管。证监会很少进行直接干预,而是由其下属的市政债券规则制定委员会提出监管方案。我国的证监会是全国证券期货市场的集中统一监管部门。地方国有资产债应由证监会负责监管条例的制订,并进行具体的日常监管。应建立健全信息披露制度,并由证监会、交易所、中注协在各自的职责和权限范围内进行监管。

(九)建立偿债保障机制

虽然地方国有资产举债可以实现资金筹集、投资决策分散化,能够提高资金使用效率,并有效地抵御偿债风险的产生,但不可能在绝对意义上消除风险。总会有某些投资项目决策失误,或在使用过程中出现各种问题。在完善的社会信用体系中,应当有相应的机构承担风险防范和应对的责任。保险公司可负责出险概率小,易于获取信息的部分;市场不能解决的、影响范围较大的部分则应由政府负责。由于地方政府投资兴建的项目多为大规模的基础设施和重要产业建设项目,如果出现决策失误,则可能造成严重的损失。当出现偿债危机时,应当有相关措施保障地方国有资产债务按时足额偿还。因此,应建立国有资产债务偿债保障机制,使地方政府能够抵御不易预测的市场风险。可以考虑设立集中的偿债基金,由地方国有资产运营主体根据国有资产举债额以一定比例缴存偿债准备金,中央财政每年也可以向偿债基金注入相应比例的资金,由中央财政代为管理。

六、实施配套改革的措施

(一)修改完善有关法律法规

第一,修订《预算法》第二十八条。赋予地方政府国有资产举债权,不仅可以促进城市建设,而且还能够有力地推动全国经济发展。

第二,制定地方国有资产举债管理条例或参考国际做法在条件具备时制订相关法律。规范地方政府、投资基金和中介机构等各方的行为。

第三,修改《个人所得税税法》。对投资者获得的地方政府国有资产债券的利息采取免税待遇,并在税法中作出明确的规定。

(二)进一步完善分税制

现行分税制中仍然存在一些不容忽视的问题,有待进一步完善。如政府间支出责任划分不够清晰,基层政府的财权与支出责任划分不对称,转移支付激励机制和监管力度不足等。因此,应采取以下措施加以完善。

首先,应进一步界定政府职能,明确各级政府的支出责任。按照市场经济的发展要求重新界定财政资金的供给范围,地方政府要逐步退出一般竞争性领域,将投资转到地方优势产业、高科技产业、基础设施、科技进步和环境保护等能够对地方经济的持续发展创造条件的方面。

其次,加快税费改革步伐,合理划分各级政府的收入,完善地方税制体系。适当赋予地方制定税种、选择税率的权力,使地方国有资产举债和还债有更加可靠的财政收入保障。

最后,归并和简化转移支付项目,严格专项转移支付审批程序,规范和完善资金分配办法,加强资金监管,实现政府间财政关系的法制化。

(三)完善考核监督体制

建立地方国有资产举债制度是国有资产管理体制由统一所有向分级代表体制转换过程中的重要内容,同时也是国有资产监督管理机构由管企业向管产权转变的重要内容。地方政府拥有国有资产举债权,一方面能够调动地方政府的积极性,有利于促进地方自我监督意识、国有资产监督管理水平和国有资本运营能力的提高,有利于促进地方现代产权制度和现代企业制度的改革;另一方面,如果不能规范运作,外部监督乏力,也可能滋生腐败,带来债务资金使用效率低下,形成债务风险。因此应加强对国有资产举债全过程的监督,可以利用多种监督形式,如地方人大监督、财政监督、审计监督、社会服务中介监督、舆论监督、社会公众监督(包括相关利益法人、自然人)等,建立严格的考核评价制度。

本章小结

1. 国有资产举债权是指在市场经济体制下,各级政府的国有资产产权主体,凭借国有资本财产权,为了履行政府经济建设职能,实现经济结构优化、调节控制经济运行,发展国有经济,通过举借债务而筹集国有资本金的权利。

2. 公共举债权与国有资产举债权存在着联系的方面。从理论上来说,国有资产债务属于公债的范畴。因为它的举债主体也是政府,因此具有公债的一般特性。二者的联系是:行使举债权筹集资金的方式相同;以信誉度、安全性和稳定的收益性为基础。

3. 公共举债权与国有资产举债权的区别是:举债权产生的原因不同、举债权的性质不同、举债权的行使主体不同、举债权的物质实体不同、举债权主体履行的职能不同。

4. 中央与地方国有资产举债权权能关系的实质是承认各级政府作为国有资产产权主体的身份、承担履行政府经济建设职能的责任、拥有国有资产运营的权利,其目的是通过国有资产举债达到促进经济发展的目标。

5. 作为国有资产举债体系的组成部分,地方政府国有资产举债与中央政府国有资产举债一样,具有安全可靠和固定收益的特点。同时,它与中央政府国有资产举债又有区别。一方面,由于举债主体不同,地方国有资产举债相对于中央国有资产举债,除信誉度方面的差距外,还有发债规模、债务用途、发行和推销方式等方面的差别;另一方面,地方国有资产举债在品种、期限、流动性和收益率等方面具有一定优势。

6. 国有资产举债权实际上是一种对货币资本的占有使用权。国有资产举债是占有生产资料的重要手段,其根本目的是按照生产力发展的客观要求,通过政府举债占有更多的生产资料,对经济运行进行调节控制,消除社会生产的无政府状态,促进生产力总量的快速增加。

7. 中央政府和地方政府,作为国有资产所有者的代表,既享有国有资本的财产权利,又承担着对经济运行进行调节控制,促进生产力总量快速增加的职能。因此,中央和地方政府都应当拥有国有资产举债的权利,通过国有资产举债更多地占有社会资本,组织国有资本运营,实现经济建设目标和促进生产力快速发展。

8. 在市场经济体制下,中央和地方政府国有资产产权主体拥有国有资产的目的是对市场经济的运行进行调节控制,国有资产是政府履行调控职能的必要手段。这是发展社会主义市场经济对政府提出的基本规定性。而为了实现政府调控职能,需要赋予中央和地方政府国有资产产权主体所需要的权利,国有资产举债权是国有资产产权主体财产权利的重要权能。

9. 在新的国有资产管理体制下,改革中央与地方国有资产举债权关系,有利于健全政府职能;有利于提供准公共产品;有利于规范融资行为;有利于完善公债管理体制;有利于推进财政体制改革。

10. 中央与地方国有资产举债权关系存在的主要问题包括:国有资产举债权集中于中央政府;中央国有产权主体组织国有资本运营的职能不健全;地方政府不拥有国有资产举债权;地方政府国有资产产权主体职能不明确;中央集权与地方分权的矛盾;客观上存在道德风险;法律限制;地方债务管理不规范。

11. 中央与地方之间国有资产举债权关系改革的目标:建立一级政府,一级举债权的国有资产举债权管理体制。即建立中央和地方政府分别依据拥有国有资产数量和经营效益,根据履行经济建设职能和调节控制职能需要,在中央统一政策指导下,通过国有资产举债从事国有资本运营活动的政府信用制度。

12.主要政策建议:区分公共债务和国有资产债务;在明晰产权关系的前提下提高偿债能力;明确不同性质债务资金的支出方向;严密论证地方国有资产举债制度的可行性;科学设计地方国有资产举债制度;实施配套改革的措施。

第九章 中央与地方国有资产立法权关系

完善社会主义法制是各级政府的重要职能,调整财产权关系的目的是促进生产力发展,法律是保护财产权利和维护社会主义财产权关系的手段,国家是保卫财产关系和社会成员共同利益的组织形式。只有将国有资产的立法事项在中央与地方之间作合理的划分,才能调动中央和地方两个方面的积极性,使国有资产立法更加完善和及时有效,从而起到促进国有资产管理体制改革、国有企业改革和社会生产力发展的作用。本章探讨了国有资产立法权权能的内涵、论证了改革中央与地方国有资产立法权关系的理论依据,在对存在的主要问题进行分析的基础上,提出了改革的目标和政策建议。

第一节 中央与地方国有资产立法权权能探索

立法权有广义和狭义之分,狭义的立法权仅指权力机关制定和修改宪法、法律的活动,通常称之为国家立法权;广义的立法权,既包括权力机关的立法权,也包括行政机关制定和修改法规、规章的行政立法权。现存的绝大部分国有资产法规、规章或规范性文件都是由国家行政部门颁布的,如果将行政机关立法排除在国有资产立法权之外,谈单纯的权力机关立法权是不切实际的,也缺少可操作性。所以,这里所讨论的国有资产立法权是建立在广义立法权概念上的国有资产立法权。

一、国有资产立法权的内涵

国有资产立法权,是指中央和地方人大及其常委会或政府依法制定、修改、补充、废止与国有资产相关的规范性法律文件,以及认可与国有资产相关的法律规范的权力。享有国有资产立法权是进行国有资产立法活动的前提,国有资产立法活动是行使国有资产立法权的过程和表现。

国有资产立法权包括实体性权力和程序性权力。实体性权力包括国有资产法律的制定权、修改权、补充权、废止权、撤销权和解释权等。程序性权力包括国有资产立法提案权、国有资产立法审议权、国有资产立法表决权和法律公布权以及立法调查权、立法听证权等。

二、国有资产立法权的赋予

市场经济条件下,国家经济法律承担着维护社会经济秩序和正义的任务,体现着调节控制经济运行、促进社会经济稳定发展的宗旨,是公共财产和私人财产安全的重要保障。国有资产是重要的公有财产,也是社会主义公有制的物质基础,对国有资产的立法是国家用经济法律管理经济运行的重要内容。

国有资产立法权在立法实践中是立法机关进行国有资产立法活动的依据,是由人民赋予的。如果没有立法权的赋予,如果没有得到立法机关的批准,任何人的任何命令,无论采取什么形式或以任何权力作后盾,都不能具有法律效力和强制性。因为,如果没有这个最高权力,法律就不能具有其成为法律所绝对必需的条件,即社会的同意,国有资产立法活动就无法进行和开展。所以,国有资产立法是立法机关在立法理论和原则指导下,依据立法权所从事的活动或者结果。国有资产立法权对国有资产立法具有决定性作用,是否拥有国有资产立法权直接决定着国有资产立法是否具有合法性和有效性。

三、国有资产立法权的法律依据

国有资产立法主体行使国有资产立法权的依据主要是《中华人民共和国宪法》(以下简称《宪法》)、《中华人民共和国立法法》(以下简称《立法法》)[①]

[①] 《中华人民共和国立法法》2000年3月15日第九届全国人民代表大会第三次会议通过,2000年3月15日中华人民共和国主席令第31号公布,自2000年7月1日施行。——本书作者注。

和《中华人民共和国地方各级人民代表大会和地方各级人民政府组织法》(以下简称《组织法》)①等三部法律。

(一) 宪法

《宪法》是我国的根本大法,它是制定所有法律、法规的依据。国有资产法律是国家法律体系的组成部分,对国有资产立法是依据宪法的原则制定的。宪法第七条规定:国有经济,即社会主义全民所有制经济,是国民经济中的主导力量。国家保障国有经济的巩固和发展。宪法第十二条规定:社会主义的公共财产神圣不可侵犯。国家保护社会主义的公共财产。禁止任何组织或者个人用任何手段侵占或者破坏国家的和集体的财产。宪法第十五条规定:国家加强经济立法,完善宏观调控。国家依法禁止任何组织或者个人扰乱社会经济秩序。宪法的这三条规定是立法机关制定国有资产有关法律并据以调整有关国有资产法律关系的直接法律依据。

(二) 立法法

《立法法》是专门对我国立法加以制度规范的法律。其第七条规定:全国人民代表大会和全国人民代表大会常务委员会行使国家立法权。第八条规定:基本经济制度以及财政、税收、海关、金融和外贸的基本制度,只能制定法律。第九条规定:本法第八条规定的事项尚未制定法律的,全国人民代表大会及其常务委员会有权作出决定,授权国务院可以根据实际需要,对其中的部分事项先制定行政法规,但是有关犯罪和刑罚、对公民政治权利的剥夺和限制人身自由的强制措施和处罚、司法制度等事项除外。第五十六条规定:国务院根据宪法和法律,制定行政法规。《立法法》在国家权力和行政机关之间,界定了中央专属立法权,并授权国务院相关部委对国有资产进行立法的权力。

(三) 组织法

《地方各级人民代表大会和地方各级人民政府组织法》是关于我国地方

---

① 《中华人民共和国地方各级人民代表大会和地方各级人民政府组织法》1995 年 2 月 28 日中华人民共和国主席令第 37 号公布,自 1995 年 2 月 28 日施行。本法规已被《全国人大常委会关于修改〈中华人民共和国地方各级人民代表大会和地方各级人民政府组织法〉的决定》(发布日期:2004 年 10 月 27 日实施日期:2004 年 10 月 27 日)修正。——本书作者注。

政权制度的一部重要法律。其第七条规定:省、自治区、直辖市的人民代表大会根据本行政区域的具体情况和实际需要,在不同宪法、法律、行政法规相抵触的前提下,可以制定和颁布地方性法规,报全国人民代表大会常务委员会和国务院备案。从而赋予了地方人大及其常委会和地方政府以国有资产立法权,将地方人大及政府对国有经济的管理纳入国有资产立法体系。

可见,以上三部法律不仅授予了国家权力机关、行政机关通过立法管理国有资产的权力,而且还对各立法主体在立法权限上了做了初步的划分,是立法机关被赋予国有资产立法权的基本法律依据。

四、国有资产立法的立法主体

立法主体与立法权密切相联系。立法权是立法主体立法的权力,立法主体是立法权的载体,是立法权的行使者。从广义上讲,国有资产立法权就是有关国家机关依法制定、修改、补充、废止各种国有资产规范性法律文件以及认可国有资产法律规范的权力。相应地,国有资产立法的立法主体就是指有权制定、认可、修改和废除国有资产法律的国家机关。但是,不同的国家机关,依法享有的国有资产立法权是不同的。

(一)立法主体及其立法权效力

这里的国有资产立法主体是广义上的立法主体,是指所有在国有资产立法活动中具有一定职权和职责的立法活动参与者,以及虽不具有这样的职权和职责,却能对国有资产立法起实质性作用或能对国有资产立法产生重要影响的实体。其基本属性有两点:一是有立法的需要,二是有立法的权力或者有授权立法的权力。既包括专门行使国有资产立法权或主要行使国有资产立法权的国家权力机关,也包括制定国有资产行政法规和规章的国家机关以及制定地方国有资产法规的地方国家机关。

国有资产立法主体多元化,加之不同国有资产立法主体的地位和级别不同,使得各个立法主体各自享有的立法权效力也呈现出等级层次性、差别性和制约性的特点。一般说来,国有资产立法主体地位的高低,与该主体享有的立法权效力的大小以及该主体所制定的法律、法规效力的高低成正比。地位高的立法主体的立法权直接制约着地位低的立法主体的立法权。而在同级国有资产立法主体之间,权力机关的立法权直接制约着经授权的行政机关的立法权。全国人大享有最高效力的国有资产立法权,居于最高立法机关的地位。

(二)广义国有资产立法主体

在我国,全国人大及其常委会、国务院及其国有资产的授权监督管理者——国有资产监督管理委员会、地方人大及其常委会、地方政府和地方(省、自治区、直辖市、较大市)国有资产监督管理委员会都具有广义上的国有资产立法权力,都能对国有资产立法起实质性作用或能对国有资产立法产生重要影响,所以它们都是广义上的国有资产立法主体。

我国实行的是人民代表大会制度,全国人大是宪法确定的最高国家权力机关,立法是全国人大最主要的职能之一。全国人大通过立法将人民的意志上升为国家的意志。在内容上调整的是整个国家、社会和公民生活中带根本性、全局性的关系,解决的是特别重要的问题;在形式上是产生国家宪法、基本法律和其他重要法律。人民政府依照法律规定,通过各种途径和形式,管理国家事务,管理经济和文化事业,管理社会事务。全体人民是国有资产的最终所有者,人民理应通过全国人大立法,建立对国有资产的管理和控制,防止国有资产流失。全国人大及其常委会作为国有资产立法主体,享有制定国有资产基本法律和法规的完整立法权。也就是说,无论是实体的国有资产立法权,还是程序的国有资产立法权,全国人大及其常委会都有权行使。

国务院的性质及其在国家中央政权体系中无可质疑的重要地位,决定了它应当是也必然是立法的承担者。宪法规定,国务院可以根据宪法和法律制定国有资产的有关行政法规。1984年和1985年,全国人大常委会又先后两次授权国务院在工商税制改革、经济体制改革和对外开放方面,可以制定暂行规定或者条例。这是从我国的现实情况出发加强法律建设的一项重要措施。国有资产管理体制的改革是经济体制改革的重要内容,国务院自然拥有对国有资产的立法权。国务院国有资产监督管理委员会内设政策法规专门机构,研究起草国有资产管理和监督的法律法规草案,负责有关法规和重大政策起草、拟订的协调工作,研究国有企业改革和发展中的有关法律问题,负责指导国有企业法律顾问工作,承担国有资产监督管理委员会的法律事务。目前,在缺少国有资产基本法的情况下,具有最高法律效力的规章都是由国务院作出的。国务院享有国有资产基本法立法提案权,但是它没有审议、通过、修改的权力,因而权力是不完整的。所以,国务院不被认为是制定国有资产基本法律的立法主体。但是,在制定国有资产行政法规的过程中,国务院的立法权却是完整的,享有提出、审议、决定行政法规案和公布行政法规等项权力。

省、自治区、直辖市人大及其常委会、地方政府根据本行政区域的具体情况和实际需要,在与宪法、法律、行政法规不相抵触的前提下,制定有关国有资产的地方性法规,有利于充分发挥地方的主动性和积极性,也是国家立法的重要补充。国家是由中央政权和各级地方政权构成的公共权力机构体系。中央政府固然代表国家,但各级地方政府在本辖区范围内同样代表国家。在中央政府可以代表国家拥有国有资产财产权的同时,地方政府也理当在地区层次上以国家的名义拥有国有资产的财产权。国有资产分级代表体制的建立正是这一思想的体现。因此,地方政府拥有部分国有资产立法权也就是应有之意了。地方人大及其常委会的国有资产立法权限是有限制的立法权,是由全国人大及其常委会通过宪法和法律授权形成的地方政权机关的国有资产立法权。因此,地方政府的国有资产立法权是一种从属性质的立法权力。

五、国有资产立法的属性

对于国有资产的立法是属于经济立法,还是行政立法,一直存在较大争议。如果从市场经济的角度看,把国有企业看作单纯的经济主体、法人主体,那么国有资产应该由经济法来管理和制约;如果从政府是国有资产出资人的角度看,从政府保护国有资产在关系国计民生中的作用角度看,行政立法又是比较好的选择。

在实践中,由于我国国有资产长期属于国家计划经济的主要管理对象,大多数的国有资产法律事项是由行政部门立法加以规范的,难免带有行政命令的痕迹。尤其是国有资产管理部门与国有资本运营机构之间,仍很难说是单纯的经济关系,国有资产监督管理委员会虽然是代理国有资产管理事务的专职机构,仍有准政府的性质。单纯的靠一部《公司法》或《行政法》都无法满足现实的国有资产立法需要,所以也就有了迫切建立一部理顺政府与国有资产管理机构,国有资产管理机构与国有资本运营机构,国有资本运营机构与微观国有企业之间关系的《国有资产法》的需要。所以,国有资产立法权由于其调节对象的经济与行政的共生性,导致了在立法权上,行政立法与经济立法共同存在的现实选择。

我们比较倾向于将国有资产法归类为一个跨越民法、经济法和行政法,或者说兼有民法、经济法和行政法属性的二级部门法律。强调国有资产法在部门法属性上的综合性,对国有资产立法有着深层次的意义。

第一,强调国有资产法具有民法属性,意在表明国有资产财产权利在市场经济中与其他资产财产权利处于平等地位,应当遵循市场经济运行的一般规则或基本规定性。因而,国有资产法应当从保障市场经济对财产权利的基本规定性角度来规范国有资产所有者和占有使用者的财产权利。

第二,强调国有资产法具有经济法属性,意在表明国有资产由于承担着一定的国家经济职能,并且承担社会责任的任务重于其他资产,其运行受国家干预的程度就强于其他资产。因而,国有资产法应当从保障国家干预与市场调节相协调的角度来规范国有资产运行,并且合理界定国家干预在国有资产运行与其他资产运行之间的力度差别。

第三,强调国有资产法具有行政法属性,意在表明国有资产管理与国家行政管理相联系,国有资产法对国有资产管理的规范,应当与行政法的基本原则保持一致,并且使国有资产管理的行政手段与经济手段保持协调。

第四,更深层次的意义在于,这样就可以将国有资产的立法事项初步划分为民法性质国有资产立法事项、经济法性质国有资产立法事项和行政法性质国有资产立法事项,不同性质立法事项在现实立法权上的划分也可以得以借鉴。

刑法和涉及民事责任的立法事项通常只能由中央来立法调整;经济法性质的立法事项还存在着宏观调控方面和市场规制方面的区别,也要分类加以分析;行政性质的立法涉及中央与地方之间按行政等级划分的事权,这些对国有资产立法权的划分都有十分重要的意义。

六、国有资产法的立法内容

国有资产法的立法内容十分复杂,涉及跨部门的多方面立法。我们认为,国有资产法不是具体的一部法律,而是指一类法律,是调整作为国有资产所有者终极代表的中央政府、次级代表的地方政府,国有资产所有者(国有股权持有者)、国有资产占有使用者、企业国有资产具体管理经营者之间,在国有资产所有、占有使用、收益和处置中发生的财产权关系的法律规范的总称,是一个集合概念。国有资产法的内容主要是调整国有资产管理中发生的各种经济关系。具体地说,主要调整三个方面的经济关系:一是调整中央政府国有资产监督管理部门与各级地方政府国有资产监督管理机构之间纵向管理关系;二是调整各级国有资产管理机构与国有资本运营机构和国有企业之间发生的国有资产所有权、占有使用权和管理经营权之间的经济关系;三是调整国有企业之间、国有企业与其他经济成分之间发生的经济关系。

目前,我国的国有资产有关法律规定,主要体现在我国的宪法、民商法、经济法及各种行政法规中。概括地说,国有资产法律法规体系主要应包括以下方面。

(一)国有资产产权主体组织法

1. 国有资产监督管理部门组织法。主要规定国有资产监督管理部门作为唯一代表国家统一行使国有资产所有者和占有使用者职能的政府部门,所应有的法律地位和国有资产监督管理权利、职责和义务,以及按照分级代表、分层管理的原则组建其组织体系和划分本部门各级机构的权利、职责和义务。

2. 相关行政部门国有资产监督管理职责划分法。主要规定财政部门、国土资源部门、农业部门、林业部门、水利部门、邮电、铁路之类垄断性行业和其他社会公益性服务行业主管部门,以及它们各自与国有资产监督管理部门的国有资产监督管理职责范围划分。

3. 国有资本运营机构组织法。主要规定国有资本运营机构的法律地位、法律资格、设立方式、隶属关系和组织机构,以及从事国有资产运营活动的权利、职责和义务。

4.国有资产管理机构和运营机构、国有资产经营单位组织法。主要规定国有资产监督管理部门和运营机构在经营国有资产的企业等单位,设置国有资产所有者和占有使用者代表或监督管理国有资产的机构,以及该代表和机构的法律地位、权利、职责和义务。

5.国有资产服务机构组织法。主要规定国有资产服务机构的必备条件、设立方式和业务范围以及为国有资产监督管理和经营提供服务的行业规则和监督措施。

(二)经营性国有资产管理法规

经营性国有资产管理法规是整个国有资产法规体系的重点,可分为以下六个方面。

1.国有资产所有权管理法规。主要是指各级政府国有资产管理机构制定的国有资产所有权监督管理的有关法规。主要应包括:

(1)国有资产产权基础管理法规:国有资产产权界定办法、国有资产产权登记办法、国有资产产权纠纷调处办法、资产评估管理办法、国有资产保值增值考核办法、清产核资办法、国有资产统计报告办法、国有资产监督检查办法、国有资产流失查处办法等。

(2)国有资本金筹集管理法规:国有资产债券发行管理办法、政府投资企业债券发行管理办法、向银行借款筹资管理办法、偿还债券(借款)本金和支付利息管理办法。

(3)国有资产投资管理法规:国有资产投资规划法——主要规定国有资产投资规划的制订和实施规则,如国有资产投资规划的制约因素、制订权限、制订程序、内容构成和法律效力。基本建设法——主要规定国有资产基本建设的方针、原则、任务、体制、计划、程序、合同、财务、质量管理和法律责任。固定资产更新改造法——主要规定国有固定资产更新改造的任务、原则、周期、项目管理、资金安排和目标责任。非竞争性领域国有资产投资管理法——主要规定国有资产在非竞争性领域投资的任务、地位、计划、方式和管理体制。竞争性领域国有资产投资管理法——主要规定国有资产在竞争性领域投资的原则、体制、方式、产权归属和与非国有投资的关系。国有资产与外资合资合作法——主要规定以国有资产与外资共同开办中外合资企业、中外合作企业和中外股份有限公司的范围、程序、法律文件、投资经营方式、利润分配和管理体制。

2. 国有资产占有使用权管理法规。主要是指各级政府国有资产管理机构制定的国有资产监督管理和经营活动方面的规范性文件。如财务管理、重大经营决策、资产重组、企业具体监督管理和经理人员任命聘任的审议等。主要应包括：

(1) 国有资产占用状况考评办法。主要规定对国有资产占用的损耗、节约、闲置、用途、效绩等状况进行考评的指标、标准、方法、程序、法律责任和组织管理。

(2) 企业国有资产保值增值考核办法。主要规定对企业经营国有资产的保值增值状况进行考核的范围、依据、指标、计算方法、程序、检查监督和经营者奖惩。

(3) 专用国有资产管理办法。主要规定为保障专用国有资产的占用与其既定的专项用途相符而应当采取的管理措施和要求占用者承担的义务和责任。

(4) 基础设施占用管理办法。主要规定对占用国有能源、交通、通讯等基础设施的单位,在计划任务、经营方针、营业范围、经营效益等方面的要求。

(5) 特种国有资产占用管理办法。主要规定有特殊性能或特殊价值的国有资产(如文物、核物质及设备、尖端技术设备等)的占用主体资格、占用权取得、使用范围、占用责任和占用监督措施等。

3. 国有资产收益管理法规。主要是指国有资产监督管理机构制定的依据国有资产所有权和占有使用权等财产权利获得财产收益的规范性文件。包括：

(1) 国有资产收益确认办法。主要是确认各种类型国有资产收益的原则、依据、方法、程序和法律后果,规定国有资产收益的来源、形式和数量界限。

(2) 国有资产收益权属界定办法。主要规定国有资产所有者(投资者)、占有使用者和企业具体监督管理经营者的财产权利,也就是要解决谁有权参与国有资产收益分配的问题。

(3)国有资产经营预算法。主要规定国有资产经营预算的地位、范围、内容、编制程序、执行措施和法律责任。

(4)国有资产收益分配和收缴法。主要规定国有资产收益在分享收益的各主体之间进行分配的原则、方法、顺序和手续,以及国有资产所有者(投资者)、占有使用者对应当归其分享的收益进行收缴的方式和程序。

(5)企业留存国有资产收益管理办法。主要规定企业留存国有资产收益的依据、项目、比例、产权归属,以及企业支配留存国有资产收益的自主权限、原则、用途、方式和法律责任。

4. 国有资产转让管理法规。主要是指国有资产监督管理机构制定的依据国有资产处置权实现产权变换的规范性文件。包括:

(1)国有资产产权交易市场管理办法。主要规定国有资产产权交易市场的组建、形式、交易主体、交易客体、准入资格、交易方式、交易程序和监督管理。

(2)国有资产转让合同办法。主要规定国有资产转让合同的定义、种类、必备条款、订立、履行、变更、解除、违约责任、管理和争议处理。

(3)国有资产重组管理办法。主要规定国有资产存量通过在企业之间转让而重新组合的原则、条件、方式、程序、法律责任和组织管理。

(4)国有股权转让办法。主要规定国有股份转让的条件、审批权限、方式、程序和转让收入的处理。

(5)国有资产拍卖办法。主要规定国有资产拍卖的适用范围、拍卖机构、竞买主体、拍卖方式、拍卖收入归属和组织管理。

(6)国有资产租赁办法。主要规定出租方和承租经营方的法律资格和相互的权利义务,以及租赁经营的适用条件、期限、合同、程序和监管方式。

(7)国有资产承包办法。主要规定国有资产发包方和承包经营方的法律资格和相互权利义务,以及承包经营的适用条件、期限、合同、程序和监管方式。

(8)国有资产涉外转让办法。主要规定国有资产向外商转让的资产范围、条件、审批权限、程序和监管方式。

(9)国有资产调拨办法。主要规定国有资产调拨的适用范围、审批权限、程序和法律责任。

5.国(境)外国有资产管理法规。根据我国法律和所在国(地区)法律,按照国有资产管理原则,制定境外国有资产管理办法,把境外国有资产纳入法制管理的轨道。主要规定国(境)外国有资产的产权界定、管理体制、投资体制、保值增值责任制、收益权属和产权转让规则等。

6.国有资产专项配套法规

按照法律授权,通过其他社会活动对国有资产配置和利用起调节、保障作用的法律法规,如公司法、社会保障法、企业破产法、产权交易法等。

七、中央与地方国有资产立法权的内涵

对国有资产立法权限进行划分,主要目的是为了科学而合理地决定国有资产立法事项的不同归属,既包括立法的实体性权力内容的划分,也包括其形式要件的确认和划分,确定哪些主体可以成为国有资产立法主体以及这些主体在国有资产立法权体制中的地位及其相互关系,它们各自制定的规范性法律文件的效力等级(位阶)和立法事项范围等。

国有资产立法权限划分,纵向上可以划分为中央与地方国有资产的立法权限,横向上可以划分为中央权力机关与中央行政机关国有资产的立法权限,以及地方权力机关与地方行政机关的国有资产立法权限。这里主要研究纵向的中央国有资产立法权与地方国有资产立法权之间的划分关系。将中央权力机关与中央行政机关之间的国有资产立法权合称为中央国有资产立法权,将地方权力机关与地方行政机关之间的国有资产立法权合称为地方国有资产立法权。

(一)中央国有资产立法权

中央国有资产立法权,是指有关全国人大及其常委会或国务院及其管理国有资产事务的部委,依法制定、修改、补充、废止与国有资产相关的规范性法

律文件以及认可与国有资产相关的法律规范的权力。中央立法是相对于地方立法而言的,在国家存在多级立法主体的情况下,便存在中央立法与地方立法的区分。我国现行立法体制是中央统一领导和一定程度分权的,多级并存、多类结合的立法体制。同这种立法体制相适应,中央立法与地方立法的层次区分问题,也是我国立法的一大课题。现时期,中央国有资产立法就是以全国人大及其常委会的国家立法为主导的,以国务院及其所属部门立法相辅助的中央有关国家机关对国有资产立法的总称。中央国有资产立法权具有重要性、全面性、权威性、稳定性、形式多样性和内容创制性等特点。

1. 重要性。中央国有资产立法调整的事项,一般是涉及国家全局范围的重要事项,有许多还是关系国家根本制度和整个国计民生的重大事项。如公有制经济在整个国民经济中的地位,直接影响到国家的性质。地方国有资产立法则不能调整这类事项。中央国有资产立法的事项对于国家财产安全、国家基本经济制度、国有经济发展、国有资产所有者、占有使用者和监督管理经营者的基本权利有重要影响。

2. 全面性。中央国有资产立法可以涉及国有资产的方方面面,没有中央立法权不能涉及的国有资产立法事项。更有《立法法》所规定的专属于中央权力机关的立法权,可以推演出专属于中央的国有资产立法权。所以,中央国有资产立法权相对于地方国有资产立法权来说是全面的。

3. 权威性。中央国有资产立法具有更高的效力等级。它所产生的法律和行政法规,效力等级高于地方立法。虽然中央国有资产立法本身,也由多种不同效力等级的立法所构成,但作为一个整体,它们的效力等级高于地方立法。地方性立法不能超过中央立法所确立的经济行政法制度框架,一般要以中央法律、法规为依据,地方国有资产立法不能与中央立法相抵触。在国家财产安全、国家基本经济制度、国有经济发展、国有资产所有者、占有使用者和监督管理经营者的基本权利等方面,地方不能先于中央立法。

4. 稳定性。法律本身的权威性,要求通过制定稳定的法律来树立。中央国有资产立法一经公布实施,通常要长期生效,因此处于相对稳定状态。有的中央国有资产立法是建立在地方立法一定时间的实验基础上的。

5.形式多样性。中央立法可以就国有资产立法事项以宪法、法律、行政法规、部门规章等法的形式立法。而地方虽然在整体上也可以制定和变动多种规范性法律文件,却不能以宪法、法律等法的形式立法。

6.内容创制性。中央与地方国有资产立法同有创制性,但范围是不一样的。中央国有资产立法是国有资产立法过程中首要的、起主导作用的环节。地位在总体上高于各地方立法,有关国有资产立法的基本原则只能由中央立法规定。其承担的是最重要的立法任务,而且解决的一般都是国家、社会和公民生活中带全局性的国有资产基本产权关系问题。因此,中央国有资产立法在国有资产立法体系中,处于统领地位。

(二)地方国有资产立法权

所谓地方国有资产立法权,就是指有关地方人大及其常委会或政府根据本级政府行政区域的具体情况和实际需要,在与宪法、法律、行政法规不相抵触的前提下,依法制定、修改、补充、废止与国有资产相关的规范性法律文件,以及认可与国有资产相关的法律规范的权力。赋予地方制定政策法规和实施宏观管理的权力的法定来源是《宪法》、《立法法》、《国有资产基本法》和《组织法》。

根据我国《宪法》、《立法法》和《组织法》规定的地方立法权限划分,我国地方立法呈现两类三区的复杂情况。所谓两类,是指地方国家权力机关和地方国家行政机关两类性质的立法(统称为地方立法)。所谓三区,是指普通行政区的立法、民族自治地方的立法和特别行政区的立法。①

地方政府所拥有的国有资产立法权能,既来源于国家主权和地域控制权所派生的经济管理权能,即国家或地区政府有权对其管辖范围内的国有资产通过法律进行协调、管理与控制,又来源于地方对国有资产的财产权利或是代表出资人履行职责的派生权利(如所有权、占有使用权、收益权、出借权、转让权和其他与财产有关的权利)。地方国有资产立法权具有部分内容创制性、

---

① 本章所称地方立法权不对地方性法规、自治条例和单行条例、规章进行具体区分。——本书作者注。

地方性、试验性和从属性等特点。

1. 部分内容创制性。创制性立法是针对上位法尚未制定或规定的比较原则化,而地方实际又急需用法律予以具体规范的内容进行立法,或在实施性法规中做出创制性规定。这也是强调国有资产立法分权的主要原因之一。但其立法范围是有限的,其范围也是我们讨论的重要内容。

2. 地方性。所谓地方性就是要体现地方特色。地方制定的地方性国有资产法规无论是实施性的还是创制性的,都要符合当地的具体情况和实际需要,做到有针对性和可操作性,突出地方特色。如东北老工业基地对国有装备制造业改制问题的立法和对下岗人员社会保障问题的立法等,都要突出地方需要。

3. 试验性。有些国有资产法律法规,全国立法的条件一时还不具备,势必先由各省、自治区、直辖市制定地方性法规。一方面解决工作进行中的问题,同时也为全国立法做准备,在总结经验的基础上,才能考虑全国立法的问题。

4. 从属性。地方立法必须在国家法制统一的前提下,服从和服务于上位法,成为国家法律的补充和完善。地方国有资产立法只能是中央国有资产立法的从属法。地方国有资产立法在整个国有资产立法活动中占有重要地位,是国家国有资产立法体制中的一个基本要素,起着执行和补充中央国有资产立法的作用。地方国有资产立法已成为我国社会主义法制建设不可或缺的重要组成部分。

八、中央与地方国有资产立法权权能关系的实质

立法体制决定纵向的立法权限,即决定在中央政权和地方政权之间立法权限如何划分。国有资产立法体制从属于国家整体的立法体制,是国家立法分权体系的组成部分。中央与地方国有资产立法权基本关系是根据中央政府与地方政府的关系推演出的,中央与地方之间的基本关系与准则也适用于国有资产立法权关系。因此,中央与地方国有资产立法权权能关系的实质是:在坚持国家法制统一基础上赋予地方立法主体一定立法权力,以及时规范国有资产财产权关系和保护国有资产财产权主体的财产权利。

当今世界的立法体制大致有单一(或一元)制、复合(或多元)制和制衡制三种。我国现行的立法体制,既不同于联邦制国家,也和一般的单一制国家有所区别,是中央集中统一领导下的、中央和地方适当分权的、多级并存、多类结合的立法权限划分体制。在我国,中央立法权是国家权力机关的最重要的职权,地方立法权是中央赋予的,地方没有固有的、中央不能涉及的立法事项。《立法法》为解决因立法事项不清而导致越权立法并造成立法冲突的问题,遵循的是这样一种思路:一是不对中央立法权限一一列举,只对中央专属立法权的事项加以明确列举。所谓专属,即只能由中央立法(具体的说应该是全国人大及其常委会)和地方不能立法的事项。

《立法法》第八条的规定,下列事项只能制定法律:(一)国家主权的事项;(二)各级人民代表大会、人民政府、人民法院和人民检察院的产生、组织和职权;(三)民族区域自治制度、特别行政区制度、基层群众自治制度;(四)犯罪和刑罚;(五)对公民政治权利的剥夺、限制人身自由的强制措施和处罚;(六)对非国有财产的征收;(七)民事基本制度;(八)基本经济制度以及财政、税收、海关、金融和外贸的基本制度;(九)诉讼和仲裁制度;(十)必须由全国人民代表大会及其常务委员会制定法律的其他事项。第九条规定:本法第八条规定的事项尚未制定法律的,全国人民代表大会及其常务委员会有权作出决定,授权国务院可以根据实际需要,对其中的部分事项先制定行政法规,但是有关犯罪和刑罚、对公民政治权利的剥夺和限制人身自由的强制措施和处罚、司法制度等事项除外。这一法律条款是授权性规范和禁止性规范的结合。其授权性体现在对法律制定机关规范特定事项的立法许可;其禁止性体现在确定规范特定事项法律渊源唯一性时,逻辑上排除了采用其他法律渊源的可能性。凡属于中央专属立法权范围的事项,不管中央是否已经立法,地方均不得进行立法;凡中央专属立法权范围以外的事项,在中央未立法以前,地方根据实际需要,可以先行立法。但一旦中央进行立法,地方的立法便不得同中央的规定相抵触。所谓不相抵触,就是指地方性法规除了不得做出与宪法、法律或行政法规的基本精神、原则、明文规定相抵触的规定外,还不得做出本应由国家立法规定的事项。所谓相抵触是指地方性法规全部或部分违反或超越宪法、法律、行政法规,与其基本原则或具体规定不一致的情形。主要有几种情况:一是地方性法规超越立法权限,规定了本应由国家立法规定的事项;二是违反了宪法、法律和行政法规的基本原则、指导思想和立法宗旨;三是违反了宪法、法律和行政法规的具体条文和规定。以上几种,不论是直接抵触或是间接抵触,都是不允许的。

应该探讨的一个问题是,中国的《立法法》是否应该规定同时性立法权(共享立法权)。否则,任何地方立法权都可以被中央宣布无效。除了法律明文列举中央专属立法事项外,也应列举地方专属立法事项,并将其他事项一律归属于同时性立法权。现行《立法法》没有列举地方立法的事项。从立法事项的划分上看,《立法法》不仅列举了全国人大及其常委会的九种立法事项,而且还做了概括性规定。也就是剩余重要事项也划归中央,没有列举地方立法的事项。换句话说,哪种事项可以由地方立法由中央决定,而对于中央立法事项,地方不可以立法。可见,《立法法》对地方立法事项的规定比较概括,既给予了地方一定的立法空间,但又实行的是中央优越原则。因此,地方应当在保证维护法制统一的前提下,积极进行地方国有资产管理立法的探索,以促进国有资产管理法制的完善。

第二节 改革中央与地方国有资产立法权关系的理论依据

一、财产权利受法律保护理论

马克思主义财产权学说关于财产权利受法律保护的理论告诉我们,财产权利受法律保护是现代社会生产方式的基本规定性。按照客观存在的财产权规律确定财产所有者的财产权利,并以法律形式对财产所有者的财产权利实施保护,财产关系才是和谐的,社会再生产过程才可能是正常的。

马克思认为,法律是对财产所有者拥有的财产权利及行使相关权能的规范。产权是以法律形式存在的所有权。他指出,"只是由于社会赋予实际占有的法律的规定,实际占有才具有合法占有的性质,才具有私有财产的性质。"①财产关系"……只是生产关系的法律用语"。②"法律关系正像国家的形式一样,既不能从他们本身来理解,也不能从所谓人类精神的一般发展来理解,相反,他们根源于物质生活关系。"③可见,财产所有权及其相关的权能是通过法律来规范的,法律关系产生于人类社会的物质生活关系,是物质生活关系的反映。

法律是保护财产权利的手段。马克思指出:"每当工业和商业的发展创造出新的交往形式,例如保险公司等等的时候,法便不得不承认它们是获得财产的新方式。"④可见,财产关系是由生产力发展所决定的,而法律则是将这种财产权利和财产权关系保护起来的手段。

国家是保卫统治阶级财产关系和共同利益的组织形式。"实际上国家不外是资产者为了在国内外相互保障自己的财产和利益所必然要采取的一种组织形式。"⑤"现代的资产阶级财产关系靠国家权力来'维持',资产阶级建立国家权力就是为了保卫自己的财产关系。"⑥可见,国家的职能是保护统治阶级的财产所有权及其相关的权能和财产关系,法律是国家履行职能的表现形式。

在社会主义市场经济条件下,资本、土地和劳动力是社会生产必须具有的生产要素,因此要承认和保护资本、土地和劳动力所有权,维护这些财产所有者依据生产要素所有权获得财产收益的权利。只有通过法律明确和保护了财产所有者的合法权益,才能规范市场经济各经济主体的行为,促进我国市场经济的健康发展。所以,社会主义法制是维护社会主义生产方式下财产所有者财产权利的根本保证。

在社会主义市场经济条件下,作为生产要素的资本(生产资料的转化形

---

① 《马克思恩格斯全集》第一卷,人民出版社 1985 年版,第 382 页。
② 《马克思恩格斯全集》第十三卷,人民出版社 1985 年版,第 8~9 页。
③ 《马克思恩格斯全集》第二卷,人民出版社 1985 年版,第 82 页。
④ 《马克思恩格斯选集》第一卷,人民出版社 1973 年版,第 71 页。
⑤ 《马克思恩格斯选集》第一卷,人民出版社 1973 年版,第 69 页。
⑥ 《马克思恩格斯选集》第一卷,人民出版社 1973 年版,第 171 页。

态),表现为多种形式。按照资本的财产权主体分类,包括:国家资本、企业法人资本(国有企业法人资本、集体企业法人资本、外商投资企业法人资本、私营企业法人资本)、个人资本等等。按照资本的形态分类,包括:货币资本(借贷资本、证券资本、股权资本)、实物资本(土地使用权、采矿权、土地、矿产等土地资本、机器厂房、建筑物、运输工具等生产资料资本)和无形资本(专有技术、专利权等技术资本、商誉、版权、特许权、管理经验管理才能等)。这些资本要素的所有者都拥有独立的资本财产所有权和占有使用权。按照马克思揭示的财产权分配规律,这些资本要素的所有者都有权利依据资本所有权和占有使用权获得要素投入的收益,这是资本要素所有者和占有使用者的财产权利。

我国通过立法明确了资本要素所有者的财产权利,并依法保护法人和居民的一切合法收入和财产,鼓励城乡居民储蓄和投资,允许属于个人的资本等生产要素参与收益分配。《宪法》第七条规定:国有经济,即社会主义全民所有制经济,是国民经济中的主导力量。国家保障国有经济的巩固和发展。第八条规定:农村集体经济组织实行家庭承包经营为基础、统分结合的双层经营体制。农村中的生产、供销、信用、消费等各种形式的合作经济,是社会主义劳动群众集体所有制经济。参加农村集体经济组织的劳动者,有权在法律规定的范围内经营自留地、自留山、家庭副业和饲养自留畜。城镇中的各种形式的合作经济,都是社会主义劳动群众集体所有制经济。国家保护城乡集体经济组织的合法的权利和利益,鼓励、指导和帮助集体经济的发展。第十一条规定:在法律规定范围内的个体经济、私营经济等非公有制经济,是社会主义市场经济的重要组成部分。国家保护个体经济、私营经济等非公有制经济的合法的权利和利益。国家鼓励、支持和引导非公有制经济的发展,并对非公有制经济依法实行监督和管理。第十二条规定:社会主义的公共财产神圣不可侵犯。国家保护社会主义的公共财产。禁止任何组织或者个人用任何手段侵占或者破坏国家的和集体的财产。第十三条规定:公民的合法的私有财产不受侵犯。国家依照法律规定保护公民的私有财产权和继承权。国家为了公共利益的需要,可以依照法律规定对公民的私有财产实行征收或者征用并给予补偿。可见,对资本要素所有者的财产权利,国家是通过立法的形式予以保护的。

但是,在原有的国有资产管理体制下,社会经济生活中出现了各种形式的国有资产流失现象,国有资产所有者和占有使用者的财产权利受到了不同程度的侵犯。例如,非法、无偿占有使用国有资产、同股不同权、同股不同利、逃废国有企业(银行)债务、骗取投资、产权转让过程中违规评估,低价转让国有产权,以及通过各种手段蚕食国家所有者权益等现象。这些问题的出现,有中央政府与地方政府的国有资产产权关系不明晰(主要是国有资产管理权与收益不对应)的原因,也有多头管理、政出多门、权责不统一等原因。但是,毫无疑问,人们对于现代产权制度、国有资产财产权关系内在规定性的研究不深入,认识模糊,进而导致国有资产立法集权程度比较高且相对滞后,没有调动中央和地方两个方面组织国有资产立法的积极性,也是一个重要的原因。

国有资产管理新体制的建立、现代产权制度的建立、随着市场经济发展出现的新的财产权关系,包括国有资本财产权关系,都需要得到法律的及时保护和规范。完善社会主义法制是各级政府的重要职能,只有将国有资产的立法事项在中央与地方之间作合理的划分,才能调动中央和地方两个方面的积极性,使国有资产立法更加完善和及时有效,从而起到促进国有资产管理体制改革、国有企业改革和社会生产力发展的作用。

就一般意义上的财产权来说本不包括立法的内容,只是因为社会生产方式产生了一定的财产权关系,这种财产权关系是一定社会生产方式为了保证社会生产的正常进行而产生的基本规定性,是生产力发展的客观要求。因此,才产生了对立法的要求。例如,市场经济社会生产方式下社会生产的正常进行要求资本财产所有权、占有使用权与具体监督管理经营权之间需要有明晰的产权关系,表现为依据财产权利的不同,行使不同的职能、有不同的财产收益形式、不同的分配范围和数量界限。这样才能最大限度地调动各个财产权利主体的积极性,实现资本财产所有者、占有使用者和具体监督管理经营者的财产权利与合理分工。而立法职能是政府履行政治职能的具体表现,只有政府才有立法的权力。政府应当通过及时的立法,承认和保护适应生产力发展要求的财产权关系,把这种社会生产对于财产权利的基本规定性以法律的形式固定下来,以保证社会生产的正常进行。

政府包括中央政府和地方政府,两者都要履行政治职能,当然包括立法职能。就国有资产来说,只是由于国有资产的国有性质——政府既是资产的所有者和占有使用者,同时又是立法者,因此,国有资产财产权在中央和地方之间的划分才与国有资产立法权产生了联系。社会主义市场经济的发展要求国家通过立法将这种新的财产权关系固定下来,以调动中央和地方政府作为国有资产所有者代表履行出资人职能的积极性,其根本目的仍然是促进社会生产力的进一步发展。中央政府是国有资产所有者的终极代表,拥有最高财产权。所以,中央政府拥有国有资产基本法的立法权,地方政府对相当一部分国有资产有派生财产权,所以也应有相应的地方国有资产立法权。中央所属企业的国有资产立法权应完全属于中央所有,地方对其所属企业的国有资产立法也应该在中央制定的国有资产基本法的基础上,有一定的地方国有资产立法权。

二、政府职能和公共产品层次性理论[①]

市场经济条件下,国有资产分布的领域包括政治领域、社会领域、经济建设领域和宏观经济调控四个领域。这四个领域也是各级政府履行政治职能、社会职能、经济建设职能和宏观经济调控职能所涉及的领域。由于公共产品的特殊性质,国有资产分布的领域具有必然性,因而,实行国有资产管理新体制也具有必然性。就经营性国有资产而言,主要分布在基础设施、基础工业、优势产业等经济建设领域和宏观经济调控领域。为了使基础产业能够适度超前发展,客观上要求政府进行配置,以实现特定的社会经济发展目标。这一类资产大部分为垄断性经营性资产,是市场配置不好的资源。竞争性产品是指那些由政府投资组织生产,市场竞争充分、以营利为目标的产品。政府投资组

---

① 李松森:《建立国有资产管理新体制的现实意义——分级所有,分层管理》,见《财经问题研究》2004年第2期。

织生产的竞争性产品主要集中在加工工业、建筑业、商业和服务业等。从长远发展看,随着社会主义市场经济的进一步发展,在市场经济的成长和成熟阶段,国有资本应逐步从竞争性行业退出,投入到纯公共产品和基础设施等准公共产品领域。这一类资产通常称作盈利性资产,在市场经济的初级阶段,由于其他资本还没有足够的能力生产和提供全部的竞争性产品;同时,出于经济建设和宏观经济调控的目的,一部分竞争性产品和劳务还需要政府组织投资生产。

各级政府在提供这些准公共产品和竞争性产品的过程中,必然产生资本所有者、占有使用者与具体监督管理经营者之间的财产权关系。由于各级政府都要在其管辖范围内履行政治、社会、经济建设和宏观经济调控职能。依据国有资产立法权制定相关的法律理应是各级政府履行政治职能的重要方面。因此,从弥补市场缺陷、提供公共产品的角度看,各级政府都应当拥有一定的国有资产立法权,在国家的政策目标和法律体系下,为履行政府职能和保护提供准公共产品、竞争性产品所产生的财产权关系提供法律依据和法律保障。

三、资源配置效率理论

在市场经济条件下,政府配置资源与市场配置资源的选择取决于谁更具效率。在需要由政府配置资源的场合,是由中央政府配置资源还是由地方政府配置资源,也应由效率来决定。如果地方公共产品全部由中央直接提供,地方资源全部由中央直接配置,则必然导致效率损失,这已为各国财政实践包括我国财政实践所证明。我国的国有资产分级代表管理体制,初步解决了中央政府与地方政府之间事权与收入划分等有关资源配置权划分的部分问题,为进一步提高资源配置效率创造了条件。下一步应当解决的是国有资产立法权资源的配置效率问题。

这是因为,政府对国有资产的管理也是政府配置资源的一种方式。对国有资产的立法也会影响到对社会产品的分配,政府在国有资产方面的政策法规可以影响一个地区产业的发展。国有资产立法权实质上就是一种特殊的资源配置决策权。国有资产立法权的划分要有利于资源的配置。地方经济的发展很大程度上依赖于资源配置的合理性和有效性。由于各地自然环境、经济状况不同,自然资源、社会资源也各具特色,要实现地方性资源的合理有效配置,除发挥市场配置资源的基础作用外,尚需通过地方国有资产立法的支持以体现国家政策要求,使之与市场配置相互结合,相互渗透,产生正确的引导作用,来弥补市场的缺陷,使资源达到合理配置,从而促进地方经济发展。从效率的角度来看,地方应掌握一部分国有资产的立法权,地方政府可以根据辖区经济运行、国有经济发展和地方公共产品供求的具体情况,通过地方国有资产立法,规范区域资源的优化配置,满足地方公共产品需求,可以减少资源配置的效率损失。

从我国现行国有资产立法权来看,权力过分集中于中央,地方政府在处理有关地方国有资产的事务中,存在等、靠中央立法的现象,不能做到因地制宜及时立法解决地方国有资产管理在改革中所面临的新情况和新问题,导致管理失控,法律缺失,国有资产所有者财产权利受到严重侵蚀。要解决这些效率损失问题,必须赋予地方政府一定的地方国有资产立法权,以降低地方国有资产管理成本,规范国有资产的收益和处置,有效保护国有资产所有者的财产权利,真正实现国有资产的保值和增值。

四、国有资产管理体制理论

党的十六大报告提出:继续调整国有经济的布局和结构,改革国有资产管理体制,是深化经济体制改革的重大任务。在坚持国家所有的前提下,充分发挥中央和地方两个积极性。国家要制定法律法规,建立中央政府和地方政府分别代表国家履行出资人职责,享有所有者权益,权利、义务和责任相统一,管资产和管人、管事相结合的国有资产管理体制。

这意味着我国国有资产管理体制面临重大突破,改革不仅涉及到国有资产在中央与地方之间的划分,也将导致诸多方面利益格局的调整。

在国有资产管理的实践中,国有资产管理机构——国有资本运营机构——有政府投资的企业的三元主体模式是比较理想的管理体制架构。该模式的特点是通过四个分离来实现国有资产管理:一是政资分离,即政府的一般行政管理职能与国有资产所有者的管理职能分离;二是国有资产的产权管理职能与经营管理职能的分离,国有资产管理机构只负责管理国有资产产权,国有资产的经营与保值增值职责由国有资本运营机构来承担;三是国有资本运营机构代理权与政府投资企业的法人财产权分离,国有资本运营机构享有授权后的投资者权利,即国有资产所有权和占有使用权,依据投资形成的股权履行出资人职责,同时保证公司化企业独立的市场地位和自主权;四是政企分离,即通过政府职能与企业职能的进一步界定,确保政府职能与企业职能在实质上的分离。

这种模式能否成功的关键在于从行政管理向产权管理的转变,即,将对国有资产的人治改为法治。建设法治政府、推进法制社会建设是大势所趋。只有将国有资产的立法权力科学合理地在中央和地方政府之间进行划分,才能使国有资产管理尽快步入法制轨道。如果不进行适当分权,权力高度集中,在我国国有企业数量多、分布广泛的国情下,将难以尽快完善国有资产法律和有效发挥其作用;同时,也容易造成无意越权,或故意侵权。因此,要求中央和地方都来努力立法。

地方立法主体的职权和职责范围是广泛的,其中有许多需要通过立法形式,才能得以有效行使和履行。应当把需要以立法形式解决的问题和调整的事项,都以立法形式予以解决和调整。在立法权上,规范的国有资产分级代表体制要求以国有资产立法事项在立法主体间合理的分权为保障。立法规制是加强国有资产管理的基础,只有立法权与事权相互配套,灵活运用,才能做到管而不死、活而不乱,使国有经济更好地发挥对整个国民经济调节控制的作用,保障社会主义市场经济顺利发展。

五、改革中央与地方国有资产立法权关系的意义

我国关于中央与地方国有资产立法主体之间的立法权限划分问题,长期以来都存在争论。所以,对国有资产立法权限划分进行研究,进一步完善中央与地方国有资产立法权关系,具有重要意义。

(一)改善国有资产立法资源有限性的需要

对于什么是中央应该立法的国有资产事项,什么是地方应该立法的国有资产事项,我国相关法律中所列举的还不够明确,导致这几年的国有资产立法,还是有很多资源被浪费了,很多急需的国有资产立法没有及时完成。所以,必须对中央和地方的国有资产立法事项进行必要的梳理和划分。随着社会主义市场经济的发展,要求以法律形式规范和调整的国有资产产权关系的项目很多。但由于中央立法时滞较长,以及提议审议必要程序的存在,国有资产立法的需求和立法的力量始终存在差距。中央立法不得不考虑如何充分利用有限的立法资源提供社会最需要的立法产品。中央在有条件立法、确实需要立法的国有资产立法事项中,适用保证重点、保证急需的原则。这就要求地方立法者理性地追求立法资源投入产出的最优化、最大化,合理有效的运用地方立法资源,及时制定能够解决国有资产相应问题的法律,以改善中央国有资产立法资源的有限性。此外,由于法律缺失所造成的国有资产所有者权益损失是巨大的,在中央立法资源有限的情况下,地方及时补充所需国有资产立法,可以减少国有资产所有者权益的损失。因此,正确处理中央与地方国有资产立法权关系,对于改善国有资产立法资源的有限性具有重要意义。

(二)满足国有资产立法事项特殊性的要求

由于各地经济、政治、文化等发展不平衡,以及历史原因和地理条件的优劣,使得国有资产的数量和质量也有较大差距。国有资产的差异性分布,决定了对国有资产立法不同需求的必然性。比如,有些地方经济基础薄弱,很难吸引外部资金的进入,在这些地方中小型国有企业不仅不能退出,还要加大投入,以满足居民的生产生活需要。那么,地方相应的需要通过制定《中小国有企业扶持法案》以配合政府的政策出台。而有些地区,进行国有企业改革的时间比较早,在探索新的国有资产委托代理机制时,在没有国家法令可以依据的情况下,也需要创制有关国有资产收益分配、年薪制、股票期权制等新法以做到有法可依,为经济建设保驾护航。因此,各地的情况各异,不能完全适用全国性的国有资产立法,必须给各地区留下伸缩或变通的余地。由地方立法根据地方实际来适度调整,将原则因地制宜地具体化,将弹性规范因地制宜地刚性化。甚至应该合理分权,留下一些立法空间给地方以创制新法,以保护新形成的财产权关系,规范经济秩序,提高经济效率,因地制宜的发展地方经济。因此,正确处理中央与地方国有资产立法权关系,对于满足国有资产立法事项特殊性的需要具有重要意义。

(三) 建立国有资产新体制的需要

国有资产立法权分权是建立国有资产分级代表体制改革的要求,从而调动中央和地方两个方面的积极性,改善各级政府宏观经济调控功能,规范企业和政府的经济行为,起到开拓引导、支持保障、超前探索、补充完善等重要作用。

国有资产立法权分权能够及时为各级政府依法履行出资人职责提供法律和制度依据,对推动企业深化改革,保护国有资产产权主体的财产权利,加强和改进企业监督管理经营起到指导、规范作用,也使出资人代表的能力水平得到提高。

实践证明,加强地方国有资产立法可以促进我国法律体系的进一步完善,更好地保护国有资产所有者、占有使用者和具体监督管理经营者的财产权利,促进企业经济效益的提高,不会破坏或削弱我国法律体系的完整统一。地方国有资产立法可以推动现代产权制度的建立,及时以法律形式规范各个产权主体的财产权利和经济行为,促进经济活动的开展和人、财、物大流动以及与世界市场的接轨,并且还可以增强人们的开放意识和法律意识,而不是强化地区封锁和地区割据。因此,正确处理中央与地方国有资产立法权关系,将有利于进一步推进国有资产管理体制的改革。

(四) 有利于提高政府工作效率

政府工作效率是实现社会转型的动力。现代财政分权理论认为,不同地区的居民对公共产品有着不同的偏好,公共产品的提供应适合于不同地区不同群体的需求。如果将国有资产看作一种公共产品,它在各地的需求偏好也是不一样的。在经济发达地区,国有经济从一般竞争性领域退出,会给民营经济提供发展空间,政府可以将更多的国有资本用于不适合其他经济主体经营的领域,从而实现资源的合理配置。而在经济不发达地区,即使是理论界普遍认为的应该退出的竞争性的国有企业可能更具有资本和效率的比较优势,需要鼓励和保护。因此,地方政府为本地区提供的产品比中央跨地区提供特定的统一的公共产品更具有帕累托效率。这就暗示了一个观点:高度集权往往要付出更大的代价,而且往往是低效的。解决中央政府规模与权能效率之间的矛盾,很重要的一种方法是使中央的某些权力向地方转移。也就是说,分权可以提高效率,有利于完善法制建设,使得在现代市场经济发展过程中出现的社会经济问题,及时得到法律的调整和规范。因此,正确处理中央与地方国有资产立法权关系,将有利于进一步提高政府的效率。

(五)有利于促进社会主义民主政治的建立和完善

我国政治体制改革的目标是建立社会主义民主政治,在这个过程中离不开国有资产法制作用的有效发挥。对于公民来说,大多数更愿意参加本地区的政治经济活动,因为这对其日常生活具有更直接的影响,与其利益联系更为紧密的是地方性事务而非全国性事务。因此,较之于中央国有资产立法,地方国有资产立法为公民参与地方国有资产监督管理事务提供了条件和可能,为人民提供了更为妥帖的表达意志的途径,有利于人民充分行使国有资产终极所有者的权利。由此可见,正确处理中央与地方国有资产立法权关系,在促进国有资产监督管理权力调整的同时,将更好地体现人民作为国有资产所有者的权利,有利于加强人民对政府的监督,进而推动社会主义民主政治的建立和完善。

(六)有利于促进社会主义法制建设

在当前国有资产立法权高度集中于中央的情况下,地方国有资产立法活动的参与程度不够充分,法规和条例、细则等几乎都是由中央有关部门来制定,地方部门仅是反映意见。这种状况直接造成了地方国有资产法规、条例等的后续过程过于繁杂,同时也降低了政府工作效率。因此,赋予地方一定的国有资产立法权,可以为地方政府履行国有资产所有者和占有使用者的财产权利,进行国有资产所有权和占有使用权管理提供法律保障,有利于激发地方政府的责任感和创造意识。同时,中央政府可以有更多的精力来进行宏观经济调控,协调地区间的发展与平衡。因此,正确处理中央与地方国有资产立法权关系,将促进社会主义法制建设。

第三节 中央与地方国有资产立法权关系的国外借鉴

改革中央与地方国有资产立法权关系,应当积极吸收借鉴国外先进的立法成果。尽管在不同的社会制度下由于立法体制不同,对国有资产的立法会有一些不同的特点,但其运行的基本规律和原则应是相同的。对某些管理内容相似、规范行为一致、调整对象相同、符合社会化大生产要求的法律规范,可以经过必要的加工消化,为我所用。

一、美国的国有资产立法体制

美国联邦政府和州政府涉及国有资产立法权限划分的作法,主要包括以下四个方面:

(一)授予联邦政府的立法权限。管理对外贸易和州际贸易;制定统一的规划法和破产法;设立邮政局和兴建邮政道路;管理领地,管理财产。

(二)联邦政府的默示立法权限。建立银行和其他公司;为道路、学校、健康、保险等事业发展提供经费;发电和出售剩余物资。

(三)保留给州政府的立法权限。管理州内的工商业,保护生命、财产和维持秩序。

(四)联邦和州政府都可以行使的立法权限。设立银行和公司;在各自权限范围内制定和实施法律;为公共目的而征用财产;兴办公共福利。

可见,美国联邦与地方政府都拥有国有资产的立法权,且对国有资产立法事项进行了明确的划分。美国政府财产大约占全社会资产的5%。美国的国有企业为联邦、州和市镇政府所有,各级政府行使国有企业的行政管理权,各级议会也各自行使着分属各级的、各自权限范围内的国有资产立法权。第二次世界大战以后,美国颁布了一个综合性的政府公司法,但未起实际作用。真正起作用的是联邦和州两级政府的单行法规。美国联邦政府通过大量具有针对性的国会立法和监督体系,形成了自己独特的国有资产管理法制模式,即对国有企业实行一对一立法管理。美国每成立一个政府公司即由国会通过一个单行法律,目前美国 40 个政府公司就有 40 个单行法律。州地方政府也通过向地方议会提交法案,对地方政府所有资产的管理和运行进行立法。

总之,美国实行的是与国有资产分级所有相匹配的国有资产立法权分权体制,是立法权、司法权和行政权三权分立体制下的立法权,与我国的立法权体制不完全相同。

二、日本的国有资产立法体制

日本是单一制国家,地方的权力来自中央政府的授权。中央政府是否授予地方立法权以及授予多少立法权,由中央政府以宪法或法律形式规定。日本宪法承认地方自治是一项宪法原则,根据这个原则允许地方公共团体享有地方条例制定权。

日本的国有企业主要集中在金融业等非生产领域,其投资额占政府对国有企业投资总额的 72.9%。在物质生产领域,属于国有国营的企业主要有造币、邮政、银行券的印刷以及国有林区和酒类专卖的企业,通常被称为"政府五业";属于地方国营的企业,主要有自来水、汽车运输、地方铁路、供电、煤气等公用事业;属于特殊公共法人企业,如日本电信电话股份公司(NTT)等。①

中央的每一个企业都是根据国家颁布的特殊法令建立起来的,所以每个企业经营的范围、承担的义务及责任都是以法律形式明确规定的,不准随意扩大经营范围,更不允许转产。

日本的国有企业多数都是根据特别事业法设立,对国有企业依法管理是日本的一个特色。日本围绕国有资产的管理和运营建立了比较完备的法律体

---

① 特殊公共法人是不同于公司法规定的一般法人的治理方式,实行特殊公共法人的机构或企业的组织及有关关系(治理结构、业务程序、财务等)不受或不完全受公司法或民法规范,而是根据针对该公共法人的特定法律或规定规范。特殊法人可以是公司,甚至是上市公司,但它们主要受专门法律规范,专门法律未规范的事项才受公司法规范。特殊公共法人通常是日本的称呼,在英国被称为贸易基金,在欧洲大陆被称为特殊公司。——本书作者注。

系。立法规定了国有企业的经营范围、承担的义务和责任,规定了各管理机关的职权及权利行使方式;在立法的规范下,相当一部分国有企业形成了由国家直接加以管理、且有系统组织性的特点,这是其他国家的国有企业所没有的。

日本的国有资产立法权集中于中央,地方自治共同体只能根据法律制定实施条例或规则。在日本很少出现地方条例或规则与法律相抵触的情况,也很少出现因为没有颁布法律,地方无所适从或自行其事的情况。

三、法国的国有资产立法体制

法国是一个有着中央集权传统的国家。法国立法权限划分的突出特点是:在中央与地方的纵向权力关系上,强调中央集权,而不注重地方分权。在中央,掌管国有资产立法权的是议会;在地方,掌管国有资产立法权的是大区议会、省议会和市镇议会。

法国现行宪法规定,议会实行两院制,下院为国民议会,上院为参议院。法国议会涉及国有资产立法的内容包括:规定国有资产在各个行业的比例;规定各种公立公益机构的创设;企业国有化及公营企业转为私营企业的所有权转移;财产权、物权和民事、商事债务的制度等有关事项的准则。《权力下放法案》和1983年1月7日通过的《市镇、省、大区和国家权限划分法》,赋予地方大区、省和市镇在各自的行政区划内对基础设施、经济、社会、保健、文化和科学的管理和发展的国家职能。从而中央过分集权的局面有所改变,地方的权限有所增多,地方享有一定的立法自主权。

法国的国有资产管理法规,大都是在中央的主导下建立的。法国从国家与国有企业的关系、国有资产的企业组织形式、企业领导体制,到国有企业的财务、税收、审计、雇工、工资以及计划合同等各个方面,都有明确的法律法规,使政府的管理工作法律化、制度化。比较完备的国有资产法律体系为处理国有资产管理经营遇到的各类问题提供了法律依据,也为国有企业的生产经营活动提供了法律保障。

四、几点启示

(一)国家管理层对国有资本运营分工责任明确

美国在国有资产管理上有较完备的法律和监督体系。在国家管理层,对国有资本运营实行立法机关和政府分工负责的管理模式。立法机关负责国有资产法律的制定和监督执行;政府依照法律进行行政管理,定期向立法机关报告国有资产经营管理情况。在政府内部,还按照社会经济管理职能和所有者管理职能分开的原则,分设两类机构行使职能。实行这种模式,可以有效地解决国家管理层职责不清,无人对国有资产负责的弊端。

我国应逐步从依赖行政手段过渡到更多地运用经济和法律手段来调节经济运行。全国人大应加强对国有资产和国有企业的监督,政府也应向全国人大报告国有资产和国有企业的管理和经营情况。同时,应加强审计部门和公众对国有资产管理和运营机构及国有企业的监督,使国有资产管理法律得以有效的实施。

(二)国有经济调整有总体规划和法律保障

法国在国有企业民营化的改革过程中,有明确的整体目标和规划,而且还通过立法的形式来确保国有资产的保值增值。法国国有企业民营化的规划要经议会讨论通过,对每个行业、每个企业国有资产的比例都有明确的规定。国有资产管理部门只履行出资人职责,国会履行监督职责,政府和政府行业管理部门制定政策法规和实施宏观管理。这一经验值得借鉴。

尽管我国的国情和国有资产的规模与法国有较大的区别,但他们在国有企业改革总体规划和依法操作上的成功经验,我们是可以学习和借鉴的。党的十六届三中全会进一步明确了国有经济战略性调整的原则,据此,需要以法律形式制定出国有经济和国有企业战略性调整的总体方案,明确界定关系国民经济的命脉的行业和企业、涉及国家安全的行业和企业、属于竞争性范畴行业和企业、必须保持国有控股以及持股的最低份额的行业和企业等,为我国国有企业的改革和国有资产的有序进退提供明确的、可操作的法律依据。

(三)统一的国有资产管理法律体系

依法管理国有资产是发达国家的共同特征。国有资产管理的各个方面均有法律依据,甚至专门为某个国有企业立法,规范其设立、运行、管理和消亡等各个方面。立法的层次比较高,大多数是由国会通过。国有企业的私有化也是在有关立法的指导下进行的。依法管理国有资产,不仅提高了管理的权威性,保持了管理的连续性,也明确划分了管理主体之间的权利义务关系,确定了各自的职责边界和权利范围,使国有资产的运营具有稳定性。依法进行国有企业改革则提高了透明度和可预期性,不仅有利于改革的顺利进行,也有助于稳定社会环境。

相比之下,我国的国有资产管理立法较为滞后,立法的系统性还不够强,立法的层次也不够高,缺乏应有的连续性和权威性。目前国有资产管理立法的最高层次是以国务院令发布的《国有企业财产监督管理条例》,其他有关法规基本上是一些部门规章制度。正是由于立法层次低,各部门自行立法,更加剧了部门间的利益争夺,导致立法的不统一,相互间难以协调甚至发生冲突。同时对一些立法难点却又都避而不谈。因此,要加强国有资产管理的立法工作,提高立法层次,树立法律权威。只有如此,才能改善国有资产管理混乱的局面。

第四节 中央与地方国有资产立法权关系现状分析

我国中央与地方国有资产立法权关系存在的问题主要包括以下方面。

一、立法权限不清,重复立法严重

我国《立法法》虽然规定了中央专属的立法权限,但就国有资产立法事项而言,并没有确定中央和地方国有资产立法的具体权限范围。现行地方国有资产立法缺乏坚实的权力分配基础。因此,在实践中,哪些事项可以做出法律规定,哪些事项不能做出法律规定,一直是困扰地方国有资产立法的问题。这种状况，既难以有效发挥地方国有资产立法的作用，也严重影响社会主义法制的完善。地方政府不清楚自己在多大范围内可以对中央已经立法的国有资产事项结合地方实际进行调整。

同时，地方国有资产立法主体为体现立法有据，立法规范化，在制定地方性国有资产法规、规章时，往往重复照抄法律条文，造成不必要的资源浪费和法律数量的膨胀。一些地方的国有资产立法主体对地方的具体情况和实际需要了解不够，缺少充分的调查研究，急于制定与中央立法相关的配套性地方国有资产法规，但却体现不出中央国有资产立法地方化的特点，使地方国有资产立法停留在形式上，进而导致地方国有资产立法的质量不高。这样做的结果一方面损害了法律的权威和尊严；另一方面严重影响了法律的贯彻执行。重复照抄使立法过虚，影响地方国有资产立法的严肃性、权威性，影响了人民群众对法律的信心，出现了忽视甚至排斥地方国有资产法规及规章的现象。

二、越权立法，追求部门利益

由于立法主体多元化，立法权限又划分不清，一些地方立法者往往受地方或部门利益驱动，借立法扩大地方和部门的利益。如以地方国有资产立法形式增设新的工作机构，或将自身权力向部门所属的企业或事业单位转移，争许可、争审批、争收费、争处罚等诸多问题，使权力利益化，利益合法化；有些地方利用投资项目和国有资产管理的审批权力，干预企业重组和资本自由流动；还有一些地方通过给予本地国有企业减免税费、提供信贷资金、廉价批地等政策支持；或是在政府工程招标和采购招标中暗箱操作，照顾本地国有企业，使本地国有企业处于竞争优势地位；甚至一些地方性国有资产法规明显与上位法相违，但为地方利益仍在继续执行。地方国有资产立法越权，与上位法抵触；片面追求地方利益和部门利益，使地方国有资产法规、规章之间发生冲突，最终导致执法、司法、守法的困难，不利于完善我国社会主义法制和维护地方人大及政府的形象。

三、法律滞后，权责内法律缺失

地方国有资产立法不知道就哪些事项可以做出规定，哪些事项不能做出规定，当面对法律规定的滞后和大量的立法空白时（如国有股协议转让定价方面存在的法律空白，职工提前退休的方面的法律空白）无所适从。对国有资产流失的新形式、新手段、新现象不知所措，使得惊人的腐败和严重犯罪的国有资产流失案件时有发生。立法工作人员明显不足，立法经验、立法技术资料等较为贫乏。此外，立法工作制度上也存在一些问题，造成了国有资产监管方面的一些重要法律常常不能够及时制定出来，少数法律的立法质量不高。近年来有些地方政府虽然也制定了一些法规、制度和规定，但总的看，规章制度滞后的现象仍比较普遍。应大力加强这方面的工作，按照中央精神和国务院国有资产监督管理委员会的要求，建立和完善符合本地实际的国有资产法规制度体系，增强依法履行职责的意识和能力。

四、地方立法缺乏具体政策指导

国有资产立法是一项科学性、决策性很强的工作。然而地方国有资产立法往往由于缺乏系统研究，缺乏具体政策指导，尤其是对地方国有资产立法的权限范围缺乏明确有效的规定，而出现立法滞后、立法混乱等问题。改革时期的地方国有资产立法本身就带有许多不确定性，如果没有一个权限范围，而仅仅是依据宪法和立法法的笼统授权，依据适用各行各业的方针政策，地方国有资产立法难以做到合法与高效的统一。而且还将导致地方国有资产立法在立法政策和价值取向上的极端不平衡，不利于我国社会主义法制的统一。

五、保护财产权利的法律不健全

我国国有资产立法存在法律不健全，特别是规范分配秩序，保护财产权利的法律条款存在严重漏洞，而且对随着社会生产发展出现的新的财产权关系也没有及时立法予以规范和保护，形成了分配秩序混乱、逃废银行债务、财产权利不能得到有效维护，国有资产严重流失等现象。

例如,1994年7月1日起施行的《中华人民共和国公司法》只规定了"股东按照出资比例分取红利","公司弥补亏损和提取公积金、法定公益金后所余利润,有限责任公司按照股东的出资比例分配,股份有限公司按照股东持有的股份比例分配。"①,而没有把股息和红利加以区分,混淆了所有权收益和占有使用权收益的区别。而按照马克思主义财产权学说的理论,即使是用自有资本从事经营,利润也区分为所有权收入(股息)和企业主收入(红利的一部分)两个部分。导致有限责任公司股东获得股息收益失去了法律依据,难以保证股东出资的所有权收益。

再如,《中华人民共和国公司法》只规定了公司税后利润弥补亏损和提取法定公积金、法定公益金后,所余利润按照股东的出资比例(持有的股份比例)分配,②没有规定偿还银行贷款利息应当在哪个环节进行、股息和红利也没有加以区分、更没有对经理人员的基本工资和年薪应在哪个环节进行分配作出规定,而且对股息、红利和年薪的数量界限也没有作出原则性的规范。

我国经济生活中出现的逃废银行债务、股东所有权收益和占有使用权收益难以有效保护、新出现的适应生产力发展要求的财产权关系和分配形式不能得到法律的及时保护,分配秩序混乱和国有资产流失等现象,不能不说与我们法律的不健全有着直接的联系。

---

① 《中华人民共和国公司法》第三十三条规定:股东按照出资比例分取红利。第一百七十七条规定:公司弥补亏损和提取公积金、法定公益金后所余利润,有限责任公司按照股东的出资比例分配,股份有限公司按照股东持有的股份比例分配。——本书作者注。

② 《中华人民共和国公司法》第一百七十七条规定:公司分配当年税后利润时,应当提取利润的百分之十列入公司法定公积金,并提取利润的百分之五至百分之十列入公司法定公益金。公司法定公积金累计额为公司注册资本的百分之五十以上的,可不再提取。公司的法定公积金不足以弥补上一年度公司亏损的,在依照前款规定提取法定公积金和法定公益金之前,应当先用当年利润弥补亏损。公司在从税后利润中提取法定公积金后,经股东会决议,可以提取任意公积金。公司弥补亏损和提取公积金、法定公益金后所余利润,有限责任公司按照股东的出资比例分配,股份有限公司按照股东持有的股份比例分配。——本书作者注。

第五节 改革中央与地方国有资产立法权关系的政策思路

按照建立一级政府、一级产权主体、一级所有权、一级委托代理权、一级收益分配权、一级举债权、一级立法权的国有资产管理体制改革设想,中央与地方之间国有资产立法权关系改革的目标是:建立一级政府,一级立法权的国有资产立法权管理体制。即建立中央和地方政府分别代表国家行使国有资产立法权,立法权限划分清晰,中央统一国有资产基本法,地方适度分权的国有资产立法体制。为此,我们提出以下政策思路。

一、改革的基本原则取向

我国的基本国情决定了改革中央与地方国有资产立法权关系,既不能片面强调中央集权,也不能一味强调绝对分权。必须坚持以中央领导为主,充分发挥中央与地方两个积极性的原则,实行一级政府、一级立法权的体制。只有科学界定和明确不同层级政府立法主体的国有资产立法权限,才能建立一个符合中国国情的、行之有效的国有资产立法权体制。在考察其他国家中央与地方国有资产立法权限划分相关作法的基础上,我们认为中央与地方国有资产立法权限划分应遵循如下原则。

(一) 法定原则

法定原则在国有资产立法权限的划分中体现为:首先,应当将中央与地方的国有资产立法权限明确化、具体化、规范化。依法明确哪些机关享有国有资产立法权,享有多大范围的立法权及各国有资产法律法规之间的相互关系。其次,国有资产立法主体和立法权限及其相互关系应以法律的形式固定下来。按照法定原则,将国有资产立法权限划分的重大原则充实到宪法中去,具体划分则由国有资产基本法完成。各有权机关在法律赋予的权限范围内,依法行使各自的国有资产立法权。遵守国有资产法定原则有利于明确国有资产立法机关的立法责任,明确国有资产法律、法规及地方国有资产法规的法律边界,便于立法实施和法律监督的有效执行。

(二) 公平与效率原则

公平原则是指不同地区的公民在一些主要方面基本享受同等的公共产品及服务。这就要求对影响整个国民经济,涉及宏观经济调控的国有资产立法权限划归中央所有,以保证中央能有效地调节地区经济差异。效率原则是指某些地方国有资产的立法权限由哪一级政府掌握更有立法效率。这就要求一些具有地方特点的国有资产立法权限应主要赋予地方政府。

(三) 集权与分权相结合原则

集权与分权相结合原则包括两层含义:一是确保中央国有资产基本立法权限的集中。我国在政治上是一个中央集权国家,确保中央宏观调控的主动权,是实现社会政治稳定和国民经济协调发展的重要基础和条件。国有资产立法权是国家宏观调控权的重要组成部分之一,中央必须确保国有资产基本立法权的集中,以实现全国国有资产法律规范的统一,确保中央宏观调控意图的实现。二是要适当赋予地方一定的国有资产立法权,以促进地方根据本地经济实际情况,因地制宜地积极采取某些国有资产政策措施,促进地方经济发展。

(四) 受益原则和职权下放原则

在多级立法主体体制下,各级政府作为国有资产分级代表的主体,必然涉及政府间事权和支出范围的划分问题。因此,按照受益原则和职权下放原则来划分各级政府间的事权和支出范围更为合理。

受益原则是指按受益范围来划分事权,即全国性的公共产品应由中央提供,地方性的公共产品按受益范围由地方政府提供(限于地方的行政管理、公共设施建设、基础设施和基础工业等方面)。在划分了中央和地方各自的职责范围的前提下,还应注意交叉性事权的划分问题,即超出地方管辖范围的事务,则应由中央政府出面负责或进行协调。国有资产的事权划分应遵循受益原则。如果只确立中央和地方的利益分配关系,而不明确其各自的国有资产管理权限和立法权限,则这种利益分配关系就有可能造成国有资产管理工作的混乱。

职权下放原则是指凡是低一级政府能做的事,一般不上交上级政府,这不仅有利于提高办事效率,也便于民众监督。在发展市场经济过程中,各级政府的职能和事权都是在不断变化着的,需要及时调整。建立一级政府、一级立法权体制,有利于解决政府工作效率问题。

立法意识、观念、思想、理论以及据以进行的立法活动,应当是财产权关系的反映,不应当是离开物质关系的虚无缥缈的东西。国有资产立法是以立法的形式为国有资产的管理经营服务,事权应和立法权相对应。受益原则和下放原则的运用,也涉及国有资产立法主体的立法范围。国有资产立法权应适当下放。中央立法,包括省级立法,能细则细,不能细则粗,以给下级立法机关一定的立法空间。

(五)权责利相统一原则

权责利相统一原则是划分国有资产立法权限必须予以重视的原则。权利、责任和利益应该是有机统一的整体,如果只规定中央或地方应负的国有资产管理责任,而不赋予相应的权利和应得的利益,就会挫伤其主动性和积极性;如果只规定其享有的国有资产管理权利而不规定其应负的责任,就有可能导致权利的滥用;如果只确立中央和地方的利益分配关系,而不明确其各自的国有资产管理权限和应负的责任,则这种利益分配关系就有可能造成国有资产管理工作的混乱。因此,要在明确划分中央与地方政府事权范围的基础上,明确划分各级政府相应的国有资产立法权限。

(六)法制统一与适度灵活原则

既维护我国国有资产法制的统一性,又保持国有资产法制体系内部必要的多样性和灵活性,是衡量中央与地方国有资产立法权关系完善与否的主要标准。因此,在确立中央与地方国有资产立法权关系上,必须坚持宪法关于一般地方立法与上位法不相抵触的法制统一原则和在中央统一领导下,充分发挥地方主动性、积极性的职权划分原则。既要对违反上位法的地方国有资产立法实行限制,又要对依法进行的地方国有资产立法予以支持。在宪法原则下充分协调中央与地方的国有资产立法权关系并使其法定化,把维护社会主义国有资产法制的统一和保持国有资产法制的适度灵活作为推进依法监督管理国有资产的重要原则。

二、主要政策建议

从实践上讲,立法权限的划分是与立法事项的划分联系在一起的。立法事项是立法权限的具体体现。当规定某一国家机关享有某种立法权限时,实际上还应当明确它在哪些事项上有立法权。或者,应当明确它在哪些事项上没有立法权。由政体决定的横向立法权限划分和由国家结构形式决定的纵向立法权限划分不同,对立法事项的划分也不同。一般而言,在单一制国家中,由于地方的立法权是中央赋予的,实行中央优越的原则,所以,通常在宪法中也不对中央和地方的立法事项加以详细列举。而在联邦制国家中,由于地方的立法权是中央与地方分权的结果,所以通常在宪法中对中央与地方的立法事项分别加以详细列举。根据我国国情,我们提出以下改革中央与地方国有资产立法权关系的政策建议。

(一)立法有据,权限明确

我国实行的是既有单一制特征又给予地方很大立法自主权的立法体制。在国有资产分级代表体制下,应在明确中央有关国有资产立法权的同时,细化和明确地方的国有资产立法权,以利于国有资产立法的进一步完善。在我国,地方的立法权是中央赋予的,地方没有固有的、中央不能涉及的立法事项。所以地方立法具有从属的性质。按照我国的立法体制,制定法律规范一是要有宪法和法律的根据,二是不得与宪法和法律的原则相抵触,三是不得越权。《立法法》为解决因立法事项不清而导致越权立法并造成立法冲突的问题,遵循的是这样一种思路:不对中央立法权限一一列举,只对中央专属立法权的事项加以明确列举。凡属于中央专属立法权范围的事项,不管中央是否已经立法,地方均不得进行立法;凡中央专属立法权范围以外的事项,在中央未立法以前,地方根据实际需要,可以先行立法。但是,一旦中央进行了立法,地方的立法就不得同中央的规定相抵触。

(二)立法需要与立法权相结合

应扩展《立法法》的内容,在《立法法》规定的基础上,明确中央专属立法,地方专属立法和中央与地方共同立法的国有资产立法事项。通过对各种有关国有资产管理行为与国有资产运行行为属性的分析，在中央政府与地方政府之间，将国有资产的立法权科学合理地加以划分。如果某事项是中央专属或是具有充分中央性的，那么就应由中央加快立法建设；如果某事项需要由中央给予原则上规定，需要地方给予具体操作的，或者地方在有条件的情况下有必要先于中央创制性立法的，就应由中央与地方共有立法权；如果某事项在不与中央国有资产立法精神相违背的前提下，有很强地域特点和现实要求，而中央又无立法需要，就应由地方来加紧立法。

(三) 明确中央专属的国有资产立法事项

中央专属的国有资产立法事项是按照《立法法》规定的中央专属立法细分出来的立法事项。《立法法》规定基本经济制度以及财政、税收、海关、金融和外贸的基本制度问题只能制定法律。此外，还有一些《立法法》圈定之外的，如境外国有资产因涉及到延伸的国家经济主权，也应由中央立法。中央专属的国有资产立法不允许地方立法。但在实际工作中，地方需要制定具体的实施条例和细则，这从法的适用性上也是讲得通的。所以，中央专属的国有资产立法应理解为法律创制性的专属，即这些立法事项在中央没有制定基本法前不允许制定一般地方法，只能由中央行使这些法律的创制权。但在中央立法后，地方可以制定相应实施细则。在新的国有资产管理体制下，改革中央与地方之间国有资产立法权关系，首先应当明确中央专属的国有资产立法范围。

第一，国有资产管理基础框架法律应由中央专属。国有资产管理法律制度的改革必然会涉及到多元利益主体，并不同程度地触及到这些主体的切身利益。这种改革所涉及的不仅仅是微观企业内部组织的变化，而且还会带动宏观管理体系的根本变化，导致政府机构的重组和权利格局的重大调整。换言之，以出资人所有权、占有使用权与企业经营权分离为核心，使企业成为市场的主体，相对弱化了政府对企业的干预，相当一部分政府主管部门将因失去对企业的管理权而丧失其存在的理由。有的企业主管部门因传统观念的束缚，可能会采取消极的态度和作法。这种利益受损者对制度创新的不合作和抵触，会间接提高制度安排的成本。中央立法能够最大限度地减少国有资管理立法环节、降低立法成本、提高立法效益。为排除体制摩擦,降低制度成本,推进国有资产管理体制和国有企业的改革,在构建国有资产管理新体制过程中必须用国家的最高立法权予以保障。从立法事项的重要性来说,这是国有资产管理立法中最为重要的一环,是确立国有资产管理制度的基础。所以,应该通过中央国家权力机关加以立法。

国有资产管理基础框架法律主要应包括国有资产的定义、分类及其调整范围;国有资产管理体制,即管理与监督主体及其地位、职责、权限;国有资产的总体管理目标与基本原则。这三个方面是制定《国有资产法》最为基础的内容,是对立法工作有巨大影响的基本问题,直接影响到国有资产管理工作的方向,应通盘考虑、总体设计。虽然《国有资产法》不能做到面面俱到,但这三个方面的法律规定是必须写入《国有资产法》中的。考虑到《国有资产法》的性质与地位,我们认为,《国有资产法》应该属于全国人大制定法律的范围,应由全国人大来制定,以满足其效力层次上的要求。

第二,国有资本控制范围的法律应由中央专属。随着我国市场经济的发展和国有经济结构调整战略的实施,应进一步收缩国有资本的控制范围。国有资本从哪些领域退出、在哪些领域继续保持控制的决定权,应该掌握在中央政府手中。在关系国家安全、国民经济命脉的重要行业和关键领域,以及国民经济基础性和支柱性行业中,国有资本要保持较高的控股比例,以保证国有资本的控制力;对属于控股股东主业范围,或对控股股东发展具有重要影响的国有控股上市公司,也要在一定时期内保证国有股东的控股地位。这属于中央宏观调控和战略性调整方面的国有资产立法事项,一定要由中央立法。从国有经济结构调整的角度看,通过中央专属国有资产立法明确了国有资本控制范围,实际上也就明确了地方在国有资本退出方面的国有资产立法的范围。中央政府决定国有资本不能从哪些领域退出,应该在哪些领域继续保持控制。除了这些领域之外,地方政府可以决定所有的退出事宜。

第三,中央企业的法律法规应由中央专属。这里所说的中央企业是指产权归属于中央政府的企业。中国现有160多家隶属中央政府的企业。隶属中央政府的企业由国务院授权国有资产监督管理委员会管理,当然应由中央立法。由于隶属中央政府的企业数量有限,事关国计民生,可以借鉴美国的做法,必要时对每一个企业制定单行法律。

第四,国有资本经营预算法律应由中央专属。建立国有资本经营预算制度,是党的十六届三中全会决定提出的深化国有资产管理体制改革的重要内容。国有资本经营预算是国有资产监督管理机构依据政府授权,以国有资产出资人身份依法取得国有资本经营收入和安排支出的专门预算,是政府预算的组成部分。通过国有资本经营预算能充分反映政府履行经济建设职能的范围和重点,反映国有资产监督管理机构实现国有资产保值增值的情况。实行国有资本经营预算管理是国有资产监管机构履行国有资产出资人职责的重要管理方式,是调整国有经济布局和结构的重要手段,是对国有资本管理和运营进行评价考核的重要方面。在新的国有资产管理体制中,国有资本经营预算管理有着重要的地位,应该通过国有资本经营预算来约束国有资产管理机构、国有资产运营公司和政府投资企业的行为。国有资本经营预算作为预算法的重要内容,同时也应该是监督法的主要内容,各级政府的国有资本经营预算需要经过同级人大的严格审议和通过。法律应该规定,由中央政府制定统一的国有资本经营预算的格式和编制程序,地方政府依照执行。因此,这些规定各级政府国有资本经营预算的法令只能由中央来制定。

第五,国有股减持法律应由中央专属。所谓国有股减持,即上市公司的国有股股东,通过股票二级市场的交易,全部或部分出让其股份并得到出让国有股收入的过程。国有股减持立法事项的立法属性应当归类为中央专属范围。主要是因为:首先,国有股减持问题属于对我国基本经济制度的调整。我国宪法第六条明确规定:中华人民共和国的社会主义经济制度的基础是生产资料的社会主义公有制,即全民所有制和劳动群众集体所有制。这一规定奠定了我国基本经济制度的基础。全民所有制是国民经济的主导力量。而减持国有股正意味着对于我国基本经济制度支柱的全民所有制进行调整。毫无疑问,其应当属于狭义立法权的行使范围,依照我国《立法法》的有关规定,该事项只能由法律加以规定,即能为国有股减持事项立法的主体级次只能是全国人民代表大会或其常委会。其次,国有资产减持立法由于国有资产的国有性

(或曰全民性)而导致具有中央性特征。这一特征可以从财产权理论上得到支持。财产权理论认为,所有权是财产权利体系中最重要的一项权利,而处分权是所有权的最基本权能之一、是决定财产命运的一种权能。因此,处分权能通常只能由所有人自己行使,非所有人不得随意处分他人所有的财产。作为国有资产,其所有权为全体人民所享有。既然国有资产为全民所有,那么依照前面所述的财产权理论也就应当由全体国民享有对之进行处分的权利。但是,由于全国人民即国有资产的所有者处于分散的状态,这使任何个人对整个国有资产都没有独立的支配权。我国宪法规定,全国人大和全国人大常委会是代表全国人民表达意志的机构。因此,由人民选举出的代表组成的全国人大或其常委会在权衡各方面利益的基础上,制定相关的法律,以便在国有股减持过程中有法可依是非常必要的。由于国有股减持实践的迫切需要以及该事项的重要性特征,我们认为,必须由我国最高立法机关即全国人大或其常委会对此进行立法规制。

第六,跨省和地区的区域性国有资产法律应由中央专属。跨省和地区的区域性国有资产法律有三层含义:

第一层含义是,在一定区域内国有资产的状况趋同或是适用相同的经济政策,统一立法有利于节约立法资源。例如,在长江三角洲、珠江三角洲、环渤海经济圈等区域经济迅速发展的地区,国有经济要打破过去传统模式,积极发展能够带动区域经济发展的主导产业,掌握支持区域产业升级的关键技术,形成促进区域经济持续发展的核心竞争力,从而在区域经济发展中真正起到促进作用。需要中央统一立法进行规范。

第二层含义是,跨地区的国有产权交易,需要有统一的规则,需要中央统一规范,以实现公平交易。国有产权转让和企业间的资产重组,不能局限于微观层面,即仅仅着眼于企业自身的发展而展开,还要有宏观层面的规范性举措。国有经济布局战略性调整和国有企业改组步伐的加快,带动了产权交易市场的发展。但由于缺乏统一、严密和规范的法律法规约束和强有力的监管,制约了交易的公正性,一些地方甚至造成了国有资产的流失。加快企业国有产权交易监管的制度建设,就要加快对有关企业国有产权交易监管制度的起草和研究工作,通过加强产权交易监管制度建设,规范产权交易行为,堵塞产权交易中的漏洞,防止国有资产流失。不同省市之间应加强协调配合,创造条件,大力发展产权交易市场。而制定和完善统一规范的产权交易规章,进一步规范产权交易行为,提高市场服务水平,为国有经济布局和结构调整创造良好的市场条件,属于跨地区的经济问题。通常应由各地区共同的上级来协调,中央政府正是地方各级政府共同的上级。所以,跨地区的国有产权交易法规必须由中央来制定。

第三层含义是,对国有资产和国有资源在产业间和区域间的整体优化配置,需要中央统一立法。不同区域经济的比较优势和发展目标不同,对国有经济布局和结构调整的要求也不相同。国有经济在东、中、西部开发和城乡区域经济发展过程中,应当紧密结合当地实际情况,突出自身优势,为经济社会的和谐发展发挥积极作用。国家应制订明晰且可操作的产业政策和区域政策,实现国有资源在全国范围内的优化配置。东北老工业基地的建设,同其他老工业基地和地区的国有企业改革相比,国有企业不仅存在着一些共性的问题,而且还明显存在着国有资产规模庞大,企业负担重,企业组织结构失衡以及可持续发展等特殊性问题。这就突出了东北老工业基地国有企业改革任务重、困难大、复杂性高的特点。需要中央统一立法,以重点规范。

第七,境外国有资产管理法规应由中央专属。境外国有资产,是指我国企业、事业单位和各级人民政府及政府有关部门以国有资产(含国有法人财产)向境外投资及其收益形成的,或依法认定取得的国家所有者权益和其他财产。境外国有资产管理法规主要是根据我国法律和所在国(地区)法律,按照国有资产管理原则,制定境外国有资产管理办法,把境外国有资产纳入法制管理的轨道。境外国有资产管理涉及到财政、税收、外交、海关等重大事项,需要由财政部、国有资产监督管理委员会、外交部、国家外汇管理局和海关总署共同协作,协调处理。因此,也必须由中央立法。

(四)明确中央与地方共同立法的范围

中央与地方共同立法,是指中央和地方都可以立法的事项。所谓共同,不是指时间上的共同,时间上可以有先有后;共同也不是所制法律文件阶位的平等,阶位有高有低。对一部分国有资产立法事项,中央和地方都可以在所辖范围内立法。例如,对于中央没有立法,而地方有强烈立法需要,或是此法需要地方先制以为中央立法积累经验的情况,地方也可先行立法,中央则待时机成熟后再立法;如果这部分立法事项是带有普遍性和广泛性的,中央应当首先立法,地方可以设计相应的实施细则,且不得与中央立法相抵触。中央与地方共同立法的国有资产立法事项主要应包括以下方面:

第一,国有资产管理经营法规应属中央与地方共同立法事项。主要是指各级政府、国有资产管理机构制定的国有资产管理和经营活动方面的规范性文件。例如,重大经营决策、国有资产收益分配、资产重组、产权转让、企业破产、人员任命的审议等。这其中既有中央和地方政府共同面对的问题,也有因各地国有资产分布和发展程度各异而需要区别对待的问题,带有行政立法的性质。各地可以就辖区内的重大重组事项专门立法,制定符合本地标准的人员任命考核具体办法,地方重大经营决策单项立法和国有资产收益分配单项立法等。中央也可以就这些方面立法的基本原则、指标和方法作出规定。所以,这些事项属于中央与地方共同立法事项。

第二,经营性国有资产管理法规应属中央与地方共同立法事项。经营性国有资产管理法规或法律文件是整个国有资产法规体系的重点,可分为六个方面:国有资产所有权管理法规、国有资产占有使用权管理法规、国有资产收益管理法(特别是所有权收益和占有使用权收益的形式、数量界限、分配顺序和收缴办法,以及与经理人员年薪收入分配的关系)、国有资产转让管理法、国有资产运行专项配套法规。这部分法律是国有资产管理法律中最活跃的一部分,带有经济法中市场规制法的性质。由中央和地方共有立法有利于建立基于现代产权理论的统一法律。同时,也可以促进地方在立法分权的基础上建立更符合实际情况的具体实施细则,有利于各级政府国有资产监督管理机构责权利的统一。按照党的十六大提出的国有资产管理体制改革方针,中央和地方政府对于其所拥有的国有资产具有完整的财产权,包括所有权、占有使用权、收益权、处置权等各项权利。这意味着国有资产产权关系将发生重大变革,国有资产管理体制改革将进入攻坚阶段。因此,地方立法应尽可能做到立法同改革开放的进程同步;同时,地方国有资产立法工作也必须强化改革意识,贯彻改革精神,采取改革措施,善于和敢于用改革来解决立法过程中遇到的难题,积极主动进行立法活动,避免立法滞后。国有资产拍卖法、国有资产租赁法、国有资产承包法等可以由中央和地方共同立法,必要时,可以地方先立法。应对地方立法给予充分的信任,发挥地方和中央两方面的立法积极性,改变改革中无法可依的尴尬局面。

第三,国有资本金管理法规应属中央与地方共同立法事项。国有资本金管理法规或法律文件属于国有资产所有权和占有使用权立法范围,是对国有资产产权关系的法律规范。包括国有资产产权界定办法、国有资产产权纠纷处理办法、国有资产产权登记办法、资产评估管理办法、清产核资办法、国有资产收益分配和收缴办法、国有资产统计评价办法和国有资产监督检查办法等。这些有关国有资本金管理的法规级文件许多已经出台,再强调它的中央性没有实际意义,现在的关键是制定各地的实施条例和实施细则,落实到国有资本金管理的各个方面。所以,应将其放在中央与地方共同立法中。

(五)明确地方专属立法范围

在国有资产立法事项中,没有中央不能涉及的立法事项。也就是说中央可以对境内以及境外的本国所有国有资产管理和运营进行立法。地方专属国有资产立法权,是因为在某些地区,由于地区的特殊性或是立法事项不具有全国的普遍性,中央没有必要专门对其进行立法。所以,地方专属立法不是法律意义上的专属,而是操作上对本辖区内特有事项的立法。因各地具体情况不一,地方立法更具有及时性和针对性。例如,某省市对下岗转岗工人再就业的专项立法;某市关于组建市国有资产授权经营公司的立法;某市关于组建产权交易市场的规定。地方专属立法的实际意义在于提醒地方重视一些中央无必要也不会去立法的一些国有资产立法事项,摒弃等靠思想,切实解决实际工作中需要解决的地方国有资产法律问题。

(六)地方立法应注意及时性和系统化

国有资产立法应根据实际情况及时制定、灵活调整。我国国土辽阔、各地经济发展不平衡,国有资产分布和经营状况各异,要突出立法活动的及时性和灵活性,就要实行地方先行的立法主动原则,针对本地区国有资产管理中的突出问题,制定出适用本地区的地方立法。地方性国有资产立法的思想,方略和规划,一要有高度,能及时反映地方决策机关对本地区国有资产管理和运营的指导思想和原则。二要有整体布局,立法体系力求完整、衔接,符合本地区实际,能解决实际问题。三要有深度,有先导性。在不违背我国宪法和有关法律的前提下,根据现实社会经济生活和有关国有资产立法事项的需要,简化程序和环节,及时制定法规,并且体现具体、明确的特点。

目前,有些地方国有资产监督管理委员会对国有企业改革工作和国有资产监管工作已经开始进行整体筹划和总体布置,省和市属国有资产监管的法规政策体系由以前单个的局部突破,进入到整体设计和系统推进阶段。国有资产监管的国家或地方性法规或行政规章,包括企业领导人管理、产权转让、交易管理办法、国有资本金预算管理办法、经营者年薪制、股票期权制度等一批规章或规范性文件已经相继出台,企业国有资产运营的法制环境得到逐步改善。政策法规从单项突破到系统规划、整体推进,是国有资产立法在法规层次上的发展趋势。

第六节 相关配套政策组合

改革中央与地方国有资产立法权关系,仅靠立法权的合理划分是不够的,还需要多方面的协调。因此,需要配套实施相关的政策。当前,主要的相关配套政策包括以下五个方面。

一、完善立法监督

分权与监督是两个密不可分的方面。无论何种结构形式的国家和何种分权程度的国家,为了维系国家的统一性都要对地方政府进行监督。而且分权程度越高,监督体系就应越完善,监督的手段也应越有力。中央政府对地方政府的控制,不是通过缩小地方政府的权限或加强行政命令来实现,而是通过严密的监督体系来实现。权限的调节是立法监督的重要功能。在任何一个实行分权的国家,权限的划分都不会一劳永逸。因为,社会生活永远处在变动之中,不断会有旧的事务消失,新的事务产生。同时,法律本身也有局限性,不可能对所有的事项都规定得一清二楚而不发生任何交叉,或者不需要修订。因此,不论法律对权限作何规定,都不能缺少一种能对权限不断地进行局部调整的机制。

对于地方立法的监督,世界各国通行的做法是设置批准等事前监督程序或通过法院进行司法监督。在我国,宪法和组织法规定的对地方立法的监督,包括省、自治区人大常委会对下级政府法规的事前批准程序和下级政府法规报上级人大常委会备案的事后监督程序。宪法还规定全国人大常委会有权撤销省、自治区、直辖市等权力机关制定的同宪法、法律和行政法规相抵触的地方性法规。宪法和组织法对监督体制的规定是完备的。但存在的问题是,这一机制,因启动程序的缺失而未能正常运行。

我们认为,实行中央与地方国有资产立法的相对分权是发展社会主义市场经济的需要,符合我国的国情。但是地方国有资产立法的分权离不开中央政府强有力的监督,因此,尽可能地完善中央对地方立法的监督机制,也是《立法法》或将来《国有资产监督法》的一大使命。监督机制也应是一种权限问题的解决机制和权限的调节机制,监督机构在行使职能时应具有一定的中立性和客观性。所谓中立性是指这种监督机制应保证在中央与地方国有资产立法主体之间不偏不倚;客观性主要是指在与整体原则不相违背的情况下,要考虑当地的实际问题。

二、大力发展国有资产管理法制文化建设

国有资产监督管理委员会是个新的机构,以管理产权为中心开展的国有资产管理工作是一项新的事业。新的机构要正常运转,新的事业要向前发展,人们的观念就需要更新。而且,随着市场经济的进一步发展,现代产权制度和现代企业制度的建立,会出现新的财产权关系问题,需要不断地进行理论的研究和政策的探讨,以给国有资产立法提供理论依据。国有资产是全民的资产,

人民有责任和义务参与国有资产监督管理理论的研究和政策的论证,不单是国有资产监督管理委员会自己的事务,应当发动理论界和学者共同研究国有资产监督管理的理论和政策问题。但是,由于向社会各界宣传国有资产管理的法律、法规及其重要性不够,致使人们对国有资产管理的法律观念和法律意识比较淡薄。因此,应当加强国有资产管理法制文化建设,通过各种形式向社会各界宣传党和国家对国有资产管理的政策、法律法规和制度,更新人们的观念,使依法加强国有资产管理的意识深入人心,使维护国有资产所有者和占有使用者的权益成为全民的自觉行为,为实现国有资产管理法制化,创造一个良好的社会环境。

三、加强财税立法权与国有资产立法权的协调

国有资产法与财税法之间在调整范围上有一定的重叠或交叉。即国有资产产权关系在由国有资产法统一调整的同时,还受到财税法律的调整。因为,从理论上讲,国有资产产权关系本质上是国有资本所有者、占有使用者和具体监督管理者之间的财产权关系。这种财产权关系产生的物质基础是国有资本财产。而国家财政和税收的有关法律调整的是包括国有资产在内的所有资产的所有者、占有使用者和具体监督管理经营者与国家土地所有者(一般生产条件和生活条件所有者)之间的财产权关系。依据国家土地财产的所有权(一般生产条件和生活条件),国家以财政法律,包括以税法形式规范政府土地所有者与劳动力所有者、资本所有者、占有使用者、具体监督管理经营者之间的财产权关系。因此,财税部门是从国家土地财产权角度及其派生的政府职能角度,对与国家履行职能有关的国有资产产权关系进行调整。例如,颁布国家税收法律,征收流转税、企业所得税、个人所得税等,颁布预算法、安排公共支出等等。财税法相对于国有资产法来说,应当属于上位法。因此,国有资产法的内容应当与财税法中有关国有资产管理的规定保持一致,避免相互矛盾和标准不一。其中,特别是涉及到国有资产立法部门与财税立法部门之间职权划分和协同管理的内容,应当在财政税收法律的基础上作出进一步规定。

四、加强《公司法》与国有资产立法的协调

建议修订《公司法》的有关条款,补充有关规范分配秩序、保护财产权利的法律条款,以及时立法规范和保护新的财产权关系。具体设想是:

(一)银行贷款利息应在缴纳企业所得税之后进行偿还。

(二)余下部分按弥补亏损和提取公积金、法定公益金顺序进行分配。

(三)公司弥补亏损和提取公积金、法定公益金后所余利润,有限责任公司按照股东的出资比例分配,股份有限公司按照股东持有的股份比例分配。股东收益分为股息和红利两个部分。股息按行业和企业规模确定的平均股息率计算,在红利之前分配。其中,优先股股息分配在普通股股息分配之前进行。

(四)余下部分作为红利在占有使用者与管理要素所有者之间按照一定比例计算分配。

(五)经理人员的收入分为基本工资和年薪两个部分,基本工资相当于普通员工的工资水平,计入成本;年薪与经营业绩直接挂钩,按正常经营情况下年薪占红利的比例计算,在实现的红利中与占有使用者共享。

在《公司法》做了如上修订后,国有资产立法就有了依据。可以进一步保护债权人的财产权利、所有出资人(包括国有资产所有者和占有使用者)的财产权利以及经理人员的管理要素财产权利。从而实现财产权关系的和谐,通过规范和保护财产权关系,达到最大限度调动所有者、占有使用者和经理人员决策监督管理和经营的积极性,促进企业经济效益提高的目的。

五、理顺各级政府间财权与事权关系

我国实行分税制改革后,国税与地税分缴,地方与中央税源分开,初步明确了财权的划分。但事权的划分则不够明确,与财权划分不配套,形成了权责不对等的局面,削弱了对地方政府的激励。体制上的这一问题导致了中央与地方利益的不一致,使地方政府的某些职能受财力限制难以完全实现。改善这一状况,要求明确划分中央与地方的财权与事权,使各级政府享有的权力与

承担的义务对等。需要加强对地方政府的激励,作好中央财政收入的再分配与转移支付,使地方政府有动力支持国有企业的改革和促进地方经济的发展。在国有资产产权关系基本理顺并得到法律规范和保护,现代产权制度得以建立之后,国有经济将有更大的发展,国有企业的经济效益会大大提高,会为各级政府提供更多的财政收入。目前我国财政体制已经是分级财政体制,各级地方政府的财权已经在向清晰化的方向发展。鉴于当前中央和地方国有资产产权划分的现状,国有企业应当将产权归属确定到各级地方政府。重要的是在财权、产权清晰化的基础上,逐步实现各级地方政府的事权清晰化,科学划分各级政府的财权与事权,这样就可以为立法分权提供依据。

国有资产立法权关系改革是一项系统工程,既要有利于实际操作,也要实现权责的统一。实际上,国有资产立法权关系还包括全国人大与全国人大常委会,全国人大与国务院,地方人大与地方国有资产管理机构,省级与较大的市之间的立法权关系,等等。由于国有资产立法事项纷繁复杂,仅能作初步的研究,更精细的划分还需要更多的努力。资源性国有资产、非经营性性国有资产属于国有资产特别法需要调整的内容,需要另行加以研究。

本章小结

1. 国有资产立法权,是指中央或地方人大及其常委会或政府依法制定、修改、补充、废止与国有资产相关的规范性法律文件,以及认可与国有资产相关的法律规范的权力。享有国有资产立法权是进行国有资产立法活动的前提,国有资产立法活动是行使国有资产立法权的过程和表现。国有资产立法权包括实体性权力和程序性权力。

2. 国有资产法是一个集合概念。它不是具体的一部法律,而是指一类法律,是调整作为国有资产所有者终极代表的中央政府、次级代表的地方政府,国有资产所有者(国有股权持有者)、占有使用者、企业具体管理经营者之间,在国有资产所有、占有使用、收益和处分过程中发生的财产权关系的法律规范的总称。

3.中央国有资产立法权,是指有关全国人大及其常委会或国务院及其管理国有资产事务的部委,依法制定、修改、补充、废止与国有资产相关的规范性法律文件以及认可与国有资产相关的法律规范的权力。中央国有资产立法权具有重要性、全面性、权威性、稳定性、形式多样性和内容创制性等特点。

4.地方国有资产立法权,是指有关地方人大及其常委会或政府根据本级政府行政区域的具体情况和实际需要,在与宪法、法律、行政法规不相抵触的前提下,依法制定、修改、补充、废止与国有资产相关的规范性法律文件,以及认可与国有资产相关的法律规范的权力。地方国有资产立法权具有部分内容创制性、地方性、试验性和从属性等特点。

5.中央与地方国有资产立法权权能关系的实质是:在坚持国家法制统一基础上赋予地方立法主体一定立法权力,以及时规范国有资产财产权关系和保护国有资产财产权主体的财产权利。

6.进一步完善中央与地方国有资产立法权关系,具有以下意义:改善国有资产立法资源的有限性;满足国有资产立法事项特殊性的要求;建立国有资产分级代表体制的需要;有利于提高政府工作效率;有利于促进社会主义法制建设。

7.我国中央与地方国有资产立法权划分存在的问题主要包括以下方面:立法权限不清,重复立法严重;越权立法,追求部门利益;法律滞后,权责内法律缺失;地方立法缺乏具体政策指导;保护财产权利的法律不健全。

8.中央与地方之间国有资产立法权关系改革的目标:建立一级政府,一级立法权的国有资产立法权管理体制。即建立中央和地方政府分别代表国家行使国有资产立法权,立法权限划分清晰,中央统一国有资产基本法,地方适度分权的国有资产立法体制。

9.改革的基本原则取向:法定原则、公平与效率原则、集权与分权相结合原则、受益原则和职权下放原则、权责利相统一原则、法制统一与适度灵活原则。

10.主要政策建议:立法有据,权限明确;立法需要与立法权相结合;明确中央专属的国有资产立法事项;明确中央与地方共同立法的范围;明确地方专属立法范围;地方立法应注意及时性和系统化。

11.配套政策:完善立法监督;大力发展国有资产管理法制文化建设;加强财税立法权与国有资产立法权的协调;加强《公司法》与国有资产立法的协调;理顺各级政府间财权与事权关系。

参考文献

1. 《马克思恩格斯选集》第一卷,北京:人民出版社,1973。
2. 《马克思恩格斯选集》第二卷,北京:人民出版社,1973。
3. 《马克思恩格斯选集》第三卷,北京:人民出版社,1973。
4. 《马克思恩格斯选集》第四卷,北京:人民出版社,1973。
5. 马克思:《资本论》第一卷,北京:人民出版社,1975。
6. 马克思:《资本论》第二卷,北京:人民出版社,1975。
7. 马克思:《资本论》第三卷,北京:人民出版社,1975。
8. 李荣融:《国资改革攻坚要突破深层次问题》,载《中国集体经济》,2005(1)。
9. 刘国光:《经济学教学和研究中的一些问题》,载《经济研究》2005年(10)。
10. 刘诗白:《产权新论》,成都:西南财经大学出版社,1993。
11. 樊纲:《论国有企业的产权关系改革》,载《国有资产管理改革若干问题》,北京:中国财政经济出版社,1996。
12. 贾康、白景明:《中国地方财政体制安排的基本思路》,载《财政研究》2003(8)。
13. 贾康:《财政本质与财政调控》,北京:经济科学出版社,1998。
14. 高培勇、宋永明:《公共债务管理》,北京:经济科学出版社,2004。
15. 郑新立、李连仲:《国有资产监管与经营》,北京:中国经济出版社,2005。
16. 李保民:《深化国有资产管理体制改革任重道远》,载《中国企业报》,2003年1月7日。

17. 魏杰:《增强国资管理机构内生动力》,载《国际金融报》,2002年11月14日。

18. 许廷星:《财政改革若干理论问题》,成都:西南财经大学出版社,1997。

19. 许廷星、谭本源、刘邦驰:《财政学原论》,重庆:重庆大学出版社,1986。

20. 郭复初:《国家财务论》,成都:西南财经大学出版社,1993。

21. 王国清:《财政基础理论研究》,北京:中国财政经济出版社,2005。

22. 王国清:《财政改革与发展研究》,北京:中国财政经济出版社,2005。

23. 马骁:《财政制度研究》,成都:四川人民出版社,1997。

24. 陈共:《财政学》,北京:中国人民大学出版社,2001。

25. 叶振鹏、梁尚敏:《中国财政改革二十年回顾》,北京:中国财政经济出版社,1999。

26. 刘邦驰:《国债经济运行理论与实践前沿》,北京:中国财政经济出版社,2005。

27. 邓子基、陈少晖:《国有资产分级所有的新思路》,载《国有资产管理》,2003(8)。

28. 寇铁军:《财政学》,大连:东北财经大学出版社,2001。

29. 魏杰、赵俊超:《必须构建新的国有资产管理体制》,载《国有资产管理》,2004(5)。

30. 魏杰:《现代产权制度辨析》,北京:首都经济贸易大学出版社,2000。

31. 王开国:《国有资产管理实务全书》,北京:宇航出版社,1995。

32. 迟福林:《国企改革与产权》,北京:外文出版社,1998。

33. 焦建国:《国有资产管理体制中的中央和地方关系》,载《财经问题研究》,2005(4)。

34. 张维迎:《博弈论与信息经济学》,上海:上海三联书店,1996。

35. 许保利:《国有资产管理体制改革问题研究综述》,载《国有资产管理》,2003(5)。

36. 张治栋:《论国有资产管理体制改革的逆层次推进》,载《经济体制改革》,2004(5)。

37. 史金平:《国有企业:委托代理与激励约束》,北京:中国经济出版社,2001。

38. 谢世荣:《产权理论与国有企业制度创新》,北京:中共中央党校出版社,1997。

39. 伍柏麟:《国有企业核心论》,上海:复旦大学出版社,2002。

40. 张治栋、樊继达:《国有资产管理体制改革的深层思考》,载《中国工业经济》,2005(1)。

41. 余传贵:《国有资产的所有权委托代理制问题研究》,载《财经理论与实践》,1997(6)。

42. 何维达:《论委托——代理关系的涵义、特征与构成条件》,载《金融与经济》,1997(4)。

43. 颜佳华、易承志:《转型期中央与地方关系的困境及其对策》,载《湖南社会科学》,2004(6)。

44. 刘霞、向良云:《中央与地方政府利益结构的经济分析》,载《学术探索》,2004(6)。

45. 赵佳佳:《产权制度改革的委托代理分析》,载《当代经济》,2003(6)。

46. 邓绍英:《理顺委托代理关系:国有企业改革成功的关键》,载《湖北社会科学》,1997(6)。

47. 杨瑞龙:《论国有经济中的多级委托代理关系》,载《管理世界》,1997(1)。

48. 黄雷、叶勇:《国有资产管理的经济法律分析》,载《CPA 中国行政管理》,2004(8)。

49. 董文冉:《建立新型的国有资产管理体制》,载《济南大学学报》,2004(5)。

50. 魏允平:《国有资产多级委托代理模式分析》,载《国家行政学院学报》,2005(2)。

51. 罗建钢:《委托代理国有资产管理体制创新》,北京:中国财政经济出版社,2004。

52. 王利明:《国家所有权研究》,北京:中国人民大学出版社,1991。

53. 蒋洪:《财政学》,北京:高等教育出版社,2003。

54. 贾宝和:《地方政府代表国家履行国有资产出资人职责思考》,载《求索》,2005(4)。

55. 彭成洪:《国有资产管理》,北京:中国财政经济出版社,2002。

56. 盛毅、林彬:《地方国有资产管理体制改革与创新》,北京:人民出版社,2004。

57. 陈国恒:《国有产权制度改革研究》,北京:中国社会科学出版社,2004。

58. 谢次昌:《国有资产法》,北京:法律出版社,1997。

59. 张伟、吴涓:《试论国有资产经营收益》,载《国有资产管理》,2005(5)。

60. 曹钢:《产权经济学新论》,北京:经济科学出版社,2001。

61. 马建堂、刘海泉:《中国国有企业改革的回顾与展望》,北京:首都经济贸易出版社,2000。

62. 毛程连:《公共财政框架下国有资产管理理论的改进》,载《财政研究》,2002(4)。

68. 《中央和地方的产权边界划分——国务院发展研究中心企业所副所长张文魁专访》,载《21世纪经济报道》,2003年6月2日。

69. 林鹏:《现阶段我国实行不完全分权型的国有资产管理体制》,载《经济研究参考》,2004(47)。

70. 金大程:《国企改革与发展若干重大问题专题讲座》,北京:中国经济出版社,1999。

71. 闫伟:《地方政府理财论》,北京:经济科学出版社,2005。

72. 乔新生:《高度重视国有企业的改制成本》,载《中国经济导报》,2003年10月13日。

73. 周绍朋:《关于国有资产管理问题的思考》,载《国家行政学院学报》,

2002(3)。

74. 李晓丹:《国有资产管理与经营》,北京:中国统计出版社,1997。

75. 陈立洁:《国有资产管理体制改革的基本原则》,载《经济参考报》,2003年7月16日。

76. 张卓元:《解析国有资产管理新体制》,载《人民日报》,2003年1月24日。

77. 万莹:《建立我国国有资本预算的构想》,载《国有资产管理》,2003(7)。

78. 胡朝阳、胡国斌:《加强国有资产收益管理确保国有出资人权益》,载《国有资产管理》,2005(6)。

79. 张馨:《财政计划·市场——中西财政比较与借鉴》,北京:中国财政经济出版社,1993。

80. 王宁:《地方财政改革研究》,成都:西南财经大学出版社,2003。

81. 李柏龄:《做篇出色的国资管理大文章》,载《上海证券报》,2002年11月21日。

82. 蒋龙:《关于地方政府债务问题的探讨》,载《经济纵横》2005(6)。

83. 赵丽芬、罗天:《浅议地方公债的发行与管理》,载《北京财会》2003(2)。

84. 冯健身:《公共债务》,北京:中国财政经济出版社,1999。

85. 李炜光:《"银边债券":关于城市公债问题的理性思考》,载《财贸经济》2002(8)。

86. 黄菊:《切实加快改革步伐,做大做强国有企业》,载《国有资产管理》2005(1)。

87. 《建立国有资本经营预算制度研究》课题组:《建立健全我国国有资本经营预算法律制度探讨》,载《国有资产管理》,2005(5)。

88. 孙启明、张谦元:《中国市场经济与地方立法》,北京:中国民主法制出版社,1996。

89. 胡建淼著:《比较行政法》,北京:法律出版社,1998。

90. 周旺生著:《立法学》,北京:法律出版社,2004。

91. 翁文刚、卢东陵:《法理学论点要览》,北京:法律出版社,2001。

92. 朱力宇、张曙光:《立法学》,北京:中国人民大学出版社 2001。

93. 孙启明、张谦元:《中国市场经济与地方立法》,北京:中国民主法制出版社,1996。

94. 徐晓松:《公司法与国有企业改革研究》,北京:法律出版社 2000。

95. 杨紫烜:《经济法研究》,北京:北京大学出版社,2003。

96. 李朝荣、李常林:《中国地方法规实用手册》,昆明:云南人民出版社,1991。

97. 李松森:《两种属性分配理论与财政政策研究》,北京:中国财政经济出版社,1997。

98. 李松森:《国有经济战略调整对策研究》,大连:东北财经大学出版社,2003。

99. 李松森:《国有资产监督管理理论与政策选择》,大连:东北财经大学出版社,2005。

100. 李松森:《国有资本运营》,北京:中国财政经济出版社,2004。

101. 李松森:《国有资产管理》,北京:经济科学出版社,2003。

102. 李松森:《国有资产概论》,北京:中国财政经济出版社,2004。

103. 李松森:《国有资产重组》,北京:中国财政经济出版社,2005。

104. 李松森:《国有资产监督》,北京:中国财政经济出版社,2005。

105. 李松森:《建立国有资产管理新体制的现实意义》,载《财经问题研究》,2004(2)。

106. 财政制度国际比较课题组:《日本财政制度》,北京:中国财政经济出版社,1998。

107. 财政制度国际比较课题组:《法国财政制度》,北京:中国财政经济出版社,1998。

108. 财政制度国际比较课题组:《美国财政制度》,北京:中国财政经济出版社,1998。

109. 上海财经大学公共政策研究中心:《2005年中国财政发展报告》,上海:上海财经大学出版社,2005。

110. 浙江财经学院课题组:《我国政府隐性债务风险研究》,载《经济论丛》2002(1)。

后 记

本书是由我主持的 2004 年度国家社会科学基金重点项目《中央与地方国有资产产权关系研究》（项目批准号：04AJY001；结项证书号：20060402）的最终研究成果。从立项研究到完成写作历时两年。

本研究项目的完成得益于各个方面的大力支持。项目研究得到了国家社会科学基金的资助，东北财经大学给予了配套资金资助；结项书稿经全国哲学社会科学规划办公室组织的专家鉴定，得以通过并按期结项，鉴定专家以严谨的治学态度提出了宝贵的修改建议；东北财经大学校长艾洪德教授、副校长马国强教授对项目的研究给予了大力支持和重视；东北财经大学科研处处长郭连成教授和其他同志、东北财经大学财政税务学院院长寇铁军教授对项目研究工作提供了诸多方便条件。

课题组成员荣杰、孙晓峰、高奎明、高兴波、王艳丽、胡庆庆、潘遂邃和于杨参与了部分研究和初稿的写作工作。

本书借鉴了国内外学者的重要理论观点和最新研究成果。人民出版社陈寒节编辑和其他编辑为本书的出版付出了辛勤的劳动。在此一并表示衷心的感谢！

限于作者的理论水平和对问题研究的深度，书中难免有疏漏和错误之处，恳请读者批评指正。希望本书的出版能够为推进国有资产管理体制改革和国有企业改革，为丰富和繁荣现代产权理论尽一点微薄之力，同时也为对这一课题的进一步研究提供参考。

李松森

2006 年 10 月 1 日